D1237842

PERSILES - 62

SERIE *EL ESCRITOR Y LA CRITICA*

EL ESCRITOR Y LA CRITICA

Director: RICARDO GULLON

Benito Pérez Galdós, edición de Douglass M. Rogers.
Federico García Lorca, edición de Ildefonso-Manuel Gil.
Antonio Machado, edición de Ricardo Gullón y Allen W. Phillips.

TITULOS PROXIMOS

Miguel de Unamuno, edición de Antonio Sánchez Barbudo.
Jorge Luis Borges, edición de Jaime Alazraki.
Novelistas hispanoamericanos de hoy, edición de Juan Loveluck.
Juan Ramón Jiménez, edición de Aurora de Albornoz.
Pío Baroja, edición de Javier Martínez Palacio.
Novelistas españoles de hoy, edición de Rodolfo Cardona.
José Ortega y Gasset, edición de Antonio Rodríguez Huéscar.
Ramón del Valle-Inclán, edición de Pablo Beltrán de Heredia.
César Vallejo, edición de Julio Ortega.
Rafael Alberti, edición de Manuel Durán.

BENITO PEREZ GALDOS

EDICION DE

DOUGLASS M. ROGERS

TAURUS

Cubierta de AL ANDALUS

PQ
6555
Z5
R6

© 1973, DOUGLASS M. ROGERS
© 1973, TAURUS EDICIONES, S. A.
Plaza del Marqués de Salamanca, 7. Madrid-6
ISBN 84 - 306 - 2062 - 1
Depósito Legal: M. 15.356 - 1973
PRINTED IN SPAIN

aunque en diversa medida, a dilucidar los problemas de que se trata.

Los doctrinarios desearían, quizá, una limitación en cuanto a puntos de vista y métodos de aproximación a la obra literaria, pero hemos creído que en una colección como la presente no sería justo, sean las que fueren nuestras preferencias, imponérselas al lector. No se trata de eclecticismo, sino de aversión a las actitudes dogmáticas. Dése al lector la posibilidad de juzgar por sí mismo. A los antólogos, escogidos por su probada competencia, sólo se les ha pedido que seleccionen lo mejor entre lo que justificadamente puede llamarse crítica literaria, dejándoles en libertad de añadir cuanto, por su importancia documental, contribuya, siquiera oblicuamente, a la iluminación que con estos libros se pretende.

Esperamos que los tomos de la serie tengan una natural semejanza; lo que pudiera llamarse aire de familia. Que se parezcan, pero manteniendo cada cual su fisonomía particular. Cada uno llevará una introducción, una antología de artículos críticos, una bibliografía y los correspondientes índices. No se incluirán en la selección capítulos o fragmentos de libros, a no tratarse de recopilaciones de ensayos sueltos.

Queda indicado que la colección no se limitará a la literatura española; abarcará con el mismo interés y por las mismas razones las literaturas hispanoamericanas. La lengua es el elemento unificador, y a ella nos atendremos: Borges y Unamuno, Vallejo y Juan Ramón Jiménez, el Modernismo de este y aquel lado del Atlántico... Hora es ya de renunciar para siempre al empobrecedor nacionalismo cultural.

RICARDO GULLÓN.

INDICE

Nota preliminar 15

I

VIDA. TESTIMONIOS

Leopoldo Alas («Clarín»), *Benito Pérez Galdós* 21

José María de Pereda, *Cartas a Galdós* 41

Marcelino Menéndez Pelayo, *Don Benito Pérez Galdós, «Discursos leídos ante la Real Academia Española» (Contestación al de Galdós)* 51

Amado Nervo, *Los grandes de España: Don Benito Pérez Galdós* 75

«Azorín», *Galdós* 81

Javier Bueno, *Entrevista con Galdós* 85

Pablo Beltrán de Heredia, *España en la muerte de Galdós.* 89

II

OBRA: FACETAS VARIAS

José F. Montesinos, *Galdós en busca de la novela* 113

Mariano Baquero Goyanes, *El perspectivismo irónico en Galdós* 121

Gustavo Correa, *Tradición mística y cervantismo en las novelas de Galdós, 1890-97* 143

José Schraibman, *Los sueños en «Fortunata y Jacinta»* ...   161

J. J. Alfieri, *El arte pictórico en las novelas de Galdós* ...   169

III

GALDOS Y OTROS NOVELISTAS

Carlos Ollero, *Galdós y Balzac*   185

Robert Ricard, *Galdós ante Flaubert y Alphonse Daudet* ...   195

Joaquín Casalduero, *Ana Karenina y Realidad*   209

Vernon A. Chamberlin y Jack Weiner, *«Doña Perfecta», de Galdós y «Padres e hijos», de Turgueneff: dos interpretaciones del conflicto entre generaciones*   231

IV

NOVELAS

Rodolfo Cardona, *Introducción a «La Sombra»*   247

Francisco Giner de los Ríos, *sobre «La familia de León Roch»*   257

Miguel de Unamuno, *El amigo Galdós sobre el estilo [Sobre «El amigo Manso»]*   269

V. S. Pritchett, *Galdós [Sobre «La de Bringas»]*   273

William H. Shoemaker, *La 'escena clásica' de Galdós en «La de Bringas»*   279

Stephen Gilman, *La palabra hablada en «Fortunata y Jacinta»*   293

Ramón del Valle-Inclán, *«Angel Guerra», novela original de don Benito Pérez Galdós*   317

Angel del Río, *La significación de «La loca de la casa»* ...   321

Antonio Sánchez-Barbudo, *Torquemada y la muerte*   351

V

EPISODIOS NACIONALES

Rafael Alberti, *Un episodio nacional: «Gerona»*   367

Ricardo Gullón, *«Los Episodios»: la primera serie*   379

Ricardo Gullón, *La historia como materia novelable*   403

Miguel Enguídanos, *Mariclío, musa galdosiana*   427

VI

TEATRO

Ramón Pérez de Ayala, «*Casandra*» **439**

Enrique Díez-Canedo, *Reseñas de reposiciones:* «*Doña Perfecta*», «*Electra*», «*Realidad*» **445**

Gonzalo Sobejano, *Razón y suceso de la dramática galdosiana* **455**

BIBLIOGRAFÍA SELECTA DE LIBROS SOBRE GALDÓS **481**

NOTA PRELIMINAR

«*Don Benito Pérez Galdós se halla ya definitivamente consagrado por la crítica como la figura más importante del siglo XIX en España y como uno de los grandes genios creadores al lado de Miguel de Cervantes y Lope de Vega.*» *Estas palabras de Gustavo Correa (v.* El simbolismo religioso en las novelas de Galdós, *1962) ejemplifican la opinión hoy dominante en la crítica galdosiana, en cuanto a valoración general. Por su cantidad y su carácter, la tal crítica ha alcanzado unas proporciones sin antecedentes y un rigor notable. Si el grado preciso de su aportación aún está por ver, al menos parece claro que, tras demoras a veces incomprensibles, han sido derribados ciertos obstáculos con que en otras épocas había tropezado. Mirando hacia atrás, muchos investigadores modernos se han planteado la pregunta: «¿Por qué no ha habido una crítica constante, precisa, sistemática, equilibrada y adecuada de la novela de Galdós?» Una enumeración de los factores que figuran en la respuesta resume lo que en la práctica ha constituido gran parte de la crítica del novelista. Mencionaremos algunos de ellos.*

Tanto en vida del autor, como después, ha existido inexorable tendencia a juzgar a Galdós por valores extrínsecos, no literarios, unas veces asociados a la persona del autor y otras a las ideas reflejadas en su obra, sobre todo, las ideas políticas y religiosas. Esto desvió el interés de lo que es hoy la preocupación central, la obra como creación.

Durante mucho tiempo se trató a Galdós como otro novelista más de los «realistas», «costumbristas» o «re-

gionalistas» españoles de la segunda mitad del siglo XIX. Una de las consecuencias de esta limitación ha sido la falta de serios estudios comparativos con otros novelistas europeos, pese a las muchísimas alusiones que se hicieron al pasar. De manera semejante, muchos aceptaban como definición cabal de Galdós su identificación con esa forma de positivismo literario que acechaba al otro lado de los Pirineos, el naturalismo. Es sabido que la Pardo Bazán y Clarín encontraban en sus propias interpretaciones del naturalismo una base teórica que nutría la mejor crítica temprana de la novela galdosiana. Pero no faltaban quienes opinaban, como Orlando y Pedraja, que Galdós, junto con Balzac y Zola, pasarían «sin dejar huella tras de sí y transcurrido algún tiempo sólo servirán al sociólogo».

Han jugado un papel enorme los cambios de gusto estético y de ideología: esto explica el relativo olvido de la obra galdosiana en España desde principios del siglo hasta la Guerra Civil. Con frecuencia se confundía el mundo prosaico y vulgar de la España decimonónica con el escritor que tan vivamente lo captara, perpetuándose así la concepción de la novela galdosiana como obra innoble.

Entre los problemas editoriales y de difusión es de notar el de la falta de traducciones de obras capitales, como Fortunata y Jacinta, situación que necesita remediarse no sólo para ampliar la crítica galdosiana, sino para hacer más completa y más exacta la historia de la moderna novela europea.

En ciertos períodos se ha prestado atención desproporcionada a un solo segmento de la obra de Galdós —las novelas tempranas, por ejemplo— deformando o limitando así la visión del conjunto y la de sus partes. En cuanto a los Episodios nacionales, habría que notar la tardanza en analizar con tino la receta galdosiana para la combinación de novela e historia, con el resultado de que quienes buscaban en ellos valores literarios los rechazaran como novelas «anormales», mientras quienes se interesaban en la historia se encontraron con un modo de historiar poco satisfactorio. Respecto al teatro, además de haber servido, a veces más que la novela, de trampolín para saltar a cuestiones extra-literarias, no han sobrado los dispuestos a ocuparse con gusto de un drama con sabor a novela, casi antipoético.

Por último, reconozcamos que la teoría de la novela,

tanto dentro como fuera de España, no se ha desarrollado rigurosamente sino hasta años recientes y, por tanto, sólo tardíamente ha podido aplicarse sistemáticamente a la vasta obra de Galdós.

La lista no está completa. Pero como ya ha sido historiada la crítica de Galdós en sus contornos generales, para un cuadro más equilibrado, remitimos al lector a los escritos publicados entre centenario (del nacimiento, 1943), y cincuentenario (de la muerte, 1970), y en especial a los siguientes: Guillermo de Torre, «Revaloración de Galdós» (B. A., 1943; Madrid, 1963); Hans Hinterhauser, a Los episodios nacionales de Benito Pérez Galdós (Madrid, 1963); Gustavo Correa, «Introducción» a El simbolismo religioso en las novelas de Pérez Galdós (Madrid, 1962); Antonio Regalado García, el «Epílogo» de Benito Pérez Galdós y la novela histórica española: 1868-1912 (Madrid, 1966); J. E. Varey, «Galdós in the Light of Recent Criticism», en Galdós Studies (London, 1970); Theodore A. Sackett, «Introducción» a Pérez Galdós; An Annotated Bibliography (New México, 1968), obra cuyo índice incluye 25 referencias bajo «History of Galdosian Criticism».

Si hemos acentuado la visión negativa del trabajo sobre Galdós, será por lo que tantos otros lo han hecho: por la disparidad entre la talla del novelista y la de la crítica de su obra. Y con todo, el hecho es que a Galdós nunca le han faltado del todo excelentes comentarios críticos: desde ejemplos tempranos, como el acertado ensayo de Giner de los Ríos (1871) sobre La Fontana de Oro, hasta esta laboriosa época nuestra, han ido apareciendo estudios de valor, aunque fueran esporádicos y desligados. Han venido a formar una especie de corriente intrahistórica que desmiente los aparentes altibajos o abruptos cambios en la interpretación de Galdós. Esta es una de las mayores revelaciones que proporciona una revisión cuidadosa del terreno.

Así, al intentar reunir una colección de estudios sobre Galdós para la serie «El escritor y la crítica», nos hemos tenido que contentar con una selección, una de las varias que sería posible hacer, y al redactarla, hemos procurado cumplir dos propósitos: incluir estudios de interés, valor y utilidad, en su mayoría centrales en la literatura crítica galdosiana, y dar una impresión representativa de lo que ha sido y lo que es esa crítica. Por consi-

2

guiente, los textos reunidos abarcan casi cien años (1878-1972), desde los que ilustran la reacción de los contemporáneos del novelista hasta estudios muy recientes, medidos con toda la perspectiva temporal y espacial en que hoy podemos situarnos. También hemos deseado conseguir cierta amplitud y variedad: por eso hay secciones que no solamente se refieren a las divisiones entre las clases de obras —novela, teatro, «episodio nacional»— sino una sobre el hombre y su relación con la obra, y otra sobre diversos aspectos que han llamado la atención de los críticos.

Procuramos no dejar demasiadas lagunas. Pero es empeño nada fácil en el caso de Galdós, y las omisiones parecerán muchas; se extrañará la ausencia de nombres como los de la Pardo Bazán, Madariaga, Berkowitz, Pattison, Eoff, Hinterhausear, Regalado y muchos más. Si no figuran aquí, no es por olvido ni por descuido. No han sido excluidos, sino no incluidos —algunos en el último momento— por diversas razones: la necesaria coordinación de las partes; la exclusión de fragmentos de libros; y, sobre todo, los inevitables límites de espacio y tiempo. Además, ésta no es principalmente una colección de escritores, sino de escritos, y si de hecho alguno ha sido incluido por ser obra de quién es, no ha sido para adorno sino por su valor intrínseco o testimonial. Como complemento de la selección de artículos y para salvar siquiera mínimamente el hueco creado por la omisión de lo aparecido en libro, incluimos una bibliografía de libros dedicados al novelista.

Deseo expresar mi gratitud a los autores que tan amablemente nos autorizaron para incluir los estudios aquí reproducidos, y a los traductores de varios de ellos: Felipe Díaz Jimeno, Miguel Luis Gil, Antonio Martínez Herrarte y mi padre, Paul Rogers, viejo aficionado a Galdós. También debo dar gracias a mis colegas, Ricardo Gullón, Pablo Beltrán de Heredia y Javier Martínez Palacio, por su ayuda, su interés, y su apoyo. Por último, y sobre todo, agradezco a mi esposa, Shirley, las largas horas de trabajo atento que ha dedicado a la preparación del manuscrito.

DOUGLASS ROGERS

I
VIDA. TESTIMONIOS

des del mundo y otros ladrones de las horas. Si Lope de Vega tanto fue y vino en su juventud, ya no se movió tanto cuando se puso a escribir de firme. Víctor Hugo, a pesar de su situación *romántica* en la historia de su pueblo, hizo mucho menos que dijo, y en su casa o en el destierro siempre fue un jornalero aplicadísimo... Pero éste y otros muchos ejemplos y razones que podrían citarse no demuestran, ni a eso los encamino, que Pérez Galdós no tenga más historia que la de sus creaciones de artista. Sí la tendrá. Pero la tiene bajo llave. La principal causa de que, a lo menos por ahora, no quiera contar su vida al público, ni siquiera por modo indirecto, consiste, diga él lo que quiera, en la modestia del insigne escritor. La modestia de Pérez Galdós, como la de su íntimo amigo y compañero de gloria y de viajes, Pereda, es de las más seguras y ciertas, porque está arraigada en el temperamento; tiene mucho del rubor de la doncella en cabellos; y porque el símil es malo, pues en las figuras retóricas debe huirse de trocar los sexos, diré, rectificando, que se parece a la vergüenza de los niños ensimismados. Ni Pereda ni Galdós son capaces de pronunciar cuatro palabras en público; no por las palabras, sino por el público. Para dar las gracias a una asamblea que les aclama, tienen que sacar del bolsillo un papel en que consta que vivirán eternamente agradecidos. Juntos emprendieron hará luego tres años un viaje a Portugal. Viajaron de incógnito, sin fijarse en ello. No vieron a nadie, no los vio nadie: supieron que en Lisboa varios literatos insignes jugaban al tresillo en cierto Círculo: «Bueno, pues que jueguen»; ellos, como dos comisionistas, siguieron adelante, ni vistos ni oídos. Así viajó también repetidas veces por Inglaterra, Francia, Alemania, Italia, etc., Pérez Galdós, que tiene en todos esos países y aun en otros más lejanos, admiradores y asiduos traductores. En el verano próximo pasado Galdós fue a Roma, y en la carta que me lo anunciaba no había más que preparativos y prevenciones contra las visitas e *impertinencias* de los admiradores y partidarios de su novela, que habían de procurar asaltarle por esos mundos...

A un hombre así, cuesta sudores arrancarle la declaración preciosa de que efectivamente nació en Las Palmas, como ya creíamos saber todos por otros conductos. Me precio de ser entre los gacetilleros, más o menos bachilleres, de España, uno de los que tienen más trato y confianza con Galdós; habiendo de escribir una semblanza o cosa parecida del ilustre amigo, y con el propósito de obtener la mayor cantidad posible de noticias, para que por este lado a lo menos comenzara bien esta galería biográfica, valíme de mi amistad, y un día y otro pedí al autor de *Gloria* datos y datos... Y después de larga y amabilísima correspondencia vinimos a parar en que Galdós no sabía a punto fijo lo que eran datos, lo que se le pedía; y en que, en todo caso, él había nacido en Las Palmas, ciudad de las Afortunadas, como tenía declarado y se ratificaba. Exagero algo, pero poco, como el curioso lector va a ver en seguida. Con las noticias que nuestro *Autor* nos da, apenas hay para llenar una cédula de vecindad regularmente escrita. Es claro que esta escasez de datos se refiere a los que sólo Galdós podía suministrarme, no a los que yo he podido adquirir de otra manera. Así es que osaré asegurar que nació en una latitud no muy diferente de la del monte Sinaí, y a unos veinte grados oeste del meridiano de París, que por el de Madrid vienen a reducirse a catorce.

Políticamente es Galdós español (y diputado); pero en la geografía natural es africano, como el ilustre poeta francés que nació en una de las islas vecinas de Madagascar... Por este camino podría llenar de *datos*, más o menos impertinentes, páginas y páginas; y si entraba en consideraciones antropológicas y sociológicas, podría... hasta no acabar nunca; y todo ello sin saber palabra de quién era Galdós y qué costumbres, porte y carácter tenía. Pero déjome de considerar quiénes fueron los primeros habitantes de las islas Canarias, y qué grandes hombres isleños o de tierra firme produjo Africa en la serie de los siglos, y no me meto en consideraciones acerca del *medio ambiente* en que vivió nuestro novelista, ni saco consecuencias de la proximidad relativa del trópico de Cáncer al lugar de su nacimiento. Podrá haber relaciones, pero no he de estudiarlas yo, entre el genio literario de Galdós y la clase de productos naturales de su país, la fauna y la flora de las islas, clima, vistas al Océano, etc., etc., sin contar lo que podría sacarse a plaza, siquiera fuera por los cabellos, de los varios sistemas de colonización, asimilación, etc., etc.

Para mí, Galdós es... madrileño, por ahora, sin perjuicio de volver a *estudiarle* más adelante con más extensión y con más datos tocantes a su vida en su isla natal, como diría *La Correspondencia de España.*

Nació donde queda dicho, en Las Palmas, el 10 de mayo de 1845 *, de modo que, según él confiesa entre suspiros, pronto cumplirá cuarenta y cuatro años. Nada me ha querido decir de los primeros de su vida, pero no debe de ser porque desprecie los recuerdos de la infancia hombre que tan bien sabe pintar el espíritu de los niños y sus armas y gestas. Su memoria ha de estar llena, a mi juicio, de los días de la niñez, y es muy probable, aunque él por ahora no quiera declararlo, que, si no los hechos exteriores, por lo menos los pensamientos, emociones y deseos del primer crepúsculo de su vida no sean insignificantes, merezcan conocerse para recreo del lector y para poder estudiar a fondo la historia del artista poderoso, que hoy nos oculta con velos de discreción y modestia muchas cosas que pudieran servir para penetrar mejor en el alma de sus obras. Por ciertas confidencias, me atrevo a esperar, algo temerariamente, que algún día el mismo autor de *Celipines* y *Miaus juniores* nos dé un libro que se parezca a los *Recuerdos* de su ilustre colega ruso el creador de *Guerra y paz* y *Ana Karenine.*

Y tengo esta esperanza, porque al cerrar la serie de escasísimas noticias que me entrega, con algún remordimiento de que sean tan pocas, dice:

«Como usted ve, nada de esto merece que se le cuente al público; se lo digo por carecer de otras noticias de más valor, o porque las de verdadero interés son de un carácter privado y reservado, al *menos por ahora y en algún tiempo.*»

Si esto último quisiera decir que para algún día podíamos esperar de la pluma que trazó la historia de Monsalud, Araceli y el Amigo Manso la narración auténtica de otra vida, de donde todas ésas se engendraron, si así fuera, bien podríamos perdonar hoy lectores y *biógrafo* la reserva, la modestia y los velos del insigne novelista.

Soy de los que opinan que en la historia de los hombres la de su infancia y adolescencia importa mucho, sobre todo cuando se trata de artistas, los cuales casi siempre siguen teniendo mucho de niños y adolescentes. En rigor, ser artista es... seguir *jugando.* Las mujeres, los adolescentes y los artistas... y algunos locos, entienden de

---

* **Debería** ser 1843 *(Nota del Redactor).*

cierta clase de intereses del alma, que son letra muerta para los banqueros, los hombres de Estado y ¡qué lástima! hasta para los sacerdotes, las más veces.

Y... nada sabemos de la infancia ni de los primeros años de pubertad de Pérez Galdós. El no dice más que esto: «que en el Instituto estudió con bastante aprovechamiento.» «Nada se me ocurre decirle —añade— de *mis primeros años.* Aficiones literarias las tuve *desde el principio,* pero sin saber por dónde había de ir.»

¿Cuál es el *principio* a que Galdós se refiere? ¿A qué edad hace él remontarse ese amanecer de sus aficiones?

No lo sé, ni me decido en este punto a aventurar conjeturas. En todo caso, no creo que haya sido un niño precoz, ni a lo Pascal y a lo Pope, ni menos cual esos otros que parecen pedantes en miniatura, como Alcalá Galiano, enclenque y petulante, coplero a los cuatro años, según nos refiere él mismo. Si alguna precocidad hubo en Galdós, debió de ser de esas recónditas en que la observación callada y la fantasía solitaria hacen el gasto. No debió de ser novena maravilla para deudos y amigos, ni mono sabio, ni flor temprana de estufa, sino más bien amigo del aire libre, alumno asiduo y entusiasta de lo que llaman nuestros vecinos *l'école buissonière,* la que cantó Víctor Hugo en muchas de sus novelas épicas, y especialmente en la famosa poesía *Las feuillantines* de *Rayos y Sombras.* Ni por su complexión, ni por su carácter y aptitudes físicas, muestra Galdós resabios ni consecuencias de una vida antihigiénica en la infancia; ni tampoco la índole de sus cualidades de artista nos habla de prematuras fatigas intelectuales ni de hipertrofias del sentimiento o de la voluntad en los primeros lustros o en la edad crítica.

Pero confieso que no es de mi gusto insistir en tales cavilaciones y conjeturas, cabiendo en ellas tanta inexactitud y estando ahí el objeto de estos cálculos para reírse de ellos si van descaminados, como es posible.

Sin embargo, ni en esta materia, ni más adelante, se puede prescindir de entrar en inducciones para suplir, hasta cierto punto, la falta de noticias seguras.

Aunque también es cierto que esta libertad no es muy amplia, pues hay que irse con tiento al conjeturar y suponer hechos, ideas, inclinaciones, etc., etc., por varias razones, unas de prudencia y otras de insuficiencia.

Es claro que aun en el caso de que fuera yo zahorí

para reconstruir la vida de Galdós, por dentro y por fuera, con lo que él es actualmente y con lo que de él puede adivinarse en sus libros, no había de penetrar en lo que él quiere tener reservado, *por ahora al menos*. Pero además, existe insuficiencia de medios, no sólo por mis escasas facultades de *Cuvier* de almas, sino porque los novelistas, y especialmente los novelistas de la clase de Galdós, son acaso los escritores que menos se dejan ver a sí mismos en sus obras. Esa *impersonalidad* del autor, de que tanto se ha hablado, sobre todo de Flaubert acá, si era en éste y algunos otros novelistas convicción sistemática, firme, seria, obedecida constantemente mejor que otros dogmas de escuela, es en Galdós todavía más natural y segura, sin obedecer acaso a propósito técnico, a una creencia estética; es más segura y natural porque nace del carácter y del temperamento. Y aquí, por vía de paréntesis, advierto al lector que empiezo a mezclar biografía y crítica, es decir, que hablando del *hombre*, ya voy diciendo algo del *novelista*.

Se ha dicho, en general con razón, que la novela es la *épica* del siglo, y entre las clases varias de novela, ninguna tan épica, tan impersonal como esta narrativa y de costumbres que Galdós cultiva, y que es hasta ahora la que ha producido más obras maestras y a la que se han consagrado, principalmente, los más grandes novelistas. El que lo es de este género es... todo lo contrario de un Lord Byron, el cual, como se ha dicho hasta la saciedad, y con razón en conjunto, viene a hablar de sí mismo en *casi* todas sus obras, y es, según frase de un crítico, como un torrente profundo que corre entre altas paredes de peñascos, en un cauce estrecho. Se ha dicho también que el gran arte es, en suma, crear almas, y se puede añadir: para el novelista propiamente *épico*, crear almas... pero no a su imagen y semejanza. Adán se parece a Jehová Eloím demasiado, o tal vez más exactamente, Jehová se parece demasiado a Adán; aquí hay lirismo. En la novela como la escribe casi siempre Balzac, o Zola, o Daudet, y aun Tolstoi o Gogol... o Dickens (aunque éste es más *lírico)*, o Galdós, por muy sutil que sea el análisis que se aplica a encontrar el alma del autor, en la de los personajes, hay que reconocer que los más de éstos nada tienen que ver con la *realidad* psicológica del que los inventó. Cierto es que el artista, aun el más épico, siempre saca mucho de sí, *se copia, se recuerda;* pero también existe el *altruismo* artístico, la facultad de transportar la fantasía con toda fuerza, con todo amor, a creaciones por completo trascendentales, que representan tipos diferentes, en cuanto cabe diferencia, del que al autor pudiera representar más aproximadamente. Esta facultad, que es de las más preciosas en grandes novelistas de este género, en los poetas épicos, en los grandes historiadores, y en los grandes pensadores y políticos, esta facultad la posee Galdós en grado que alcanzan pocos, y es, con la gran imparcialidad de su espíritu sereno (en cuanto cabe) lo que más contribuirá a dar larga vida a sus obras.

Por todo lo cual, no es posible, sin grandes temeridades, inducir por los libros de nuestro *autor* mucho de lo que pudo haber sido en su infancia... y más adelante. Sólo diré en este punto, que acaso en los juegos de Araceli en la Caleta de Cádiz, en los arranques de Celipín, en la hija de Bringas y sus jaquecas llenas de fantasías, en las visiones de Miau mínimo y en otros fenómenos y personajes semejantes, de los 42 tomos de novela escritos por Galdós, se podría, rebuscando y aventurando hipótesis y *transportando* circunstancias, encontrar algo de la niñez del que es hoy *don Benito* para sus íntimos.

De lo que no hay ni rastros en sus novelas es del sol de su patria; ni del sol, ni del suelo, ni de los horizontes; para Galdós, novelista, como si el mar se hubiera tragado las Afortunadas. Este poeta que ha *cantado* al mismísimo arroyo Abroñigal, y que se queda extasiado —yo le he visto— ante el panorama que se observa desde las Vistillas; que cree grandioso el Guadarrama nevado (como don Francisco Giner)... jamás ha escrito nada que pueda hablarnos de los paisajes de su patria; no sueña con el sol de sus islas... a lo menos en sus libros. Jamás ha colocado la acción de sus novelas en su tierra, ni hay un sólo episodio o digresión que allá nos lleve; es en este punto Galdós todo lo contrario de Pereda, su gran amigo, que se parece al Shah de Persia en lo de llevar siempre consigo tierra de su patria. Aun sin trasladar a las Afortunadas a sus personajes, podría Galdós decirnos algo de las impresiones que conserva, como poeta que de fijo fue en sus soledades y contemplaciones de adolescente, de los paisajes de la patria; pero como es el escritor más opuesto, en todos sentidos, a lo que llamamos el *lirismo*, en la acepción más lata y psicológica; como en vez de hacer que sus personajes se le parezcan pone todos sus conatos en olvidarse de sí por ellos y ser, por momentos, lo que ellos son (siguiendo en esto el buen ejemplo de Dickens que hasta imitaba, ensayándose al espejo, las facciones y gestos de sus *criaturas)*, no hay ocasión en ninguna de las obras de nuestro novelista para esos saltos de la fantasía por encima de los mares y de los recuerdos. Galdós, en suma, es en sus obras completamente peninsular. La patria de este artista es Madrid; lo es por adopción, por tendencia de su carácter estético, y hasta me parece... por agradecimiento. El es el primer novelista de verdad, entre los modernos, que ha sacado de la corte de España un venero de observación y de materia romancesca, en el sentido propiamente realista, como tantos otros lo han sacado de París, por ejemplo. Es el primero y hasta ahora el único. A Madrid debe Galdós sus mejores cuadros, y muchas de sus mejores escenas y aun muchos de sus mejores personajes. Si los novelistas se dividieran como los predios, se podría decir que era nuestro autor novelista *urbano*.

Aunque en una y otra de sus obras nos habla del campo, especialmente en *Gloria* y en *Marianela*, y a saltos en muchos de sus *Episodios nacionales*, bien se puede decir en general que Galdós no es principalmente paisajista, como lo es, por ejemplo, su amigo el insigne Pereda. Y por cierto que esta palabra paisajista, muy usada en el sentido traslaticio, tomándola de la pintura para la poesía, no es exacta en el sentido que yo quiero exponer aquí; el escritor paisajista es el que ve en la naturaleza el panorama y también el *modelo* de retórica, el que habla de la naturaleza a lo pintor, y así tan solo. Pero hay algo más que esto en el poeta de la naturaleza, que no sólo la pinta sino que la siente *por dentro*, pudiera decirse; ve en ella, además del cuadro, una música, una historia, casi casi un elemento dramático. En Pereda, Tolstoi, verbi gracia, hay todo eso. Galdós no es así; si pinta bien el cielo, los horizontes, montañas, mares, valles y ríos, árboles y mieses, no es por especial vocación y con preferencia y con lo más exquisito de su arte, sino cuando el caso necesariamente lo pide, y porque su gran imaginación y pluma hábil se lo dejan describir bien todo. Pues por todo esto, por no ser Galdós paisajista, o mejor *naturalista* (ya se comprende en qué concepto hablo ahora) no hay en sus libros reminiscencias de su patria. No se trajo este poeta pegada a la retina la imagen del sol de sus islas. Por eso no desprecia los gorriones, ni los chopos, ni las demás vulgaridades de la naturaleza *burguesa*, podría decirse, que se encuentra en los alrededores de Madrid, verbi gracia, como despreciaba sus similares de París Teófilo Gautier, refiriéndose a un poeta que había vivido en Oriente.

Podría resumirse en un rasgo general (no rigurosamente exacto, pero sí comprensivo de lo más de la idea) lo que vale la naturaleza en las novelas de Galdós, diciendo que es... *el lugar de la escena*, que representa esto o lo otro. La naturaleza en sus libros rara vez aparece sola, cantando esa gran música instrumental en que el hombre no interviene, o entra a lo sumo como accidente en la general armonía; y esto mismo se da la mano con la calidad del eminente *antilirismo* que ya he notado en el arte de Galdós. Como la *Odisea*, a pesar de ser una serie de viajes por el Mediterráneo, no pinta la hermosa naturaleza sino como fondo del retrato de Ulises, y casi también como en Shakespeare, la naturaleza *decorativa* acompaña al hombre para acabar de explicarlo, para darle asunto en que muestre cómo vive, cómo siente, cómo piensa, así en la novela de Galdós, las llanuras de Castilla, las montañas del Norte y los horizontes claros y los cielos puros de Andalucía acompañan a sus personajes, y por ellos salen a plaza, y a ellos se subordinan en el orden estético, siendo, en fin, todo lo contrario de lo que viene a suceder, verbi gracia, en *El sabor de la tierruca*, de Pereda, para dar un ejemplo de que todos pueden acordarse.

Dicho todo esto, en digresión más o menos enlazada con el hilo del discurso, queda visto lo necesario para comprender por qué no hará mucha falta en novelista como Galdós conocer muy a fondo y con pormenores lo que fue de su vida en su tierra y lo que aún ve de ella, cuando cierra los ojos y recuerda la niñez y la adolescencia, ya lejanas.

II

«Vine a Madrid el 63 y estudié la carrera de leyes de mala gana (la historia eterna de los españoles que no han de ser Gamazos); *allá*, en el Instituto, fui bastante aprovechado; aquí todo lo contrario. Tengo una idea vaga de que en los tres o cuatro años que precedieron a la revolución del 68 se me ocurrían a mí unas cosas muy raras. Hice algunos ensayos de obras de teatro, todo bastante mediano, excepto una cosa que me parece que era menos mala, si bien me alegro de que no hubiera pasado de las Musas al teatro; y el 67 se me ocurrió escribir *La Fontana de Oro,* libro con cierta tendencia revolucionaria. Lo empecé aquí y lo continué en Francia; al volver a España, hallándome en Barcelona, estalló la revolución, que acogí con entusiasmo. Después estuve algún tiempo como atortolado, sin saber qué dirección tomar, bastante desanimado y triste (no siendo exclusivamente literarias las causas de esta situación de espíritu). En aquel tiempo (del 68 al 72) era yo punto fijo en el Ateneo viejo, pero me trataba con poca gente; apenas hablaba con dos o tres personas.»

Por este tiempo a que Galdós se refiere en las anteriores líneas, que copio de una de sus cartas en que más quiso decirme, fue cuando le conoció don José Pereda, la otra columna de Hércules de nuestra novela contemporánea. Creo que el lector verá con gusto que yo deje al mismo Pereda la palabra. Nadie como él puede decir su primera impresión al encontrar al que había de ser su compañero de armas y de glorias, amigo de veras y constante, con esa clase de afecto y simpatía que no suelen abundar en las relaciones privadas de los artistas, y menos en las íntimas, secretas y de pura intención. Pero hable Pereda, y Dios le pague en la medida que yo se lo agradezco las noticias y observaciones con que me regaló hace pocos días el ilustre autor de *La puchera:*

«... Le mando estos cuatro garabatos en respuesta, o mejor dicho, en cumplimiento del encargo que me hace usted en su carta del 12, y siento que sea tan apurado ya el plazo, porque el tema ése merece larga plática, que yo *echaría* con gusto, porque tengo el corazón repleto del asunto. Relatado al vuelo, queda reducido a muy poco lo que podrá usted ver en la semblanza mía, hecha por Galdós, que precede a *El sabor de la tierruca.* El no había publicado más que *La Fontana de Oro* y algunos artículos literarios que a mí me gustaban mucho, muchísimo. Yo era a la sazón padre de la patria, y había echado al mundo las dos series de *Escenas montañesas,* muy conocidas de Galdós. Un día del verano del 71, esperaba yo en el vestíbulo de una fonda de esta ciudad a que bajara un amigo mío a quien había avisado que le esperaba allí. Maquinalmente me puse a leer la lista de huéspedes que tenía delante, y vi que uno de ellos era D. Benito P. Galdós. Con ánimo de visitarle pregunté por él inmediatamente a un camarero que pasaba. «Ahí le tiene usted», me respondió señalando a un joven vestido de luto que salía del comedor. Me hice cruces mentalmente, porque no podía imaginarse yo que tuviera menos de cuarenta años un hombre que se firmaba *Pérez Galdós*, y además *Benito*, y además hablaba de los tiempos de D. Ramón de la Cruz y de la Fontana de Oro como si los hubiera conocido. Yo tenía entonces treinta y ocho años.

Hablando hablando, resultó que nos sabíamos mutuamente de memoria, y desde aquel punto quedó arraigada entre nosotros una amistad más que íntima, fraternal, que por mi parte considero indestructible, cuando lejos de entibiarse con las enormes diferencias políticas y religiosas que nos *dividen*, más la encienden y estrechan a medida que pasan los años. Yo me explico este fenómeno por la admiración idolátrica que siento por el novelista y por la índole envidiable de su carácter dulcísimo; pero ¿cómo se explica en él la *fidelidad* que me guarda y el cariño con que me corresponde? En fin, que no acabaría si me pusiera a escribir sobre este tema. Todos los veranos nos vemos aquí (en Santander). En algunos de ellos me ha proporcionado el regaladísimo placer de pasar unos cuantos días conmigo en Polanco. Nuestra correspondencia epistolar ha sido frecuentísima durante algunos inviernos, y muy rara la carta en que hemos tratado en serio cosa alguna; y tanto de esas correspondencias como de nuestras conversaciones íntimas, he deducido siempre, que fuera de la política y de ciertas materias religiosas, en todas las cosas del mundo, chicas y grandes, estamos los dos perfectamente de acuerdo. ¿Será este el vínculo que nos une y estrecha? Un detalle curioso: Galdós, que sería capaz de quedarse *en cueros vivos* por mí, no me regala sus obras cuando las publica, sin duda por no tomarse la molestia de empaquetar los ejemplares y mandarlos al correo...»

He copiado todo lo anterior porque pinta a Galdós... y al retratista. Quiere explicarse Pereda cómo a pesar de las diferencias religiosas se quieren tanto él y Galdós; pues es porque la vida del espíritu es para las almas dignas de tan hermoso nombre, lo que era la milicia para Calderón de la Barca, una religión de hombres honrados. Menéndez y Pelayo defendiendo con entusiasmo a Galdós en la Academia, y diciendo de Lord Byron:

«Espíritus dotados de tal energía, sea cualquiera el cauce por donde le han hecho correr, tienen en su propia fuerza inicial un título aristocrático que se impone a todo respeto»[1],

---

[1] Para mí, esta frase es sublime, de un *sublime crítico* fecundo

es un capitán de esa milicia, un sacerdote de esa religión de *espíritus enérgicos*. Galdós y Pereda son los Dióscuros del arte realista moderno en España, y a pesar de moverse en escenario muy diferente la fantasía de cada cual, ofrecen muchas afinidades sus ingenios. Si se me dice quién son en nuestras letras contemporáneas los artistas más inspirados por la vida real, menos sistemáticos, más genuinamente españoles, por cuanto representan no el purismo arcaico, sino el genio español tal como debe ser en estos días, respondo que Galdós y Pereda. Y si se me dice quién son los artistas de pluma menos vanidosos, menos *mujeres*, más sinceros, llanos, modestos y de veras cariñosos, respondo: Galdós y Pereda. Lo cual no quiere decir que no reconozca las mismas cualidades en otros pocos, pero en grados distintos.

La Fontana de Oro, aunque bien acogida, no tuvo por lo pronto todo el buen éxito que merecía, y muchos no la leyeron hasta que la fama del autor fue creciendo, gracias a los *Episodios Nacionales*. Pero a *La Fontana de Oro* le pasa lo que a las primeras novelas de los Rougon-Macquart de Zola, que son excelentes, a pesar de no haber llamado la atención al principio más que de los pocos hombres de gusto que no aguardan para saborear lo bueno a que la fama lo sancione. Flaubert leía con deleite la *Conquista de Plassans*, cuando apenas se hablaba de Zola, cuando ni un sólo artículo se consagraba a esta novela. En España también pasaba lo mismo: *La Fontana de Oro* deleitaba a un juez experto y de gusto, don Francisco Giner, por ejemplo, pero no daba a su autor todo el renombre que merecía desde luego. Tal vez esto contribuía a las vacilaciones y a la inquietud moral del novelista. De estas *dudas de la conducta*, de esta impaciencia nerviosa que producen los tanteos de una vocación que no se reconoce a sí misma por completo y con exactitud, algo nos dice, por reflejo, Salvador Monsalud, el protagonista de la segunda serie de *Episodios Nacionales*. El también estaba seguro de servir para algo, y no sabía qué, y de todo probaba, y era político, y guerrero... y filósofo a su modo, y hasta ensayaba en el piano sus cualidades musicales... hasta acabar por romper las teclas con un martillo. «En aquella época se me ocurrían a mí unas cosas muy raras», nos dice más arriba Galdós, y estas cosas

---

en enseñanza. Encierra el principio más exquisito de la crítica moderna.

debieron de ser comezón de la voluntad, tanteos ideales de su fortísimo temperamento de artista, algo semejante a los de Monsalud.

Acaso, acaso, ante la Revolución y la indiferencia del público por las cosas del arte, Galdós soñó en ser hombre de acción, como soñó toda la vida Byron que despreciaba a ratos en sí mismo, al *hablador,* al *poeta,* y como soñaba Stendhal, cuyo santo patrón no era Homero, ni Dante, sino Napoleón I. Y es posible que el propósito, al principio para el mismo Galdós oscuro, indeciso, de escribir la historia novelesca de nuestra *epopeya* nacional del presente siglo, fuese en parte como una derivación de aquel prurito activo del entusiasta de la revolución y del joven ensimismado, *de luto* y triste a quien se le ocurrían aquellas cosas raras. Hay también un modo de ser *hombre de acción* en el arte, y las novelas de Galdós revelan al artista de este género; Galdós generalmente no profundiza en el sueño, en la vaga idealidad, sino en la vida social y en la moral, pareciéndose en esto último a muchos escritores ingleses, que por cierto él estima grandemente. Los *Episodios Nacionales* fueron populares en seguida porque, si no en los primores de arte que hay en muchos de ellos, en lo principal de su idea y en las brillantes, interesantísimas cualidades de su forma pudieron ser comprendidos y sentidos por el pueblo español en masa. Galdós no debe su popularidad a vergonzosas transacciones con el mal gusto vulgar, sino al vigor de su talento, a la claridad, franqueza y *sentido práctico* y de justicia que revelan sus obras. En muchas de éstas, especialmente en las escritas desde *La Desheredada* inclusive acá, hay mucho más de lo que puede ver un lector distraído, de pocos alcances en reflexión y en gusto, pero en todas hay además ese gran *realismo del pueblo,* esa feliz concordancia con lo sano y noble del espíritu público, que lejos de ser una abdicación del artista verdadero, es señal de que pertenece su ingenio a las más altas regiones del arte, de que es de aquellos que la historia consagra, porque sin dejar de ser grandes solitarios cuando suben a las cumbres misteriosas del Sinaí de la poesía, bajan también, como el Moisés de la Biblia, a comunicar con el pueblo, y a revelarle la presencia de los *Eloim,* que han sentido en las alturas... Dice Galdós en el documento citado:

«El año 1873 escribí *Trafalgar,* sin tener aún el plan completo de la obra; después fue saliendo lo demás. Las novelas

3

se sucedían de una manera... *inconsciente. Doña Perfecta* la escribí para la *Revista de España*, por encargo de León y Castillo, y la comencé sin saber cómo había de desarrollar el asunto. La escribí a empujones, quiero decir, a trozos, como iba saliendo, pero sin dificultad, con cierta afluencia que ahora no tengo.»

Esta *falta de conciencia* al escribir, y esta falta de plan de que habla Galdós, recuerdan los primeros libros de Daudet, que también *salieron* así, como quiera, es decir, como quería la rica vena de la juventud vigorosa segura de sí misma, de su abundancia y fuerza. Tanto en Daudet como en Galdós las obras de la edad madura no salieron *tan fácilmente,* los dos se quejan de que les cuestan ahora más trabajo; pero esto consiste en que los productos del ingenio maduro y reflexivo, para ser de más peso y trascendencia, necesitan más *conciencia* de lo que se hace, aunque sea sin contar ya la graciosa y descuidada espontaneidad de la juventud del artista, que ha de ser un gran maestro. Y con todo, esa *Doña Perfecta* que salió a empujones, muchos la consideran, yo no, como una de las obras más perfectas, mejor compuestas de su autor insigne.

Pero ya llegamos a *Gloria;* ésta si que es para muchos, para los más, la novela de las novelas de Galdós; a lo menos fue la que dio más *gloria*, y no sé si dinero, la que le puso a la altura de los primeros novelistas en el concepto de la mayoría. Pues todavía, a pesar de todo eso, no aparece en *Gloria* el autor pacienzudo y reflexivo que trabaja una novela, como una cosa seria y que no se hace todos los días ni cada pocos meses, según con mucho juicio advierte el mismo Daudet a los que le llaman perezoso. Oigamos a Galdós:

«*Gloria* fue obra de un entusiasmo de quince días. Se me ocurrió pasando por la Puerta del Sol, entre la calle de la Montera y el café Universal; y se me ocurrió *de golpe*, viendo con claridad toda la primera parte. La segunda es postiza y *tourmentée*. ¡Ojalá no la hubiera escrito! X... tuvo la culpa de que yo escribiera esa segunda parte, porque me dijo (¡demonio de críticos!) que debía sacar las consecuencias de la tesis y apurar el tema.»

Nada dice Galdós de cómo nació *Marianela* ni los datos (si éstos son datos) que ha querido comunicarme añaden más a lo dicho, sino que «desde *La Desheredada* acá ha ido advirtiendo que cada vez le cuesta más el trabajo, sin duda por ser más reflexivo...»

Agotada, por ahora, la fuente de las noticias auténticas, todo lo demás que yo pudiera decir de oídas de la poco accidentada vida de Pérez Galdós, sería repetición de lo que han dicho los periódicos que en épocas distintas publicaron artículos biográficos del que ya todos o casi todos llaman primer novelista español. Por esos artículos saben los lectores que el autor de *El amigo Manso* fue periodista, que *militó* desde joven, del modo que su carácter, género de vida y aficiones se lo consintieron, en el partido liberal monárquico, en el cual figura todavía, hoy en calidad de diputado a Cortes por Puerto Rico. Saben todos también que Galdós no es amigo de exhibiciones ni reclamos, que se retira temprano, no va al teatro, que le da jaqueca; ni tampoco frecuenta lo que llamamos el gran mundo, aunque tiene buenas relaciones en las clases más altas... Prefiero, a dar una edición más de esta clase de notas biográficas, terminar por esta vez mi cometido hablando de *mi* Galdós, es decir, del que yo conozco, trato, quiero y admiro [2].

III

Galdós llegó a mi admiración y a mis simpatías, como a las de casi todos sus lectores, ganándose por la excelencia intrínseca de sus obras este homenaje espontáneo. Tiene razón Pereda: el *Benito Pérez Galdós* no sonaba a gran artista, joven y original y revolucionario de la novela. Era yo estudiante de Filosofía y Letras en Madrid, cuando por vez primera me fijé en el nombre de Pérez Galdós leyendo en una librería la cubierta de *El Audaz,* segundo libro del escritor que entonces me figuraba como un constitucional que en sus ratos de ocio escribía obras

---

[2] Por no repetir lo tantas veces publicado, omito hablar de la fama de Galdós en el extranjero, y me abstengo de enumerar las traducciones que en nueve lenguas se han hecho de varios de sus libros. En las Revistas principales de América, Inglaterra, Francia, Italia, etc., Galdós es hoy considerado por los más famosos críticos como uno de los grandes novelistas contemporáneos, el mejor de España sin duda. Galdós y Armando Palacio, que en los Estados Unidos es un novelista popular, como podría probarse, son dos españoles de ahora que han entrado ya en el turno privilegiado de la *lectura universal.*

de *vaga y amena* literatura. Enfrascado en la lectura de filósofos y poetas alemanes, me parecían entonces poca cosa muchos de mis contemporáneos españoles... a quienes no leía. Ya iban publicados varios *Episodios Nacionales* cuando caí en la cuenta de que debía leerlos... Y a los pocos meses era yo, sin más recomendación que estas lecturas, el primer admirador de aquel ingenio tan original, rico, prudente, variado y robusto que prometía lo que empezó a cumplir muy pronto: una restauración de la novela popular, levantada a pulso por un hombre solo.

Conocí a Galdós en el Ateneo, en el Ateneo *nuestro*, el antiguo, el bueno, el de Moreno Nieto y Revilla, en el salón de retratos. Vi ante mí un hombre alto, moreno, de fisonomía nada vulgar. Si por la tranquilidad, cabal y seria honradez que expresa su fisonomía *poco dibujada* puede creerse que se tiene enfrente a un benemérito comandante de la Guardia civil, con su bigote ordenancista, en los ojos y en la frente se lee algo que no suele distinguir a la mayor parte de los individuos de las armas generales ni de las especiales. La frente de Galdós habla de genio y de pasiones, por lo menos imaginadas, tal vez contenidas; los ojos, algo plegados los párpados, son penetrantes y tienen una singular expresión de ternura apasionada y reposada que se mezcla con un acento de malicia... la cual, mirando mejor, se ve que es inocente, malicia de artista. No viste mal... ni bien. Viste como deben hacerlo todas las personas formales; para ocultar el desnudo, que ya no es arte de la época. No habla mucho, y se ve luego que prefiere oír, pero guiando a su modo, por preguntas, la conversación.

No es un sabio, pero sí un *curioso* de toda clase de conocimientos, capaz de penetrar en lo más hondo de muchos de ellos, si le importa y se lo propone. Se conoce que una de las disciplinas que menos le agradan a este literato... es la retórica. Es todo lo contrario de esos *hombres de letras* que en su vida han hablado en sus papeles más que de papel impreso o manuscrito; es de los artistas que no aman el material por el material. Si hubiera modo de ser novelista por señas, lo sería. Aunque en sus obras abundan los párrafos numerosos, pintorescos, llenos de colores, no hay aquí más que una válvula para otras tantas ideas e imágenes, no el prurito del período sonoro y rotundo, ni menos el afán pictórico-literario de hacer de las nueve o diez partes de la oración una paleta de colores. Cuando Galdós escribe mejor es cuando no piensa siquiera en que está escribiendo, y cuando tampoco el lector se fija en aquel intermediario indispensable entre la idea del autor y el propio pensamiento. Y Galdós escribe casi siempre así, y se puede decir que escribe... como viste, sin asomos de pretensiones, y porque no hay más remedio que escribir para explicarse. Su conversación no tira a ser chispeante, pero pocas veces deja de insinuar, si se trata de asuntos de importancia, algo que, si de pronto no brilla ni impresiona mucho, se va haciendo camino en nuestro espíritu y se hace recordar mucho tiempo después. Lo de *latet anguis in herba* se puede decir del ingenio de Galdós. Nadie como él para engañar a los tontos que no ven el talento sino cuando viste uniforme, cuando enseña bordaduras y cimeras que hieren los sentidos. Lo mismo que con él sucede con sus libros, cuya profundidad no quieren o no pueden conocer muchos, porque el autor no se lo anuncia con tecnicismos de estética o de sociología o de cualquier otra cosa de cátedra, ni tampoco con amaneramientos filosóficos o sentimentales, o declamatorios o populacheros.

Si hubiéramos de juzgarle por comparaciones, creo que se podría recordar, como el más semejante al de sus obras, el espíritu que predomina en los artistas ingleses de la novela, y aun en general se podría añadir que Galdós tiende a ser como varios personajes de sus últimas novelas: un español a la inglesa. Sus viajes más frecuentes al extranjero van a parar a Londres, y sus lecturas favoritas son ahora las novelas inglesas... y los libros de ciencia positiva, de aplicación inmediata. Y ya que llego a estas materias, y llego con prisa porque el espacio se acaba, *extenderé* una especie de padrón espiritual de *don Benito*, guiándome por las señas de lo que yo he observado, y prescindiendo de amplificaciones que serían convenientes, pero que ya no caben en los estrechos límites de este folleto [3].

---

[3] Si tuviera espacio recordaría la *ciencia de Madrid* que posee Galdós. y el placer que causa recorrer con él los barrios bajos, escudriñando curiosidades y evocando escenas históricas en el lugar de la escena. *El Curioso Parlante* quería como a hijo de sus más caras aficiones al autor de los *Episodios*, y admiraba que sin haberlos vivido conociese tan bien aquellos tiempos a que Mesonero Romanos consagraba un culto. Yo he visto un regalo de Mesonero a Galdós... era un pedazo de pan —del *año del hambre*—. Otro punto digno de tocarse: Galdós en sus relaciones con los demás literatos. No trata a

Galdós es hombre religioso; en momentos de expansión le he visto animarse con una especie de unción recóndita y pudorosa, de ésas que no pueden comprender ni apreciar los que por oficio, y hasta con pingües sueldos, tienen la obligación de aparecer piadosos a todas horas y en todas partes. De este principalísimo aspecto de su alma nos hablan, por modo artístico, varios personajes y escenas de sus novelas, por ejemplo, y sobre todo, ciertos misticismos muy bien sentidos y expresados de *La batalla de los Arapiles,* y singularmente aquel Luis de Gonzaga de *La familia de León Roch,* cuando próximo a la muerte, desde su jardín contempla el cielo estrellado, detrás del cual está el Dios de su fe de santo. Pero Galdós, fiel a su espíritu *inglés,* hasta para la religión prefiere el lado práctico de las cosas; y así, *Doña Perfecta* y *Gloria* particularmente, y el mismo *León Roch,* en general, tratan la cuestión de las cuestiones, la religiosa, como interés humano, como asunto sociológico. Igual tendencia lleva a la filosofía, que también, es claro, anda a cada paso por sus novelas, con los disfraces de la poesía, indispensables para que se pueda transigir con ella en el arte. La filosofía de Galdós no es *positivista,* pero sí *positiva,* en el sentido de referirse a sus elementos éticos, *políticos* y físicos principalmente. La especulación por la especulación, el ensueño poético filosófico no son de su gusto; la ciencia la quiere Galdós para algo práctico; el interés de la filosofía está en su aplicación a la conducta de los hombres... ¿Y el amor?

El único Dios pagano que queda y que tanto tiene que ver, bien sentido, con filosofías y aspiraciones religiosas, el amor, ¿qué es de él en este novelista? Pues sólo puedo decir que yo no sé si en la vida tuvo novia mi ilustre amigo, que me ha contado muchas cosas... de otros, pero jamás sus *primeros amores,* ni los demás de la se-

muchos con intimidad, pero admira a algunos muy de veras: por ejemplo, a Valera, cuya *Pepita Jiménez* tiene por un dechado de estilo. No le gustan los poetas, a no ser muy buenos. Se muere de risa con los versos de los poetastros académicos. Es de los que comprenden la sana alegría de leer a veces entre carcajadas sin hiel ilustres disparates. No sé quién le ha dado un tomo de versos místicos de Cañete, Cueto, etc., capaces de acabar con una religión positiva... De lo que no cabe hablar, ni en sumario, es de lo que es y *significa* Galdós en la novela moderna española; de esto no se puede tratar en cuatro palabras. Mi humilde opinión sobre el caso puede verla el lector desocupado en mis librejos *Solos de Clarín...*, *Sermón perdido*, *Nueva campaña, Mezclilla,* etc., etc.

rie, si la hubo. Y en este terreno las conjeturas pecarían contra la prudencia. Sin embargo, diré que si pudiera ser ley psicológica del artista que a la larga su fantasía fuera a reproducir los sueños de sus preferencias, la mujer que más le gusta a Galdós, acaso la que vive en su recuerdo, y no sé si en algo más que el recuerdo, es la que se parece a María Egipciaca por la hermosura del rostro, pero más a Camila y a Fortunata por el espíritu; mujer muy española, de rompe y rasga hasta cierto punto, honrada por temperamento, suelta de modales, sin que lleguen a libres, la mujer más lejana de lo que llaman el *cant* en Inglaterra; porque Galdós, a mi juicio, iría a la Gran Bretaña por costumbres, política y hombres... pero no por mujeres. Siguiendo el orden de lo que llaman *en la escuela* los fines racionales, viene después del amor (con que la escuela no cuenta) el arte... ¿Qué opina y siente Galdós del arte? Pues opina que se les debe dejar a los artistas. Sentencia profundísima que explica latamente y con garbo Menéndez y Pelayo al poner, en su *Historia de las ideas estéticas en España,* como chupa de dómine al jesuita Jugmann. Pero Galdós no admite de buen grado a los críticos en el santuario, y en esto hace mal, pues deben entrar en él también los que además de críticos sean artistas, como, verbi y gracia, el citado Menéndez y Pelayo. A la música ha sido, y creo que es todavía, muy aficionado nuestro autor; cuando era estudiante, y tal vez algún tiempo después, era *punto fijo,* como él dice, en el Real, probablemente en el Paraíso, del cual conservan recuerdos sus obras, singularmente *Miau,* un apodo creado en aquellas altas y filarmónicas regiones. En *La Desheredada* hay todo un himno de grandiosa y vehemente poesía a una de las obras maestras de la música clásica, y, por último, el obispo Lantigua de *Gloria* es el símbolo de los aficionados de corazón y sin oído, de la divina Euterpe: el pánfilo de la música, porque la adora sea como sea; manera de entenderla que tiene su filosofía; y que tal vez se da la mano con el wagnerismo de los últimos wagneristas, los que dicen que Wagner no lo era. Respecto de la pintura, baste decir que Galdós dibuja más que medianamente, que él mismo ha ilustrado algunos de sus *Episodios Nacionales,* y que hace años, allá en Santander, por el verano, tomó en serio el hacer acuarelas con todas las reglas y todos los chismes del arte.

De la escultura, que es el arte que Cánovas del Cas-

CARTAS A GALDOS

Mi querido amigo:

Su carta del 3 me hace creer, o que V. no recibió una que le dirigí contestando a la suya del 26 de Dicb., o que no he recibido yo su contestación a ésa mía.

Decíale en aquélla, si mal no recuerdo, que había leído el art.º de *El Imparcial* y que aun cuando a V. le parecía poco, en mi concepto le sobraba la mitad; que *La Fe* había insertado, espontáneamente, algunos de sus párrafos prometiendo un artículo de cuenta propia (ya le publicó) y que la *España* había reproducido el juicio de Menéndez. Hablábale también de las *Cuarenta leguas...* y del *7 de Julio;* respondía a su pregunta sobre cierta yerba mala diciéndole que la llamaban aquí *pan de cuco;* que sobre reimpresión de *Escenas*, avisaría; le encargaba dijese a Cámara que me enviase un extracto de la cuenta de *Tipos* que debe haberme abierto en sus libros para formalizar yo eso en los míos... y no sé si de algo más, incluso el huracán del 31 de Dicb. que me tumbó la verja del jardín, como si el hierro y las pilastras fueran de paja.

Hoy le añado, sobre las *Escenas*, que las reimprimiré aquí; y sobre los *Trashumantes* (cuya colección de 18 tengo ya casi hecha, y estaría sin casi a no ser por esta pereza que me abruma y la nostalgia de la aldea que me consume) hablaremos otro día.

El *ay de mí* es algo lento en crecer: riéguelo V. mucho, aunque no tanto que se encharque la tierra del tiesto. —No se olvide V. completamente de los *Cromos*.

En espera de su carta que yo aguardaba cada día, no

he avisado a V. antes el recibo del ejemplar que en su nombre, aunque sin su firma, me entregó Mazón [1].

Mucho, muchísimo le diría a V. sobre *Gloria* y bien sabe Dios qué ganas se me han pasado de decírselo en *letras de molde;* pero ni V. es de los pecadores *inconscientes* a quienes ciertas advertencias aprovechan, ni mis fueros alcanzan hasta donde yo quisiera llegar con ellas en este caso. Por ende, voy a decirle a V. en muy pocas palabras mi leal sentir acerca de esa novela, autorizado por el permiso que V. me da para ello.

Años ha que viene conociéndosele a V. (y dicho se lo tengo) el lado a que se inclinaba. Vista la inclinación, era de temer la caída; y al fin cayó V. *Gloria*, le ha metido de patitas en el charco de la novela volteriana, situación comprometidísima para V., pues con la casi seguridad del arrepentimiento tiene la retirada muy difícil.

Desgracia es para las letras patrias esa caída. Había V. nacido para conquistar los aplausos y las coronas de tirios y troyanos, resucitando y cultivando la buena novela, con sólo los recursos legítimos del arte, y todo eso lo abandona V. por un puesto para sus libros en los *índices expurgatorios* de Roma, sin la esperanza, por supuesto, de ver logrados sus propósitos *civilizadores;* pues sólo los de la *Iberia* creerán de buena fe que basta tomar de la mano a un judío en quien se reúnen todas las posibles perfecciones físicas y morales (raro ejemplar, por cierto) y presentarle delante de un obispo candoroso, de un cura cerril y bárbaro, de un bribón *neo-católico*, de un señor más testarudo que convencido y de una joven mal educada y peor instruida, en un rincón de una provincia, para dejar resuelto en vista del contraste resultante, que el catolicismo es un estorbo para todo lo bueno, y que no hay infierno, ni purgatorio, ni más trabas para la razón humana que la moral de la razón misma...

Y aquí encaja, como de molde, una reprimenda que no rechazará V.

«El defecto consiste en que *Gloria* ofrece una punzante sátira religiosa, y al hacerla, el autor ha presentado el asunto bajo un punto de vista particular, despojado de toda imparcialidad y arrojando pesadas burlas y sañudos anatemas, no sobre los malos católicos, sino sobre el catolicismo que precisamente no debe ser lo peor

---

[1] Francisco Mazón, editor de *La Tertulia*, de Santander.

cuando impera con más o menos fuerza sobre todo el mundo civilizado. —Llevando los ardores religiosos a la literatura, no será ésta espejo fiel de las ideas y del sentir de una nación, sino, por el contrario, instrumento de las pasiones de una *secta,* o de un partido, como la prensa periódica.»

Esto en cuanto al *fondo* de la novela; en cuanto a las formas, le declaro, con igual franqueza, que esta vez ha subido de punto mi admiración hacia esas facultades con que Dios le ha dotado a V. para vivir en la buena literatura como el pez en el agua. De aquí mi pesadumbre al verle caído, con tales galas y atavíos, en semejante lodazal; y de aquí mi propósito, que voy a cumplir ahora mismo de aconsejarle, o si V. lo prefiere, de rogarle, que retroceda en la senda que ha emprendido, y tome la de antes pª gloria de V. y de la patria. Me importa poco, por lo que hace al amor propio, que V. se ría de mi consejo: yo sé que no han de darle otro ni más desinteresado ni más cariñoso, y hasta tengo la seguridad de que si hoy le desdeña, le ha de pesar algún día no haberle prestado más atención.

Por de pronto, perdóneme esta franqueza con que le hablo: nunca pude disimularla, y puedo menos desde que vivo más cerca de la Naturaleza que de los hombres civilizados, padres y adoradores de la mentira.

Dígame cuanto le ocurra, aunque sea para reñirme, pero no deje de contestar más a punto que la últª vez a su afmo.

J. M. de Pereda

Santander, 9 de Feb°-77.

* * *

Hoy 17.
Escrita ésta recibo su carta del 11. No me desagrada que proteste V. contra el adjetivo *volteriano;* sin embargo, hoy lo merece V. proponiéndose arraigar [2] las creencias religiosas, predicando la transacción y las mutuas *concesiones* en el dogma que es indivisible e inalterable por su origen divino; y sin fijarse en que por el camino de estos acomodamientos es precisamente pʳ donde primero se llega a dudar de todo y a no creer en nada. Que

---

[2] Está sin duda, erróneamente, por "desarraigar".

— 43 —

combate V. no contra el catolicismo, sino contra los malos católicos. ¡Ojalá fuera así! En tal caso, yo me permitiría pedirle un puesto bajo su bandera. Mas para que se lo crea el público era preciso que enfrente del grupo de católicos malos o imperfectos de *Gloria* hubiese V. presentado otro católico con todas las perfecciones que adornan al judío, y estuvo V. muy lejos de hacerlo, como ha estado en todas sus novelas.

Nada ha influido la amistad, ni tampoco el encanto que sobre mí ejercen las primorosas galas de su ingenio, en lo que dije a V. en mi anterior. Hubiera sido de buena gana más extenso, pero no más duro. Lógico soy, y no *exorcista*, aunque V. no lo conciba en sus prevenciones *neófobas*. Con la lógica y el sentido común he de argüirle a V. en este asunto (si V. quiere que le arguya), pues aunque la costumbre no lo demuestre siempre, nada está más conforme con el uno y con la otra que el catolicismo.

Espero su prometida y extensa carta tan pronto como se lo permitan esos *cien mil* que, con asombro mío, están, según me dice, en los umbrales de la imprenta.

* * *

Mi querido amigo:

Vamos a hablar de flores antes de ocuparnos de las espinas, *digámoslo así*, a que se refiere la última más larga, más seria y más interesante parte de su carta del 11.

No sólo puede, sino que debe V. trasplantar el *ay de mí* a las tierras en que definitivamente han de quedar las matitas. Con dos de éstas, y aún con una sola, tiene V. bastante para llenar un tarro. Adjuntas le remito tres pequeñeces de otras tantas clases de semillas que acabo de recibir de Burdeos. Puede V. sembrarlas, desde luego; así como las que tiene allá. Si el tpo. de los jacintos pasó, otro vendrá: no por eso le agradezco menos su oferta. La que me hace de *gladiolos*, téngala por excusada: no me caben en casa las cebollas de esa misma flor que se recogieron este otoño en el jardín. Gracias por la intención, y venga esa otra flor con que me brinda, y a recoger la cual se presentará (si no lo olvida) un Sr. Llata a quien ayer di el encargo y una tarjeta con las señas de su casa de V. Adjunto hallará también un retrato de mi niño Juan Man[1] tal cual le vistió su madre este último Carnaval. No sé por qué se me figura que no ha de ser mal recibido por V. el *regalo*. De todas maneras, perdóneme esta pequeña debilidad del *oficio*.

Celebro el alivio de su jaquecón (cada uno tiene su cruz) y que haya terminado el parto de los *cien mil hijos* para descanso de su padre y honra de las Letras.

Tomo acta de cuanto me dice sobre Cámara, Mazón, anuncios, &... ¿Se ha visto ya con V. Federico Vega, de cuyo viaje a ésa hablé a V. en mi última?

Y aquí entro en el *espinoso* asunto, y «pido la palabra para rectificar a mi vez», petición que no me negará V. en su calidad de hombre del *día*, y por ende, partidario de las prácticas parlamentarias. En tal supuesto y para no marearme y marearle entre ociosas divagaciones voy a seguir el orden de su misma rectificación de V.

No hallo fundado motivo para que recibiera V. como jarro de agua mi «filípica» sobre *Gloria*, después de haberle asegurado que esta novela, en cuanto a la *forma*, era de intachable hermosura. Del fondo de ella, nunca debió V. esperar que me fuera simpático, conociendo, como conoce, mi modo de pensar en la materia. Para que yo admitiera como elemento dramático (en mi moral, se entiende), a ese judío, era preciso que *Gloria* tuviera menos dudas que las que tiene sobre el dogma y que el fuego que alienta en su pasión, alentara en su fe; que hubiera menos capítulos dedicados a fustigar a los malos católicos, y uno siquiera consagrado a pintar a los buenos, *como son;* algún personaje católico de la índole del Obispo, y un Obispo con más talento que el glorioso hijo de Ficóbriga; un Obispo capaz, cuando menos, de quedar airoso, ya que no triunfante, en sus porfías teológicas con el hebreo, de modo que al proponerse aquél convertir a éste, no se riera el lector de la *candidez* del buen señor, sino que creyera *posible* la empresa. De este modo, el cura feroz no pasaría de ser una feliz irreverencia (si se me permite el contra-sentido) y el abogadillo neo de una fase especial de los hipócritas; el amante no católico no perdería el efecto dramático que ahora tiene y podría suponerse en el autor una completa imparcialidad y hasta un gran deseo dentro de la ortodoxia católica. Si este *aire* llevara la novela; si algo de esto hubiera en ella, su *fondo* me agradara como doctrina, y entonces fuera justificada la extrañeza que le causó mi franca desaprobación de ese mismo fondo. En cuanto a lo de *volteriano*, ya sabe V. que no se necesita negarlo *todo* para merecer ese título.

«La gran infame» llamaba aquél asalariado adulador de todas las humanas grandezas a la Iglesia Católica, y a ella fueron sus tiros constantemente. Como hombre de largos alcances, sabía demasiado que demolido el *viejo edificio*, los demás caerían ellos solos. Por eso apuntaba siempre a la *vieja fe*, y por eso siguen llamándose volterianos los que sin meter mucho ruido, socavan los mismos cimientos con la sonrisa en los labios y la protesta de levantar con los escombros mejores edificios para dar culto a otras ideas *al uso*, y al gusto del consumidor; lo cual es el mejor modo de que nadie se preocupe de ellas y acaben todos por no creer en nada. No quiere decir esto que V. venga deliberadamente a este fin, pero sí que a llegar a él se exponen los que se aficionan a recorrer ciertos caminos.

Repito que podía V. aspirar a los triunfos de *tirios y troyanos* y lo pruebo además. Usted lo ha conseguido con sus *Episodios* y hasta con *Dª Perfecta*, no obstante haberse mostrado liberal en los unos y poco aficionado a los *beatos* en la otra; pero si en ésta se ponía en evidencia un aspecto particular de la mogigatería, no reflejaba a los católicos, ni había notoria delectación en sacar a plaza los pecados, como si no hubiera cosa mejor en la familia. Habrá allí fanáticos que lleven sus escrúpulos hasta el crimen; pero no católicos de buen sentido que duden del infierno, ni obispos que no sepan responder con un par de razones de peso a los heterodoxos atrevimientos del primer judío que se cuele por las puertas. La pasión del partido entre los hombres de regular entendimiento, no ciega hasta el punto de execrar todo lo que no es de su mismo color, mientras lo bueno de éste se respeta: lo que hiere son las burlas y el escarnio de aquello que uno tiene en gran estima, como la religión de sus padres. Perder una ilusión en política, poco importa; cuestión es ésta de las arrojadas a las eternas disputas de los hombres, y lícito por tanto dudar de todas ellas; pero arrancar de un alma la fe que alienta y conforta y se guarda como un tesoro para que no la profanen ociosas disputas, o la roben arteros sofismas, es dejarla sola y a oscuras en este azaroso valle de lágrimas. En suma, toda novela en que no entren como *motivo* la religión ni la política, puede aspirar al aprecio de *tirios y troyanos*. Esta novela es el terreno de V., y algo parecido creo haberle dicho en la época en que a V. le daba por la política como ahora le da por la religión; cuando escribía *la Fontana de Oro y el Audaz*. Díceme V. que no es aplicable a *Gloria*, lo que V. dijo del fondo de los *Hombres de pró*. ¿De cuándo acá es más respetable la farsa inmoral de la cosa política que la conciencia católica? Y si de un retrato fiel de *todos* los Congresos y de *todas* las elecciones, aunque hecho a la buena de Dios, pueden en buena justicia (no lo niego) tomar motivo los parlamentarios para atufarse ¿qué no podrán decir los católicos de una *caricatura* del catolicismo por más que esté primorosamente pintada?

Tampoco a lo de los *Indices* romanos ha dado V. la intención que le di. Ocuparse con excesiva afición en asuntos que pueden llevar, los libros a figurar en aquéllos, no es proponerse un autor ese fin por único objetivo, ni yo podría hacer semejante agravio a su talento. En cuanto a que en esos *Indices* figure todo lo bueno que se ha escrito en el siglo presente, desafío a V. a que me lo pruebe. Entre tanto puedo mostrar yo que borra más en una semana el lápiz de un fiscal de imprenta, por pecados políticos, en estos tiempos y con estos gobiernos *libres*, que en un año aquella *clerigalla estúpida* por atentados contra la fe. Crea V., mi señor D. Benito, que el mundo ha perdido muy poco, y menos el buen gusto, con las cuatro quintas partes de lo que ha caído en aquellos abismos.

No es, en efecto, artículo de fe la unidad católica, ni yo tacharía el fondo de *Gloria* solamte. porque en él se abogara por lo contrario. Cada uno puede hacerse en el extremo de su gusto, las ilusiones que mejor le parezcan; pero no me negará V. que hasta el verbo *abominar* que usa V. para decirme que no es partidario de la unidad le acusa de falta de serenidad y de sobra de pasión en la contienda.

Ignoro si los liberales son la causa de la corrupción de costumbres españolas desde el año 12, ni tampoco sé por qué supone V. que yo he de contestar eso. Si esos caballeros dejaron sin fe a la patria de Isabel la Católica, puede admitir dudas; pero no las hay en que, desde aquella misma fecha, nos dejaron sin colonias y como el Gallo de Morón; lo que se sabe es que cuando España ha valido algo, no imperaban las ideas liberales; lo que la Historia enseña es que bajo el imperio de un césar o de un rey a la antigua usanza, se acometieron aquellas empresas, se consumaron aquellas hazañas portentosas que son hoy el único blasón de nuestra nobleza; lo indudable es que en aquellos tiempos de *ignominia* para ustedes, buscan ustedes mismos los grandes caracteres para sus novelas, los poetas los grandes hechos para sus cantos y los pintores las grandes figuras para sus cuadros; lo que sé, en fin, es (y V. no rechazará el texto) que «es *una desgracia* haber nacido en este siglo». —Y vea V. ahora hasta qué extremo llevo yo la independencia de mis opiniones: a pesar de esos irrefutables argumentos que me da la Historia contra el liberalismo de ahora, no me atrevo a asegurar que él sea la *causa* del actual rebajamiento de virtudes morales y políticas; antes le tengo por *efecto* de nuestra idiosincrasia nacional. No a todas las razas ni a todos los pueblos se adaptan unas mismas costumbres. Cuando se trataba de dar cintarazos y de acometer inverosímiles aventuras, España estaba en primera fila, porque nacimos cortados para eso. Quizá se cumplió entonces nuestro destino. Desde que los pueblos han tomado rumbo más prosaico, España no sabe qué hacerse para matar el tedio que la abruma; y por eso conspira y *guerrillea* y corrompe en la holganza sus viejas virtudes. Pensar que todos estos males, que son hijos de nuestro carácter y forman parte de él se han de remediar con la libertad de cultos o con otras libertades parecidas es por lo menos tan *inocente* como el propósito de hacernos felices sin otro esfuerzo que resucitar la *ronda de pan y huevo*. Nuestra decadencia, pues, bien pudiera ser otro destino que se cumple, hasta que años o siglos andando, suene otra vez la épica trompa y volvamos de nuevo a *desfacer agravios*. En instancia, amigo mío, no está bastante demostrado que los viejos sistemas pueden acabar con nuestra enfermedad; pero es indudable que las medicinas modernas nos van matando poco a poco.

Niego en redondo que yo haya dicho jamás que *todos los liberales son pillos y casi tontos*. Por de los primeros tengo a los que gobiernan con nombre liberal y procedimientos de fuerza y hasta la tiranía, mientras declaman contra este sistema que otros hidalgamente invocan como principio de su política; tengo por tontos a los que viendo tales contrasentidos todavía creen, y por ridículos a estos mismos cuando además vociferan contra nuestra credulidad que, a lo menos, tiene abolengo ilustre y algo en qué fundarse. Afortunadamente no me he contagiado con los resabios de esa escuela que llama *feo* a Villoslada [3] o a Tejado [4] cuando éstos producen algo bello, y que borra a Alarcón del catálogo de los *buenos* liberales porque desenlaza una trama novelesca con criterio católico. Bien sabe V. que esta escuela no es la ultramontana. Si por liberales renegara yo a los hombres, ¿cuál sería la razón de mi cordialísimo cariño hacia V. y de mi admiración nunca escondida hacia su ingenio preclaro? ¿Cuál la de los sinceros elogios que V. me ha oído hacer de tantos hombres de notorio talento como militan en el campo liberal?... Señor D. Benito, *aliquando bonus*... y esta vez ha dado V. quince y raya a los más dormilones.

No sé qué delito puedo haber cometido yo ante sus ojos que le hace a V. capaz de ofrecer el rico tesoro de sus 20 volúmenes por el inhumano placer de verme caer en el campo *troyano*. ¿Qué demonios de pito había de tocar en esa grillera yo que ni en el sopor de los recuerdos romancescos vivo enteramente a gusto? —Déjeme, amigo, en esta relativa tranquilidad de espíritu, admirando aquella fe que hizo morir sonriendo a mi madre y que me da la esperanza de volver a verla así como a mis hijos y a cuantas personas me han sido queridas y ya no existen; déjeme desde aquí compadecer a los filántropos innovadores de ogaño que tanto se afanan por matar una creencia que consuela, con una duda que atormenta; y entre tanto, sea V. más equitativo no haciéndome capaz de comulgar con los *Rafaeles* de mi campo a quienes no odia V. tanto como yo. Yo amo la tradición en lo que tiene de grande y de patriarcal y la fe de mis abuelos en lo que tiene de *divina*, es decir, de paz, de caridad, de amor y de esperanza. Si hay bribones por acá, ¿están ustedes, por ventura, libres de ellos? Yo por de pronto sé a qué atenerme, y conozco el sendero que me está trazado, sin atajos ni callejuelas. Cuantos por él caminamos vamos de acuerdo, al amparo de leyes inmutables. Cuando VV. hayan definido su santa libertad y llegado a entenderse, avíseme y hablaremos. Entre tanto, gracias por el buen deseo.

Aguardo con ansia la 2ª parte de *Gloria*, más por admirar el agudísimo ingenio del autor en la solución del problema planteado, que porque abrigue la menor espe-

---

[3] Francisco Navarro Villoslada (1818-1895), escritor, periodista polemista católico y autor de novelas históricas.
[4] Gabino Tejado y Rodríguez (1819-1891), escritor, periodista polemista católico.

4

ranza de que el árbol se levante para caer del lado opuesto.

En resumen: dedúcese de la rectificación a que contesto, que V. se propone en *Gloria* trabajar en favor de las creencias, sin menoscabo del catolicismo, y que, sin duda porque ni aún tratándose de los más esclarecidos talentos, jamás las obras corresponden a los propósitos, deduje yo de la lectura de la suya, como dedujeron aquí cuantos tirios y troyanos la han leído, que la intención de V. fue demostrar que el catolicismo es un obstáculo para todo lo que es digno y levantado. En esta creencia fundé mi «filípica» y parcial le llamé a V. porque para su intento elegía lo peor de un campo y lo mejor del contrario. Si mi franqueza le lastimó, nunca lo lloraré bastante: yo encuentro menor la pesadumbre que me causó la *supuesta* moral de *Gloria* desde el momto. en que V. se rebela contra ciertos calificativos que aceptan a título de honra muchos *espíritus fuertes* de hoy; pero entienda V. que ni ellos ni los que más aplaudan esa novela me ganan en entusiasmo para descubrirme delante de su autor y declararle *gloria* legítima de las Letras patrias. Los escrúpulos que le manifiesto por lo uno son la mejor garantía de la sinceridad con que digo lo otro. —No se quejará V. de que no correspondo yo a la invitación que me hace de contestar a sus 5 pliegos no completos. Cinco cabales le doy en pago; y quiera Dios que, siquiera por la demasía, me perdone el sermoneo y hasta sea tan rumboso que me avise el recibo con los reparos que se le ocurran.

De antemano le declaro para su tranquilidad que aun cuando se muestra V. pecador *inconsciente* como decía esa lumbrera de la idea nueva; ese apóstol de las flamantes libertades; ese neófobo con pespuntes de petrolero; ese enemigo declarado y feroz de las preocupaciones de la conciencia; ese corredentor de setiembre, *Ruciorrilla* [5], en fin, no me hago la ilusión de que mis reparos lleguen a influir un tanto así (señalo la punta de los puntos de la pluma) en el desenlace de *Gloria*. Grande y eterna se la dé a V. ella, pues nadie lo desea con tan sana intención como su huraño pero buen am°

J. M. Pereda

Santander, 14 de Mzo.-77.

---

[5] Manuel Ruiz Zorrilla (1833-1895), político español.

de otra cosa que no sean los libros y la persona del señor Pérez Galdós, artífice valiente de un momento que, quizá después de la *Comedia Humana*, de Balzac, no tenga rival, en lo copioso y en lo vario, entre cuantos ha levantado el genio de la novela en nuestro siglo, donde con tal predominio ha imperado ésta sobre las demás formas literarias. Pero la misma gravedad del intento haría imposible su ejecución dentro de los límites de un discurso académico, aunque mis fuerzas alcanzasen, que seguramente no alcanzan, a dominar un tema tan arduo por una parte, y por otra tan alejado de mis estudios habituales. Al hablar de literatura contemporánea, yo vengo como caído de las nubes, si me permitís lo familiar de la expresión. Me he acostumbrado a vivir con los muertos en más estrecha comunicación que con los vivos, y por eso encuentro la pluma difícil y reacia para salir del círculo en que voluntaria o forzosamente la he confinado. Sin alardes de falsa modestia, podría decir que nadie menos abonado que yo para dar la bienvenida al señor Galdós en nombre de la Academia, si, a falta de cualquier otro título de afinidad, no me amparase el de ser aquí, por ventura, el más antiguo de sus amigos, y aquí y en todas partes uno de los admiradores más convencidos de las privilegiadas dotes de su ingenio. Oídme, pues, con indulgencia, porque nunca tanto como hoy la he necesitado.

Ha sido tema del discurso del señor Galdós, que tantas ideas apunta, a pesar de su brevedad sentenciosa, la consideración de las mutuas relaciones entre el público y el novelista, que de él recibe la primera materia y a él se la devuelve artísticamente transformada, aspirando, como es natural y loable, a la aprobación y al sufragio ya del mayor número, ya de los más selectos entre sus contemporáneos. Por más que esta ley, comparable en sus efectos a la ley económica de la oferta y la demanda, rija en todas las producciones de arte, puesto que ninguna hay que sin público contemplador se conciba (por la misma razón que nadie habla para ser oído por las paredes solamente), no se cumple por igual en todas las artes ni en todos los ramos y variedades de ellas. Artes hay, como la poesía lírica, la escultura y aun cierto género de música, que, a lo menos en su estado actual, ni son populares ni conviene que lo sean con detrimento de la pureza e integridad del arte mismo. Si ha habido pueblos y épocas más exquisitamente dotados de aquella profunda y a la vez espontánea intuición estética que es necesaria para percibir este grado y calidad de bellezas, tales momentos han sido fugacísimos en la historia de la humanidad, muy raros los pueblos que han logrado tales dones; y el árbol maravilloso que floreció al aire libre en el Atica o en Florencia, sólo puede prosperar en otras partes, y nunca con tanta lozanía, amparado por mano sabia y solícita que le resguarde de lluvias y vientos. Tales artes son, esencialmente, aristocráticas; y aunque conviene que cada día vaya siendo mayor el número de los llamados a participar de sus goces, es evidente que la delicada educación del gusto que requieren los hará siempre inaccesibles para el mayor número de los mortales.

Pero hay otros géneros que, sin rebajarse, sin perder ni un ápice de su interna virtud y eficacia, requieren una difusión más amplia, una acción más continua de la fantasía del contemplador sobre la del artista; de la facultad estética pasiva, que es la del mayor número de los hombres, sobre la facultad activa y creadora. El teatro y la novela viven, y no pueden menos de vivir, en esta benéfica servidumbre; como vive también el arte de la oratoria, género mixto, pero que nadie concibe puesto al servicio del pensamiento solitario y de la especulación abstracta, sino cobrando bríos y empuje con el calor de la pelea y con el contacto de la muchedumbre a quien habla de lo que todos comprenden y de lo que a todos interesa. El público colabora en la obra del orador; colabora en la obra del dramaturgo; colabora también, aunque de una manera menos pública y ostensible, en la obra del novelista. Y esta colaboración, cuando es buscada y aceptada de buena fe y con la sencillez de espíritu que suele acompañar al genio, le engrandece, añadiendo a su fuerza individual la fuerza colectiva. Los más grandes novelistas, los más grandes dramaturgos, han sido también los más populares; así, entre nosotros, Cervantes y Lope. El pueblo español no dio a Lope la materia épica para crear el drama histórico; no sólo dio el espectáculo de su vida actual para crear la comedia de costumbres, sino que le emancipó de las trabas de escuela, le infundió la conciencia de su genio, le obligó a encerrar los llamados preceptos con cien llaves, le ungió vate nacional, casi a pesar suyo, y se glorificó a sí mismo en su apoteosis, proclamándole *soberano poeta de los cielos y de la tierra*.

Cervantes, que pertenece quizá a otra categoría superior de ingenios (si es que puede imaginarse otra más alta), no deja de ser profundamente nacional, puesto que España está íntegra en sus libros, cuya interpretación y comentarios, rectamente hechos, pudieran equivaler a una filosofía de nuestra historia y a una psicología de nuestro carácter en lo que tiene de más ideal y en lo que tiene de más positivo; pero es al mismo tiempo, elevándonos ya sobre esta consideración histórica y relativa, ingenio universal, ciudadano del mundo; y lo es por su intuición serena, profunda y total de la realidad; por su optimismo generoso, que todo lo redime, purifica y ennoblece.

No se traen tan altos ejemplos para justificar irreverentes y ociosas comparaciones entre lo pasado y lo presente. La estimación absoluta de lo que hoy se imagina y produce sólo podrán hacerla con tino cabal los venideros. Es grave error creer que los contemporáneos puedan ser los mejores jueces de un autor. Por lo mismo que sienten más la impresión inmediata, son los menos abonados para formular el juicio definitivo. Conocen demasiado al autor para entender bien su obra, que unas veces vale menos y otras veces vale más que la persona que la ha escrito. Tratándose de ingenios que han vivido en tiempos muy próximos a nosotros, me ha acontecido muchas veces encontrar en completa discordancia el juicio que yo en mis lecturas había formado y el que formaban de esos mismos escritores los que más íntimamente los habían tratado. Y, sin embargo, he tenido la soberbia de persistir en mi opinión, porque el numen artístico es tan esquivo por una parte, y tan caprichoso por otra, que muchas veces se disimula cautelosamente a los amigos de la infancia, y, en cambio, se revela y manifiesta al extraño que recorre las páginas de un libro, en las cuales, al fin y al cabo, suele quedar lo más puro y exquisito de nuestro pensamiento, lo que hubiésemos querido ser, más bien que lo que en realidad somos.

Quiere decir todo esto, que el principal deber que nos incumbe a los contemporáneos es dar fe de nuestra impresión, y darla con sinceridad entera. Lo que nosotros no hayamos visto en las obras de arte de nuestro tiempo, ya vendrá quien lo vea; las demasías de nuestra crítica ya las corregirá el tiempo, que es, en definitiva, el gran maestro de todos, sabios e ignorantes.

Hablar de las novelas del señor Galdós es hablar de la novela en España durante cerca de treinta años. Al revés de muchos escritores en quienes sólo tardíamente llega a manifestarse la vocación predominante, el señor Galdós, desde su aparición en el mundo de las letras en 1871, apenas ha escrito más que novelas, y sólo en estos últimos años ha buscado otra forma de manifestación en el teatro. En su labor de novelista, no sólo ha sido constante, sino fecundísimo. Más de 45 volúmenes lo atestiguan, poco menos que los años que su autor cuenta de vida.

Tan perseverante vocación, de la cual no han distraído al señor Galdós ninguna de las tentaciones que al hombre de letras asedian en nuestra Patria (ni siquiera la tentación política, la más funesta y enervadora de todas), se ha mostrado además con un ritmo progresivo, con un carácter de reflexión ordenada, que convierte el cuerpo de las obras del señor Galdós, no en una masa de libros heterogéneos, como suelen ser los engendrados por exigencias editoriales, sino en un sistema de observaciones y experiencias sobre la vida social de España durante más de una centuria. Para realizar tamaña empresa, el señor Pérez Galdós ha empleado sucesiva o simultáneamente los procedimientos de la novela histórica, de la novela realista, de la novela simbólica, en grados y formas distintos, atendiendo por una parte a las cualidades propias de cada asunto, y por otra a los progresos de su educación individual y a lo que vulgarmente se llama el *gusto del público*, es decir, a aquel grado de educación general necesaria en el público para entender la obra del artista y gustar de ella en todo o en parte.

Por medio de esta de esta clave, quien hiciese, con la detención que aquí me prohíbe la índole de este discurso, el examen de las novelas del señor Pérez Galdós en sus relaciones con el público español, desde el día en que salió de las prensas *La Fontana de Oro* como primicias del vigoroso ingenio de su autor, hasta la hora presente en que son tan leídos y aplaudidos *Nazarín* y *Torquemada*, trazaría al mismo tiempo las vicisitudes del gusto público en materia de novelas, formando a la vez que un curioso capítulo de psicología estética, otro no menos importante de psicología social. Porque es cierto y averiguado que desde que el señor Pérez Galdós apareció en el campo de las letras se formó un público propio suyo, que le ha ido acompañando con fidelidad cariñosa, hasta el punto en que ahora se encuentran el novelista y su labor, con mucha gloria del novelista sin duda, pero también con aquella anónima, continua e invisible colaboración del público, a la cual él tan modestamente se refiere en su discurso.

Cuando empezó el señor Galdós a escribir, apenas alboreaba el último renacimiento de la novela española. El arte de la prosa narrativa de casos ficticios, arte tan propio nuestro, tan genuino o más que el teatro; tan antiguo, como que sus orígenes se confunden con los primeros balbuceos de la lengua; tan glorioso, como que tuvo fuerza bastante para retardar un siglo entero la agonía de la poesía caballeresca mediante la maravillosa ficción de Amadís, y para enterrarla después cubriéndola de flores en su tumba; arte que dio en la representación de costumbres populares tipo y norma a la literatura universal y abrió las fuentes del realismo moderno, había cerrado su triunfal carrera a fines del siglo XVII.

Su descendencia legítima durante la centuria siguiente hay que buscarla fuera de España: en Francia, con Lesage; en Inglaterra, con Fielding y Smollett. A ellos había transmigrado la novela picaresca, que de este modo se sobrevivía a sí misma y se hacía más universal y adquiría a veces formas más amenas, aunque sin agotar nunca el rico contenido psicológico que en la *Atalaya de la vida humana* venía envuelto.

Pero durante el siglo XVIII, la musa de la novela española permaneció silenciosa, sin que bastasen a romper tal silencio dos o tres conatos aislados: memorable el uno, como documento satírico y mina de gracejo más abundante que culto; curiosos los otros, como primeros y tímidos ensayos, ya de la novela histórica, ya de la novela pedagógica, cuyo tipo era entonces el *Emilio*. La escasez de estas obras y todavía más la falta de continuidad que se observa en sus propósitos y en sus formas, prueba lo solitario y, por tanto, lo infecundo de la empresa y lo desavezado que estaba el vulgo de nuestros lectores a recibir graves enseñanzas en los libros de entretenimiento, cuanto más a disfrutar de la belleza intrínseca de la novela misma; lo cual exige hoy un grado superior de cultura, y en tiempos más poéticos no exigía más que imaginaciones frescas, en quien fácilmente prendía la semilla de lo ideal.

Así entramos en el siglo XIX, que tuvo para España largo y sangriento aprendizaje, en que el estrépito de las armas y el fiero encono de los opuestos bandos ahogaron por muchos años la voz de las letras. Sólo cuando la invasión romántica penetró triunfante en nuestro suelo, empezó a levantar cabeza, aunque tímidamente, la novela, atenida al principio a los ejemplos del gran maestro escocés, si bien seguidos de lo formal más que en lo sustancial, puesto que a casi todos los imitadores, con ser muchos de ellos varones preclaros en otros ramos de literaturas, le faltó aquella especie de segunda vista arqueológica con que Walter Scott hizo familiares en Europa los anales domésticos de su tierra y las tradiciones de sus montañas y de sus lagos. Abundaba entre los románticos españoles el ingenio; pero de la historia de su patria sabían poco, y aun esto de un modo general y confuso, por lo cual rara vez sus representaciones de costumbres lograron eficacia artística, ni siquiera apariencias de vida, salvo en el teatro y en la leyenda versificada, donde cabía, y siempre parece bien, cierto género de bizarra y poética adivinación, que el trabajo analítico y menudo de la novela no tolera.

De este trabajo, que dentro del molde de la novela histórica prosperó en Portugal más que en Castilla, por el feliz acaso de haberse juntado condiciones de novelista y de grande historiador en una misma persona, se cansaron muy presto nuestros ingenios, que suelen ser tan fáciles y abundosos en la producción, como reacios al trabajo preparatorio; tan fértiles de inventiva, como desestimadores de la oscura labor en que quieta y calladamente se van combinando los elementos de la obra de arte. Vino, pues, y muy pronto, la transformación de la novela histórica en libro de caballerías adobado al paladar moderno; y hubo en España un poeta nacido para mayores cosas, que pródigamente despilfarró los tesoros de su fantasía en innumerables fábulas, muchas de ellas enteramente olvidadas y dignas de serlo; otras, donde todavía los ceñudos Aristarcos pueden pedir más unidad y concierto, más respeto a los fueros de la moral y del gusto, más aliño de lengua y de estilo; pero no más interés novelesco, ni más pujanza dramática, ni más fiera osadía en la lucha con lo inverosímil y lo imposible.

Este género, sin embargo, tenía sus naturales límites. Si a la novela histórica, entendida según la práctica de los imitadores de Walter Scott, le había faltado base arqueológica, a la nueva novela de aventuras, concebida en absoluta discordancia con la realidad pasada, y con la presente, le faltaba, además del fundamento histórico, el fundamento humano, sin el cual todo trabajo del espíritu es entretenimiento efímero y baladí. Si las obras de la primera manera solían ser soporíferas, aunque escritas muy literariamente, las del segundo período, además de torpes y desaseadas en la dicción, eran monstruosas en su plan y aun desatinadas en su argumento. El arte de la novela se había convertido en granjería editorial; y entregado a una turba de escritores famélicos, llegó a ser mirado con desdén por las personas cultas, y finalmente rechazado con hastío por el mismo público iliterato cuyos instintos de curiosidad halagaba.

Pero al mismo tiempo que la novela histórica declinaba, no por vicio intrínseco del género, sino por ignorancia y desmaño de sus últimos cultivadores, había ido desarrollándose lentamente y con carácter más original la novela de costumbres, que no podía ser ya la gran novela castellana de otros tiempos, porque a nuevas costumbres correspondían fábulas nuevas. Tímidos y oscuros fueron sus orígenes: nació, en pequeña parte, de ejemplos extraños; nació, en parte mucho mayor, de reminiscencias castizas, que en algún autor erudito, a la par que ingenioso, nada tenían de involuntarias. Pero ni lo antiguo renació tal como había sido, ni lo extranjero dejó de transformarse de tal manera que en su tierra natal lo hubieran desconocido. El contraste de la realidad exterior, finamente observada por unos, por otros de un modo más rápido y somero, dio a estos breves artículos de pasatiempo una base real, que faltaba casi siempre en las novelas históricas, y todavía más en los ensayos de novela psicológica, que de cuando en cuando aparecían por aquellos tiempos.

Pero la observación y la censura festiva de las costumbres nacionales se había encerrado al principio en marco muy reducido: escenas aisladas, tipos singulares, pinceladas y rasguños, a veces de mano maestra, pero en los cuales, si podía lucir el primor de los detalles, faltaba el alma de la composición, faltaba un tema de valor humano, en cuyo amplio desarrollo pudiesen entrar todos aquellos accidentes pintorescos, sin menoscabo del interés dramático que había de resultar del conflicto de las pasiones y aun de las ideas apasionadas. Tal empresa estaba reservada a una mujer ilustre, en cuyas venas corrían mezcladas la sangre germánica y la andaluza, y cuyo tem-

peramento literario era manifiesta revelación de sus orí
genes. Si un velo de idealismo sentimental parecía interponerse entre sus ojos y la realidad que contemplaban,
rompíase este velo a trechos o era bastante transparente
para que la intensa visión de lo real triunfase en su fantasía y quedase perenne en sus páginas, empapadas de
sano realismo peninsular, perfumadas como arca de ce-
dro por el aroma de la tradición, y realzadas juntamente
por una singular especie de belleza ética que no siempre
coincide con la belleza del arte, pero que a veces llega a
aquel punto imperceptible en que la emoción moral pasa
a ser fuente de emoción estética: altísimo don concedido
sólo a espíritus doblemente privilegiados por la virtud y
por el ingenio.

No puede decirse que fuera estéril la obra de Fernán
Caballero; pero sus primeros imitadores lo fueron más
bien de sus defectos que de sus soberanas bellezas, y en
vez de mostrar nuevos aspectos poéticos de la vida, con-
fundieron lo popular con lo vulgar y lo moral con lo ca-
sero, creándose así una literatura neciamente candorosa,
falsa en su fondo y en su forma, y que sólo las criaturas
de corta edad podían gustar sin empalago.

Así, entre ñoñeces y monstruosidades, dormitaba la
novela española por los años de 1870, fecha del primer
libro del señor Pérez Galdós. Los grandes novelistas que
hemos visto aparecer después, eran ya maestros consuma-
dos en otros géneros de literatura; pero no habían ensa-
yado todavía sus fuerzas en la novela propiamente dicha.
No se habían escrito aún ni *Pepita Jiménez*, ni *Las Ilusiones del Doctor Faustino*, ni *El Escándalo*, ni *Sotileza*, ni
Peñas Arriba.

Alarcón había compuesto deleitosas narraciones breves, de corte y sabor transpirenaicos; pero su vena de novelista castizo no se mostró hasta 1875 con el salpimen-
tado cuento *El sombrero de tres picos*. Valera, en *Parson-
des* y en algún otro rasgo de su finísimo y culto ingenio,
había emulado la penetrante malicia y la refinada sencillez del autor de *Cándido*, de *Memnón* y de los *Viajes del
escarmentado;* pero su primera novela, que es al mismo
tiempo la más célebre de todas las suyas, data de 1874.
Y, finalmente, Pereda, aunque fuese ya nada menos que
desde 1864 (en que por primera vez fueron coleccionadas
sus *Escenas montañesas)* el gran pintor de costumbres

rústicas y marineras, que toda España ha admirado después, no había concedido aún a los hijos predilectos de su fantasía, al Tuerto y a Tremontorio, a don Silvestre Seturas y a don Robustiano Tres Solares, a sus mayorazgos, a sus pardillos y a sus indianos, el espacio suficiente para que desarrollasen por entero su carácter como actores de una fábula extensa y más o menos complicada. No hay duda, pues, que Galdós, con ser el más joven de los eminentes ingenios a quienes se debió hace veinte años la restauración de la novela española, tuvo cronológicamente la prioridad del intento; y quien emprenda el catálogo de las obras de imaginación en el período novísimo de nuestras letras, tendrá que comenzar por *La Fontana de Oro*, a la cual siguió muy luego *El Audaz*, y tras él la serie vastísima de los *Episodios Nacionales*, inaugurada en 1873, y que comprende por sí sola veinte novelas, en las cuales intervienen más de quinientos personajes, entre los históricos y los fabulosos; muchedumbre bastante para poblar un lugar de mediano vecindario, y en la cual están representados todas las castas y condiciones, todos los oficios y estados, todos los partidos y banderías, todos los impulsos buenos y malos, todas las heroicas grandezas y todas las extravagancias, fanatismos y necedades que en guerra y en paz, en los montes y en las ciudades, en el campo de batalla y en las asambleas, en la vida política y en la vida doméstica, forman la trama de nuestra existencia nacional durante el período exuberante de vida desordenada, y rico de contrastes trágicos y cómicos, que se extiende desde el día de Trafalgar hasta los sangrientos albores de la primera y más encarnizada de nuestras guerras civiles.

El señor Galdós, entre cuyas admirables dotes resplandece una, rarísima en autores españoles, que es la laboriosidad igual y constante, publicaba con matemática puntualidad cuatro de estos volúmenes por año: en diez tomos expuso la guerra de la Independencia; en otros diez, las luchas políticas desde 1814 a 1834. No todos estos libros eran ni podían ser de igual valor; pero no había ninguno que pudiera rechazar el lector discreto; ninguno en que no se viesen continuas muestras de fecunda inventiva, de ingenioso artificio, y a veces de clarísimo juicio histórico disimulado con apariencias de amenidad. El amor patrio, no el bullicioso, provocativo e intemperante, sino el que, por ser más ardiente y sincero, suele ser más recatado en sus efusiones, se complacía en la mayor parte de estos relatos, y sólo podía mirar con ceño alguno que otro; no a causa de la pintura, harto fiel y verídica, por desgracia, del miserable estado social a que nos condujeron en tiempo de Fernando VII reacciones y revoluciones igualmente insensatas y sanguinarias; sino porque quizá la habitual serenidad del narrador parecía entoldarse alguna vez con las nieblas de una pasión tan enérgica como velada, que no llamaré política en el vulgar sentido de la palabra, porque trasciende de la esfera en que la política comúnmente se mueve, y porque toca a más altos intereses humanos, pero que, de fijo, no es la mejor escuela para ahondar con entrañas de caridad y simpatía en el alma de nuestro heroico y desventurado pueblo y aplicar el bálsamo a sus llagas. En una palabra (no hay que ocultar la verdad, ni yo sirvo para ello), el racionalismo, no iracundo, no agresivo, sino más bien manso, frío, no puedo decir que cauteloso, comenzaba a insinuarse en algunas narraciones del señor Galdós, torciendo a veces el recto y buen sentido con que generalmente contempla y juzga el movimiento de la sociedad que precedió a la nuestra. Pero en los cuadros épicos, que son casi todos los de la primera serie de los *Episodios*, el entusiasmo nacional se sobrepone a cualquier otro impulso o tendencia; la magnífica corriente histórica, con el tumulto de sus sagradas aguas, acalla todo rumor menos noble, y entre tanto martirio y tanta victoria sólo se levanta el simulacro augusto de la Patria, mutilada y sangrienta, pero invencible, doblemente digna del amor de sus hijos por grande y por infeliz. En estas obras, cuyo sentido general es altamente educador y sano, no se enseña a odiar al enemigo, ni se aviva el rescoldo de pasiones ya casi extinguidas ni se adula aquel triste género de infatuación patriótica que nuestros vecinos, sin duda por no ser los que menos adolecen de tal defecto, han bautizado con el nombre especial de *chauvinisme;* pero tampoco se predica un absurdo y estéril cosmopolitismo, sino que se exalta y vigoriza la conciencia nacional y se la templa para nuevos conflictos, que ojalá no sobrevengan nunca; y al mismo tiempo se vindican los fueros eternos e imprescriptibles de la resistencia contra el invasor injusto, sea cual fuere el manto de gloria y poder con que quiera encubrirse la violación del derecho.

Estas novelas del señor Galdós son históricas, ciertamente, y aun algunas pueden calificarse de *historias anoveladas*, por ser muy exigua la parte de ficción que en ellas interviene; pero por las condiciones especiales de su argumento, difieren en gran manera de las demás obras de su género, publicadas hasta entonces en España. Con raras y poco notables excepciones, así los concienzudos imitadores de Walter Scott, como los que, siguiendo las huellas de Dumas, el padre, soltaron las riendas a su desbocada fantasía en libros de monstruosa composición, que sólo conservaban de la historia algunos nombres y algunas fechas, habían escogido por campo de sus invenciones los lances y aventuras caballerescas de los siglos medios, o a lo sumo de las centurias decimasexta y decimaséptima, épocas que, por lo remotas, se prestaban a una representación arbitraria, en que los anacronismos de costumbres podían ser más fácilmente disimulados por el vulgo de los lectores, atraídos tan sólo por el prestigio misterioso de las edades lejanas y poéticas. Distinto rumbo tomó el señor Galdós, y distintos tuvieron que ser sus procedimientos, tratándose de historia tan próxima a nosotros y que sirve de supuesto a la nuestra. El español del primer tercio de nuestro siglo no difiere tanto del español actual que no puedan reconocerse fácilmente en el uno los rasgos característicos del otro. La observación realista se imponía, pues, al autor, y a pesar de la fértil lozanía de su imaginación creadora, que nunca se mostró tan amena como en esta parte de sus obras, tenía que llevarle por senderos muy distintos de los de la novela romántica. No sólo era preciso el rigor histórico en cuanto a los acontecimientos públicos y famosos, que todo el mundo podía leer en la *Historia* del Conde de Toreno, por ejemplo, o en cualquier otro de los innumerables libros y Memorias que existen sobre la guerra de la Independencia, sino que en la parte más original de la tarea del novelista, en los episodios de la vida familiar de medio siglo, que van entreverados con la acción épica, había que aplicar los procedimientos analíticos y minuciosos de la novela de costumbres, huyendo de abstracciones, vaguedades y tipos convencionales. De este modo, y por el natural desarrollo del germen estético en la mente del señor Galdós, los *Episodios* que en su pensamiento inicial eran un libro de historia recreativa, expuesta para más viveza y unidad en la castiza forma autobiográfica, propia de nuestra antigua novela picaresca, presentaron luego combinadas en proporciones casi iguales la novela histórica y la de costumbres, y ésta no meramente en calidad de accesorio pintoresco, sino de propia y genuina novela, en que se concede la debida importancia al elemento psicológico, al drama de la conciencia, como generador del drama exterior, del conflicto de las pasiones. Claro es que no en todas las novelas, aisladamente consideradas, están vencidas con igual fortuna las dificultades inherentes al dualismo de la concepción; y así hay algunas, como *Zaragoza* (que es de las mejores para mi gusto), en que la materia histórica se desborda de tal modo que anula enteramente la acción privada; al paso que en otras, como en *Cádiz*, que también es excelente en su género, la historia se reduce a anécdotas, y lo que domina, es la acción novelesca (interesante por cierto, y romántica en sumo grado), y el tipo misterioso del protagonista, que parece trasunto de la fisonomía de Lord Byron. Pero esta misma variedad de maneras comprueba los inagotables recursos del autor, que supo mantener despierto el interés durante tan larga serie de fábulas, y enlazar artificiosamente unas con otras, y no repetirse casi nunca, ni siquiera en las figuras que ha tenido que introducir en escena con más frecuencia, como son las de guerrilleros y las de conspiradores políticos. Son los *Episodios Nacionales* una de las más afortunadas creaciones de la literatura española en nuestro siglo; un éxito sinceramente popular los ha coronado; el lápiz y el buril los han ilustrado a porfía; han penetrado en los hogares más aristocráticos y en los más humildes, en las escuelas y en los talleres; han enseñado verdadera historia a muchos que no sabían; no han hecho daño a nadie, y han dado honesto recreo a todos, y han educado a la juventud en el culto de la *Patria.* Si en otras obras ha podido el señor Galdós parecer novelista de escuela o de partido, en la mayor parte de los *Episodios* quiso, y logró, no ser más que novelista español; y sus más encarnizados detractores no podrán arrancar de sus sienes esta corona cívica, todavía más envidiable que el lauro poético.

Cuando Galdós cerró muy oportunamente en 1879 la segunda serie de los *Episodios Nacionales,* la novela histórica había pasado de moda, siendo indicio del cambio de gusto la indiferencia con que eran recibidas obras muy estimables de este género, por ejemplo, *Amaya,* de Navarro Villoslada, último representante de la escuela de Walter Scott en España. En cambio, la novela de costumbres había triunfado con Pereda, ingenio de la familia de Cervantes; la novela psicológica y casuística resplandecía en las afiligranadas páginas de Valera, que había robado a la lengua mística del siglo XVI sus secretos; comenzaba a prestarse principal atención a los casos de conciencia; traíanse a la novela graves tesis de religión y de moral, y hasta el brillantísimo Alarcón, poco inclinado por carácter y por hábito a ningún género de meditación especulativa, había procurado dar más trascendental sentido a sus narraciones, componiendo *El Escándalo*. Había en todo esto un reflejo del movimiento filosófico, que, extraviado o no, fue bastante intenso en España desde 1860 hasta 1880; había la influencia más inmediata de la crisis revolucionaria del 68, en que por primera vez fueron puestos en tela de juicio los principios cardinales de nuestro credo tradicional. El llamado problema religioso preocupaba muchos entendimientos y no podía menos de revestir forma popular en la novela, donde tuvieron representantes de gran valer, si escasos en número, las principales posiciones del espíritu en orden a él: la fe íntegra, robusta y práctica; la fe vacilante y combatida; la aspiración a recobrarla por motivos éticos y sociales, o bien por *dilettantismo* filosófico y estético; el escepticismo mundano, y hasta la negación radical más o menos velada.

Galdós, que sin seguir ciegamente los caprichos de la moda, ha sido en todo tiempo observador atento del gusto público, pasó entonces del campo de la novela histórica y política, donde tantos laureles había recogido, al de la novela idealista, de tesis y tendencia social, en que se controvierten los fines más altos de la vida humana, revistiéndolos de cierta forma simbólica. Dos de las más importantes novelas de su segunda época pertenecen a este género. *Gloria* y *La Familia de León Roch*. Juzgarlas hoy sin apasionamiento es empresa muy difícil: quizá era imposible en el tiempo en que aparecieron, en medio de una atmósfera caldeada por el vapor de la pelea, cuando toda templanza tomaba visos de complicidad a los ojos de los violentos de uno y otro bando. En la lucha que desgarraba las entrañas de la Patria, lo que menos alto podía sonar era la voz reposada de la crítica literaria. Aquellas novelas no fueron juzgadas en cuanto a su valor artístico: fueron exaltadas o maldecidas con igual furor y encarnizamiento por los que andaban metidos en la batalla de ideas de que ambos libros eran trasunto. Yo mismo, en los hervores de mi juventud, los ataqué con violenta saña, sin que por eso mi íntima amistad con el señor Galdós sufriese la menor quiebra. Más de una vez ha sido recordada, con intención poco benévola para el uno ni para el otro, aquella página mía. Con decir que no está en un libro de estética, sino en un libro de historia religiosa creo haber dado bastante satisfacción al argumento. Aquello no es mi juicio literario sobre *Gloria*, sino la reprobación de su tendencia.

De su tendencia digo, y no puede extenderse a más la censura, porque no habiendo hablado la única autoridad que exige acatamiento en este punto, a nadie es lícito, sin nota de temerario u otra más grave, penetrar en la conciencia ajena, ni menos fulminar anatemas que pueden dilacerar impíamente las fibras más delicadas del alma. Una novela no es obra dogmática ni ha de ser juzgada con el mismo rigor que un tratado de teología. Si el novelista permanece fiel a los cánones de su arte, su obra tendrá mucho de impersonal, y él debe permanecer fuera de su obra. Si podemos inducir o conjeturar su pensamiento por lo que dicen o hacen sus personajes, no por eso tenemos derecho para identificarle con ninguno de ellos. En *Gloria*, por ejemplo, ha contrapuesto el señor Galdós creyentes de la ley antigua y de la ley de gracia: a unos y otros ha atribuido condiciones nobilísimas, sin las cuales no merecerían llevar tan alta representación; en unos y otros ha puesto también el germen de lo que él llama intolerancia. Es evidente para el lector más distraído, que Galdós no participa de las ideas que atribuye a la familia de los Lantiguas; pero ¿por dónde hemos de suponer que simpatiza con el sombrío fanatismo de Daniel Morton, ni con la feroz superstición, todavía más de raza y de sangre que de sinagoga, que mueve a Esther Espinosa a deshonrar a su propio hijo? Tales personajes son en la novela símbolos de pasiones más que de ideas, porque *Gloria* no es novela propiamente filosófica, de la cual pueda deducirse una conclusión determinada, como se deduce, por ejemplo, del drama De Lessing. *Nathán el Sabio*, que envuelve, además de una lección de tolerancia, una profesión de deísmo. El conflicto trágico que nuestro escritor presenta es puramente doméstico y de amor, aunque sea todavía poco verosímil en España: es el impedimento de *cultus disparitas* lo que sirve de máquina a la novela; lo que prepara y encadena sus peripecias: el nudo se corta al fin, pero no se suelta; la impresión del libro resulta amarga, desconsoladora, pesimista si se quiere; pero el verdadero pensamiento teológico del autor queda envuelto en nieblas, porque es imposible que un alma de su temple pueda reposar en el *tantum relligio potuit suadere malorum.* Galdós ha padecido el contagio de los tiempos; pero no ha sido nunca un espíritu escéptico ni un espíritu frívolo. No intervendría tanto la religión en sus novelas si él no sintiese la aspiración religiosa de un modo más o menos definido y concreto, pero indudable. Y aunque todas sus tendencias sean de moralista al modo anglo-sajón, más bien que de metafísico ni de místico, basta la más somera lectura de los últimos libros que ha publicado para ver apuntar en ellos un grado más alto de su conciencia religiosa; una mayor espiritualidad en los símbolos de que se vale; un contenido dogmático mayor, aun dentro de la parte ética, y de vez en cuando ráfagas de cristianismo positivo, que vienen a templar la aridez de su antiguo estoicismo. Esperemos que esta saludable evolución continúe, como de la generosa naturaleza del autor puede esperarse, y que la gracia divina ayude al honrado esfuerzo que hoy hace tan alto ingenio, hasta que logre, a la sombra de la Cruz, la única solución del enigma del destino humano.

Pero tornando a *Gloria*, diremos que, aunque esta novela nada pruebe, es literariamente una de las mejores de Galdós, no sólo porque está escrita con más pausa y aliño que otras, sino por la gravedad de pensamiento, por lo patético de la acción, por la riqueza psicológica de las principales figuras, por el desarrollo majestuoso y gradual de los sucesos, por lo hábil e inesperado del desenlace y principalmente, por la elevación ideal del conjunto, que no se empaña ni aun en aquellos momentos en que la emoción es más viva. Con más desaliño, y también con menos caridad humana y más dureza sectaria está escrita *La Familia de León Roch*, en que se plantea y no se resuelve el problema del divorcio moral que surge en un matrimonio por disparidad de creencias, atacándose de paso fieramente la hipocresía social en sus diversas formas y manifestaciones. El protagonista, ingeniero sabio e incrédulo, es tipo algo convencional, repetido por Galdós en diversas obras, por ejemplo, en *Doña Perfecta*, que, como cuadro de género y galería de tipos castizos, es de lo más selecto de su repertorio, y lo sería de todo punto si no asomasen en ella las preocupaciones anticlericales del autor, aunque no con el dejo amargo que hemos sentido en otras producciones suyas.

Con las tres últimamente citadas abrió el señor Galdós la serie de sus *Novelas españolas contemporáneas*, que cuenta a la hora presente más de veinte obras diversas, algunas de ellas muy extensas, en tres o cuatro volúmenes, enlazadas casi todas por la reaparición de algún personaje, o por línea genealógica entre los protagonistas de ellas, viniendo a formar todo el conjunto una especie de *Comedia Humana*, que participa mucho de las grandes cualidades de la de Balzac, así como de sus defectos. Para orientarse en este gran almacén de documentos sociales, conviene hacer, por lo menos, tres subdivisiones, lógicamente marcadas por un cambio de manera en el escritor. Pertenecen a la primera las novelas idealistas que conocemos ya, a las cuales debe añadirse *El Amigo Manso*, delicioso capricho psicológico, y *Marianela*, idilio trágico de una mendiga y un ciego; menos original quizá que otras cosas de Pérez Galdós, pero más poético y delicado: en el cual, por una parte, se ve el reflejo del episodio de Mignon en *Wilhelm Meister*, y por otra aquel procedimiento antitético a Víctor Hugo, combinando en un tipo de mujer la fealdad de cuerpo y la hermosura de alma, el abandono y la inocencia.

La segunda fase (tercera ya en la obra total del novelista) empieza en 1881 con *La Desheredada*, y llega a su punto culminante en *Fortunata y Jacinta*, una de las obras capitales de Pérez Galdós, una de las mejores novelas de este siglo. En las anteriores, siento decirlo, a vuelta de cosas excelentes, de pinturas fidelísimas de la realidad, se nota con exceso la huella del naturalismo francés, que entraba por entonces a España a banderas desplegadas, y reclutaba entre nuestra juventud notables adeptos, muy dignos de profesar y practicar mejor doctrina estética. Hoy todo aquel estrépito ha pasado con la rapidez con que pasan todos los entusiasmos ficticios. Muchos de los que bostezaban con la interminable serie de los *Rougon Macquart* y no se atrevían a confesarlo, empiezan ya a calificar de pesadas y brutales aquellas narraciones; de trivial y somera aquella psicología, o dígase psicofísica; de bajo y ruin el concepto mecánico del mundo, que allí se inculca; de pedantesco o incongruente el aparato pseudocientífico con que se presentan las conclusiones del más vulgar *determinismo*, única ley que en estas novelas rige los actos, o más bien los apetitos de la que llaman *bestia humana*, víctima fatal de dolencias hereditarias y de crisis nerviosas; con lo cual, además de decapitarse al ser humano, se aniquila todo el interés dramático de la novela, que sólo puede resultar del conflicto de dos voluntades libres, o bien de la lucha entre la libertad y la pasión. Había, no obstante, en el movimiento naturalista, que en algunos puntos eran una degeneración del romanticismo, y en otros un romanticismo vuelto del revés, no sólo cualidades individuales muy poderosas, aunque por lo común mal regidas, sino una protesta, en cierto grado necesaria, contra las quimeras y alucinaciones del idealismo enteco y amanerado; una reintegración de ciertos elementos de la realidad dignísimos de entrar en la literatura, cuando no pretenden ser exclusivos; y una nueva y más atenta y minuciosa aplicación, no de los cánones científicos del método experimental, como creía disparatadamente el patriarca de la escuela, sino del simple método de observación y experiencia, que cualquier escritor de costumbres ha usado; pero que, como todo procedimiento técnico, admite continua rectificación y mejora, porque la técnica es lo único que hay perfectible en arte.

Galdós aprovechó en numerosos libros de desigual valor toda la parte útil de la evolución naturalista, esmerándose, sobre todo, en el individualismo de sus pinturas; en la riqueza, a veces nimia, de detalles casi microscópicos; en la copia fiel, a veces demasiado fiel, del lenguaje vulgar, sin excluir el de la hez del populacho. No fue materialista ni determinista nunca; pero en todas las novelas de este segundo grupo se ve que presta mucha y loable atención al dato fisiológico y a la relación entre el alma y el temperamento. Así, en *Lo Prohibido*, verbigracia, Camila, la mujer sana de cuerpo y alma, se contrapone física y moralmente al neurótico y degenerado protagonista. Por abuso de esta disección, que a veces da en cruda y feroz, Polo, el clérigo relajado y bravío de *Tormento*, difiere profundamente de análogos personajes de los *Episodios*, y quizá sea más humano que ellos; pero no alcanza su talla ni su prestigio épico.

La mayor parte de las novelas de este grupo, además de ser españolas, son peculiarmente madrileñas, y repro-

ducen con pasmosa variedad de situaciones y caracteres
la vida del pueblo bajo y de la clase media de la capital;
puesto que de las costumbres aristocráticas ha prescindi-
do Galdós hasta ahora, ya por considerarlas mera traducción del francés y, por tanto, inadecuadas para su objeto,
ya porque su vida retirada y estudiosa le ha mantenido
lejos del observatorio de los salones, aunque con los ojos
muy abiertos sobre el espectáculo de la calle. Tienen estos cuadros valor sociológico muy grande, que ha de ser
apreciado rectamente por los historiadores futuros; tienen a veces gracejo indisputable en que el novelista no
desmiente su prosapia castellana; tienen, sobre todo, un
hondo sentido de caridad humana, una simpatía universal por los débiles, por los afligidos y menesterosos, por
los niños abandonados, por las víctimas de la ignorancia
y del vicio, y hasta por los cesantes y los llamados *cursis*.
Todo esto, no sólo honra el corazón y el entendimiento
de su autor, y da a su labor una finalidad muy elevada,
aun prescindiendo del puro arte sino que redime de la
tacha de vulgaridad cualquiera creación suya, realza el
valor representativo de sus personajes y ennoblece y purifica con un reflejo de belleza moral hasta lo más abyecto y ruin; todo lo cual separa profundamente el arte
de Galdós de la fiera insensibilidad y el *dilettantismo* inhumano con que tratan estas cosas los naturalistas de
otras partes. Pero no se puede negar que la impresión general de estos libros es aflictiva y penosa, aunque no toque en los lindes del pesimismo; y que en algunos de fe-
tidez, el hambre y la miseria, o bien las angustias de la
pobreza vergonzante los oropeles de una vanidad todavía
más triste que ridícula, están fotografiados con tan terrible y acusadora exactitud, que dañan a la impresión serena del arte y acongojan el ánimo con visiones nada plá-
cidas. ¡Qué distinta cosa son las escenas populares de ese
mismo pueblo de Madrid, llenas de luz, color y alegría,
que Pérez Galdós había puesto en sus *Episodios*, robando
el lápiz a Goya y a don Ramón de la Cruz! Y en otro género compárese la tétrica *Desheredada* con aquella inmensa galería de novelas lupanarias de nuestro siglo XVI, en
que quedó admirablemente agotado el género (con más
regocijo, sin duda, que edificación ni provecho de los lectores), y se verá que algo perdió Galdós con afrancesarse
en los procedimientos, aunque nunca se afrancesase en
el espíritu.

¡Fatal influjo el de la tiranía de escuela aun en los talentos más robustos! Porque los defectos que en esta sección de las obras de Galdós me atrevo a notar proceden de su escuela únicamente, así como todo lo bueno que hay en ellas es propio y peculiar de su ingenio. Es más: son defectos cometidos a sabiendas, y que, bajo cierto concepto de la novela, se razonan y explican. La falta de selección en los elementos de la realidad; la prolija acumulación de los detalles, en esa selva de novelas que, aisladamente consideradas, suelen no tener principio ni fin, sino que brotan las unas de las otras con enmarañada y prolífica vegetación, indican que el autor procura remedar el oleaje de la vida individual y social, y aspira, temerariamente quizá, pero con temeridad heroica, sólo permitida a tan grandes ingenios como el suyo y el de Balzac, a la integridad de la representación humana, y por ella a la creación de un *microcosmos* poético, de un mundo de representaciones enteramente suyo, en que cada novela no puede ser más que un fragmento de la novela total, por lo mismo que en el mundo nada empieza ni acaba en un momento dado, sino que toda acción es contigua y simultánea con otras.

Pero hay entre estas novelas de Galdós una que para nada necesita del apoyo de las demás, sino que se levanta sobre todas ellas cual majestuosa encina entre árboles menores, y puede campear íntegra y sola, porque en ninguna ha resuelto con tan magistral pericia el arduo problema de convertir la vulgaridad de la vida en materia estética, *aderezándola* y *sazonándola* —como él dice— *con olorosas especias,* lo cual inicia ya un cambio en sus predilecciones y manera. Tal es *Fortunata y Jacinta,* libro excesivamente largo, pero en el cual la vida es tan densa; tan profunda a veces la observación moral; tan ingeniosa y amena la psicología, o como quiera llamarse aquel entrar y salir por los subterráneos del alma, tan interesante la acción principal en medio de su sencillez; tan pintoresco y curioso el detalle, y tan amplio el escenario, donde caben holgadamente todas las transformaciones morales y materiales de Madrid desde 1868 a 1875, las vicisitudes del comercio al por menor y las peripecias de la revolución de septiembre. Es un libro que da la ilusión de la vida: tan completamente estudiados están los personajes y el medio ambiente. Todo es vulgar en aquella fábula, menos el sentimiento; y, sin embargo, hay algo de épico en el conjuro, por gracia, en parte, de la manera franca y valiente del narrador, pero todavía más de su peregrina aptitud para sorprender el íntimo sentido e interpretar las ocultas relaciones de las cosas, levantándolas de este modo a una región más poética y luminosa. Por la realización natural, viviente, sincera; por el calor de humanidad que hay en ella; por la riqueza del material artístico allí acumulado, *Fortunata y Jacinta*, es uno de los grandes esfuerzos del ingenio español en nuestros días, y los defectos que se pueden notar en ella y que se reducen a uno sólo, el de no presentar la realidad bastante depurada de escorias, no son tales que puedan contrapesar el brío de la ejecución, con que prácticamente se demuestra que el ideal puede surgir del más humilde objeto de la naturaleza y de la vida, pues, como dice un gran maestro de estas cosas, no hay ninguno que no presente una faz estética, aunque sea eventual y fugitiva.

Si alguna de las posteriores fábulas de nuestro autor pudiera rivalizar con ésta, sería, sin duda, *Angel Guerra*, principio de una evolución cuyo término no hemos visto aún; pero de la cual debemos felicitarnos desde ahora, porque en ella Galdós no sólo vuelve a la novela novelesca en el mejor sentido de esta fórmula, sino que demuestra condiciones no advertidas en él hasta entonces, como el sentido de la poesía arqueológica de las viejas ciudades castellanas; y entra además, no diré que con paso enteramente firme, pero sí con notable elevación de pensamiento, en un mundo de ideas espirituales y aun místicas, que es muy diverso del mundo en que la acción de *Gloria* se desenvuelve. Algo ha podido influir en esta nueva dirección del talento de Galdós el ejemplo del gran novelista ruso Tolstoi; pero mucho más ha de atribuirse este cambio a la depuración progresiva, aunque lenta, de su propio pensamiento religioso, no educado ciertamente, en una disciplina muy austera, ni muy avezado, por sus hábitos de observación concreta a contemplar las cosas *sub specie aeternitatis*, pero muy distante siempre de ese ateísmo práctico, plaga de nuestra sociedad aun en muchos que alardean de creyentes; de ese mero pensar relativo, con el cual se vive continuamente fuera de Dios, aunque se le confiese con los labios y se profane para fines mundanos la invocación de su santo nombre.

Esta misma tendencia persiste en *Nazarín*, novela en cuyo análisis no puedo detenerme ya, como tampoco en el de la trilogía de *Torquemada,* espantable anatomía de la avaricia; ni menos en los ensayos dramáticos del señor Galdós, que aquí, como en todas partes, no ha venido a traer la paz, sino la espada, rompiendo con una porción de convenciones escénicas, transplantando al teatro el diálogo franco y vivo de la novela y procurando más de una vez encarnar en sus obras algún pensamiento de reforma social, revestido de formas simbólicas, al modo que lo hacen Ibsen y otros dramaturgos del Norte. Si no en todas estas tentativas le ha mirado benévola la caprichosa deidad que preside a los éxitos de las tablas, todas ellas han dado motivo de grave meditación a críticos y pensadores; y aun suponiendo que el autor hubiese errado el camino, *in magnis voluisse sat,* y hay errores geniales que valen mil veces más que los aciertos vulgares.

Tal es, muy someramente inventariado, el caudal enorme de producciones con que el señor Galdós llega a las puertas de esta Academia. Sin ser un prosista rígidamente correcto, a lo cual su propia fecundidad se opone, hay en sus obras un tesoro de lenguaje familiar y expresivo. Ha estudiado más en los libros vivos que en las bibliotecas; pero dentro del círculo de su observación, todo lo ve, todo lo escudriña, todo lo sabe; el más trivial detalle de artes y oficios, lo mismo que el más recóndito pliegue de la conciencia. Sin aparato científico, ha pensado por cuenta propia sobre las más arduas materias en que puede ejercitarse la especulación humana. Sin ser historiador de profesión, ha reunido el más copioso archivo de documentos sobre la vida moral de España en el siglo xix. Quien intente caracterizar su talento, notará desde luego que, sin dejar de ser castizo en el fondo, se educó por una parte bajo la influencia anatómica y fisiológica del arte de Balzac; y por otra, en el estudio de los novelistas ingleses, especialmente de Dickens, a quien se parece en la mezcla de lo plástico y lo soñado, en la riqueza de los detalles mirados como con microscopio, en la atención que concede a lo pequeño y a lo humilde, en la poesía de los niños y en el arte de hacerles sentir y hablar; y finalmente, en la pintura de los estados excepcionales de conciencia, locos, sonámbulos, místicos, iluminados y fanáticos de todo género, como el maestro Sarmiento, Carlos Garrote, Maximiliano Rubín y Angel Guerra. Diríase que estas cavernas del alma atraen a Galdós, cuyo singular talento parece formado por una mezcla de observación menuda y reflexiva y de imaginación ardiente, con vislumbres de iluminismo, y a veces con ráfagas de teosofía. Se le ha tachado unas veces de frío; otras de hiperbólico en las escenas de pasión. Para nosotros, esa frialdad aparente disimula una pasión reconcentrada que el arte no deja salir a la superficie: *parcentis viribus et extenuantis eas consulto,* como decían los antiguos. En su modo de ver y de concebir el mundo, Galdós es poeta; pero le falta algo de la llama lírica. En cambio, pocos novelistas de Europa le igualan en lo trascendental de las concepciones, y ninguno le supera en riqueza de inventiva. Su vena es tan caudalosa, que no puede menos de correr turbia a veces; pero con los desperdicios de ese caudal hay para fertilizar muchas tierras estériles. Si Balzac, en vez de levantar el monumento de la *Comedia humana,* con todo lo que en él hay de endeble, tosco y monstruoso, se hubiera reducido a escribir un par de novelas por el estilo de *Eugenia Grandet,* sería ciertamente un novelista muy estimable; pero no sería el genial, opulento y desbordado Balzac que conocemos. Galdós, que tanto se le parece, no valdría más si fuese menos fecundo, porque su fecundidad es signo de fuerza creadora, y sólo por la fuerza se triunfa en literatura como en todas partes.

(7 de febrero de 1897.)

LOS GRANDES DE ESPAÑA:
DON BENITO PEREZ GALDOS

Confieso que, aunque conozco en España a todos los escritores y poetas del «último barco», que son los que naturalmente están más cerca de mi espíritu, y que se llaman *Azorín*, Pío Baroja, Valle Inclán, Luis Bello, los Machado, Palomero, Villaespesa, etcétera, no me he apresurado mucho que digamos a tratar personalmente a las celebridades ya consagradas.

A don Marcelino Menéndez Pelayo me he contentado con leerlo y verle pasar; lo mismo a don Armando Palacio Valdés. A doña Emilia Pardo Bazán la encontré casualmente en casa de los condes de Vilana, y acabo apenas de enviarle mi último libro con una carta, a pesar de que Chocano me afirma que los mexicanos, los escritores especialmente, no olemos para ella a Algalia desde que Pancho Icaza pretendió que había no sé qué afinidades literarias entre un libro suyo y otro de cierto Vizconde francés... A Cavestany y a Emilio Ferrari también casualmente los he conocido, y en cuanto a Grilo, que las musas se dignen emplumarme si llevo trazas de conocerle.

Y es que me disgusta profundamente ese papel de admirador hispanoamericano que viene a prodigar adjetivos, a rendir parias y a dar la lata, y soy el menos a propósito para desempeñarlo.

En primer lugar, porque esta facultad de admirar la ejerzo yo muy poco en los hombres, pues cada día hallo en el mundo menos hombres admirables, encontrando, en cambio, cada día también, más admirables las cosas de la natuarleza; y en segundo lugar, porque en concreto no admiro a casi ninguno de estos señores, ¡ni cómo podría ser de otra manera!

Yo no veo por qué el que no ha hecho nada grande en su juventud ha de ser admirado por la autoridad que da la vejez, y hallo, además, que cualquier poeta moderno de talento realiza obra más bella, más honda, más adivinativa de emoción y de arte que ese eterno retumbar de octosílabos y endecasílabos, de sonetos y décimas oratorias que deleita los oídos infantiles como una murga que pasa por la calle, y que enfáticamente recitados por enfáticos actores, han desconceptuado en absoluto una escuela de declamación.

* * *

Pero si tengo muy pocas admiraciones para los hombres, en cambio, las que me quedan son muy claras, muy cristalinas, muy sinceras y muy grandes, y conste que la más intensa de ellas es la que siento y he sentido siempre por don Benito Pérez Galdós.

Es curioso ver lo poco que la prensa se ocupa y se ha ocupado siempre de don Benito Pérez Galdós. Su reputación ni ha contado jamás con la ayuda de las gacetillas, ni ha necesitado jamás de esa ayuda. Sus libros se han abierto siempre camino dignamente, silenciosamente, y acontece y ha acontecido que toda una edición se agote sin que los periódicos hayan apenas dado cuenta de ella.

En cambio, es común que muchos diarios se desgañiten gritando las excelencias de un libro, y que éste se quede en las bodegas de las librerías, como la obrilla que vendía Navamorcuende, el del epigrama.

Estas observaciones hacíamos por cierto Valle-Inclán y yo, mientras nos dirigíamos una tarde a casa de don Benito Pérez Galdós, y, dicho sea sin ambages: las hacíamos en honor del público, que no es tan adocenado como se cree, y que, cuando se hace mucho reclamo a un libro, empieza por desconfiar de él.

La prensa es omnipotente si se consagra a prestigiar lo que de veras vale: en esto estamos de acuerdo todos..., hasta Pero Grullo y un servidor de ustedes.

Si, por ejemplo, un periódico nos dice que la quinina es buena para el paludismo y el calomel para el estómago..., todo el mundo lo cree. Pero si el mismo periódico afirma que hay un remedio infalible contra la calvicie, nadie le hace caso, aunque se trate del petróleo..., en lo cual a todo el mundo le sobra razón, ya que el mismísimo Rockefeller, el «rey del petróleo» es calvo como una rodilla...

Hace mucho tiempo (como en la *Anabel Lee*) que escribí yo una novela intitulada *El donador de almas*, que anda por ahí y que tengo la esperanza de que nadie ha leído (¿Ha leído alguien, por ventura, *El donador de almas*?). En esa novela, de un autor en agraz, decía yo, hablando de Andrés, uno de los protagonistas (el *deuteragonista*, mejor dicho), las siguientes palabras que estoy en el derecho de citar, ya que nadie ha leído el libro:

«Pronto Andrés escribió en español, como escribe Armando Palacio Valdés: para dar pretexto a que lo tradujeran al inglés y al francés.

«Los yanquis le pagaban a peso de oro —*american gold*— sus cuentos, sus novelas, sus artículos, y fue célebre sin que México, que estaba muy ocupado en las obras del desagüe, se diera cuenta de ello.»

En efecto, Armando Palacio Valdés existía, como si dijéramos, a furto de España y de la prensa, y callandito se hacía famoso y se ganaba, como él dice ingenuamente, un dineral «afuera», sin que se percatase nadie de él «adentro»...

* * *

Pero volvamos al señor Pérez Galdós. Como digo, le he admirado siempre, le he admirado mucho.

Ahora que le conozco le admiro y, además, le quiero.

Don Benito Pérez Galdós es grande como un águila y sencillo como una paloma.

Tiene un cerebro genial y un corazón de niño.

Su trato, porque he tenido la honra de tratarle, me ha hecho corroborar la natural idea que he abrigado siempre de que, a medida que el valor de un hombre es mayor, es mayor asimismo su simplicidad, de tal suerte, que los genios tienen esa divina y luminosa simplicidad de los diamantes.

Pasa en esto lo que pasa en el orden social. Yo me he acercado a algunos pisaverdes ricos de México en esas necesarias y penosas intersecciones de las vidas y me han tratado con altivez. En cambio, en España, hombres como un marqués de Santa Cruz, un Duque de Alba, un

Duque de Medinaceli o de Montellano, me han recibido con sencilla y franca cordialidad.

Frecuentemente, un prefecto de pueblo o un empleado de segundo orden me han hecho sentir con cierta aspereza «su superioridad»; en cambio, he hablado con el presidente de nuestra República o con el rey de España, y han conversado conmigo afable y naturalmente, con una sonrisa acogedora y simpática. Frecuentemente he sido «protegido» (como allá decimos) por algunos escritores y poetas de mi país que ganan cien pesos más que yo. En cambio, un Rubén Darío o un don Benito Pérez Galdós me han tratado como a igual.

Y es que los que son grandes de veras, los que por derecho propio se sienten superiores a los demás, no necesitan de enfatismo, de desdenes, de esquiveces de *pose* para demostrarlo.

Todo el mundo «sabe», todo el mundo «reconòce» que son grandes. Se imponen con su sola presencia.

Cada uno de estos grandes, como el poeta de *Las montañas de oro*, de Lugones,

...aquel ser de ancho aliento

que

parece que en los hombros lleva amarrado el viento

* * *

A fin de que los hombres alcancen con sus bocas su oreja, enormemente sentado entre dos rocas como un afable cóndor les escucha...

Yo me explico por los demás que la densa caterva de los pequeños gesticule, chille, se yerga, vocifere, se empine, se pavonee, «cale el chapeo, requiera la espada, mire al soslayo...», a fin de que el mundo sepa que existe.

Yo concibo perfectamente que aquel que jamás creyó llegar a nada por sus méritos, se hinche de viento y se maree de vanidad en cuanto se encarama a cualquier altura, aunque sea a un tapanco.

Me parece perfectamente lógico que ciertas almas subalternas procuren crecerse delante de uno por el miedo natural de que uno pase sin verlas, y no me escandalizo ni ante la insolencia de un lacayo, ni ante la petulancia de un tonto, ni ante la cómica majestad de un alcalde de villorrio: todo ello es natural.

¡Pero es tan hermoso, por contraste, advertir la apacible, la augusta, la sonriente serenidad de las cimas!

¡Es tan agradable conversar con un don Benito Pérez Galdós y advertir en esa alma magnífica todas las transparencias, todas las ingenuidades, todos los candores y todos los entusiasmos de un niño de ocho años!

No es raro que en el tranvía que va de la Puerta del Sol a Pozas, y que pasa por nuestras respectivas casas, dejándome a mí en Bailén y a él llevándole hasta Areneros, me encuentre a don Benito.

Silencioso, recogido, en actitud modesta, caladas las oscuras gafas que protegen contra el rabioso sol de España sus ojos enfermos, don Benito pasa inadvertido de todo el mundo. Sin duda que hasta el cobrador sabe su nombre y ha leído alguno de sus libros; pero no lo identifica, y aquella verdadera realeza continúa su camino tranquila, casi humilde, pensando «en sus cosas».

Algunas veces le dejo respetuosamente en su rincón, seguro de que sus pensamientos valen más que todo lo que pudiera yo decirle.

Otras me acerco y le saludo.

Entonces, muy afable, me dice:

—Perdóneme que no le haya visto.

E incontinenti se pone a conversar conmigo.

En días pasados venía él de Tordesillas y de Medina del Campo, todo vestido aún de recuerdos; con esa poderosísima facultad de evocación que tiene, había reconstruido los setenta y cinco años de vida y pasión de doña Juana la Loca, recluida casi medio siglo en Tordesillas.

Venía maravillado de lo que había visto... y no «había visto» nada, nada más que piedras bermejas caldeadas por el sol... Todo lo había contemplado por dentro, con esa visión amplia y radiosa de su privilegiado espíritu.

Me recomendó que leyese un libro muy documentado: *La Reina Doña Juana la Loca*, de Antonio Rodríguez Villa, y como yo no pude conseguirlo, me lo envió a mi casa.

Otro día me dijo:

—Como en mi próximo episodio he de referirme al general Prim, deseo que un día venga usted a almorzar conmigo, a fin de que me hable mucho de México; quie-

ro saber, no lo que dicen los libros, que bien me sé, sino
todos esos hechos, todas esas menudencias, todos esos
detalles que constituyen la vida diaria, la vida familiar.

* * *

En España, los jóvenes, irrespetuosos como en todas
partes, como lo fuimos nosotros: Balbino, Tablada, Urue-
ta, Francisco M. de Olaguíbel, Couto y yo en México, en
otros tiempos en que creíamos que el monte era de oré-
gano; los jóvenes de España, digo, que tan duros han
sido con Echegaray, que a tantos han negado, a don Benito lo acatan resueltamente, honradamente, absolutamente.

El sí es rey de derecho divino, ya que tiene ese *quid
divinum* que en fértil latín admiraban nuestros abuelos,
ya que él sí está ungido por el genio, ya que a él sí puede
llamársele, sin adulación y sin mentira, grande, «grande
de España», como yo me complazco en llamarle en estas
líneas.

(*Algunos. Crónicas varias.* Madrid, 1921.)

GALDOS

En el ocaso de una larga y honrada vida de trabajo, don Benito Pérez Galdós se ha quedado casi ciego. No puede ya escribir por sí mismo sus libros: los dicta. Don Benito Pérez Galdós es un anciano alto, recio, un poco encorvado; viste sencillamente; cubre su cabeza un sombrero blando, redondo, un poco grasiento; no recuerda ningún mortal haber visto sobre el cráneo del novelista ningún sombrero hongo. La modestia de don Benito respecto a indumentaria es propia de todo gran trabajador intelectual. No podemos imaginarnos atildado, prendido de veinticinco alfileres, a un hombre —Flaubert o Spencer, Nietzsche o Leopardi— cuya única preocupación son las cosas de la inteligencia; un hombre absorto en una honda, noble y desinteresada labor intelectual. Luego, en nuestro don Benito, este su sombrero ajado, su gabán lustroso y su terno casi pobre sientan a maravilla; la vida opaca, gris, uniforme, cotidiana, es la que ha sido pintada por el novelista; gris, opaco, como un comerciante, como un pequeño industrial, como un labrador de pueblo, se nos aparece don Benito en su indumentaria.

Habla poco el autor de los *Episodios*. De cuando en cuando hace una pregunta, escucha atento la charla, permanece largos ratos en silencio. Sus ojos no brillan ni fulgen con resplandores de vida interna; su cara no expresa ni alegría, ni tristeza, ni entusiasmo, ni indignación. Lentamente, pausado, con su gabán usado y su bufanda blanca en invierno, va caminando el ilustre anciano por las calles, entra en el Congreso, escribe unas cartas, se acerca a un corro, escucha en silencio —siempre en silencio— lo que se charla y vocifera entre manoteos e interjecciones. Ahora, después de haberse inclinado sobre las blancas y voraces cuartillas durante años y años, lustros y lustros, nuestro gran novelista ha perdido la vista. Ya se le ve menos por las calles, rara vez aporta por el Congreso; sus trabajos —como don Juan Valera en sus últimos años— los dicta a un secretario.

¿Qué debe la literatura española a este grande, honrado, infatigable, glorioso trabajador? ¿Qué le debe España? ¿Qué le deben las nuevas generaciones de escritores? Aparece Galdós en la literatura patria cuando los modernos procedimientos literarios —ya iniciados en otros países— eran aquí desconocidos. El esfuerzo filosófico que representaba el positivismo había de trascender al arte de las letras; teníamos en España una tradición antigua de realismo en nuestra novela picaresca; mas hay algo en el realismo contemporáneo desconocido de los noveladores antiguos; existe un elemento que ahora, en estos tiempos, ha entrado por primera vez en las esferas del arte. Nos referimos a la trascendencia social, al sentido en el artista de una realidad primera y visible, a la relación que se establece entre el hecho real, visible, ostensible y la serie de causas y concausas que lo han determinado. El realismo moderno —implantado aquí por Galdós— estudia, por tanto, no sólo las cosas en sí, como hacían los antiguos, sino el ambiente espiritual de las cosas.

La pasión política ha enturbiado en estos últimos tiempos el juicio de muchas gentes; se ha llegado a menospreciar, vejar y maltratar a un hombre insigne que, como ciudadano honrado, fiel cumplidor de sus deberes, ha creído que debía intervenir en la política de su patria, y en ella ha intervenido según su criterio, según sus sentimientos, según sus preferencias. Y, sin embargo, este hombre, vejado injustamente, ha revelado España a los ojos de los españoles que la desconocían; este hombre ha hecho que la palabra *España* no sea una abstracción, algo seco y sin vida, sino una realidad; este hombre ha dado a ideas y sentimientos que estaban flotantes, dispersos, inconexos, una firme solidaridad y unidad; este hombre, a través de su vasta, inmensa obra, a lo largo de los numerosos volúmenes que han salido de su pluma, ha ido haciendo lo que Menéndez y Pelayo ha hecho análogamente en otro orden de cosas: ha reunido en un solo haz, en una sola corriente, la muchedumbre de *sensaciones* que andaban dispersas, que han sido creadas parcialmente, fragmentariamente, en tiempos diversos.

Don Benito Pérez Galdós, en suma, ha contribuido a crear una conciencia nacional: ha hecho vivir a España con sus ciudades, sus pueblos, sus monumentos, sus paisajes. Cuando pasen los años, cuando transcurra el tiempo, se verá lo que España debe a tres de sus escritores de esta época: a Menéndez y Pelayo, a Joaquín Costa y a Pérez Galdós. El trabajo de aglutinación espiritual, de formación de una unidad ideal española, es idéntico, convergente, en estos tres grandes cerebros.

La nueva generación de escritores debe a Galdós todo lo más íntimo y profundo de su ser: ha nacido y se ha desenvuelto en un medio intelectual creado por el novelista. Ha habido desde Galdós hasta ahora, y con relación a todo lo anterior a 1870, un intenso esfuerzo de acercamiento a la realidad; comparad, por ejemplo, una novela de Alarcón con otra de Pío Baroja. Se han acercado más a la realidad los nuevos escritores y han impregnado a la vez su realismo de un anhelo de idealidad. La idealidad ha nacido del mismo conocimiento exacto, del mismo amor, de la misma simpatía por una realidad española, pobre, mísera, de labriegos infortunados, de millares y millares de conciudadanos nuestros que viven agobiados por el dolor y mueren en silencio. Galdós —como hemos dicho— ha realizado la obra de revelar a España a los españoles.

Abrid sus libros: ahí está, en primer término, Madrid, con su pequeña burguesía vergonzante; con su comercio de la calle de Postas y de la plaza de Santa Cruz, comercio clásico, restos de una época ya casi desaparecida; los interiores de casas de huéspedes, las tertulias de los cafés, los ministerios y oficinas, Villamil el infeliz, el bueno, el desgraciado; el amigo Manso, Manolo Infante, la de Bringas, Orozco el grande, el magnánimo; los estrafalarios Babeles, Pepe Rey, víctima atroz del fanatismo. Ahí está, en el segundo volumen de *Angel Guerra*, retratado Toledo, con sus callejuelas enrevesadas y pinas, sus conventos de monjas con sus huertos, en que crecen cipreses y rosales; sus sosegadas iglesias, de cuyos muros, enjalbegados con nítida cal, penden cuadros del *Greco* —que allí y no en los fríos museos tienen toda su vida—; las posadas como las de Santa Catalina, la Sangre, la Sillería, con sus trajinantes y cosarios, que vienen y van a Illán, Illescas, Cebolla, Torrijos, Escalona; el Tajo hondo y torvo; los cigarrales lejanos, en que «la vegetación es melancólica y sin frondosidad; el terruño, apretado y seco».

Ahí están, en fin, las innumerables páginas que el maestro ha escrito como fruto de sus excursiones por España, calladamente, viajando en tercera, platicando con labriegos y artesanos, y en las que Galdós nos ha pintado pueblos como Madrigal de las Altas Torres —la patria de Isabel la Católica— y Viana de Navarra, «los más vetustos y sepulcrales que he visto en mis correrías por España», dice el maestro. «Su sueño —añade— es como de ancianidad y niñez combinados, juntos en reposo inocente.» Ese sueño duerme España entera: Galdós, novelista; Galdós, en más de cien volúmenes, ha trabajado porque despierte y adquiera conciencia de sí misma.

Lecturas españolas, 1920.

ENTREVISTA CON GALDOS

...juzgué que sería interesante dar a los públicos de *Mundial* una idea del movimiento literario, artístico y periodístico de Madrid, no como crítico enfadoso, erudito y grave, no hablando ni juzgando obras, sino presentando a los hombres cuyas figuras descuellan en Letras o en Arte. Para esto he ido a sorprenderles en sus casas, en los cafés que habitualmente frecuentan, en sus reuniones de camaradas y hasta en la calle.

Empezaremos por el maestro Pérez Galdós.

DON BENITO

Rubén Darío continuaba delicado y se quedó en el hotel. Guido, Boyé con su máquina y yo tomamos un taxi.

—A la casa de don Benito —dije al *chauffeur*.

Basta con decir don Benito, pues todo el mundo conoce y quiere al maestro.

Frente a la Cárcel Modelo, en una gran explanada que ha servido para fusilamientos, recreo de chicuelos y campo de maniobras a los militares, y que hoy comienza a urbanizarse, hay un hotelito de ladrillo rosado, muy modesto, como una de esas casitas que cualquier menestral posee en Nogent-sur-Marne o en otro cualquier rincón de la *banlieue* parisiense. Una tapia de ladrillo lo oculta hasta el piso 1.º Por encima de esta tapia se asoma un rosal, como si quisiera huir enardecido por la primavera. Llamamos, y una criadita joven vestida de negro viene a abrirnos. Apenas le decimos que queremos ver al maestro, corre con la noticia. Si don Benito fuese francés, se necesitarían memoriales para hablarle. Cualquier escritorzuelo de tres al cuarto de Francia exige una instancia en papel sellado para dejarse ver. Los españoles no saben darse importancia, y de ahí acaso nazca el desdén de las gentes. El vulgo no entiende de nobles llanezas ni necesita de aparato para reconocer a los hombres superiores.

Al momento vuelve la criada y nos hace pasar al cuarto en donde se encuentra el maestro. Estaba trabajando: dictaba a su secretario Pablito Nougués un nuevo volumen de sus *Episodios nacionales*, que se titulará: *Cánovas*.

La habitación es modestísima. En un testero, hay una librería blanca, atiborrada de libros, en otro una ventana, en el de enfrente otra librería, y en último la puerta desnuda. Una mesa de estudiante, en la que escribe Pablo Nougués y dos sillas de paja completan el mobiliario.

Galdós está hundido en una butaca de terciopelo rojo. Está casi ciego; unas gafas negras cubren sus ojos.

—Don Benito —le dije— aquí está el señor Guido, administrador y propietario de la revista *Mundial*, que viene a saludarle. Darío no puede venir por encontrarse enfermo.

—Es Javier Bueno —añade Nougués.

—Sí, sí; ya le he conocido —dice el maestro— le he conocido por la voz. Yo no veo; estoy casi ciego y esperando que me hagan una operación en los ojos.

Guido se acerca para saludarle.

—Perdone usted que no le haga más cumplido recibimiento, pero ya me ve, estoy casi ciego. ¿Cómo está Rubén? Yo no he visto *Mundial*, pero me han dicho que es un primor.

—Se la mandaremos.

—No, no me la manden —interrumpe tristemente el maestro— no la podría ver y sufriría mucho más. Cuando vea, ya se la pediré; ahora, cada vez que recibo un libro o un periódico, sufro mucho, sin poder verlo. ¿Y adónde van ustedes? —agrega luego de una pausa.

Guido le expone nuestro itinerario, y Galdós exclama:

—Esos países son fuertes; la Argentina, Brasil, Chile, el Uruguay, son países jóvenes donde hay vida. Aquí está todo muerto, aquí tiene que haber una gran catástrofe o esto desaparece por putrefacción. Esto está muerto, muerto, muerto —repite con amargura el patriarca de las letras españolas.

Yo no quiero *(sic)* apartar de su mente la triste visión de esta patria española que él tanto quiere, y le digo:

—Don Benito, nosotros queremos fotografiarle aquí, en su cuarto de trabajo.

—Bueno, como ustedes quieran; aquí también me retrataron con el obispo de Jaca. ¿Cómo quieren ustedes que me coloque?

—Así mismo, como está usted —le digo—. No se mueva. Voy a empujar la butaca para que haya mejor luz.

Y arrastrando el butacón de terciopelo encarnado le coloco frente a la ventana.

—Como yo no puedo estar mucho tiempo mirando a la luz, que me diga el fotógrafo cuándo debo quitarme las gafas negras. No quiero que me retraten con gafas... Quiero que se vea que aún tengo ojos aunque inservibles.

Hecha la fotografía, volvemos a colocarle en su sitio. Don Benito sonríe al sentirse empujado en el butacón como un pequeñuelo en su cochecito.

Después le pedimos su autógrafo, y a tientas traza su firma y su rúbrica.

—¿Qué obras prepara usted? —le pregunto.

—He terminado un drama para María Guerrero y Fernando Mendoza, y ahora estoy escribiendo el episodio *Cánovas*. Trabajo despacio; no puedo, no puedo...

Todos guardamos silencio.

El maestro lo interrumpe:

—¿Y Manolo Bueno?

—No le he visto. Aún no he tenido tiempo para ir a su casa.

—Si le ve usted dígale que venga a verme, que yo le quiero mucho y me alegraría de que me hiciese una visita. Angel Guerra viene todos los jueves. Dígale que venga.

Como yo no he visto a Manuel Bueno, desde aquí le envío el encargo del maestro.

Nos despedimos de don Benito. Sus últimas palabras fueron:

—Buen viaje a esos países jóvenes y fuertes que tienen vida y salud. Esto está muerto.

Salimos a la explanada con una impresión de tristeza. Guido me dice melancólicamente:

—Si este homre fuera francés, sería millonario.

Por encima de la tapia se asomaba el rosal blanco que un viento de tormenta sacudía arrancándole sus mejores flores.

(Mundial Magazine, III, 15, 1912.)

ESPAÑA EN LA MUERTE DE GALDOS

Los españoles recibieron la noticia de la muerte de Galdós con un cierto sentimiento de sorpresa. Para muchos era una realidad inexistente hacía tiempo. Para otros, un elemento de la naturaleza que podía hacer frente incluso a la muerte. «Parecía un castillo roquero —escribió en *España nueva* Angel Samblancat—... Le ha costado a la tierra rendirle. Ha luchado con él muchos años a brazo partido...»

En efecto, su recia contextura empieza a quebrantarse a principios de siglo. Tuvo por entonces un ligero ataque de reuma, al que no dio importancia. Poco después se iniciaba el proceso de la ceguera, que tanto amargaría el final de su vida. Era ya una manifestación de la arterioesclerosis que termina hundiendo al viejo coloso.

La primera noticia detallada de su última enfermedad la encontramos en *El país,* de 1 de enero de 1920: «Galdós está enfermo. Vive sin poder abandonar el lecho desde el mes de agosto. El médico, señor Marañón, prohíbe que le visite gente que no sea la habitual en servirle y cuidarle. Su sobrino don José Hurtado de Mendoza, que le cuida como cuidó a su madre, hermana del "tío Benito", evita en lo posible toda impresión desagradable o excesiva por la emoción. Aún ignora Galdós que falleció su amigo el doctor Tolosa Latour. No sabrá que ha fallecido otro de sus buenos amigos, Estrañi. No sabe que Benavente llevó al teatro su *Audaz...*»

La última vez que salió a dar su acostumbrado paseo en coche abierto por la Moncloa —para «oler» a Madrid— fue el 22 de agosto de 1919. En su organismo había hecho presa ya la arterioesclerosis. Desde entonces, postrado en un sillón, reanimado por las inyecciones, esperaba tranquilo el tránsito supremo, consciente del avance de la muerte. Logró, sin embargo, superar la crisis. Pero el día 13 de octubre, en que sufrió el primer ataque de uremia, se vio nuevamente obligado a guardar cama, para no volver a levantarse del lecho.

El 10 de noviembre, según comunicaba el *A B C* del día siguiente, «su estado era alarmante, en especial porque el decaimiento del pulso acusaba la probabilidad de algún colapso». Daba la sensación de hallarse muerto. Por aquellos días le visita el novelista e íntimo amigo suyo José López Pinillos, quien confesaría a un redactor de *La libertad:* «Vengo de ver a Galdós y le juro a usted que no quiero volver a verle. He llorado como un chico. Su voz parece cosa del otro mundo. Su semblante es tan pálido, tan pálido, que mete miedo.» Vuelve, sin embargo, a reanimarse, hasta que el 20 de diciembre sufre una nueva y definitiva recaída.

El día 29 se acentuó la gravedad, con unas intensas hemorragias gástricas, producidas por la uremia, que persistieron durante tres días. El enfermo entra en período preagónico. Su inteligencia, muda en la inconsciencia del coma, recobra sólo a intervalos la lucidez. Prácticamente, no conocía más que al doctor Marañón. «Me asombra cómo puede vivir aún», exclamó éste más de una vez. El día 2 de enero de 1920, a pesar de cuanto se hizo para combatir la amenaza de hipertensión arterial, una alarmante subida de ésta puso en peligro su existencia. Pareció salvar la situación una hemorragia intestinal; pero el estado de abatimiento del enfermo, la dificultad de alimentarle y el rápido progreso del proceso urémico precipitarían el desenlace.

La gravedad aumentó de manera considerable, en la madrugada del día 3, al presentarse una angustiosa crisis cardiaca. De nada sirvieron los esfuerzos del doctor Marañón. Galdós había entrado en su larga y plácida agonía. Iba extinguiéndose lentamente. En torno del lecho se hallaban su hija María y su yerno Juan Verde, su sobrino José Hurtado de Mendoza, su secretario Rafael de Mesa, Eusebio Feito, hijo del asistente de su hermano, el general Pérez Galdós, que llegó a ser capitán general de Canarias, y el fidelísimo criado Paco.

A media noche, parecía encontrarse algo más **aliviado**.

Después de haber cesado la hemorragia, pudo tomar algún alimento. Logró incluso conciliar el sueño. En vista de ello, el doctor Marañón se retiró a su domicilio alrededor de las tres de la madrugada. También procuraron descansar un momento los familiares y amigos que velaban en la casa. Únicamente permanecieron en la habitación José Hurtado de Mendoza y Rafael de Mesa, quien llevaba cuatro noches sin dormir. A las tres y veinticinco, se hallaba éste hablando por teléfono, en el vestíbulo, con un periodista, cuando oyó un ruido alucinante. Dejó caer el auricular y corrió al dormitorio del enfermo. Encontró a don Benito despierto y sobresaltado; intentaba aún incorporarse en la cama, llevándose las manos a la garganta, como si se ahogara. Poco después dejaba caer la cabeza sobre la almohada y contraía ligeramente la boca. Había dejado de existir. Eran las tres y media de la madrugada del día 4 de enero de 1920.

«Tan sin dolor fue la muerte —comentaría *La época*, en su número de aquel mismo día— que el maestro parece en verdad dormido.» Era cierto: «quienes le vieron en los últimos momentos —según hizo notar *El imparcial*—, se mostraban sorprendidos, pues antes de la muerte la expresión era continuamente dolorosa»; habiéndose trocado luego, como observa *El liberal,* en «un gesto de serenidad y reposo. La muerte parece haber devuelto a Galdós algo de la juventud, porque aparece su rostro menos cansado, menos envejecido que en los días en que reposaba angustiosamente en su lecho...»

Y es que la muerte fue mucho más benévola con él que la vida. «... pocos conocen la historia de los últimos años de... Galdós —puede leerse en *El imparcial*—. Los tristes días en que durante el verano se ha debatido con las dolencias físicas, con las sombras que paulatinamente pugnaban por invadir el soberano espíritu del maestro, la declinación fisiológica y moral del anciano que se envolvía en silencio para reservar para sí los postreros rayos de su genio que se apagaba...» Quizá pudiéramos preguntarnos hoy si estas líneas únicamente reflejan aquellos últimos meses o, más bien, los años finales de la vida del escritor.

Al comunicar la noticia de su muerte, afirmaba *El socialista*: «Ayer murió Galdós; murió lo poco que de él quedaba: un organismo extenuado, incapaz ya del menor esfuerzo. Hace tiempo que realmente había dejado de existir el verdadero Galdós.» En efecto, don Benito parecía en los últimos años una sombra del pasado. «Pena daba el verle sentado en su cuarto, de espaldas a la ventana y de cara a la puerta, como mirando, sin ver, a la eternidad», leemos en el diario *El globo*, de 5 de enero de 1920. Así le recordarían cuantos le vieron y trataron en aquella época. «Su actitud —escribió Antonio Zozaya— era la de una esfinge, y, si le molestaba algún importuno, acababa por decir, en un murmullo casi imperceptible: "Quiero marcharme." Era verdad: quería marcharse; sentía la nostalgia de lo infinito.» En los últimos veinte años de su existencia, tan cargados de pesadumbres y dolores, parece advertirse en Galdós un gesto a veces imperceptible de huida y evocación liberadora del pasado. De ahí su constante ensimismamiento y la distancia involuntaria que solía mantener con todos los que le trataban.

El último destello creador de su actuación pública corresponde al estreno de *Electra*, el 29 de enero de 1901. Aquel acto conmueve al país y galvaniza una serie de corrientes de opinión que impulsarían la poderosa campaña en favor de la libertad de conciencia. De tal modo se excitaron los ánimos, que el Gobierno tuvo que declarar el estado de guerra para que pudiera celebrarse la boda de la princesa de Asturias con el hijo del conde de Caserta, antiguo combatiente en las filas carlistas. La interferencia de sentimientos políticos y religiosos, durante aquellos agitados días, convierte a Galdós en ejemplo y síntesis de preocupaciones nacionales de signo regeneracionista. Quizá sea por ello la única vez que obtuvo la plena adhesión —circunstancial y fugaz— de los hombres del 98.

Desde su incipiente y ya total escepticismo, Pío Baroja medita sobre la personalidad de Galdós: «Era frío, reflexivo, calculador —decían algunos—; yo, en mi fuero interno, encontraba a veces su arte cauteloso y reservado. Pero de pronto desaparece su reserva, se abre su alma y salta como un torrente lleno de espuma, rompiendo diques y saltando obstáculos. Se abre su alma y nace *Electra*... El hombre analítico se ha hecho hombre vidente.» Tampoco el introvertido *Azorín* oculta su transitorio y calculado entusiasmo: «Yo contemplo en este drama... el símbolo de la España rediviva y moderna... Saludemos a la nueva religión. Galdós es su profeta; el estruendo de los talleres, sus himnos; las llamaradas de las forjas, sus luminarias.» Y el inquieto Ramiro de Maeztu, desde sus primeras posiciones revolucionarias, lanza un llamamiento proselitista: «Yo os conjuro a todos, jóvenes de Madrid, de Barcelona, de América, de Europa, para que os agrupéis en derredor del hombre que todo lo tenía y todo lo ha arriesgado por una idea, que es vuestra idea, la de los hombres merecedores de la vida.»

¿Qué mutación se produjo, en España y en Galdós, para que a los veinte años del estreno de *Electra* podamos encontrar a su autor abatido moralmente, solo y abandonado de los mismos que de tal manera le exaltaron?

Ante todo, había transcurrido el tiempo. En los comienzos del siglo XX, Galdós era ya un anciano. Cuando muere, es un superviviente de sí mismo. Como ha señalado Eugenio d'Ors, casi todos los grandes hombres, al morir, penetran en una incierta zona de olvido, de la que pueden salir transfigurados más adelante. El drama del novelista canario fue que esas nieblas de indiferencia llegaron a rodearle en vida. Cuando contemplé la estatua de Pablo Serrano en los jardines de la Biblioteca Nacional, de Madrid, antes de ser llevada a Las Palmas, creí percibir en ella un cierto empeño simbólico. La figura humana parece estar hundida, agobiada por una realidad circundante adversa. Y yo no creo que en Galdós se produjera nunca ese fenómeno. En los años de madurez creadora, identificado con la historia o en pugna con ella, como revulsivo poderoso de la vida nacional, su esfuerzo moldeó algunas de las corrientes más impetuosas de su tiempo. Luego, difícilmente pudo sentir a su alrededor otra cosa que la oquedad del vacío.

Después de la apoteosis de *Electra*, aún conoce Galdós momentos de indudable carácter triunfalista. En 1913, por ejemplo, la propuesta de su nombre para el premio Nobel aglutina a elementos muy destacados de la intelectualidad española. Junto a ausencias altamente significativas de hombres de la supuesta generación del 98, aparecen las figuras de las nuevas promociones literarias: Juan Ramón Jiménez, Pedro Salinas, Jorge Guillén, Moreno Villa... Todavía un año más tarde, inscrito ya en la órbita de la España oficial el partido reformista al que pertenecía don Benito, la suscripción abierta en su favor obtiene también un éxito resonante, aunque de signo distinto. La encabeza el rey, con diez mil pesetas; pero en las listas de donantes apenas encontramos ya los nombres de quienes hubieran debido mantenerse fieles a la obra y al magisterio de Galdós.

Cierto es que la suscripción no dejaba de ofrecer aspectos muy poco atractivos. La idea fue lanzada por *El caballero audaz* —de apellido Carretero—, en la entrevista con Galdós publicada en *La esfera* el 17 de enero de 1914. «De su fortaleza de roble —comentaba el periodista— no conserva [don Benito] más que el recio esqueleto, agobiado por el peso de sus setenta años de trabajo.» Es decir, que la imagen que presenta a los lectores es la de una ruina que se desmorona. De ahí que la entrevista pudiera terminar con estas palabras lamentables: «¡Pobre don Benito!... yo pienso que entre todos los españoles debiéramos proporcionarle un bienestar decoroso; conservarle como se conserva en el museo la vieja bandera que resultó hecha jirones en las victorias...» ¿Cómo es posible que no llegaran a percibirse entonces los valores perdurables de la obra de Galdós, en lugar de pretender convertirle en pieza de museo, en símbolo de un pasado ya marchito? Con esa mentalidad, no debe extrañarnos que el cronista recurriera a unos hombres que representan hoy para nosotros la antítesis de Galdós —Moya, Cavia, Dicenta...—, al pensar en quienes pudiesen llevar adelante la idea propuesta.

Por desgracia, *El caballero audaz* tenía razón. Según hizo constar Antonio Zozaya, en *La libertad* de 4 de enero de 1920, «para la nueva literatura, hacía tiempo que había muerto Galdós... De sus pupilas había huido para siempre la luz, y su figura, antes prócer y ahora abatida, se adelantaba temblorosa al proscenio, cuando un rugido de entusiasmo del público lo llamaba a la escena...» Ese *rugido de entusiasmo del público* nos permite, sin embargo, descubrir el aliento de popularidad que siempre rodeó al novelista. En las calles de Madrid era la figura más admirada y querida. Los hombres se descubrían a su paso. Las mujeres señalaban, emocionadas, a los niños: «Aquel es don Benito.» Una aureola de respeto y admiración populares le envolvía. En *La libertad* de 5 de enero de 1920, Ezequiel Endériz aporta un recuerdo personal: «No se nos olvidará una escena que presenciamos recientemente... Eran los tiempos en que el maestro, no pudiendo caminar a pie, iba en coche... Salía de un establecimiento de merendar. Un amigo le conducía del brazo. Galdós caminaba casi a tientas hacia el coche que le es-

peraba. Una modistilla de Madrid, bella, risueña, jugue-
tona, así que vio al maestro, se adelantó hacia el coche,
abrió la portezuela y le ayudó a subir...»

Pero la ceguera y los achaques de la vejez fueron ale-
jándole de ese renovador contacto con el pueblo, precisamente, cuando las nuevas generaciones se distanciaban
de él. Y así nos encontramos con un momento que debiera haber sido triunfal en su vida y resulta, por el contrario, significativamente doloroso. Una tarde fría de enero de 1919 fue inaugurada en el parque del Retiro, de
Madrid, la estatua casi yacente que le hizo Victorio Macho. El novelista asistió al acto, en réplica apenas viva
del bloque de piedra. ¿Qué figuras de la intelectualidad
acompañan al patriarca de las letras españolas? Merecen
ser recordados sus nombres: Serafín y Joaquín Alvarez
Quintero, Ramón Pérez de Ayala, Emiliano Ramírez Angel, Andrés González Blanco y Enrique de Mesa, que in-
tegraban la comisión organizadora del homenaje; el doctor Tolosa Latour, José Francos Rodríguez, Pedro de Ré-
pide, José Francés y Diego San José. No es, ciertamente,
demasiado numerosa ni brillante la nómina.

En realidad, Galdós vivía al margen del mundo, re-
cluido en el hogar de su sobrino, desde hacía tiempo. Algunos fieles acudieron puntualmente a ese refugio todas
las tardes, durante varios años, para aliviar y compartir
la soledad del maestro. Marciano Zurita nos ha dejado
en el *A B C* constancia de sus nombres: Ramírez Angel,
Victorio Macho y el mismo Zurita. De vez en cuando iban
también los hermanos Alvarez Quintero, Ramón de Ayala
y Enrique de Mesa. Nadie más.

En ese clima de soledad y olvido transcurren los últimos años del novelista. Y es entonces cuando prenden
en su espíritu la evocación y la nostalgia. Seguramente,
crearía su propio mundo, no exento de ambigüedad, mediante el impulso inefable de los sueños, en forma parecida a como plantea esa misma fuga en sus novelas, a
través de seres anormales o infantiles, cuando no de criaturas en las que se confunden la realidad y la fantasía.
Todos cuantos le trataron coinciden en afirmar que don
Benito era un hombre que apenas hablaba; se limitaba a
observar y a escuchar en silencio. Y es posible que este
rasgo, tan característico, permita descubrir en su espíritu
una huella reveladora de timidez. Sobre todo, si consideramos que le gustaba, en cambio, jugar con los perros y

dialogar con los niños, a quienes trata igualmente en su obra con un acento de ternura en el que se percibe algo mucho más entrañable que la influencia literaria de Dickens, aun siendo tan decisiva en el novelista canario. De cómo pudieron ser aquellos largos y animados coloquios, tal vez nos dé alguna idea la carta que escribe desde Santander, en el verano de 1907, a la hija del torero Machaquito, con la que convivía habitualmente en Madrid, por ser ahijada de su sobrino Hurtado de Mendoza: «Ingrata y adorada Rafaelita: ¡Muy bien está eso; muy bien! Ni siquiera memorias me has mandado. Yo queriéndote y adorándote y pensando siempre en ti, y tú... si te he visto no me acuerdo... ¡Muy bien, muy bien! Ya me las pagarás cuando vuelva. Esto está cada día más bonito. Hay fresas, higos, melones... ¡Fastídiate!» Mucho más reveladora es todavía otra carta que don Benito, el supuesto hombre huraño y esquivo, dirige a esa misma muchacha, también fechada en Santander, el 14 de septiembre de 1916: «Querida Rafaelita, alegría de esa casa y de ésta. Desde que te fuiste a Madrid, aquí no hay más que tristeza, y un vacío muy grande. Solo en mi despacho, horas y horas, no oigo más que el gemido lastimero de las moscas presas de patas en el papel pegajoso...»

Cuando la ceguera terminó por aislarle del mundo, este gran tímido continúa protegiéndose en la fidelidad de los perros y en el afecto de los niños. Con motivo de su muerte fue recordada una deliciosa anécdota, ocurrida en los últimos años. Paseaba Galdós una tibia mañana de invierno, por la calle de Alberto Aguilera, apoyado en el brazo de Paco, «ese cordialísimo servidor —puntualiza el cronista—, casi único consuelo afectuoso en la vejez solitaria del maestro.» Caminaban en silencio, muy despacio... Y de repente llega hasta ellos un chiquillo, se descubre ante el novelista y le besa la mano, mientras murmura: «¡Don Benito!» Galdós acaricia nervioso la cabeza del muchacho, y antes de que saliera éste corriendo de nuevo, le pregunta con solicitud paternal: «Tú me quieres, ¿verdad?»

Los recuerdos y vivencias infantiles, tan frecuentes en sus libros, pueblan también su memoria en los últimos años. Al sentir la proximidad de la muerte, absorto en lejanas evocaciones, balbuceaba frases de niño, apenas inteligibles, y entonaba, con voz trémula, infantiles endechas de Canarias, dulces canciones de la tierra natal.

«Juntas las manos, cerrados los ojos, el maestro retornaba a los días iniciales y el niño jugaba cerca del lecho del moribundo», escribió en el *A B C* Ortega Munilla. Algunas veces movía las manos, como si buscase otras manos amigas para jugar al corro. En ocasiones, llamaba a grandes voces a su madre. Era el retorno a las raíces de la vida, antes de abandonarla. Y también encontramos, junto a los recuerdos de la propia infancia, algún otro rasgo fundamental de su carácter. Unas horas antes de morir, en un momento de aparente lucidez, el novelista pidió a sus familiares que le trasladaran al despacho. «Tengo mucho que trabajar, mucho... mucho», musitaba quien había sido un trabajador infatigable.

El patetismo de estas horas finales se acentúa con el abandono en que le dejaron los intelectuales. Un redactor de *El día* refirió la visita que hizo a la casa de Galdós, cuando había trascendido ya la noticia de su extrema gravedad. «Al entrar, a nuestras preguntas —confiesa el cronista—, uno de sus familiares nos dijo: "Por aquí no ha venido ningún escritor español, pero hemos recibido estos días muchos telefonemas y telegramas del extranjero..." Estas palabras nos llenaron de frío el corazón. Enfermo y solo...»

Y es, precisamente, en el trance supremo de la muerte, cuando el novelista canario se identifica de nuevo con el pueblo, para asumir el carácter de símbolo y arquetipo de la patria. Todos los problemas nacionales de aquel tiempo habrían de confluir y fundirse, espiritualmente, en su cadáver.

Inserta en la atmósfera liberal de la época, España atravesaba uno de los momentos más dramáticos de su historia, tan propicia siempre al dramatismo. La injerencia de los militares en la vida pública, a través de las Juntas de Defensa, era uno de los principales factores de alteración política. La anarquía imperaba en el país. Ninguno de los órganos de poder ejercía sus propias funciones. Los gobiernos no gobernaban con regularidad; ni conseguían sostenerse ni acababan de caer, porque no encontraban fácilmente sucesor en quien abandonar la triste herencia. En el tránsito de 1919 a 1920, ocupaba el poder un Gobierno puente de concentración parlamentaria, presidido por el conservador Allendesalazar, que no tenía más objetivo que la aprobación de los presupues-

7

tos. España era un semillero de conflictos, agitaciones y discordias.

El desorden público se hallaba directamente relacionado con el problema social. El enfrentamiento de las clases revestía caracteres de inusitada violencia. No se trataba sólo de un conflicto colectivo de intereses contrapuestos. A lo largo de los años 1919 y 1920, España se desgarra en una lucha cruenta y despiadada, en la que suelen llevar la iniciativa las fuerzas patronales, con medidas que han podido considerarse en nuestros días como síntomas de un sistema dominado por el capitalismo feudal. A finales de 1919, la revista *España* trazaba el siguiente esquema de nuestra vida pública: «El gran problema social se ha hecho político. En el fondo de lo que ocurre en Barcelona —donde se manifestaba con mayor agudeza el problema— lo más interesante es que aparecen en líneas descarnadas, nervio y músculo al aire, las clases sociales en lucha, apelando cada cual al auxilio de los afines. El capital apela al *lock-out*. Llama, no ya a la Guardia Civil, sino al Ejército. Quiere a toda costa provocar violencias, justificar la declaración del estado de guerra, ¡pegar fuerte! ¡Y acabar de una vez! ¿Acabar con qué?... Lo que busca la Federación Patronal de Barcelona, con la complicidad de la de Madrid y movidas ambas por un plan de ataque político es hacer imposible la vida de ningún Gobierno que en la cuestión social no sea suyo en cuerpo y alma, mucho más si se llama conservador...» No era ésta una apreciación partidista de los elementos liberales. Por aquellos mismos días, el *A B C*, de Madrid, vocero insigne de la burguesía española, amenazaba así a los directivos de la Casa del Pueblo: «En nombre de un gran sector de la opinión pública... les decimos que hay millares de ciudadanos que están dispuestos a defenderse y a atacar si fuera necesario... Las cabezas de los falsos apóstoles del proletariado responderán en lo sucesivo de los crímenes que se cometan. Ya que insisten en predicar estos procedimientos salvajes, tendrán el justo castigo que se merecen, hasta el día en que un Gobierno que sepa gobernar pueda garantizar la vida y la hacienda de los españoles. Hasta tanto, ¡ojo por ojo y diente por diente!» Aún resultan más precisas y reveladoras —reveladoras, sobre todo, de que la historia siempre es maestra de la vida— las palabras de un corresponsal espontáneo del mismo inefable periódico, en su número de

24 de diciembre de 1919: «Hay... que defenderse contra estos chacales y contestar al terrorismo con el terrorismo... A las fieras sólo se las puede tratar como a fieras...»

Entreverado con la cuestión social, encontramos el problema religioso. La religión no era en aquellos tiempos una opción personal, una actitud de la conciencia, sino más bien un comportamiento social y político; estímulo y reflejo, a la vez, de un determinado sector de la sociedad. Justamente, el que se hallaba dispuesto a eliminar al adversario con la ley del Talión. Cuando Alfonso XIII, en mayo de 1919, consagra su reino al Corazón de Jesús, en el cerro de los Angeles, no pretende, por lo visto, sino actualizar el trasfondo ideológico de la equívoca alianza del altar y el trono, cuya versión española continúa siendo la trilogía «Dios, Patria y Rey», que el *A B C* recordaba, complacido, en la reseña del acto.

Una triste madrugada de enero de 1920 condensa y actualiza esos tres problemas fundamentales de la España de aquel tiempo; mejor dicho, de la España de todos los tiempos. Galdós murió y vivió los últimos años en un chalet que en la calle de Hilarión Eslava poseía su sobrino José Hurtado de Mendoza. En el que fue despacho del novelista, en la planta baja, quedó instalada la capilla ardiente. Unos paños negros cubrían las estanterías repletas de libros. El cadáver se hallaba colocado, junto a la ventana del jardín, a los pies de un gran crucifijo. En la severidad de la habitación detonaban los colores rojo y gualda sobre el sudario que envolvía el cuerpo sin vida. Se había cumplido, así, un vehemente deseo de don Benito. En la visita del alcalde de Madrid a sus familiares en las primeras horas de la mañana del día 4, prometió el envío de la bandera del Ayuntamiento. Como tardara en llegar, la familia compró unos metros de tela de los colores de la bandera española, para cubrir con ella el cadáver.

Galdós había manifestado también que deseaba ser enterrado en el panteón familiar del cementerio madrileño de la Almudena, con la mayor modestia posible. Pero inmediatamente de conocer la noticia de la muerte, el Gobierno se plantea el problema de los honores que deberían tributarse al cadáver. El ministro de Instrucción Pública —Natalio Rivas— se entrevistó en la mañana del día 4 con el jefe del Gobierno, para tratar del caso. Por no haber desempeñado ningún alto cargo político, resultaba imposible tributar honores militares a don Benito después de muerto. Hubo que atenerse al modesto precedente del entierro de Campoamor. En el real decreto no se mencionaba, por supuesto, al autor de las *Doloras;* pero se le citó de manera expresa en algunas declaraciones oficiales. De ahí que Ortega y Gasset, en un artículo publicado sin firma en *El sol* del día 5, pudiese amonestar así al Gobierno: «El protocolo entiende poco de distancias, y equipara a Galdós con Campoamor. No hay desdén para el tierno poeta en señalar el deplorable contraste. El buen don Ramón, camarada de don Benito, hubiera sido el primero en protestar. Galdós era el genio. Campoamor el ingenio. La España oficial une a ambos en la hora de los falsos homenajes...»

El problema de la concesión de honores fue convertido, al instante, en bandera de agitación política. Aunque hoy nos parezca increíble, los elementos liberales y de extrema izquierda, sobre todo, se rasgaron las vestiduras ante el hecho de que las tropas no formasen la carrera ni rindiesen las armas al paso del cadáver del novelista. Lo que en rigor se planteaba era nada menos que la injerencia en la política de las Juntas militares de Defensa. Las dos últimas crisis ministeriales habían sido provocadas por la expulsión de varios alumnos de la Escuela Superior de Guerra. Ante las irregularidades descubiertas en el fallo de los tribunales de honor, las figuras más relevantes de la cultura española dirigieron al jefe del Gobierno un escrito en el que se pedía la reposición de aquellos oficiales, «como medida justa y reparadora.» La primera firma, apenas un trazo tembloroso, era la de Galdós. La había estampado, cinco días antes de morir, en un momento de lucidez. También una de las primeras coronas de flores que llegó a su domicilio fue la enviada por los tenientes expulsados de la Escuela Superior de Guerra.

Todo ello hizo que no faltara quien atribuyese a un veto de las Juntas de Defensa la negativa de honores militares al cadáver. Indalecio Prieto, figura destacada ya del socialismo, al intervenir en un debate parlamentario sobre el problema militar, llegó a hacerse eco de este rumor en el Congreso. «Murió hace poco —dijo— un príncipe glorioso de las letras españolas, don Benito Pérez Galdós... Aquel hombre augusto trazó su última firma de moribundo al pie de un documento dictado por un espíritu de justicia..., solicitando de los poderes públicos un acto reparador de la injusticia cometida con los oficiales alumnos de la Escuela Superior de Guerra. Murió ese príncipe glorioso y, oídlo bien, señores diputados..., ese Gobierno vaciló, dudó y acabó por no conceder honores militares al cadáver del genio... temiendo que aquella firma postrera... pudiera ser motivo de enojos, de hostilidades que son incapaces de sentir, éste es mi juicio, los elementos militares...»

Después de haberse hecho cargo del cadáver el municipio madrileño, en la mañana del día 5 fue trasladado al Ayuntamiento. Desde mucho antes, la multitud formaba largas colas para desfilar por el patio de cristales, donde se instaló la capilla ardiente. Se calcula que unas treinta mil personas rindieron este último tributo de admiración a Galdós. «Nunca como en la mañana de ayer —comentaría *El Sol*— tuvo más justificada su denominación la Casa de la Villa, que invadieron las más genuinas representaciones del pueblo y de la clase media.» No faltaron escenas emocionantes. En el silencio y lento desfile se vio a un obrero, ya entrado en años, con un solo crisantemo en la mano. Al llegar frente al túmulo, se arrodilló, besó la flor y la echó sobre la caja. Cuando los periodistas le interrogaron, manifestó con voz entrecortada: «Yo hubiera querido traer una corona como esas que hay en el salón, un ramo de flores... Pero no tengo dinero, porque soy albañil y estoy sin trabajo con el *lock-out*. Pasé por Antón Martín y cogí del puesto de flores ese crisantemo...» Sin decir más, se alejó llorando. «La tramoya mejor dispuesta —pudo afirmar *El socialista*— es incapaz de provocar este sentimiento, que sólo se siente por la muerte de un hombre que deja tras sí una obra formidable, una labor genial...»

Parecido fervor en la expresión del duelo se advierte en la prensa, aunque no haya coincidencia en la valoración de la obra ni en la significación ideológica del escritor. *El pensamiento español*, órgano de la Comunión tradicionalista, después de señalar que «no era de los nuestros», termina su breve comentario con esta invocación: «Que Dios haya acogido en los brazos de su misericordia el alma de Pérez Galdós.» *El universo* prefiere ampararse en el testimonio de Menéndez Pelayo, autor especialmente grato al diario católico, «para no remover... recuerdos que pudieran parecer poco piadosos». *El debate*, dirigido por Angel Herrera, adopta una actitud de respetuosa reserva:

«No es la presente, la hora de insistir en discrepancias religiosas, políticas e históricas que del egregio difunto nos separaron siempre.» Pero al asociarse «al duelo de España en la muerte de uno de los escritores más gloriosos de su historia literaria», estampa en sus columnas el juicio más certero y agudo que en la prensa de aquellos días pudo leerse. Frente al criterio común de considerar a Galdós como literato costumbrista o historiador de la España del siglo xix, el crítico anónimo de *El debate* juzga que «el mérito... del autor de *Zaragoza* consiste en que creaba asuntos, tramas, caracteres, psicologías individuales y colectivas con tal relieve, con tal verosimilitud..., con tal *realidad ideal,* que diríamos haber existido, haberse realizado objetivamente...»

No faltaron, desde luego, los desabridos gestos excepcionales. La voz realmente discordante fue la de *El siglo futuro,* desde su radical y obstinado integrismo. «Galdós no fue nuestro —puntualizaba este periódico en su número del día 5—. Fue de nuestros enemigos, y lo sigue siendo. Respetuosamente, en silencio, dejemos que los muertos entierren a sus muertos... Contemplamos silenciosos el desfile del cortejo fúnebre... pero volviendo la mirada hacia... la obra sectaria del escritor, ante las ideas que perduran en las páginas que, incluso periódicos como *El Debate* reputan inmortales, no queremos que, ahora como siempre, en la vida material y en la vida espiritual del autor que tantas veces hizo gala de su anticlericalismo y combatió a la Iglesia, seamos nosotros culpables de silencio, que fuera traicionar a nuestras ideas o pudiera reputarse asentimiento tácito al panegírico, si no cobardía.» Ningún periódico recogió el destemplado comentario, ni para rebatirlo. El *diario universal,* portavoz del conde de Romanones, se había anticipado a escribir: «Sobre el cadáver, cubierto como los libros en que el maestro puso todos sus entusiasmos patrióticos y juveniles, con la bandera nacional, ciernen aún sus alas los negros fantasmas del odio engendrado por el más torpe de los fanatismos: ...el fanatismo de la ignorancia interesada...» El diario católico *El universo* no haría sino recordar el entrañable afecto que mutuamente se profesaron Galdós y Pereda: «Adversarios en el terreno de las ideas, la amistad personal de ambos novelistas no se entibió nunca... A las cariñosas disputas que ambos tenían sobre la cuestión religiosa siguió una larga correspondencia epistolar, en que Pereda tomó a pecho el traer a Galdós a sus puntos de vista... "nada negó Pereda en tantas cartas, aunque mucho, muy importante, confesó en las suyas el gran novelista [canario]"... Quizá fuera —termina aventurándose— que por lo menos en sus propósitos no había dejado nunca de ser católico.» Desde luego, en ningún momento se reconoció tan furibundo librepensador como algunos le juzgaban. En su discurso de ingreso en la Real Academia Española, el 6 de febrero de 1897, se limita a confesar que siempre ha visto sus convicciones oscurecidas por sombras misteriosas, que hacen que su espíritu se muestre turbado e inquieto. En rigor, es el mismo sentimiento que había expuesto a Pereda el 6 de junio de 1877: «En mí está tan arraigada la duda de ciertas cosas, que nada me la puede arrancar. Carezco de fe, carezco de ella en absoluto. He procurado poseerme de ella y no lo he podido conseguir.» Lo que no impide que reconozca ante su amigo, unos días más tarde, que «el catolicismo es la más perfecta de las religiones positivas», aunque estime perjudicial su influencia en la política.

También encontramos actitudes hostiles y silencios muy significativos entre los elementos liberales renovadores de la vida española, que tantas veces habían utilizado el nombre de Galdós como bandera política. Ante el hecho de su muerte, *Azorín* no publica una sola línea en las páginas del *ABC*, donde entonces colaboraba. Tampoco le dedican el menor comentario Ramiro de Maeztu y el modernista Cansinos Assens, cuyas firmas eran habituales por aquellas fechas en *La correspondencia de España*. Valle Inclán se limitaría, posiblemente, a perfilar el burdo calificativo de «el garbancero» que aplica a don Benito en *Luces de bohemia* ese mismo año, y del que llegó un día a arrepentirse. De los hombres de la llamada generación del 98, nadie más que Unamuno dejó oír su voz en la prensa diaria. Concretamente, en *El liberal* de 5 de enero, al que dictó por teléfono desde Salamanca el artículo titulado «La sociedad galdosiana». Con su característica vehemencia, formula allí don Miguel una valoración crítica injusta y desenfocada. «Apenas hay en la obra novelesca y dramática de Galdós —afirma— una robusta y poderosa personalidad individual... Si de la obra novelesca... se puede extraer alguna psicología elemental y poquísimo complicada, será difícil extraer sociología de ella. No refleja una sociedad, sino una muchedumbre.»

En el entierro de don Benito no figura ninguno de los del 98, así como tampoco de las generaciones literarias posteriores, cuyo enfrentamiento con su obra aparece reflejado en el comentario despreciativo de Antonio Espina, tres años más tarde, en el primer número de la *Revista de Occidente*. Mucho más increíble resulta la ausencia, en aquellos momentos, de la Institución Libre de Enseñanza. Nunca dejó de manifestar Galdós un afecto sincero y profundo por Giner de los Ríos. Y, sin embargo, en 1920, desaparecido ya éste, el Boletín de la Institución no recoge la noticia de la muerte del novelista, ni refleja en sus páginas el sentimiento que esa muerte pudo producir. Galdós no perteneció, desde luego, a la Institución. Pudiera atribuirse a ello el motivo de esa actitud. Pero en la primera junta general de accionistas celebrada aquel año —el día 28 de mayo— se hizo constar, en cambio, el dolor de la asociación por la pérdida del profesor Montero, «sin ser oficialmente de la Institución», como se especificaba de manera concreta en el acta.

Al entierro, efectuado en la tarde del día 5, no faltaron los elementos oficiales. En la presidencia figuraba el Gobierno en pleno; marchaba destacado el ministro de Instrucción Pública, por ostentar la representación personal del rey. También formaban en la comitiva delegaciones ministeriales, académicas, universitarias y políticas. Pero quien estuvo presente, sobre todo, fue el pueblo. Al organizarse el cortejo, en la plaza de la Villa, el desfile adquirió un cierto empaque protocolario. La gente se arracimaba en los balcones y llenaba las aceras. El comercio había cerrado espontáneamente sus puertas. Los guardias de Seguridad apenas lograban contener a la multitud, que pretendía incorporarse a la comitiva. Pero no hubo el menor tumulto, ni carreras, ni gritos. El desfile por la calle Mayor resultó impresionante. Resonaban solemnes los compases de la marcha fúnebre del *Ocaso de los dioses*, interpretada por la Banda municipal, cuando fue rasgado el aire por la voz potente de un estudiante, que lanzó un clamoroso ¡Viva Galdós! «El vítor —precisa *El liberal*— encontró eco en el gentío, que respondió [unánime] a aquella manifestación inesperada y sencilla, que tan bien traducía la proclamación de la inmortalidad del hombre excelso.»

Cuando la comitiva llegó a la altura de la calle de Espartero, el jefe del Gobierno y varios ministros abandonaron la presidencia, para poder asistir al debate parlamentario de aquella tarde en el Senado. «Nos lo explicamos —comentaria *España nueva*—. Cuando muere un genio, las calabazas no guardan luto.» A partir de ese instante resulta difícil contener a la multitud. En la Puerta del Sol, una compacta masa humana entorpecía el tránsito. El fúnebre cortejo marchaba lentamente... Y al entrar en la calle de Alcalá, desde uno de los balcones del Hotel París, una mujer enlutada, temblorosa y deshecha en llanto, comienza a arrojar flores sobre el féretro. Era la actriz Margarita Xirgu.

La multitud había ido haciéndose cada vez más densa. En la misma calle de Alcalá, ante el Ministerio de Hacienda, un gentío inmenso decidió interponerse entre la carroza y la presidencia oficial del duelo. Las fuerzas montadas de Seguridad evolucionaron para contener a la multitud. Al no conseguirlo, el capitán Salgado —«célebre por sus brutales cargas»— lanzó los caballos sobre la masa humana. Las gentes corrieron despavoridas. Algunos hombres hicieron frente a los guardias, mientras las mujeres les insultaban desde las aceras. De este modo, el único movimiento de tropas en el entierro de Galdós fue el despliegue de las fuerzas de Seguridad contra unos hombres del pueblo que pretendían aproximarse a su cadáver.

Claro es que aquellos hombres eran, en su mayoría, socialistas. La Casa del Pueblo, la Federación Gráfica Española y las Juventudes Socialistas habían covocado a sus huestes. El órgano del partido, en su número de 4 de enero, razonaba así el llamamiento: «Don Benito no era solamente un genio de la Literatura, no era sólo el novelista y el dramaturgo: era un gran corazón, era un alma siempre dispuesta a acoger los grandes ideales de justicia y de libertad... Nosotros amamos a don Benito y seguiremos amando su memoria, porque fue un gran trabajador que puso siempre sus facultades al servicio de la elevación moral del pueblo.»

Después de la despedida oficial del duelo, en la plaza de la Independencia, la mayor parte del gentío prosiguió la marcha a pie. Los obreros y menestrales rodearon y acompañaron la carroza hasta el lejano cementerio de la Almudena. En la comitiva sólo había figurado antes una mujer, alterando las costumbres de la época: la actriz Catalina Bárcena. Ahora, las mujeres del pueblo parecen haber olvidado sus problemas y angustias, para acompañar también en su último recorrido por las calles de Madrid al «más incansable obrero de la regeneración española», como calificara *El imparcial* a Galdós en 1901. La vida del proletariado madrileño no podía ser más dura en aquellos momentos. El *lock-out* patronal privaba de trabajo a unos treinta mil obreros. La situación resultaba dramática. El periódico *La mañana* pudo resumirla así, el día 1 de enero: «...miseria en Madrid. Hambre, frío y huelgas...».

Al llegar la comitiva al cementerio, esas masas proletarias asisten en silencio y con profundo respeto a las dos únicas manifestaciones religiosas de todo el sepelio. Ante la capilla, primero, y luego al pie de la tumba, fueron rezados unos responsos. Aunque organizada por el Gobierno, la conducción del cadáver tuvo un carácter estrictamente civil. Nadie se opuso, sin embargo, a que el cortejo traspasara los muros del que entonces se denominaba cementerio católico, para dar cumplimiento a la voluntad expresa del novelista. Cierto es que don Benito únicamente deseaba que su cuerpo reposara junto a los restos familiares; pero también es evidente que no quiso configurar su muerte, como no había querido configurar su vida, con un gesto de marcada significación antirreligiosa, haciéndose enterrar en el contiguo cementerio civil.

En esto, como en otros muchos aspectos de su existencia, no sólo advertimos en Galdós indudable espiritualidad, sino incluso una honda raíz cristiana, a la vez que un anticlericalismo militante. La clave de esta supuesta contradicción pudiera hallarse en el juicio emitido por José de Laserna, en *El imparcial* de 31 de febrero de 1901: «*Electra* no es un drama antirreligioso, sino sencillamente anticlerical, lo que es diferente, aunque haya gentes que crean o digan, sin creerlo, que es lo mismo.» De idéntica manera pensaba el propio Galdós de otro de sus más discutidos libros, en carta dirigida a Pereda del 10 de marzo de 1877: «¿Qué hay de volterianismo en *Gloria*? Nada. Habrá todo menos eso. Precisamente me quejo allí... de lo irreligiosos que son los españoles... Si he presentado la libertad de cultos como preferible aún en España a la unidad religiosa, no he necesitado romperme la cabeza para encontrar ejemplos sólo con llamar la atención sobre los países realmente civilizados, los cuales, por mucho que quieran decir, son todos cultamente superiores al nuestro, a esta menguada España, educada en la unidad católica, y que es en gran medida el país más irreligioso, más blasfemo y más antisocial y más perdido del mundo... Creo sinceramente que si en España existiera la libertad de cultos, se levantaría a prodigiosa altura el catolicismo, se depuraría la nación del fanatismo y... ganaría muchísimo la moral pública y las costumbres privadas, seríamos más religiosos, más creyentes, veríamos a Dios con más claridad, menos canallas, menos perdidos de lo que somos...»

Los fanatismos e incomprensiones de uno y otro bando terminaron, sin embargo, por desenfocar la auténtica personalidad del novelista. A las pocas horas de su muerte, por ejemplo, escribía en *España nueva* Angel Samblancat: «Si él viviera hoy, si él tuviera nuestros ardientes treinta años, sería, como nosotros, revolucionario, sindicalista y bolchevique; es decir, anarquista tres veces.» La afirmación resultaba completamente gratuita. De manera implícita lo reconoció *El socialista*, cuando decía en su número de 4 de enero: «A pesar de sus circunstanciales actuaciones en la política, [Galdós] no era un político...» En efecto, los rasgos principales de su carácter constituyen el reverso de las cualidades propias del político. Según recordaría el *Diario universal*, su obra «no fue sino un constante clamor, una perpetua invitación a la tolerancia, a la paz, al amor entre los hermanos...» De ahí que en el mismo periódico pudiera también afirmarse: «... el maestro ha muerto de... *Amor:* de amor a un ideal y de tristeza al verle derrumbarse al empuje de la baja condición humana...» Son casi las mismas palabras con las que definió *El día* la producción del novelista: «un canto a la Bondad y al Bien, ejes supremos de la vida».

En las horas últimas de su existencia, también hubo de gravitar, necesariamente, sobre Galdós el problema religioso. ¿Cómo se desarrolla el proceso espiritual de su muerte? La pregunta nos enfrenta con una de las cuestiones más delicadas y difíciles de abordar.

El liberal, de Madrid, publica el 12 de enero de 1920 la siguiente carta dirigida a su director por José Hurtado de Mendoza: «Mi querido amigo: Al leer la prensa de estos días, veo que *El liberal* del 5 dice: "Según informes de la familia de Galdós y sus íntimos, don Benito recibió hace muy pocos días todos los auxilios espirituales, habiendo muerto, por tanto, dentro de la comunión católica." Por su memoria, le ruego rectifique esa indicación, por no ajustarse a la verdad de los hechos.»

La rectificación, un poco ambigua, respondía por completo a la realidad. Galdós murió sin recibir los sacramentos, a pesar de lo cual no faltaron periódicos que insistieran en que había muerto en el seno de la Iglesia católica. Se fundaban para ello en unas declaraciones hechas a la prensa por José Alcaín, amigo íntimo y albacea testamentario del novelista. Lo ocurrido entonces habría de repetirse en nuestros días, de forma casi idéntica, en la muerte de Ortega y Gasset, incluso con el mismo médico de cabecera.

Al conocerse la gravedad de don Benito, acudió un sacerdote a su domicilio, con el propósito de confesarle. No accedieron los familiares, para evitar una emoción peligrosa al enfermo, quien se mostraría luego de acuerdo con la decisión adoptada. Pero unos días más tarde pudo dialogar a solas con él otro sacerdote conocido de la familia; quizá el que asistió en su muerte a las hermanas de Galdós. Finalizada la visita, al cabo de unas dos horas, el sacerdote expuso a la familia el deseo de celebrar una misa en la alcoba del enfermo, para administrarle la comunión. Aunque la idea fuese también desechada, el albacea de don Benito jamás puso en duda que éste había fallecido cristianamente.

Y tal vez tuviera razón, si es que el enfermo se hallaba en plena lucidez cuando recibió la visita del sacerdote. Para que una muerte pueda considerarse cristiana, sobre todo desde nuestra perspectiva posconciliar, no es indispensable haber recibido los sacramentos. Una persona —un cristiano— puede lícitamente rechazarlos, cuando le violenten las implicaciones sociales o políticas que la aceptación supondría, siempre que no se acompañe la negativa de alguna manifestación pública de hostilidad. Por otra parte, si un creyente debe adoptar siempre una actitud de fundamental respeto frente al misterio de la comunicación del hombre con Dios, en ningún momento sería lícito plantearse el problema de ese misterio con un mezquino espíritu proselitista que permitiese un trueque interesado de posiciones ideológicas después de la muerte.

En el frío atardecer de aquel 5 de enero, la multitud se agolpaba en torno a la fosa abierta en el cementerio de la Almudena... Una de las más impresionantes estampas de Castelao sobre la guerra civil española, en el álbum titulado *Galicia mártir*, decía escuetamente al pie: «Non enterram cadavres; enterran semente»... La emoción había prendido en el ánimo de todos. Sujeto por unas gruesas cuerdas, se vio desaparecer el ataúd en la fosa. Cayeron las primeras paletadas de tierra. Después, algunas flores. Luego, tierra y más tierra. Muchos de los que asistían a la triste ceremonia lloraban en silencio. ¿Acertarían a comprender, además, el verdadero significado de aquella escena? Las sombras de la noche terminan por cubrir el cementerio. La muchedumbre inicia a pie el regreso a **Madrid**...

Al cabo de cincuenta años, acerquémonos también nosotros a la misma tumba, para recoger de ella la lección de tolerancia, de amor y de paz, que en su vida y en su obra ejemplificó don Benito Pérez Galdós, y de la que tan necesitados estamos siempre —también ahora— los españoles.

(Anales galdosianos, V, 1970.)

II

OBRA: FACETAS VARIAS

JOSE F. MONTESINOS

GALDOS EN BUSCA DE LA NOVELA

Ello es sabido, pues lo refiere el mismo novelista: en su niñez y adolescencia, en su Gran Canaria natal, fue gran devorador de folletines románticos y posrománticos, y ponía sobre su cabeza muchos de los disformes novelones de don Manuel Fernández y González, que siempre le mereció un conmovido recuerdo —no deja de ser curioso el artículo necrológico *Fernández y González* (1888), que puede verse en el volumen II del inexplicable pandemonium de las mal llamadas *Obras inéditas*; artículo no poco elogioso en que el prolífico folletinista acaba por parecer un personaje galdosiano—. En cierta interviú publicada en *Por Esos Mundos* (julio de 1910)—, de las poquísimas cosas de este jaez aparecidas en nuestra prensa, que no es pura necedad y aun por ello sido plagiada sin empacho—, don Benito confiesa que aquellas lecturas «influyeron en su vocación». Aquellas y otras; parece ser que, ya desde niño, no dejaba el *Quijote* de la mano, ni escolar aplicado como entonces era, eludía el alternar la lectura de Cervantes con la de otros clásicos —Quevedo, Vélez—, que dejan alguna huella en sus primeros escritos, y de los que, tal vez, se hallan reminiscencias en otros más tardíos.

Entre este tiempo y el de la creación de don José Ido del Sagrario (1883), pasan muchas cosas, naturalmente; es el período en que se cumple el crecimiento y maduración de Galdós. El cual fue sobremanera parco en disquisiciones teóricas sobre la novela; salvo alguna ocasional observación que pueda ocurrir en alguna de ellas, apenas dejó algo escrito sobre este argumento, una vez puesto

8

a la gran tarea. No creo, con todo y ser las páginas que siguen rebusco de cosicosas que muchos creerán minucias anecdóticas, que éstas dejen de merecer una nota en un cumplido estudio de la novela galdosiana, y en todo caso son un pertinentísimo testimonio de las causas y concausas que determinan lo tardío del advenimiento de la novela moderna entre nosotros.

Galdós se vio ante el folletín un poco como Cervantes ante los libros de caballerías, despreciables, no porque fueran de caballerías, sino por estar llenos de disparates. Galdós no llega a decirlo, pero creo que él también pensaba que sin disparates, sin forzar las cosas, una ficción vertiginosa que mantuviera en vilo al lector y lo dejara sin aliento, era cosa perfectamente legítima. Me parece discernir que, sobre algunos de los *Episodios*, sobre todo en las dos primeras series, se cierne la sombra del folletín, sin que ello merme la calidad artística de esos libros —como el libre fantasear de Cervantes no es óbice a que el *Persiles* sea una gran novela—. Pero Galdós comprende pronto que la fórmula novelística de su siglo es otra, y obedece a ella forzando su natural; así, la fase propiamente naturalista de su arte es de duración bastante breve y ella no fue nunca muy ortodoxa.

En varios escritos de juventud de Galdós —y aún no tan juveniles, pero todos anteriores a 1873, el año de *Trafalgar*— se manifiesta la inquietud del autor ante el vicioso proliferar del malhadado folletín por entregas, no tanto en razón de que las obras de este género fuesen pésimas novelas, cuanto porque estragaban el gusto del público y le impedían comprender las buenas. Es más, algunas de esas obrezuelas de Galdós adoptan el aspecto de la ficción, y son sátira o parodia de lo que a Galdós se le antoja vitando. Todos estos escritos están bien a la mano, pero nadie los lee, pues sólo los eruditos profesionales se enfrentan hoy con las *opera minora* de don Benito —y aún me pregunto si se siguen leyendo mucho las *maiora*—. Galdós es ya un «clásico», condición terrible para un escritor de los nuestros, sobre todo si sus *Obras Completas* salen al fin editadas lujosamente en compactos volúmenes y encuadernadas en piel.

Recordemos sólo breves pasajes de los olvidados escritos susodichos, dejando, en cuanto es posible, la palabra al autor. Recordemos, por ejemplo, cierto artículo de 1866, en que el autor, ya realista —aunque no frecuentara a Balzac, cosa que no nos explicamos, habiendo sido éste tan traducido y leído en España desde 1839—, se maravilla de lo que las gentes consideran la «realidad». No dejan de tener gracia estas cosas, si se piensa en lo que puede ocurrir, a veces, con los «tremendismos» modernos y con otros «ismos».

> «¡La novela!, dennos novelas históricas y *sociales*, novelas intencionadas...; novelas de color subido, rojas, verdinegras, jaspeadas... Queremos ver descritas con mano segura las peripecias más atroces que imaginación alguna pueda concebir...; queremos ver al suicida, a la adúltera, a la mujer pública, a la Celestina, a la bruja, al asesino, al baratero, al gitano; si hay hospital, mejor; si hay tisis regeneradora, ¡magnífico! si hay patíbulo, ¡soberbio!... Realidad, realidad... Queremos ver el mundo tal cual es; la sociedad tal cual es, inmunda, corrompida, escéptica, cenagosa, fangosa...»

Con otras muchas ironías de este jaez [1].

Uno de los escritos más extraordinarios que conozco del joven Galdós es el que recoge unas *Observaciones sobre la novela contemporánea en España*, publicado en 1870 en la *Revista de España*. Yo no diré que se trate de un «clásico olvidado» —esa *contradictio in adjecto* que sólo en España es posible—; pero aunque citado alguna vez y reimpreso recientemente [2], no creo que haya merecido la atención que merece. Es, simplemente, el plan de la moderna novela española, aún nonnata; más concretamente, el programa a que se atendrá Galdós mismo desde que inicia los *Episodios:* la investigación, con los recursos de la novela —que investiga y construye— de lo que España ha sido, acaba de ser, de lo que es ahora. Este escrito no sólo es un documento de primer orden en la historia de nuestras ideas en el siglo pasado, sino que es capital en la obra de Galdós, quien fue a la novela —no sé de otro novelista que lo hiciese— con los ojos muy abiertos y muy consciente de lo que hacía. En otra ocasión he de volver con más calma sobre este ensayo. Me limitaré ahora a copiar algunas líneas.

[1] Artículo sin fecha, pero de 1866, sobre los *Cantares* de Paláu, *Crónica de Madrid, Obras inéditas*, X, págs. 185-186. Una mención de Manini, el famoso editor, que se hace antes, y algo que se lee en lo transcrito indican a las claras que la novela "realista" que Galdós satiriza es el folletín por entregas.

[2] BENITO PÉREZ GALDÓS: *Madrid.* Con un ensayo a manera de prólogo por José Pérez Vidal. Madrid, Aguado [1957], págs. 223-249.

1870, no olvidemos la fecha. Por este tiempo Francia e Inglaterra, Rusia, aun Alemania, nunca muy rica en obras de este género, sorprendían por una producción de novelas, extraordinaria en número y calidad. España, la inventora de la novela, era la única nación de Europa que no aparecía en el cotarro. Galdós nota muy bien que la causa es el «escapismo» romántico español, escapismo rosa, escapismo negro..., ¿qué más da? Leer novelas es huir de la vida en torno, ir hacia otra realidad que, por no ser la acostumbrada —es, en efecto, pura falsía—, parece más digna de ser tenida por verdadera; la «realidad» en que parece posible cuanto no lo es en estos días grises a lo largo de los cuales se va alineando nuestra vida.

> «El pedido de este lector especialísimo es lo que determina la índole de la novela. El la pide a su gusto, la ensaya, da el patrón y la medida, y es preciso servirlo. Aquí tenemos explicado el fenómeno, es decir, la sustitución de la novela nacional de pura observación por esta otra convencional y sin carácter, género que cultiva cualquiera peste nacida en Francia y que se ha difundido con la pasmosa rapidez de todos los males contagiosos. El público ha dicho: «Quiero traidores pálidos y de mirada siniestra, modistas angelicales, meretrices con aureola, duquesas averiadas, jorobados románticos, adulterios, extremos de amor y odio...», y le han dado todo esto. Se lo han dado sin esfuerzo, porque estas máquinas se forjan con asombrosa facilidad por cualquiera que haya leído una novela de Dumas y otra de Soulié...»

No era posible ver mejor el problema, muy claro para nosotros, a un siglo de distancia —menos de un siglo, ¡Señor!; se diría que han transcurrido varios.

Casi del mismo tiempo es un escrito muy curioso que, después de largas e incomprensibles pretericiones, ha abocado al fin a las *Obras completas*, *La novela en el tranvía* (noviembre- diciembre 1871)[3]. Poco anterior es *La sombra*, no ajena al tema, pero el ocuparnos de ella nos llevaría muy lejos. En *La novela en el tranvía* nos encontramos con una de esas amables eutrapelias de Galdós que tienen por tema el de la realidad literaria. Es la ironización de

---

[3] Puede verse en las *Obras completas* de Aguilar, VI, págs. 485 y ss. Es sorprendente que este curioso escrito haya tardado tanto en difundirse, a pesar de una edicioncita, que debe ser muy rara, Madrid, A. Pérez, 1900, 16.º, 88 págs. (Biblioteca Moderna, V), y hasta una traducción alemana. Fue publicado en *La Ilustración de Madrid*, 30 noviembre-15 diciembre de 1871.

la mentalidad novelesca creada por la lectura de los folletines, que ha hecho que los lectores truequen los frenos y no consideren verdad sino la pura mentira. Alguien sube a un tranvía y oye de un amigo cierto chisme escandaloso, que ya es así, porque el folletín está en el aire. Por lo mismo, desde ese momento, todos los que rodean al personaje no pueden dejar de ser los interesados en la intriga, y al final de su accidentado viaje, el protagonista, o lo que sea, piensa y actúa como don José Ido del Sagrario en sus más graves crisis de frenesí folletinesco. Es curiosa la factura, ya muy galdosiana, de esta obrita, tal vez la mejor entre las primeras tentativas del autor en el campo de la ficción breve.

Poco posterior es otro trabajillo, satírico otra vez, como las líneas de la reseña de Paláu arriba transcritas, pero más amplio en el alcance de sus burlas: *Un tribunal literario* (1872)[4]. De todas las piezas menudas de sus primeros tiempos que Galdós salvó del olvido, ésta es una de las más curiosas. Galdós ha hecho un pequeño *sketch* novelesco para darnos la caricatura de cuatro críticos que representan tres tendencias del novelar anterior a su tiempo, igualmente antipáticos al que sabe de qué se trata ahora: el folletín sentimental posromántico, que defienden la poetisa y en cierto modo también el Duque de Cantarranas ; el folletín *social*, más o menos a lo Sué, y una novela histórica más o menos degenerada. En medio de todas estas cosas aparece otra novela, la sometida al tribunal literario, que es, a su vez, la caricatura de cierto realismo bobalicón, que no deja de tener gracia y que muestra un punto de originalidad que no debe escaparnos: el autor de esa novela quiere que su personaje sea como es, y los jueces no quieren que lo sea —atenidos al principio de que los traidores han de ser pálidos y de mirar siniestro—. El autor parte del dato, y los otros de la convención preestablecida. Galdós no se tomó el trabajo de imaginar un plan medianamente viable, porque se escuda en la broma, y por eso ha echado mano de una situación nada nueva, que recuerda a veces algo como *El amante corto de vista*, de Mesonero.

Las actitudes de los muñecos que componen esta novelita se comprenden, no tanto la violencia satírica del

[4] Publicado en la *Revista de España*, 1872, XVIII, págs. 242-267. Fue recogido en el volumen *Torquemada en la hoguera*, y puede verse en la edición de Aguilar, VI, págs. 455-470.

escrito, pues en 1872 todo esto estaba ya terriblemente pasado de moda. No es cosa de poner nombre a ninguno de los «críticos» que aquí aparecen, pues han de ser figuras imaginarias; pero están ahí para indicar qué posibilidades les estaban deparadas a las novelas que provenían, no muy remotamente, de las de la Avellaneda. Don Marcos sería un nuevo avatar de Ayguals de Izco. En cuanto a don Severiano Carranza, no sé quién pueda ser. El folletín romántico que se parece a lo que él propone, es el de Fernández y González, tan amado del niño Galdós. Pero Fernández y González nunca fue, bien lo sabe Dios, un pozo de ciencia, y jamás hizo ni pretendió hacer investigaciones históricas. Probablemente, llevado de su tendencia, entonces muy marcada, a molestar a los eruditos, Galdós ha superpuesto siluetas de dos tipos que entonces le eran igualmente odiosos.

¡Siete años, en lo que consta, debatiéndose con el problema de la realidad novelesca! Por el mismo tiempo, un acercamiento muy modesto a la terrible realidad de la novela sin traidores pálidos —*La Fontana de Oro*, novela histórica, hasta cierto punto; *La sombra*, novela-ensayo de muy extraño y muy atractivo pergeño; *El Audaz*, novela semihistórica, entrevista más que lograda—. Pronto va a comenzar el poderoso oleaje del océano de los *Episodios*. Pero retengamos este momento de la vida del autor. El Galdós que escribe las líneas clarividentes de las *Observaciones sobre la novela*, es el que antes de cumplir los treinta años tiene la revelación súbita de sus propios destinos. Lo que había escrito antes de 1870, tangenteando la ficción —un par de cuentos fantásticos— no parecía manar de reflexiones como las expuestas en las *Observaciones*; las tentativas novelescas de Galdós —anteriores a *La Fontana de Oro*— son fantasías enteramente ajenas al estudio de la sociedad actual, aunque en nada atenidas al novelar usado. Son de grandísimo interés por patentizar espontáneos arranques del novelista, muy de su índole propia, nunca enteramente reprimida luego, por muy severas que fuesen las disciplinas literarias adoptadas. Pero podemos suponer que, con la formulación de su programa de 1870, que es ya el de las novelas de la primera época, y el de las novelas contemporáneas, por no decir de los *Episodios*, Galdós decide cambiar de rumbo. Se acabó el fantasear romántico —aun sin traidores pálidos— y meramente atenidos a eso, a la fantasía, no a modas estúpidas. Aquí, en este observatorio de Madrid, tiene ante los ojos toda una sociedad que contemplar; ahí tiene una aristocracia moralmente depauperada y que ha perdido el sentido de sí misma, una burguesía rampante, atractiva, repelente, siempre multiforme; y un pueblo que cambia rápidamente de faz, pero que permanece fiel a la antigua esencia, aunque carezca ya de aliños goyescos.

Se acabaron las situaciones inverosímiles y los «héroes de novela». La novela está en las calles y en las casas de Madrid, en cada calle, en cada casa. Allí hay que ir a verla. Pero esa novela es, a veces, como los microorganismos, que no son visibles sin iluminaciones y colorantes, invisibles si el arte no la crea. El artista que es Galdós dará sentido a todo eso que se ve, que vemos todos sin notarlo. La iluminación, el colorante, son la creación artística, esa misteriosa entidad inasible que nos permite decir, cuando leemos a Galdós: ¡qué verdad es todo eso! Y mil veces, en la vida real, nos hace decir: «He aquí un tipo de Galdós.»

(Insula, XVIII, 202, 1963.)

PERSPECTIVISMO IRONICO EN GALDOS

1. EL PUNTO DE VISTA NARRATIVO

Para un escritor como Galdós, la utilización del adecuado punto de vista, de la oportuna perspectiva novelesca, desde la que enfocar un relato o determinados momentos del mismo, resulta fundamental en orden a obtener esos entramados narrativos suyos, tan complejos y tan llenos de verdad humana.

En un estudio sobre el «punto de vista narrativo» señala N. Friedman que el problema del narrador no es otro que el transmitir adecuadamente su relato al lector. En consecuencia, Friedman cree que podrían establecerse las siguientes cuestiones: 1) ¿Quién habla al lector? (el autor en tercera o primera persona, algún personaje en primera persona, nadie aparentemente). 2) ¿Desde qué ángulo o posición se cuenta la historia? (desde el centro, la periferia, etc.). 3) ¿De qué canales de información se sirve el narrador para hacer llegar la historia al lector? (palabras del autor, pensamientos, percepciones, sentimientos, o palabras y acciones de los personajes); y 4) ¿A qué distancia queda la posición del lector de la historia? (lejos, cerca).

De acuerdo con ese esquema, Friedman va reseñando distintos modos o «puntos de vista» narrativos hasta llegar a la conclusión de que «la elección de un punto de vista es en la literatura de ficción (es decir, en la prosa novelesca) tan crucial, por lo menos, como lo es la elección de la forma del verso en la composición de un poema»[1].

Indudablemente Galdós, verdadero *novelista moderno*, como ha señalado muy bien Ricardo Gullón[2], tuvo conciencia de esa problemática, y hasta llegó a aludir a ella en diferentes pasajes de sus novelas. Recuérdese, por ejemplo, cuán explícitamente en *El equipaje del rey José* y en su capítulo XXII compara el narrador el nuevo enfoque empleado en la descripción de batallas con el manejado en la primera serie de los *Episodios*. Cuando en *O'Donnell*, Galdós abandona el relato en primera persona —voz correspondiente a Fajardo— para servirse de la tercera, se presenta ésta como correspondiente a la propia musa de la Historia, «la esclarecida jamona doña Clío de Apolo»[3]. Considérense, asimismo, los curiosos cambios de punto de vista que se dan en *Aita Tettauen*, o la artificiosa presentación de Tito, como narrador amigo del propio Galdós, en *Amadeo I*, o el desplazamiento de perspectivas que tiene lugar en *Torquemada en la Cruz*; aunque el relato esté en tercera persona, toda la parte primera corresponde al «punto de vista» de Torquemada. Nada sabemos —aunque se sospeche— de lo que piensa Cruz del Aguila, cuyo «punto de vista» es el que viene a predominar en la segunda parte.

La postura normal de Galdós frente a sus criaturas novelescas suele ser la del «cronista» que no tiene por qué ocultar su voz —y en esto el novelista español no hace sino seguir el ejemplo de su admirado Balzac[4]. En consecuencia, Galdós no participa de la que casi llegó a ser una obsesión de los naturalistas franceses: el prurito de objetividad, de impasibilidad o alejamiento. Galdós no tiene empacho en asumir el viejo papel de novelista «omnis-

---

[1] Vid. N. Friedman: *Point of View. The Development a Critical Concept*, estudio recogido en la obra de Robert Murray, *The Novel. Modern Essays in Criticism*, Prentice Hall, Inc., Englewood Cliffs, New Jersey, 1969, págs. 148 y ss.

[2] Vid. el libro de Ricardo Gullón: *Galdós, novelista moderno*, Ed. Gredos, Madrid, 1966.

[3] B. Pérez Galdós: *Obras completas*, Ed. Aguilar, Madrid, III, págs. 115, a. Todas las citas se refieran a esta edición.

[4] Vid. sobre esto mi artículo "Cervantes, Balzac y la voz del narrador" en *Atlántida*, núm. 6, 1963, págs. 579 y ss. Sobre la utilización de distintos enfoques narrativos en la novelística galdosiana, vid. Michael Nimetz: *Humor in Galdós. A Study of the Novelas Contemporáneas*, Yale University Press, New Haven, 1968, especialmente el interesante capítulo III, "Irony", págs. 78 y ss.

ciente y omnipresente»; pero su ingenio, su arte, su versatilidad, le llevan a discurrir una serie de variados recursos con los que matizar festiva, irónica o seriamente tan tradicional técnica. Con todo, Galdós reconocía como inevitable la presencia del narrador, y a ello alude en el prólogo de *El abuelo*, al justificar el empleo del diálogo como procedimiento relativamente objetivador:

> Por más que se diga, el artista podrá estar más o menos oculto; pero no desaparece nunca ni acaban de esconderle los bastidores del retablo, por bien construidos que estén. La impersonalidad del autor, preconizada hoy por algunos como un sistema artístico, no es más que un vano emblema de banderas literarias, que si ondean triunfantes es por la vigorosa personalidad de los capitanes que en sus manos las llevan.
>
> El que compone un asunto y le da vida poética, así en la novela como en el teatro, está presente siempre: presente en los arrebatos de la lírica, presente en el relato de pasión o de análisis, presente en el teatro mismo. Su espíritu es el fundamento indispensable para que puedan entrar en el molde artístico los seres imaginados que remedan el palpitar de la vida [5].

Creo que el hecho de que Galdós tuviera plena conciencia de esa limitación —que es una servidumbre, pero que también entraña una posibilidad de grandeza creadora— hizo que de la misma extrajera las más fecundas consecuencias. Pues, evidentemente, a nadie se le ocurriría formular contra Galdós un reproche como el tantas veces suscitado a propósito de las novelas de Valera; en ellas todos los personajes hablan tan refinadamente como el autor y suelen funcionar como portavoces o proyecciones del mismo. Las criaturas novelescas galdosianas son lo suficientemente distintas, poderosas y complejas como para impedir cualquier allegamiento con las de Valera en ese terreno: el de las relaciones autor-personaje.

No deja de ser una curiosa y significativa paradoja la de que cuando Galdós se siente identificado con alguno de sus personajes, hasta el extremo de casi sentirlo como muy *sui géneris* doble suyo, recurre, sí, a la primera persona, pero sirviéndose de fórmulas tan unamunianas como las manejadas en *El amigo Manso*. El personaje se convierte entonces —como el Augusto de *Niebla*— en un

5 *O. C.*, VI, pág. 11, a.

puro parto mental del escritor, y éste juega a su capricho con él, concediéndole vida a su antojo y retirándosela cuanto le apetece:

> No sé qué garabato trazó aquel perverso sin hiel delante de mí —cuenta Manso al nacer—; no sé qué diabluras hechiceras hizo... Creo que me zambulló en una gota de tinta; que dio fuego a un papel; que después fuego, tinta y yo fuimos metidos y bien meneados en una redomita que olía detestablemente a pez, azufre y otras drogas infernales... Poco después salí de una llamarada roja, convertido en carne mortal. El dolor me dijo que yo era un hombre [6].

Con un aparato semejante —«la redoma, la gota de tinta y el papel quemado»— abandona su existencia Manso por designio del «mismo perverso amigo» que le había sacado al mundo:

> Al deslizarme de entre sus dedos, envuelto en llamarada roja, el sosiego me dio a entender que había dejado de ser hombre [7].

Con referencia a esta novela, Ricardo Gullón ha señalado certeramente cómo su peripecia transcurre en el «recinto de la memoria»:

> Estando la novela escrita desde el punto de vista de Manso, centro de conciencia y protagonista, sus ideas, actitudes y prejuicios dictan la narración que tan diferente sería si los sucesos fueran contemplados desde otra perspectiva. Galdós se encargó de probar en *La incógnita* y *Realidad* que la novela contada por otro es otra. El fracaso de Manso es la victoria de Peña, y si éste fuera el narrador, cada personaje parecería distinto a como ahora los vemos; siendo diversas la distancia y la perspectiva, también habría de serlo la visión [8].

El caso de *La incógnita* y *Realidad* es, efectivamente, el más revelador de hasta qué punto una misma materia

---

[6] *O. C.*, IV, pág. 1166, a.
[7] *O. C.*, IV, p. 1289.
[8] R. Gullón: "El amigo Manso de Galdós", en *Mundo Nuevo*, núm. 5, París, noviembre, 1966, págs. 59-65. Nimetz ha estudiado adecuadamente el curioso enfoque narrativo de *El amigo Manso* dentro de lo que él llama "the romanticironic mode if narration'. *Ob. cit.*, págs. 97-98.

argumental puede ser presentada de forma distinta, según la perspectiva empleada. Dice a este respecto Gonzalo Sobejano:

> La incógnita (1889); Realidad, novela en cinco jornadas (1889), y Realidad, drama en cinco actos (1892) son tres formas literarias distintas de una misma materia argumental[9].

Se trata propiamente de dos perspectivas (Realidad, drama, viene a ser una repetición acomodada a las posibilidades de representación— de Realidad, novela dialogada), expresada cada una de ellas a través de un diferente procedimiento narrativo. Sabido es que en La incógnita —de estructura epistolar— se ofrece al lector una versión un tanto problemática o misteriosa de las circunstancias que han concurrido en la muerte de Federico Viera: ¿crimen o suicidio? La respuesta vendrá dada por la repetición de esa misma historia, contada ahora en forma objetiva, merced al procedimiento dialogado, en Realidad. La primera novela nos ofrece, como bien señala Sobejano, el confuso mundo de la opinión pública, a través del intercambio epistolar entre Manuel Infante, en Madrid, y Equis en Orbajosa. En Realidad.

> ...la presentación de unas conciencias separadas y desgarradas impuso a Galdós el procedimiento monologado. Ambas perspectivas —la del testigo que describe unos hechos y refiere sus opiniones, y la de los actores que monologan ante los demás o a solas— presuponen que el mundo social por ellas abarcado es un mundo de insolidarias individualidades en conflicto[10].

Un mismo asunto, visto desde fuera y desde dentro, sometido casi a la técnica musical de las variaciones; dos aquí, ajustadas a las distintas perspectivas utilizadas, a los diferentes procedimientos narrativos, a la dualidad intencional de Galdós, al ofrecernos —como quiere Sobejano— dos temas extraídos de una misma materia argumental: «El tema de La incógnita era la opinión. El tema de Realidad es la soledad, el secreto, la desconfianza»[11].

---

[9] G. Sobejano: "Forma literaria y sensibilidad social en La incógnita y Realidad de Galdós", en Revista Hispánica Moderna, año XXX, 1964, núm. 2, Nueva York, pág. 89.
[10] Ibíd., pág. 97.
[11] Ibíd., pág. 103.

Algo de esto —dos versiones de unos mismos hechos, dos puntos de vista, dos *variaciones* de un tema— se da en las novelas complementarias de Francisco Ayala *Muertes de perro* y *El fondo del vaso*. Y en forma mucho más complicada encontramos el mismo artificio en el *Cuarteto de Alejandría,* de L. Durrell. Cada una de las cuatro novelas —*Justine, Balthasar, Mountolive, Clea*— supone una perspectiva distinta de unos mismos hechos y personajes. El recurso —la repetición de una misma historia contemplada desde diferentes perspectivas— puede darse en una sola novela: *Degrés,* de Butor.

Pero lo que aquí importaba considerar no son tanto los ejercicios de virtuosismo literario que cabe conseguir con tales recursos (según los manejan Durrell o Butor) como la importancia que en todas las épocas de la novela ha tenido la elección de un adecuado «punto de vista». Hay un texto de Angel Ganivet que siempre me ha parecido enormemente revelador acerca de cómo la perspectiva empleada por el narrador condiciona la estructura de lo narrado. Se encuentra tal texto en el capítulo V de *Los trabajos de Pío Cid:* un contertulio de la cofradía granadina del Avellano cuenta la historia de «Juanico el Ciego» (tragedia vulgar). Pío Cid completa más adelante tal historia, tras coincidir en un tren con Mercedes, la hija de Juanico el Ciego. Al conocer Sauce la versión de Pío Cid, quiere redactar de nuevo la que él había escrito, añadiendo que el ciego era hijo de un amor incestuoso, con lo cual quedaría mejorada la anterior narración:

> Yo opino lo contrario —replicó Pío Cid—; que lo mejor es no cambiar punto ni coma en ese trabajo. Tal como está es como un tajo de carne cruda, y si se hace la alusión a la leyenda de Edipo, parecerá que el artículo está calcado en la tragedia clásica. Y luego, que no bastaría añadir unos párrafos por el principio, sino que habría que rehacer todo el artículo, porque al tomar cierto corte clásico exigirá líneas más severas y habría que suprimirle algunos rasgos demasiado realistas. *Cuando un escritor cambia de punto de vista, ha de cambiar también de procedimiento, y si tiene la obra a medio hacer, no debe remendarla, sino destruirla y hacer otra nueva* [12].

---

[12] El subrayado es mío. Sobre el tema del *perspectivismo literario* me permito remitir al lector a lo apuntado en otros escritos, especialmente en los estudios *Perspectivismo y sátira en "El Criticón",* en

A la luz de la penetrante observación ganivetiana se ve con total claridad cuál fue la actitud de Galdós en sus dos novelas *La incógnita* y *Realidad*. El cambio de punto de vista determinó correlativamente el de la estructura narrativa.

2. MIÑANO Y GALDÓS

Parece, pues, que en Galdós la técnica del «punto de vista» es algo más que el resultado de la feliz intuición del momento; es posiblemente algo muy meditado por el novelista. El hecho de que éste hubiera de expresarse habitualmente a través de grandes construcciones narrativas, integradas por muy extensos conjuntos de novelas —así, sus *Episodios nacionales*—, pudo determinar el razonable deseo que el escritor sintió de variar cuanto le fuera posible los efectos, las técnicas y procedimientos de cada relato. Sólo en la primera serie de los *Episodios* se atuvo Galdós escrupulosamente a la fórmula narrativa de la primera persona, la correspondiente a Gabriel Araceli, casi con exclusividad.

Pero en las restantes series, llevado Galdós de ese deseo suyo de introducir variaciones formales en una historia caracterizada por no pocas repeticiones, manejó ya un matizado repertorio de procedimientos narrativos, recurriendo unas veces a la estructura epistolar, otras al tradicional relato en tercera persona, o bien volviendo a servirse de la primera persona a través de nuevos planteamientos y soluciones.

Aquí me interesa destacar la especial forma de sátira perspectivista de que Galdós se sirvió en las *Memorias de un cortesano de 1815*, y en el episodio siguiente, *La segunda casaca*. En la totalidad del primer episodio y en parte del segundo se recogen las «memorias» escritas por

"Homenaje a Gracián", Zaragoza, 1958; "Perspectivismo y desengaño en Feijoo", en *Atlántida*, núm. 17, septiembre-octubre, 1965; "Perspectivismo y ensayo en Ganivet", en *Anales de la Universidad de Murcia*, Facultad de Filosofía y Letras, vol. XXV, curso 1966-67; "Visualidad y perspectivismo en las *Empresas* de Saavedra Fajardo", en *Murgetana*, núm. 31, Murcia, 1969, y en el libro de conjunto *Perspectivismo y contraste*, Ed. Gredos, Madrid, 1963.

Para un más amplio planteamiento de la cuestión, me ha sido concedida una ayuda de investigación por el Ministerio de Educación y Ciencia.

Juan Bragas Pipaón. Sabido es —como ha tenido ocasión de recordar Hans Hinterhaüser— que Pipaón nos informa en todas esas páginas «de sus hechos y experiencias en un estilo burlesco, inspirado en el *Pobrecito Holgazán*, de Miñano» [13].

Por boca del propio Pipaón alude Galdós a su linaje literario. En el capítulo XXII de las *Memorias*, Galdós no puede resistir a la tentación —fatal, en mi opinión, desde el punto de vista de la verosimilitud narrativa— de sermonear políticamente, y recurre para ello a un leve desplazamiento o más bien superposición de perspectivas, al hacer que Pipaón dé a leer sus memorias a un personaje prestigioso, el Gabriel Araceli de la primera serie, presentado aquí como varón ilustre y cargado de experiencia. Este, a la vista del manuscrito, hace ver a Pipaón «que los lectores de él, si por acaso lograba tener algunos, no podían menos de ver en mí a un personaje de las mismas mañas y estofa que Guzmán de Alfarache, don Gregorio de Guadaña o el «Pobrecito Holgazán» [14].

Resulta obvio que para Galdós, en 1875, el Pobrecito Holgazán era un personaje que cabía suponer tan popular y conocido de sus lectores como esos otros clásicos pícaros con él alineados.

El personaje fue dado a conocer en 1820 por Sebastián de Miñano en sus *Lamentos políticos de un pobrecito holgazán que estaba acostumbrado a vivir a costa ajena*, obra conocida usualmente con el nombre de *Cartas del pobrecito holgazán*.

En otra parte [15] he tratado de poner de manifiesto cómo el procedimiento epistolar aparece muy frecuentemente ligado al perspectivismo de índole crítica y satírica. Así, en las *Cartas marruecas*, de Cadalso, y luego en el XIX, en no pocos articulistas de costumbres. Entre ellos Miñano con la obra citada, en la cual se recoge una grotesca correspondencia de lamentos políticos anticonstitucionales, sostenida entre el Pobrecito Holgazán y don Servando Mazculla. De una manera indirecta, agudamente satírica, estas *Cartas* de Miñano constituyen un encendido

---

[13] Hans Hinterhäuser : Los "*Episodios nacionales*" de Benito Pérez Galdós, Ed. Gredos, Madrid, 1963, pág. 311.

[14] O. C., I, pág. 1333.

[15] Vid. mi obra *Perspectivismo y contraste*, especialmente págs. 39 y 40.

elogio de la flamante Constitución española, cuyos efectos lamentan los dos figurones que intervienen en el intercambio epistolar. Todo en él es puro perspectivismo, ya que, a través de las quejas de los dos grotescos personajes, Miñano nos da la medida de su fervor constitucional. El procedimiento empleado al servicio de esa intención es tan sencillo como añejo: la ironía, la lectura al revés, la fácil inversión de valores [16].

Con tal clave todo resulta transparente —y hasta elemental— de tan claro: los elogios han de leerse como censuras y viceversa. Quiere decirse que el personal punto de vista de Miñano es justamente el opuesto del presentado como característico de don Servando y del Holgazán. Todo lo que éstos añoran como propio del período absolutista merece la repulsa de Miñano (verbigracia, la Inquisición, el clasismo del servicio militar, los abusos del clero, la proliferación de conventos, etc.). Y, por el contrario, los denuestos que Mazculla o su corresponsal lanzan contra las nuevas formas políticas suponen otros tantos elogios de Miñano a las mismas.

Galdós estudió atentamente esta fórmula y la utilizó de manera sostenida y desenfadada en los *Episodios* citados.

Juan Bragas Pipaón, protagonista y narrador de los mismos, es un personaje camaleónico, hipócrita y oportunista, decidido a encumbrarse políticamente, arrimándose a quienes estén en el poder y simulando compartir apasionadamente sus ideas. De ahí que en 1815, Pipaón haya de actuar y de expresarse como un furibundo absolutista y declarado enemigo del liberalismo y de los partidarios de la Constitución de 1812.

La autopresentación del personaje en el capítulo I de las *Memorias* define ya sarcásticamente el talante picaresco de Pipaón y hace de él casi el negativo, el reverso, de lo que fue la vida, encumbramiento y progreso de Gabriel Araceli desde *Trafalgar* a *La batalla de los Arapiles*. Pipaón inicia sus *Memorias* con unas frases que a cualquier lector le dan ya el tono de cuanto va a seguir-

---

[16] Sobre este procedimiento, el elogio irónico, Vid. lo que D. C. Muecke señala en su obra *The Compass of Irony*, Methuen, Londres, 1969, págs. 67 y 68: *"Praise for having undesirable qualities or for lacking desirable qualities:* Here, by a reversal of values, the undesirable is presented as if it were desirable and viceversa". Entre otros ejemplos recuerda Muecke el ya clásico del *Encomium Moriae* de Erasmo.

9

las, la clave de todo el entramado irónico y perspectivista del episodio:

> En el nombre del Padre, del Hijo y del Espíritu Santo, doy principio a la historia de una parte muy principal de mi vida; quiero decir que empiezo a narrar la serie de trabajos, servicios, proezas y afanes por los cuales pasé, en poco tiempo, desde el más oscuro antro de las regias covachuelas a calentar un sillón en el Real Consejo y Cámara de Castilla. Abran los oídos y escuchen y entiendan cómo un varón listo y honrado podía medrar y sublimarse por la sola virtud de sus merecimientos, sin sentar el pie en los tortuosos caminos de la intriga, ni halagar, lisonjero, las orejas de los grandes con la música de la adulación, ni poner tarifa a su conciencia, o vil tasa a su honor, cual suelen hacer los menguados ambiciosos del día [17].

La vieja invocación cristiana de los poetas del mester de clerecía da paso aquí a las cínicas afirmaciones de Pipaón en forma tan abrupta y descarada, que a partir de ese momento el lector de las *Memorias* sabe ya a qué atenerse respecto a la condición del personaje y al sentido que habrá de dar siempre a sus palabras.

El recurso tiene algo de mecánico, de lección bien aprendida en las *Cartas*, de Miñano, y su indudable efecto cómico se ve, en ocasiones, rebajado por causa precisamente de su repetición. Pipaón presenta una y otra vez lo más condenable como digno de elogio y viceversa, sirviéndose de un lenguaje sostenidamente irónico. Recuérdense, por ejemplo, los burlescos elogios que dedica al general Eguía [18], o a su protector don Buenaventura, incansable perseguidor de liberales [19], o al clérigo Ostolaza,

---

[17] *O. C.,* I, pág. 1271, a.

[18] "Pero sea de esto lo que quiera, y aun considerando que la Regencia tuvo razón al separarle el mando en 1809, no se le puede negar su heroísmo y militar ciencia en 1814. Como que él sólo, ayudado de una división del ejército del Centro, dio al traste con la inmensa balumba de las Cortes, poniendo en vergonzosa fuga a mas de cien diputados liberales, que se escondieron en sus casas sin atreverse a asomar las narices...", *O. C.,* I, pág. 1274.

[19] "El buen señor se veía precisado a sentenciar a muerte o a presidio a unos cuantos malvados, y no pudiendo hacer esto rectamente sin pruebas, las buscaba para que aquellos infelices no fueran al patíbulo sin saber por qué. ¡Tunantes! ¡Cuándo merecieron ellos tropezar con varón tan justo, tan humanitario y tan compasivo como aquél!", *O. C.,* I, pág. 1280, a.

confesor del infante Don Carlos [20], o al infante Don Antonio y sus compañeros de tertulia [21].

En alguna ocasión el insistente motivo del mundo al revés adquiere una tan rotunda configuración como la que se encuentra en el capítulo II, en un pasaje allegable al satírico tema que utilizó Quevedo en *La hora de todos*. Al sonar ésta, la hora de la verdad, caen las máscaras y se descubre la mentirosa inversión de valores que reina en el mundo: el alguacil, por ser más ladrón que el delincuente, de azotador pasa a ser azotado. ¿No guarda alguna relación con esto lo que en el citado capítulo II cuenta Pipaón acerca de cómo prendieron a los diputados liberales?:

> Siempre me acordaré de la insolencia de los diputadillos, que en vez de echarse a llorar y pedirnos perdón cuando los prendíamos, nos miraban con altaneros ojos, afectando una serenidad tranquila, propia de justos o inocentes [...] Quien los viera, creyéralos a ellos jueces y a nosotros ladrones en cuadrilla, trocados los papeles y convertidos los ajusticiadores en ajusticiados [22].

3. EL NIÑO MILITAR

En algún pasaje de las *Memorias* la dependencia galdosiana respecto al modelo de Miñano es tan marcada, que casi cabría hablar de plagio, si no fuera porque el propio novelista se encargó de subrayar tal dependencia y de convertir así las *Memorias* en un muy *sui géneris* homenaje al escritor imitado.

---

[20] "Luego que don Blas, repito, desempeñaba así su difícil cargo, se embozaba en su capa, ya avanzada la noche, y corría a la calle apretado por el deseo de compensar los muchos afanes con un poco de libre holganza. Yo no sé adónde iba porque se recataba mucho de los amigos; pero es indudable que no pasaba la noche al raso, ni buscando hierbas a lo anacoreta, ni mirando al Cielo como astrólogo", *O. C.*, I, pág. 1285.

[21] "El duque de I... era otro que tal. ¡Cuántas grandezas podrían contarse de aquel insigne prócer y guerrero! [...] En 1815 ocupaba uno de los primeros puestos de la nación: la presidencia del Real Consejo de Castilla. Había que ver su llaneza en todo lo que no fuera de oficio. ¡Excelente señor! ¡Cuántas veces le vi en un palco del teatro del Príncipe, acompañado de *Pepa la Malagueña!*", *O. C.*, I, pág. 1286.

[22] *Ibíd.*, pág. 1275.

En la carta IV del *Pobrecito Holgazán* se cede la palabra a un «señor general» cuya hoja de servicios se resume en los siguientes términos:

Piensan por ahí cuatro tontos que para haber llegado a teniente general no he tenido más que favor y más favor; pero yo les haré ver ahora que no me han hecho más que justicia rigurosa. Porque ha de saber vmd. que todavía no habría cumplido nueve años cuando me veía ya con dos charreteras en los hombros y mi despacho corriente, por los muchísimos méritos que había contraído mi madre, siendo *señora de honor.* Más de seis años estuve agregado a los regimientos que había de guarnición en la corte, y precisado todos los meses a irme a presentar en la revista; vi pasar por cima de mí muchísimos capitanes más modernos que yo, bajo pretexto de que habían perdido algún miembro de su cuerpo en la guerra de Gibraltar. Entre tanto ya me iba apuntando el bigote, y si no es por un almuerzo que se dio en la casa del Labrador, acaso no hubiera salido de jefe hasta estar harto de cumplir dieciséis años. Por fin me hicieron teniente coronel agregado y tuve que ponerme en marcha para el Puerto de Santa María, separándome de mi pobre madre, y sin más recomendación que unas cartas del Ministro de la Guerra para el capitán general de Andalucía. Este señor me precisaba a ir muchos días a su mesa, y hasta me encargó una comisión de traer pliegos a la corte, anunciando la llegada de una flota; vea vmd. si este servicio no merecía la miseria que me dieron, que fue el grado de coronel. Pues hasta eso lo llegaron a murmurar. Detúveme aquí unos días, y como no era razón que habiendo yo servido tan bien a la patria no se me concediera algún descanso, mi madre reclamó, como era justo, que se me emplease en la secretaría, sin más objeto que el de cobrar alguna cosa más de sueldo. Allí aguanté todo el tiempo que duró la guerra anterior de Francia, y cuando se hizo la paz, ya se caía de su peso que me dieran la encomienda que disfruto en la Orden de Santiago. Luego tuve que aguardar a un día de besamanos para lograr el bordado de brigadier. Vea vmd. si hasta entonces tendría nadie que decir de mi carrera; pues con todo eso no me han faltado enemigos y envidiosos que han estado murmurando de mis adelantamientos, sin considerar que otros apenas andan a gatas cuando ya son mariscales de campo. En verdad, en verdad, que yo no lo fui hasta la campaña de Portugal, cuando conquistamos el *naranjal de Yélves,* que nos costó más sangre que lo que a vmd. le parece. Finalmente, cuando llegaron los franceses, yo me exalté de puro patriotismo, y de paso para Cádiz me acerqué a la

Junta de Extremadura, donde me dieron el grado de teniente general [23].

Si he reproducido íntegro tan largo pasaje, ha sido para poder compararlo mejor con su equivalente en las *Memorias de un cortesano de 1815*. En su capítulo XII se dice del duque de Alagón:

> No se crea por esto que el duque era aficionado a la guerra. El ruido le daba dolor de cabeza, y, además, ¿para qué se había de molestar, cuando había tantos que por un sueldo mezquino peleaban y morían por la patria? Militar era el personaje que describo, y bien lo probaba su noble pecho, lleno de cuanto Dios crió en materia de cruces, galones y cintas... Y no se hable de improvisaciones y ascensos de golpe y porrazo, que hasta los nueve años no tuvo mi niño su real despacho, merced a los méritos contraídos por su madre como dama de honor. A los once ya le lucían sobre los hombros dos charreteras como dos soles, sin omitir el sueldo, que no era mucho para el trabajo ímprobo de ir todos los meses a presentarse a la revista. A los veinte pescó una encomienda de Santiago, y luego fueron cayéndole los grados no atropelladamente y sin motivo, como los cazan otros que se elevan por el favor y la torpe intriga, sino despacio y en solemnidades nacionales, como un besamanos, el parto de la reina, los días del rey y otras fiestas de gran regocijo privado y público [24].

Las coincidencias saltan a la vista: El militar de Miñano obtiene sus «charreteras» cuando aún «no había cumplido nueve años». El de Galdós recibe su «real despacho» a la misma edad, nueve años, y «a los once ya le lucían sobre los hombros dos charreteras». Tales concesiones fueron posible gracias a los méritos contraídos por sus respectivas madres como «damas de honor» en la corte. Como gran molestia, justificadora del sueldo que perciben los niños militares, se cita en ambos textos el «trabajo ímprobo» de pasar la revista mensual. Los dos personajes obtienen la «encomienda de Santiago» y ganan sus ascensos no en campañas bélicas, sino en galas reales como un «besamanos».

Un texto intermedio entre el de Miñano y el de Galdós puede encontrarse en Larra, en una de las *Cartas de*

---

[23] Sebastián de Miñano: *Cartas del Pobrecito Holgazán*, en el tomo 62 de la Biblioteca de Autores Españoles, pág. 613, a.

[24] *O. C.*, I, págs. 1300-1301.

Andrés Niporesas. Obsérvense las semejanzas que presenta con los ya transcritos del *Pobrecito Holgazán* y de las *Memorias:*

> Me preguntas del estado de mi familia: voy a informarte como pueda de la suerte de cada uno:
>
> Antoñito está de enhorabuena: le concedieron la gracia de capitán con sueldo y todo, por los méritos de su padre, que hace ya lo menos cuatro años que está sirviendo a Su Majestad con cuarenta mil reales; con estos méritos le han hecho esta gracia al niño. Me alegrara que le vieras tan mono como está con sus dos charreteritas y su espadita, que parece un juguete. ¿Qué quieres? ¡En esa edad! ¡Ocho años! Nos llena la casa de pajaritas de papel; dice que son los enemigos, les corta la cabeza, y es una risa todo el día con él. Ya puede un criado no servirle pronto: le da un palo, lo cual nos hace mucha gracia a todos, y nunca se le olvida decirle que tiene qué sé yo cuántos miles de reales de sueldo. Su madre se lo come a besos. Es de advertir que el señor capitán está ya en medianos y muy adelantado en la gramática, de donde inferimos todos que ha de ser un gran militar [25].

Es muy posible que Larra conociera el texto de Miñano y en él se inspirase a la hora de pergeñar su cómico retrato del militar-niño. El favor concedido en Miñano a la «señora de honor», madre del chiquillo, se trueca aquí en el reconocimiento real a los «méritos» del padre. Con un gran sentido de lo cómico, de lo caricaturesco, Larra prepara y gradúa el efecto adecuadamente, reservando para el momento oportuno la indicación de la edad del niño, rebajada aquí a ocho años. Quizá por ello, por haberse extremado el carácter de infantilización. Larra extrema también las notas caricaturescas mediante el empleo de un lenguaje que no cede en ironía al de Miñano o al de Galdós, pero que posee otra tonalidad. Recuérdese que en el texto de Miñano es el propio militar el que habla de sí mismo, en tanto que en las *Memorias* el retrato se debe a la pluma del servil Pipaón. En Larra el contexto es el propio de una carta en la que se contienen noticias de la familia más próxima. Y esa tonalidad, la familiar, es la que acentúa las notas irónicas a través de una serie de expresiones y de diminutivos —«tan mono», «charreteritas», «espadita que parece un jugue-

---

[25] M. J. de Larra: *Artículos completos,* Ed. Aguilar, Madrid, 1961, pág. 435.

te», «su madre se lo come a besos»— que nos dan precisamente con más fuerza que los otros textos la imagen muy puerilizada del precocísimo militar. En su retrato, Larra fue capaz de llegar a las últimas consecuencias, las más burlescas; posibles, en definitiva, por el tono de una carta familiar en la que el lenguaje puede captar unas notas impensables en los casos de Miñano y Galdós.

Que éste pudo conocer, además del texto del *Pobrecito Holgazán*, el de Larra no resulta demasiado improbable, habida cuenta de la influencia que en la producción novelesca galdosiana tuvo el famoso articulista de costumbres [26].

A este respecto me parece revelador el que tanto Larra como Galdós completen la irónica descripción del militar-niño con unas amargamente burlescas consideraciones sobre la situación de otros profesionales adultos. Así, Larra, tras el retrato de Antoñito, capitán, escribe:

> También está Miguel de enhorabuena, porque le han hecho nada menos que teniente; verdad es que llevaba cuarenta y dos años de servicio, con haberse hallado en todos los encuentros de importancia que ha habido en ese tiempo, haber estado dos veces prisionero y tener diecisiete heridas y un ojo de menos. ¿Pero qué es eso comparado con una tenencia? [27].

Con esta adición al retrato de Antoñito se consigue una vez más el efecto del «mundo al revés», tan decisivo en las *Cartas del Pobrecito Holgazán* y en no pocas manifestaciones del posterior costumbrismo literario.

De nuevo podríamos considerar que Larra no hizo otra cosa que llevar a sus últimas consecuencias algo que estaba ya insinuado en el texto de Miñano, cuando el joven militar allí retratado se quejaba de haber visto pasar por delante a «muchísimos capitanes más modernos que yo, bajo pretexto de que habían perdido algún miembro de su cuerpo en la guerra de Gibaltar».

Por su parte, también Galdós contrapone en las *Memorias* la descripción del precoz militar, cuyos ascensos son fruto del favoritismo real, a la de otros profesionales del ejército sumidos en la miseria:

---

[26] Véase, por ejemplo, lo que M. Nimetz señala acerca de la influencia en Galdós de varios artículos de Larra, *O. C.*, págs. 43, 44, 45 y 59.
[27] Larra: *ed. cit.*, págs. 435-436.

Acontecía que muchas veces los ofiicales del ejército de línea no veían una paga en diez meses; pero ¡qué demonio!, no se podía atender a todo, y eso de que cualquier oficialete en servicio activo dé en la manía de estar siempre piando, piando por dinero, es cosa que aburre y molesta a los más sabios gobernantes [28].

4. LA «VICEVERSA DE LAS COSAS»

En definitiva, lo que hizo Galdós en las *Memorias de un cortesano de 1815* no fue otra cosa que aplicar a la totalidad de una novela histórica un procedimiento satírico de cuño tradicional, utilizado antes y después por el propio novelista, aunque nunca de forma tan coherente y sostenida como en ese *Episodio*.

Pipaón quedó así convertido en el personaje galdosiano más representativo de una técnica: la del mundo al revés, la irónica perspectiva que obliga al lector a situar la suya justamente en la zona opuesta de las valoraciones y reproches ofrecidos, para que invierta su sentido y pueda así captar el del conjunto novelesco.

No parece casual, sino reveladoramente intencionado, el que cuando Galdós incluye en el capítulo xx de la parte I de *La desheredada* el satírico *sermón* de *Los Peces* (un nuevo elogio para ser leído al revés), haga descender a los personajes significativos de tal especie (es decir, los hábiles individuos que saben flotar y medrar en todas las situaciones políticas) del héroe de las *Memorias*, presentado como suegro de don Manuel José Ramón del Pez [29].

Todo ese capítulo de *La desheredada* supone un interludio —que, en parte, se despega de la textura más bien realista de la novela— escrito en el estilo de las *Memorias*, y casi con mayor entonación irónica aún, al teñirse el elogio de la retórica y del énfasis propios de un sermón. Véase, por ejemplo, lo que se dice del citado don Manuel José Ramón del Pez [30] o de algún familiar suyo:

Ocupémonos de Adolfito, del precoz funcionario, que no iba a la oficina sino cuando le daba la gana; que había encargado un velocípedo a Londres y había extendido él mismo

---

[28] *O. C.*, I, pág. 1301, a.
[29] *O. C.*, IV, pág. 1033.
[30] *Ibíd.*, pág. 1033.

la orden para que el administrador de la Aduana de Irún lo dejase pasar sin derechos. ¡Qué rasgo de ingenio! ¡Tú irás muy lejos, niño!, le dijo el jefe de negociado. Y, realmente, aquel rasgo valía una cartera. ¡Genialidad infantil que anunciaba el embrión de un hombre de Estado español! [31].

Se diría que para Galdós el manejo de efectos como éste, conseguidos por un simple desplazamiento o inversión de perspectivas, era algo inherente al sentido mismo que para él tenía la ironía. No deja de ser significativo lo que en el *Episodio* titulado *De Cartago a Sagunto*, y en su capítulo IV, dice una inculta ramera, Leonarda *la Brava*, empeñada grotescamente en instruirse y pulirse para pasar de Cartagena a Madrid:

> Persistiendo Leonarda en sus anhelos instructivos, me dijo:
> —También hablaron mucho de que a Pepito le da por *la ironía*. Para mí que *la ironía* es como quien dice *la viceversa de las cosas* [32].

Se trata, pues, de una apretada y expresiva definición no demasiado distante —en su último sentido— de aquella que en 1755 el famoso doctor Johnson proponía en su diccionario: «A mode de speech in which the meaning is contrary to the words» [33].

La viceversa de las cosas permite el que lo abyecto pase por noble; lo ruin, por heroico; lo bajo, por elevado; en procedimiento relacionable con el que tradicionalmente han empleado los cultivadores del género heroico-cómico o épico-burlesco. Es fácil incidir entonces en la plena parodia. Así, Galdós, en la novela de ambiente dieciochesco *El audaz,* y en su capítulo XIV, *El baile del candil*, tal vez tuvo presente no sólo el sainete de tí-

---

[31] *Ibíd.*, pág. 1035.
[32] *O. C.*, III, pág. 1186.
[33] Sobre esto, vid. Muecke, *O. C.*, pág. 8. Se trata, realmente, de la más extendida y aceptada de las definiciones de *ironía*. Charles I. Glickberg en *The Ironic Vision in Modern Literature* (Nijhoff, La Haya, 1969), pág. 4), alude a ella como a la más popular: "The most popular was contained in the device of saying the opposite of what one meant, but the technique of blaming by means of dissimulated praise fias retained, so that the art of understatement and derision came into its own". La técnica de la censura con apariencia de elogio es justamente la empleada por Galdós en sus *Memorias de un cortesano de 1815*.

tulo parecido *El fandango del candil,* sino también aquélla, la más famosa parodia del teatro trágico neoclásico
que escribiera Ramón de la Cruz, *El Manolo.* Con los tipos que por tal obra desfilan y con el irónico lenguaje
puesto en su boca, parece relacionarse algún pasaje del
citado capítulo de *El audaz,* caracterizado por una adje-
tivación que una vez más supone *la viceversa de las cosas:*

> El primero que entró fue *Paco Perol,* con su capa terciada,
> su gran sombrero de medio queso y su guitarra, que rasguea-
> ba con mucha destreza. Siguió la *elegante y simpática* ver-
> dulera del Rastro *Damiana Mochuelo,* y después la *distin-*
> *guida y airosa Monifacia Colchón,* comerciante en hígado,
> tripa y sangre de vaca, y después *Gorio Rendija,* opulento
> ropavejero de la calle del Oso, seguido de la *interesante* cas-
> tañera denominada *la Fraila,* establecida en el Mesón de
> Paredes. Vino luego el discreto *Meneos,* majo devoto que
> se ocupaba en ayudar misas y en remendar trapos viejos, y
> después la *elegantísima y majestuosa* Andrea la *Naranjera,*
> que era una de las notabilidades de la Ribera de Curtidores.
> No tardó nada el *aprovechado* joven llamado *Pocas Bragas,*
> que venía de viajar por las principales capitales de Europa,
> tales como Melilla y Ceuta, ni faltó el *respetable y eminente*
> hombre de Estado, llamado *Tío Suspiro,* maestro de las es-
> cuelas establecidas en la Carrera de San Francisco para ali-
> vio de bolsillos y desconsuelo de caminantes [34].

La alusión a los penales de Melilla y Ceuta, por los
que ha «viajado» *Pocas Bragas* apunta inequívocamente
hacia el *Manolo* de Ramón de la Cruz. Si en tal obra el
efecto burlesco se consigue por la superposición del enfático lenguaje y versificación propios de la tragedia cla-
sicista al bajo mundo social del Avapiés madrileño, en el
texto de Galdós se obtiene un efecto no demasiado distante al recurrir irónicamente el autor al topiquizado lenguaje de las «crónicas de sociedad» de su tiempo, para
aplicarlo a las desgarradas figuras que acuden al *baile
del candil.*

El recurso que venimos comentando fue siempre muy
del gusto de Dickens, y parece legítimo sospechar que
Galdós, tan vinculado narrativamente al gran escritor inglés, hubo de acusar su influencia en tal sentido [35]. Se
haya dado ésta o no, una cosa es cierta: Galdós se sirvió

---

[34] *O. C.,* IV, pág. 334.
[35] Sobre esto, Vid. el citado libro de Nimetz.

del perspectivismo irónico en todas las épocas de su producción literaria.

Recuérdese en la última etapa galdosiana la curiosa variante que el autor introduce en tal procedimiento al hacer que sea Tito —ese casi duende de la Historia, protegido por Clío— quien lo emplee. Así, en el capítulo XVII de *Amadeo I*, Tito pronuncia una conferencia en un caserío vasco, burlándose solapadamente del auditorio al preconizar la implantación de una república hispano-pontificia, con el Papa al frente. El lenguaje, como es de rigor en estos casos, se acomoda a la fórmula de *la viceversa de las cosas*, según puede observarse en este irónico elogio de la Inquisición:

> Sí, la llamo dulce, porque sus efectos nos llevarán a un dulcísimo estado de beatitud, porque los rigores que a veces empleara contra la herejía son cosa blanda en parangón de la paz y dulcedumbre que ha de dar a la nación, porque si emplea el fuego para ahuyentar a los demonios, nos trae frescura y aire delicioso con el batir de alas del sinnúmero de ángeles que el Cielo nos enviará para consuelo y alegría de las almas españolas [36].

Galdós hace hablar, pues, al socarrón Tito de forma semejante a la empleada por Pipaón en sus *Memorias*. Permanece, por tanto, el procedimiento irónico, aunque varíe el juego perspectivístico en lo que atañe a la relación autor-personaje.

Pipaón se expresa hipócritamente, de acuerdo con su estrategia política, pero no está en su ánimo el servirse de la ironía para combatir los excesos del absolutismo. El efecto irónico es el resultado del entrecruzamiento o superposición de dos perspectivas: la del autor y la del personaje. Habla Pipaón, pero tras sus palabras están las del propio Galdós, el cual, desde su perspectiva liberal, nos ofrece *la viceversa de las cosas*: elogios-censuras y denuestos-alabanzas.

Distinto es el caso de Tito al preconizar el restablecimiento de la Inquisición con unas términos que de nuevo se corresponden con *la viceversa de las cosas*, en opinión de Galdós, coincidente aquí con la de su personaje novelesco. Pipaón escribe sus *Memorias* desde el más

---

[36] *O. C.*, III, pág. 1042, a.

feroz (por interesado) absolutismo, ligado a su deseo de lucro y de poder. Más que de unas convicciones ideológicas, se trata de una postura dictada por el oportunismo. De ahí que en las *Memorias* el juego irónico del perspectivismo (dependiente del aprendido en el *Pobrecito Holgazán)* alcance una extensión y unos matices que no se encuentran en otras páginas parecidas de Galdós. Lo cambiante es la perspectiva, que de ser la interesada de Pipaón o la socarrona de Tito puede configurarse asimismo como la de tono sarcástico del propio narrador cuando en *La desheredada* interrumpe momentáneamente la marcha del relato para incluir el *sermón* panegírico de *Los Peces.*

Un caso diferente y que entraña una cierta complejidad es el que encontramos en el capítulo III de la parte III de *Angel Guerra.* La perspectiva que aquí se nos ofrece es la del pintoresco don Pito, un antiguo marino, que, víctima de una cierta deformación profesional, de un «perspectivismo de la costumbre», llega a considerar como algo normal y plausible lo más trágico e inhumano: la trata de esclavos negros. Cuando don Pito evoca esos siniestros episodios de su pasada vida marinera, se expresa de acuerdo con la fórmula de *la viceversa de las cosas.* El pasaje es allegable, en lo que a irónico perspectivismo se refiere a los hasta ahora transcritos o recordados:

Venía la noche, y usted para dentro a meter otra partida, que se recogía en lanchas, veinte o treinta de cada barcada, bien amarraditos para que no se le escapasen. Digan lo que digan, se les hacía un favor en sacarlos de allí, porque los reyes aquellos, más brutos que todas las cosas, los tenían ya por esclavos natos, y los hacían mil herejías, sacándoles los ojos y arrancándoles a latigazos las tiras de pellejo. ¡Pobrecitos! De aquel martirio los salvábamos nosotros, llevándolos a país civilizado. Y que los tratábamos bien a bordo, sí señor... Pues se echaba usted a la mar con su cargamento bien estibado en la bodega, ciento cincuenta, doscientas cabezas, unos chicarrones como castillos, bien trincados, se entiende, y si alguno enseñaba los colmillos, le daba usted un poquito de *jabón...* a contrapelo, y con este ten con ten, tan ricamente. Es raza humilde... ¡Animalitos de Dios! Yo los quería mucho, y les daba de comer hasta que se hartaban. Cuando el tufo de sus cuerpos en la bodega era demasiado pestífero, los subía usted de dos en dos sobre cubierta

y los baldeaba... Y ellos tan agradecidos. Y largo para la
costa del Brasil en busca de los Sures, ¡hala, hala! [37].

El hecho de que don Pito se sirva de un lenguaje familiar, y en grado tal que llega a involucrar a su interlocutor como implicado imaginativamente en los hechos,
acentúa la coloración irónica del pasaje, bien explícita
además en ciertos reveladores diminutivos. Lo que ocurre aquí, a diferencia de los casos anteriores, es que la
embotada sensibilidad de don Pito le lleva a expresarse
de una forma pintorescamente inocente, como si todos los
horrores descritos fueran cosa corriente, aceptable y aun
casi —y de ahí el superlativo efecto irónico— caritativa.
Don Pito no es tanto un personaje cruel (al evocar su oficio de negrero) como un estúpido inconsciente, en quien
los resortes de la más elemental humanidad se hallan es-
tropeados a fuerza de hábito y de rutina.

Como quiera que sea, parece evidente que una descripción como la transcrita hace de don Pito un personaje de pergeño tan caricaturesco como aquellos otros —verbigracia, Pipaón— de quienes se sirve Galdós para obtener efectos de eficaz ironía al contrastar las personales
(y deformadas) perspectivas de todos esos personajes con
la no menos personal del autor (presente siempre en el
relato, aunque sea de forma indirecta u oblicua) y con la
del lector mismo, siempre que éste acomode la suya a la
del novelista. Cosa bien fácil, por lo demás, habida cuenta de lo accesible y clara que siempre resulta la clave con
la que penetrar en los juegos de irónico perspectivismo.

Su reiteración en la obra narrativa galdosiana tiene
algo y aun mucho que ver con la especial índole del realismo novelesco, tal y como lo concibió el gran escritor
canario [38]. Para éste, como para Cervantes, Dickens o Balzac, no hay incompatibilidad entre la creación de un mundo novelesco rebosante de verdad humana y la presencia,
la voz misma del novelista en tal mundo. El dogma de la
total objetividad, de la impasibilidad narrativa fue algo
que nunca debió preocupar excesivamente a Galdós, según vimos ya a propósito del prólogo a *El abuelo*.

Tal convicción llevó posiblemente a Galdós a estudiar

---

[37] *O. C.*, V, pág. 1351.
[38] Sobre el muy *sui géneris* realismo galdosiano y su compatibilidad con las descripciones de índole caricaturesca. Vid. mi estudio *Las
caricaturas literarias de Galdós*, incluido en *Perspectivismo y contraste*, así como el citado libro de Nimetz, *Humor in Galdós*.

y ensayar las técnicas y fórmulas con las que incorporar su yo, su voz, sus opiniones, a las páginas de sus novelas, de la forma más variada y artística posible. El «perspectivismo irónico» es una de esas técnicas, de corte bien tradicional y con antecedentes tan explícitos como el de Miñano. El que Galdós fuera capaz de extraer nuevos efectos de tal técnica y de escribir incluso alguna obra ceñida exclusivamente a ese procedimiento dice bastante acerca de su poder creador y su talento narrativo.

(Cuadernos hispanoamericanos,
LXXXIV, 250-52, 1970-71.)

GUSTAVO CORREA

TRADICION MISTICA Y CERVANTISMO EN LAS NOVELAS DE GALDOS, 1890-97

Ha sido un lugar común de la crítica el atribuir la
etapa de la espiritualización de la novela galdosiana entre los años 1890 y 1897 a una marcada influencia de
Tolstoy, cuyas novelas y tratados religiosos fueron traducidos al francés entre 1884 y 1886, y algunos de ellos
vertidos al español en 1890 y 1891 [1]. Por otra parte, estudios recientes han analizado sistemáticamente la presencia directa del Nuevo Testamento en esta fase de la novela galdosiana, particularmente en lo que se refiere a la
concepción de Cristo en la elaboración de personajes como Nazarín y Benina en *Misericordia* [2].

Sin poner en duda la influencia directa de la Biblia
ya lo suficientemente verificada en sus detalles, en novelas como *Nazarín* y *Misericordia,* y sin desechar la posibilidad de una influencia de Tolstoy, especialmente en lo
concerniente a la doctrina de la transformación de la so-

---

[1] Sobre la influencia de Tolstoy en Galdós, véanse principalmente
George Portnoff, *La literatura rusa en España,* New York, 1932,
págs. 123-206, y Vera Colin, "A Note on Tolstoy and Galdós", en
Anales galdosianos, II (1967), págs. 155-168.

[2] Consúltense al respecto los siguientes estudios: Ciriaco Morón
Arroyo, "Nazarín y Halma: sentido y unidad", *Anales galdosianos,* II,
págs. 67-81; Alexander A. Parker, *"Nazarín,* or the Passion of our
Lord Jesus Christ According to Galdós", *ibíd.,* págs. 83-101; Robert
H. Russell, "The Christ Figure in *Misericordia",* ibíd., págs. 103-30.
Véanse también mis libros, *El simbolismo religioso en las novelas
de Pérez Galdós,* Madrid, 1962, págs. 146-215, y *Realidad, ficción y
símbolo en las novelas de Pérez Galdós,* Bogotá, 1967, págs 163-209.
Las novelas aquí consideradas son *Angel Guerra* (1890-91), *Nazarín*
(1895), *Halma* (1895), y *Misericordia* (1897).

ciedad por medio de la idea religiosa, y a su actitud de no resistencia ante el mal [3], creemos que fundamentalmente Galdós llega a esta etapa de espiritualización por una exigencia interna de su mundo novelístico que lo lleva a utilizar en este momento de su evolución fuentes diversas, entre las cuales se encuentran la Biblia, Tolstoy y, de manera especial, una veta de misticismo hispánico que no ha sido lo suficientemente puntualizada por la crítica. El hecho es, sin embargo, que el mismo Galdós nos ha puesto en vía de explorar esta vertiente de su caudal humanístico. En la novela *Halma*, en efecto, el autor rechaza por boca del sacerdote don Manuel de Flórez la tan discutida influencia rusa, llamando la atención, por el contrario, a la tradición mística española:

Piense cada cual de este desdichado Nazarín lo que quiera. Pero al demonio se le ocurre ir a buscar la filiación de las ideas de este hombre nada menos que a la Rusia. Han dicho ustedes que es un místico. Pues bien: ¿a qué traer de tan lejos lo que es nativo de casa, lo que aquí tenemos en el terruño y en el aire y en el habla? ¿Pues qué, señores, la abnegación, el amor de la pobreza, el desprecio de los bienes materiales, la paciencia, el sacrificio, el anhelo de no ser nada, frutos naturales de esta tierra, como lo demuestran la historia y la literatura, que debéis conocer, han de ser traídos de países extranjeros? ¡Importación mística, cuando tenemos para surtir a las cinco partes del mundo! No sean ustedes ligeros, y aprendan a conocer dónde viven, y a enterarse de su abolengo. Es como si fuéramos los castellanos a buscar garbanzos a las orillas del Don, y los andaluces a pedir aceitunas a los chinos. Recuerden que están en el país del misticismo, que lo respiramos, que lo comemos, que lo llevamos en el último glóbulo de la sangre y que somos místicos a rajatabla, y como tales nos conducíamos sin darnos cuenta de ello. No vayan tan lejos a indagar la filiación de nuestro Nazarín, que bien clara la tienen entre nosotros, en la patria de la santidad y la caballería, dos cosas que tanto se parecen y quizá vienen a ser una misma cosa, pues aquí es místico el hombre político, no se rían, que se lanza a lo desconocido, soñando con la perfección de las leyes; es místico el soldado, que no anhela más que batirse, y se bate sin

---

[3] Dice Nazarín: "De la resignación absoluta ante el mal no puede menos de salir el bien, como de la mansedumbre sale al cabo la fuerza, como del amor de la pobreza tienen que salir el consuelo de todos y la igualdad ante los bienes de la Naturaleza." El credo religioso tolstoyano se halla expuesto principalmente en el tratado *Mi religión*, traducido al francés en 1885.

comer; es místico el sacerdote, que todo lo sacrifica a su ministerio espiritual; místico el maestro de escuela que, muerto de hambre, enseña a leer a los niños; son místicos y caballerescos el labrador, el marinero, el menestral, y hasta vosotros, pues vagáis por el campo de las ideas, adorando una Dulcinea que no existe, o buscando un más allá que no encontráis, porque habéis dado en la extraña aberración de ser místicos sin ser religiosos [4].

La cita no deja dudar del hecho que Galdós se hallaba familiarizado con la tradición mística española y que antes de embarcarse en su nuevo ciclo novelístico debió de hacer lecturas intensas al respecto [5]. Más concretamente la vida y obra de Santa Teresa y de San Juan de la Cruz debieron de proporcionarle aspectos importantes en la conformación espiritual de ciertos personajes y en la determinación de numerosos detalles y situaciones que se encuentran en estas novelas. Si, por una parte, la vida de Jesús y las enseñanzas evangélicas procuran al autor los lineamientos generales de la «imitatio Christi», en personajes como Leré, Nazarín y Benina, por otra, el poder espiritual que reside en ellos y que les presta una humanidad característica deriva de la personalidad irradiante de los místicos. Tanto Santa Teresa como San Juan se distinguen, en efecto, en su vida singular por su capacidad para influir sobre otras personas, atraerlas a su órbita y llevar a cabo la realización de grandes empresas en el dominio del espíritu [6]. Son mentes contemplativas que han llega-

---

[4] *Obras completas,* tomo V, Madrid, 1942, pág. 1858. En lo sucesivo, todas las citas se refieren a esta edición.

[5] Galdós ya se había referido antes a Santa Teresa, en *La familia de León Roch,* al relatar la infancia de los dos hermanos gemelos María Egipciaca y Luis Gonzaga: "Leían a menudo vidas de santos, única lectura que en aquellas soledades era posible; y tan a pechos tomaron ambos niños las estupendas historias de padecimientos, trabajos y martirios, que sintieron deseo de que les martirizaran también a ellos, y ocurrióles la misma idea que cuenta Santa Teresa en el relato de su infancia, cuando ella y su hermanito discurrieron ir a tierra de infieles para que les cortaran la cabeza", en *Obras completas,* tomo IV, Madrid, 1941, pág. 786.

[6] Galdós pudo haber tenido a mano, entre otras, las siguientes biografías de Santa Teresa y de San Juan de la Cruz: Francisco de Ribera, S. J., *La vida de la Madre Teresa de Jesús, fundadora de las Descalzas y Descalzos Carmelitas,* Salamanca, 1590; ediciones posteriores, Madrid, 1601 y 1863; Jerónimo de San José, O.C.D., *Historia del Descalzo Carmelita, Compañero y Coadjutor de Santa Teresa de Jesús en la fundación de su Reforma,* Madrid, 1641; ediciones posteriores hasta la de Toledo de 1912.

10

do a poseer el secreto de su fuerza interior mediante la total negación de sí mismos y el aniquilamiento personal, pero que conocen también el valor de la vida activa, sin la cual no hubieran podido realizar sus proyectos de reforma. Su temple espiritual queda al descubierto al arrostrar con ánimo sereno toda clase de persecuciones, contratiempos, dificultades y penalidades de orden moral y físico. Su vida personal abunda en ejemplos de total entregamiento al prójimo y de caridad para con los desgraciados. San Juan de la Cruz estuvo en contacto directo con la miseria humana en el hospital de Medina del Campo, durante sus años formativos, y tanto él como Santa Teresa practicaron su ardiente caridad poniéndose al cuidado de los enfermos en sus propios conventos. Santa Teresa se destacaba por sus dotes de enfermera [7]. Gracias a su vocación auténtica y a su inalterable confianza en sí mismos, poderosamente reforzada a través de su experiencia de comunicación con los poderes sobrenaturales, logran contemplar el florecimiento inesperado de sus fundaciones. El rigor de la reforma implica, a su vez, una total transformación en la vida religiosa colectiva y se inspira en un acercamiento al cristianismo primitivo y a la intención primera de los fundadores de su propia orden [8].

[7] En las "Moradas quintas" de su libro *Moradas del castillo interior*, Santa Teresa observa a sus hermanas: "obras quiere el Señor, y que si ves una enferma a quien puedes dar algún alivio, no se te dé nada de perder esa devoción y te compadezcas de ella, y si tiene algún dolor, te duela a ti, y si fuere menester, lo ayunes, porque ella lo coma no tanto por ella como porque sabes que tu Señor quiere aquello", en *Obras completas*, II, Madrid, 1954, pág. 408. En sus *Constituciones* dedica todo un capítulo a tratar de las enfermas, las cuales deben ser "curadas con todo amor y regalo y piedad", *ibíd.*, pág. 888. Leré en *Angel Guerra* se propone entrar en una congregación donde pueda dedicarse al ejercicio de la caridad: "—Pienso entrar, porque así me lo manda el Señor, en una Congregación de las más trabajosas, de éstas que se dedican a recoger y cuidar ancianos, o a la asistencia de enfermos. Preferiré lo más rudo, lo más difícil, lo que exija más caridad, más abnegación y estómago más fuerte" (pág. 1427).

[8] Santa Teresa se propone con la reforma de los conventos devolver a la Regla del Carmen su prístino vigor: "Guardamos la Regla de Nuestra Señora de el Carmen y cumplida ésta sin relajación, sino como la ordenó Fray Hugo, Cardenal de Santa Sabina, que fue dada a 1248 años, en el año V del Pontificado del Papa Inocencio cuarto", *Libro de la vida*, en *Obras completas*, I, Madrid, 1951, pág. 837. Por otra parte, se refiere constantemente a los profetas Elías y Eliseo, fundadores de la Orden del Carmelo, como paradigmas de vida ermitaña y austera que deben ser imitados: ""Acordémonos de nues-

Sin duda alguna, este espíritu de los dos reformadores es el que se halla presente en los empeños de fundación de Angel Guerra, a impulsos de Leré, cuyos propósitos tienen el alcance de una renovación completa de la vida religiosa española: «Pues yo quiero renovar el carácter profundamente evangélico de las Ordenes antiguas —dice Angel— y vaciarlo en los moldes de la vida contemporánea. Mi obra es genuinamente española» (p. 1556). Angel se da cuenta de las «energías formidables» que pueden concentrarse en esta obra de renovación, a semejanza de las que ya en una ocasión brotaron en suelo hispánico y piensa que su *dominismo* puede propagarse con la erección de nuevas casas como la que está construyendo en el momento, con el nombre de *Domus domini*, hasta adueñarse de los organismos del Estado y provocar un cambio radical en la sociedad: «Yo no lo veré quizá. Pero otras generaciones de *doministas* se encontrarán dueñas de una inmensa fuerza espiritual, y, sin quererlo, se les formará entre las manos, por pura ley física, la sociedad nueva» (p. 1555). Y más adelante: «Pero el *dominismo* está conmigo, planta magnífica que echará hojas y ramas, y pronto será un árbol corpulento. Yo no haré más que regarlo, y el *dominismo* crecerá y dará fruto... Veo para dentro de un plazo no muy largo... *(Con inspiración.)*, veo, sí, como le estoy viendo a usted, la emancipación de la Iglesia española, la ruptura con esa Roma caduca y el establecimiento del papado español» (p. 1557). También Santa Teresa se refiere por medio de una metáfora característica a los comienzos minúsculos de su obra realizados por mujeres flacas, pero de espíritu fuerte: «Pues comenzando a poblarse estos palomarcitos de la Virgen Nuestra Señora, comenzó la Divina Majestad a mostrar sus grandezas en estas mujercitas flacas, aunque fuertes en los deseos y en el desasirse de todo lo criado, que debe ser lo que más junta el alma con su Criador, yendo con limpia conciencia» [9].

En cuanto al temple interior de estos personajes, Leré aparece, en particular, como una figura femenina de estirpe teresiana que se caracteriza por su vocación autén-

tros Santos Padres pasados ermitaños, cuya vida procuramos imitar: ¡Qué pasarían de dolores, y qué a solas, como son hambre, sed, fríos, sol y calor, sin tener a quién se quejar sino a Dios! ¿Pensáis que eran de hierro? Pues tan delicados eran como nosotras", *Camino de perfección,* en *Obras,* II, pág. 112.
[9] *Libro de las fundaciones,* en *Obras,* II, pág. 697.

tica, voluntad indomable, derechura de miras y serenidad alegre y confiada. Galdós puntualiza claramente que la índole de su carácter ha sido forjada teniendo en cuenta el pasado místico español: «Echarse a cuestas una montaña habría sido empresa más fácil que domar aquel carácter duro y de un peso ingente, de una homogeneidad abrumadora.» Y por boca de Angel: «Es figura de otros tiempos, y asisto a una milagrosa resurrección de lo pasado» (p. 1381)[10]. Uno de sus atributos es la total ausencia de miedo, el cual, según el autor, constituye una fuerza de difícil vencimiento en el mundo moral del hombre, asimilable a las inflexibles leyes de la naturaleza: «El miedo es la forma de nuestra subordinación a las leyes físicas, y Leré se había emancipado en absoluto de las leyes físicas, no pensando nunca en ellas, o mirándolas como accidentes pasajeros y sin importancia» (p. 1381). Santa Teresa se refiere precisamente al total señorío de la personalidad que confiere plena libertad y ahuyenta toda posibilidad de temor. Tal seguridad es conquistada por el desasimiento de todas las cosas y la entrega total a Dios, lo cual equivale a andar por el «camino real», en vez de ir por la «senda» donde se encuentran los despeñaderos: «Quien las tuviere [las virtudes de desasimiento y humildad] bien puede salir a pelear con todo el infierno junto y contra el mundo y sus ocasiones. No haya miedo de nadie, que suyo es el reino de los cielos; no tiene a quién temer, porque nada se le da de perderlo todo ni lo tiene por pérdida; sólo teme descontentar a su Dios, y suplícale que le sustente en estas virtudes, porque no las pierda por su culpa»[11]. Por otra parte, Santa Teresa recomienda a sus novicias el ejercitarse en cualidades varoniles de fortaleza, desechando las quejas y las manifestaciones de ternura a que son dadas las mujeres: «Estas

---

[10] Lo mismo que Santa Teresa, Leré es considerada por las monjas de su propio convento como una "mujer excepcional": "con ser la enfermera más valerosa, la más diligente ama de gobierno, la más callada, la más sufrida, la más serena de espíritu; y, en fin, concluía de ganar los corazones con su entendimiento soberano, pues si rompía el silencio, porque se solicitaba su opinión sobre algún punto espiritual o de la vida ordinaria, siempre salían de sus labios palabras de deslumbrador sentido, conceptos sobre cuya exactitud y verdad no podía caber ninguna duda" (pág. 1406).

[11] *Camino de perfección*, en *Obras*, II, pág. 106. Las imágenes del "camino real" y de la "senda" se hallan en el *Libro de la vida*, en *Obras*, I, pág. 825. El señorío y libertad del alma es uno de los temas fundamentales de los tratados místicos de San Juan.

palabras regaladas déjenlas para su Esposo (pues tanto han de estar con El y tan a solas, que de todo se ha menester aprovechar), pues su Majestad lo sufre, y muy usadas acá con las criaturas no, no enternecen tanto con el Señor; y sin esto no hay para qué, que es muy de mujeres, y no querría yo, hijas mías, lo fuésedes en nada, sino que pareciésedes varones, que si ellas hacen lo que es en sí, el Señor las hará tan varoniles que espanten a los hombres» [12]. Leré participa de esta cualidad varonil. Su gran «fuerza mental» y «vigor de conciencia» han impuesto a Angel una órbita de gravitación que lo ha absorbido como «disparado satélite» a su centro de atracción planetaria. Su relación de masculinidad para con él en el mundo del espíritu es reconocida por el mismo Angel, en la manera como ella actúa moldeando su pensamiento y haciendo fructificar las semillas que ella ha plantado en su mente: «En la esfera del pensamiento —dice—, yo no soy yo, soy ella. Ya lo ve usted: me da forma, como si yo fuera un líquido y ella el vaso que me contiene» (p. 1555). El mismo Galdós agrega: «Trocados los organismos, a Leré correspondía la obra paterna, y a Guerra la gestación pasiva y laboriosa» (p. 1407). Asimismo, la categoría de «esposa mística» o de «amistad angélica» a que Angel aspira en sus relaciones para con ella, «a la manera de la que ha existido entre santos», según lo explica el autor, debió de serle sugerida a este último por el tipo de relaciones espirituales que existió entre Santa Teresa y San Juan de la Cruz, las cuales fueron de tantas consecuencias en la elaboración de su obra mística [13].

No hay duda, además, que las doctrinas y las prácticas ascéticas de Leré y también de Nazarín tienen una raigambre esencialmente mística. Leré predica la aceptación gustosa de las penalidades como un regalo del cielo para templar el ánima: «Los trabajos, las penas y enfermedades mírolas yo como pruebas de las cuales no

---

[12] *Camino de perfección, ibíd.*, pág. 96.
[13] San Juan actúa de director espiritual en el convento de la Encarnación donde se encontraba Santa Teresa, en los años 1572 y 1573, precisamente cuando ésta había llegado a la plenitud de su vida mística. Por lo demás, San Juan, en sus declaraciones del *Cántico espiritual*, se refiere al hecho de que se eximirá de tratar en ellas, acerca de "las diferencias de raptos y éxtasis y otros arrobamientos y sutiles vuelos de espíritu que a los espirituales suelen acaecer", por haberlo hecho ya la Santa, confirmando con ello la importancia de las relaciones espirituales que hubo entre los dos, *Vida y obras de San Juan de la Cruz*, Madrid, 1960, pág. 876.

debemos huir, porque ellas nos son enviadas para templar nuestra alma y hacerla resistente. Los que no son probados en esa tienta, no sirven para la vida alta» (p. 1404). Santa Teresa lo reitera en numerosas ocasiones y lo dejó dicho en *Camino de perfección*: «Si queréis con trabajos [que se cumpla la voluntad de Dios], dadme esfuerzo y venga; si con persecuciones y enfermedades y deshonras y necesidades, aquí estoy; no volveré el rostro, Padre mío, ni es razón vuelva las espaldas» [14]. Aún más, dentro de los postulados místicos del desasimiento y de rechazo de lo material, la fórmula negativa de «lo menos» viene a convertirse en la enriquecedora y positiva de «lo más» [15]. San Juan de la Cruz hace consistir precisamente la doctrina de la unión con Dios en la necesidad de llegar al total vacío de la persona, a través de la noche activa y pasiva del sentido y del espíritu, esto es, a través de la total aniquilación de los sentidos y de las facultades del alma. La máxima fuerza espiritual obrará en el momento en que esta vertiente de lo natural en el hombre sea abolida para que la otra, la sobrenatural, tome su lugar: «Por tanto, es suma ignorancia del alma pensar podrá pasar a este alto estado de unión con Dios si primero no vacía el apetito de todas las cosas naturales y sobrenaturales que le pueden impedir, según que adelante declararemos» [16]. Leré se ha apropiado, sin duda, el secreto de donde emana su gran fuerza espiritual con la doctrina de las negaciones: «Tío, convénzanse usted de que el desamparo es un bien positivo, y el no tener nada, tenerlo todo, y el ser rechazado en todas partes, la mejor compañía, y el estar enfermo, prepararse para la verdadera salud, y el cegar, ver, y el hundirse, subir, subir y llegar hasta arriba. Todo se reduce a esperar en calma esperar siempre, pensando en la verdadera vida» (p. 1381). Por su parte, los «increíbles bríos espirituales» de Nazarín que llegan a poner en conmoción la sociedad frívola que lo rodea, y de

---

[14] *Obras*, II, pág. 243.
[15] Compárense los siguientes avisos de San Juan a la Madre Magdalena del Espíritu Santo: "Procurar siempre inclinarse no a lo más fácil, sino a lo más dificultoso; no a lo más sabroso, sino a lo más desabrido; no a lo más gustoso, sino a lo que no da gusto; no inclinarse a lo que es descanso, sino a lo más trabajoso; no a lo que es consuelo, sino a lo que no es consuelo; no a lo más, sino a lo menos; no a lo más alto y precioso, sino a lo que no es querer nada; no andar buscando lo mejor de las cosas, sino lo peor, y traer desnudez y vacío y pobreza por Jesucristo de cuanto hay en el mundo", *op. cit.*, pág. 1136.
[16] *Op. cit.*, pág. 426.

la cual recibe sus burlas implacables, provienen de su inalterable voluntad para resistir el dolor físico y salir al encuentro de un mundo afirmativo, a través de la absoluta negación: «Nosotros —declaró Nazarín— no necesitamos propiedad de tierra ni de cosa alguna que arraigue en ella, ni de animales domésticos, porque nada debe ser nuestro, y de esta absoluta negación resulta la afirmación de que todo puede venir a nuestras manos por la limosna» (p. 1783).

Característica del alma mística es, asimismo, la capacidad de *videncia* para penetrar en el interior de otras conciencias y señalar con claridad luminosa la vía que corresponde seguir a cada uno en la búsqueda del perfeccionamiento espiritual. La maestría para intimar en la propia conciencia es un resultado de la experiencia, según lo declara Santa Teresa y confiere una sabiduría que no pueden tener los mismos letrados [17]. Sin duda, su aptitud de adentramiento le permitió conocer las singularidades del alma femenina, tan necesaria en la organización de sus propios conventos. San Juan de la Cruz se destaca por sus extraordinarias dotes de director espiritual y su capacidad de videncia le permite anticipar acontecimientos, incluyendo la hora exacta de su propia muerte. En su capítulo sobre las revelaciones en el libro II de la *Noche activa del espíritu* se refiere el Santo a la capacidad que tiene el alma de captar «verdades desnudas», una vez que ha llegado al vacío de todo lo exterior y lo interior, y de entender proféticamente cosas que ya han pasado o que están por suceder: «Esta manera de visiones, o, por mejor decir, de noticias de verdades desnudas..., consiste en entender y ver verdades de Dios o de las cosas que son, fueron y serán, lo cual es muy conforme al espíritu de profecía, como por ventura se declarará después» [18]. Por una parte, se desarrolla la facultad de mirar en el interior de los demás: «Pero es de saber que estos que tienen el espíritu purgado con mucha facilidad naturalmente pueden conocer —y unos más que otros— lo que hay en el corazón o espíritu interior, y las inclinaciones y talentos de las personas» [19]. Por otra, se aclaran luminosamente textos, acontecimientos o fenómenos de la realidad: «La una y la otra manera de estas noticias de cosas,

---

[17] *Libro de la vida*, pág. 816.
[18] *Op. cit.*, pág. 535.
[19] *Ibíd.*, pág. 539.

también como de las otras, acaecen al alma pasivamente, sin hacer ella nada de su parte. Porque acaecerá que, estando la persona descuidada y remota, se le pondrá en el espíritu la inteligencia viva de lo que oye o lee, mucho más claro que la palabra suena; y, a veces, aunque no entienda las palabras si son de latín y no lo sabe, se le representa la noticia de ellas aunque no las entienda» [20]. Dicha ciencia, por lo demás, no se aprende en los libros: «Muchos no se acaban de hartar de oír consejos y aprender preceptos espirituales y tener y leer muchos libros que traten de eso, y váseles más en esto el tiempo que en obrar la mortificación y perfección de la pobreza interior de espíritu que deben» [21].

Tal capacidad de videncia es uno de los rasgos fundamentales de los héroes galdosianos de esta época y desempeña un papel importante en la trama de los acontecimientos novelísticos. Por su facultad de videncia, Leré lee constantemente lo que sucede en el interior de Angel y puede conducirlo a una transformación radical en su persona. Otros contemplan a Leré con una aureola milagrosa. Nazarín ejecuta, asimismo, actos que se tienen por milagrosos y, en su peregrinación andante por la Mancha, sabe llegar con sus palabras al interior del alma de sus acompañantes. Gracias a su irradiación espiritual, aun a distancia —por medio del libro que anda publicado sobre su persona y por el interés general que ha despertado su juicio en un tribunal de Madrid— la condesa de Halma lleva a cabo sus proyectos de fundación y de vida

[20] *Op. cit.*, pág. 540. Santa Teresa pone de manifiesto también el dominio que el alma purificada y fuerte del místico puede llegar a tener sobre los elementos de la naturaleza: "Y ansí no os espantaréis de lo mucho que he puesto en este libro para que procuréis esta libertad. ¿No es linda cosa que una pobre monja de San José pueda llegar a señorear toda la tierra y elementos? Y ¿qué mucho que los santos hiciesen dellos lo que querían con el favor de Dios? A San Martín obedecían el fuego y las aguas, y a San Francisco hasta las aves y los peces, y ansí a otros Santos ser tan señores de todas las cosas del mundo, por haber bien trabajado de tenerle en poco y sujetándose de veras con todas sus fuerzas al Señor de él", *Camino de perfección*, pág. 155.

[21] *Subida del Monte Carmelo*, pág. 639. Santa Teresa reafirma constantemente el valor de la experiencia personal sobre el de los libros. En el *Libro de la vida* dice: "Todo lo halla guisado y comido [el entendimiento], no hay más que hacer de gozar; como uno que sin deprender ni haver travajado nada para saber leer ni tampoco huviese estudiado nada, hállase toda la ciencia sabida ya en sí sin saber cómo ni dónde, pues aun nunca havía travajado, aun para deprender el abecé" (pág. 757).

retirada en su castillo de Pedralba. El sacerdote don Manuel de Flórez confirma, a su vez, la santidad del que es tenido por loco y él mismo recibe su influjo espiritual que lo lleva a experimentar una verdadera conversión a la hora de su muerte. Con todo, el verdadero poder de videncia de Nazarín se pone de manifiesto al señalar con certera intuición el camino que debe seguir Halma en el cumplimiento de su destino religioso, el cual lo encuentra ella por vía del matrimonio y de los afectos naturales, y no por el ascetismo. En *Misericordia* es aún más patente la capacidad de videncia de Benina que se resuelve en la creación de un personaje inventado por ella en su mente y que luego corresponde a la verdadera realidad. Sin duda alguna, las energías espirituales que proceden, de un alma purificada en el sacrificio y abundantemente enriquecida por la caridad ilímite hacia todos los necesitados de este mundo, ilumina con intuición clarividente hechos de la realidad y acontecimientos que han de tener lugar en el futuro. Su poder de creación se halla, así, situado en las honduras de una conciencia apta para los hechos milagrosos. El camino de la mendicidad que ella se había impuesto para atender obligaciones cada vez más onerosas equivale a la más rigurosa vía de ascensión espiritual: «Tenía, pues, sobre sí la heroica mujer carga demasiado fuerte; pero la soportaba, y seguía con tantas cruces a cuestas por la empinada senda, ansiosa de llegar, si no a la cumbre, adonde pudiera. Si se quedaba en mitad del camino, tenía la satisfacción de haber cumplido con lo que su conciencia le dictaba» (p. 2009). La prefiguración de don Romualdo y su cabal actualización en el mundo de la realidad surge a fuerza de soñar en un reinado de justicia para todos: «digo que no hay justicia, y para que la *haiga*, soñaremos todo lo que nos dé la gana, y soñando, un suponer, traeremos acá la justicia» (p. 1986). Finalmente, su poder irradiante y milagroso se manifiesta una vez más en la curación de Juliana, al final, con palabras que tienen resonancias del Hombre-Dios en el Nuevo Testamento: «No llores..., y ahora vete a tu casa, y no vuelvas a pecar» (p. 2043).

Otros aspectos diferentes de los relacionados con la conformación interna de los personajes propiamente dichos en estas novelas pueden considerarse, asimismo, como derivados de la lectura atenta de los místicos, o, por lo menos, inspirados en ellos. La vocación de Leré, por ejemplo, se halla confirmada por la aparición de la Virgen que le señala en la vida una dirección sin titubeos, en forma parecida a como Santa Teresa recibe un mandato sobrenatural para llevar a cabo la reforma [22]. La calumnia que asalta a Leré en determinado momento lo mismo que a la condesa de Halma, y las dificultades en que se encuentra esta última, frente a los representantes de una sociedad que amenazan destruir su comunidad de Pedralba, hacen recordar las innumerables persecuciones de que fue objeto la Santa por parte de los conventos de carmelitas descalzas y descalzos, de una porción del clero secular y de la propia autoridad civil de Avila que instituye un juicio contra ella [23]. La atención que Galdós presta a la arquitectura de la casa que va a erigir Angel Guerra y la descripción pormenorizada del castillo de Pedralba, juntamente con la vida en común que Halma lleva dentro con sus acompañantes, traen a la mente, asimismo, los detalles con que Santa Teresa describe las nuevas casas de los conventos, en el *Libro de las fundaciones,* y la relación de la vida diaria que también se halla descrita en sus *Constituciones* [24]. De señalada importancia es el sentido igualitario que Halma imprime a su pequeña comunidad, en la cual no existe distinción de clases. Halma, en efecto, alterna en los oficios humildes de la casa con Beatriz, la antigua mujer de mala vida y con sus antiguos criados y conversa con ellos en plan de igualdad. Santa Teresa declara terminantemente que en sus

---

[22] La vocación de Leré queda confirmada, siendo ella aún muy joven, por la aparición sobrenatural de la Virgen: "Pobrecita, tú has nacido para padecer y ser esclava. Alégrate, que la mejor de las voluntades es obedecer siempre, y la mejor libertad no tener ninguna, y esperar sólo trabajos, obligaciones, molestias y, en una palabra, esclavitud" (pág. 1295). En situación similar relata Santa Teresa la aparición de la Virgen: "Vínome un arrobamiento tan grande que casi me sacó de mí... Díome [Nuestra Señora] que le dava mucho contento en servir al glorioso San Josef, que creyese que lo que pretendía de el monesterio se haría y en él se serviría mucho el Señor y ellos dos; que no temiese havría quiebra en esto jamás, aunque la obediencia que dava no fuese a mi gusto, proque ellos nos guardarían y que ya su Hijo nos havía prometido andar con nosotras, que para señal que sería esto verdad que dava aquella joya. Parecíame haverme echado a el cuello un collar de oro muy hermoso, asida una cruz a él de mucho valor" *(Libro de su vida,* pág. 809).
[23] Acontecimientos que relata en el *Libro de su vida,* capítulos XXXIII a XXXVII.
[24] *Constituciones* en *Obras completas,* II, págs. 876-97.

conventos las novicias han de ser aceptadas sin miramiento ninguno a su posición social. Puesto que los conventos no han de tener renta alguna y han de vivir de limosna, queda proscrita toda consideración relativa a dote y al dinero. Algunas de las visiones que ocurren en *Angel Guerra* y particularmente en *Nazarín* hacen pensar en situaciones similares en la vida de Santa Teresa. Nazarín, por ejemplo, a su regreso con otros presos a Madrid, tiene la visión de una Beatriz transfigurada en criatura celestial, de radiante luminosidad y belleza que tiene toda la apariencia de un rapto beatífico. Andara, por su parte, aparece frente a una hueste inmensa de enemigos que amenazan destruir a Nazarín, y a los cuales ella derrota con su espada sobrenatural:

> Cuando Nazarín empezó a temer que la muchedumbre de sus contrarios lograría, si no matarle, reducirle a prisión, vio que de la parte de Oriente venía Andara, transfigurada en la más hermosa y brava mujer guerrera que es posible imaginar. Vestida de armadura resplandeciente, en la cabeza un casco como el de San Miguel, ornado de rayos de sol por plumas, caballera en un corcel blanco, cuyas patadas sonaban como el trueno, cuyas crines al viento parecían un chubasco asolador, y que en su carrera se llevaba medio mundo por delante como huracán desatado, la terrible amazona cayó en medio de la caterva y con su espada de fuego hendía y destrozaba las masas de hombres. Hermosísima estaba la hembra varonil en aquel combate, peleando sin más ayuda que la del *Sacrílego,* el cual, también transfigurado en mancebo militar y divino, la seguía, machacando con su maza y destruyendo de cada golpe millares de enemigos. En corto tiempo dieron cuenta de las huestes *antinazaristas,* y la guerrera celestial, radiante de coraje, de inspiración bélica, gritaba: «Atras, muchedumbre vil, ejército del mal, de la envidia y del egoísmo. Seréis deshechos y aniquilados si en mi señor no reconocéis el santo, la única vía, la única verdad, la única vida. Atrás, digo, que yo puedo más y os convierto en polvo y sangre cenagosa y en despojos que servirán para fecundar las nuevas tierras... En ellas, el que debe reinar reinará, ¡caraifa! (pág. 1813).

Santa Teresa tiene una visión similar que la ha de confirmar en su final victoria, cuando se halla precisamente más acongojada con toda clase de penas morales y de trabajos:

> Vime estando en oración, en un gran campo a solas, en rededor de mí mucha gente de diferentes maneras que me

tenían rodeada; todas me parece tenían armas en las manos para ofenderme: unas, lanzas; otras, espadas; otras, dagas, y otras, estoques muy largos; en fin, yo no podía salir por ninguna parte sin que me pusiese a peligro de muerte y sola, sin persona que hallase de mi parte. Estando mi espíritu en esta aflicción, que no sabía qué me hacer, alcé los ojos a el cielo y vi a Cristo, no en el cielo sino bien alto de mí en el aire, que tendía la mano hacia mí y desde allí me favorecía de manera, que yo no temía toda la otra gente ni ellos, aunque querían, me podían hacer daño[25].

Para Santa Teresa, esta visión viene a ser, en efecto, «un retrato de el mundo» que le pintaba a lo vivo los enredos en que ella se encontraba. La visión de las dos mujeres en la novela *Nazarín* proyecta, además, los dos aspectos de la vía mística, el contemplativo y el activo, al cual hace alusión la Santa repetidamente y el cual encuentra eco en Galdós en diversidad de maneras[26].

Esta vertiente de raigambre mística que encontramos en este ciclo de la novela galdosiana se funde, por otra parte, con la fundamental perspectiva cervantina, característica de la obra total de Galdós y que en estas novelas adquiere especial intensidad. Es evidente que la heroicidad de Don Quijote halla cauce común con la heroicidad del alma mística, mantenidas ambas de una savia nutricia de honda intimidad. Fundamentalmente, el ímpetu heroico quijotesco se halla vertido hacia el exterior en acciones famosas («hazañas duraderas»), en tanto que el esfuerzo místico se halla dirigido hacia el interior de la conciencia y descansa sobre actos que se proponen la aniquilación de la persona y que implican por ello mismo la ausencia de toda fama. La mente mística conlleva, sin embargo, un desbordamiento de fuerzas interiores que termina por ejercer su acción sobre el ambiente y se tra-

---

[25] *Libro de su vida*, pág. 864.
[26] Dice Santa Teresa en el *Libro de su vida:* "Esto, aunque parece todo uno, es diferente de la oración de quietud que dice —en parte— porque allí está el alma que no se querría bullir ni menear, gozando en aquel ocio santo María; en esta oración puede también ser Marta (ansí que está casi obrando juntamente en vida activa y contemplativa) y entender en obras de caridad y negocios que convengan a su estado y leer, aunque no del todo están señores de sí y entendien bien que está la mijor parte del alma en otro cabo" (pág. 689).

duce en influjos efectivos sobre otras personas. Por lo demás, la proyección del místico en Galdós cobra la forma de un ejercicio efectivo de la caridad cristiana. De esa suerte, a las *aventuras* de Don Quijote corresponden las *desventuras* de Nazarín y de los otros héroes místicos, si bien con el sentido positivo que éstas entrañan en su latente significación. La *locura* de Don Quijote es pareja a su *cordura* y las dos no logran nunca ser reconciliadas. Por el contrario, la desaparición de la locura y la final entrada al dominio de la razón significan para Don Quijote la desintegración de su ser ontológico, la cual lleva, a su vez, a su muerte subsiguiente. En Nazarín su locura es más aparente que efectiva y se resuelve en suma cordura, o sea, en santidad, y con ella, en la facultad de videncia inherente al alma mística. La novela *Halma* viene a dar una respuesta positiva al interrogante que se había formulado el autor y los otros personajes sobre si Nazarín era santo o loco. Asimismo, la monomanía mendicante de Benina es camino que la ha llevado a realizarse como santa. En un plano diverso, la relación del héroe con la figura femenina también cambia de sentido. Don Quijote, en efecto, inventa a Dulcinea y se sustenta del poder de su invención. Su personalidad comienza a derrumbarse, sin embargo, cuando al héroe le asaltan dudas acerca de la existencia de su mágico ideal (Dulcinea encantada). Leré, por el contrario, es mujer humilde de carne y hueso, cuya idealidad va en aumento, a medida que Angel penetra más en su interior. Angel (otro caballero quijotesco) no falla en la dirección que toma su mente respecto de Leré, a pesar de sus posibles excesos de idealización: «Jamás caballero de los que iban por el mundo castigando la injusticia y amparando el derecho, soñó en su dama ideal atributos de belleza y virtud tan peregrinos como los que Angel en su monja soñaba. Porque aquellos andantes aventureros veían a sus damas simplemente hermosas, y cuando más, castas como los serafines; pero Angel veía a la suya hermosa sobre toda ponderación, de una honestidad y pureza absolutas, y, además, con una ciencia que dejaba tamañitos a todos los padres de la Iglesia» (p. 1453). Leré es paradigma de femenidad fascinante, pero resulta inalcanzable por la índole de su ser interior (alma mística). Halma, en cambio, es mujer ideal, cuya vertiente espiritualizada ha logrado imponer un cambio radical a la personalidad de José Antonio Urrea, antes que éste pueda conquistar su posesión. La ínsula de Halma (ínsula mística en un principio y secular después), a diferencia de la ínsula de *Don Quijote*, constituirá una realidad positiva, a donde converge la quintaesencia del amor humano y del amor divino. En *Misericordia*, Benina es la mujer ideal (Dulcinea) que ha cobrado forma tangible para el ciego Almudena. En cuanto a la relación de personaje y realidad, también hay un cambio de sentido. Si la prosaica realidad actúa a manera de disolvente implacable del héroe quijotesco, contribuyendo con ello a su final caída, en Galdós, la realidad dura e injusta llega a ser en cierto modo sometida por los nuevos héroes del espíritu. Leré, Nazarín y Benina (y a través de ellos Angel Guerra y Halma) llevan en sí el germen de una revolución social y, también a diferencia de Don Quijote, logran cambiar al menos en mínimo grado su vida alrededor. Los personajes siguen así rutas diversas, si bien son similares en cuanto a su radical individualidad y autonomía. Sin duda, Don Quijote se impuso a Cervantes con la fuerza de una personalidad interna coherente y con una independencia que queda destacada por su multiplicidad de perspectivas. De la misma manera, los héroes de Galdós destacan su individualidad y autonomía en un juego similar de perspectivas y de acción interna coherente. El propio novelista se halla perplejo ante la fuerza autónoma con que se le ha impuesto su personaje Nazarín: «De la indiferencia desdeñosa con que mi amigo [el *repórter* de periódico] hablaba de él, colegí que poca o ninguna huella había dejado en su pensamiento. A mí me pasaba lo contrario, y días tuve de no pensar más que en Nazarín, y de deshacerlo y volverlo a formar en mi mente, pieza por pieza, como niño que desarma un juguete mecánico para entretenerse armándole de nuevo. ¿Concluí por construir un Nazarín de nueva planta con materiales extraídos de mis propias ideas, o llegué a posesionarme intelectualmente del verdadero y real personaje? No puedo contestar de un modo categórico» (p. 1737). La novela *Halma* pondrá de relieve, lo mismo que hace la segunda parte del *Quijote*, numerosos ángulos de visión que terminan por acentuar la ilusión de la existencia real del personaje. Galdós se halla inmerso con estas novelas en el denso mundo cervantino del *Quijote*, mas la perspectiva

cervantista cobra en ellas especial sentido y dirección al
hallarse fundida con la tradición mística española. De esa
manera, confluyen en Galdós las dos vertientes fundamentales de la mente y de la cultura hispánicas.

(Hispania, LII, 4, 1970.)

JOSE SCHRAIBMAN

LOS SUEÑOS EN FORTUNATA Y JACINTA

El lector de la obra galdosiana, sea ésta novela, episodio, cuento o pieza teatral, no puede dejar de notar el
uso frecuente del elemento onírico. Son varios los críticos que han visto este fértil tema de estudio dentro de la
creación de Galdós —L. B. Walton, Agustín Yáñez, W. H.
Shoemaker, Carlos Clavería, Gustavo Correa y Ricardo
Gullón—. Este último dedica toda una sección de su estudio introductorio a *Miau* («Los ámbitos oscuros») a los
elementos sobrenaturales y fantásticos en las novelas de
Galdós, y examina con gran sensibilidad algunos de los
sueños, alucinaciones e insomnios más sobresalientes y
artísticos. Gullón mantiene que Galdós acierta enormemente en su presentación de lo maravilloso y que «por
presentarse con tanta discreción, sin énfasis ni ostentación, su eficacia se duplica». Raro ha sido el estudiante
de Galdós que no haya notado la diversidad técnica e imaginativa que despliega en sus obras. Es esta rica variedad
la que hace que la inclusión de los sueños y estados análogos parezca tan natural dentro del contexto de la novela y, por tanto, no salte a la vista del lector que no ande
buscándolos con lupa crítica.
Es indudable que el tema de los sueños y de los aspectos de psicología anormal tenía gran atracción para
Galdós. Son numerosos los libros sobre estos temas que
se encuentran en la biblioteca de Galdós, según el catálogo de los libros hechos por el célebre galdosiano
H. Chonon Berkowitz y deben ser muchos más los que
leía durante sus tardes de lectura en el Ateneo. Añádase
a esto el gran interés por la psicología que se manifesta-

ba en los periódicos y revistas de la época y pudieran aducirse las posibles fuentes de que se sirvió Galdós para su fidedigna presentación de materias psicológicas a través de su extensa obra.

Sin aportar más que sus conocimientos de psiquiatría, Fernando Bravo Moreno pronunció en 1923 un interesante discurso ante la Sociedad de Psiquiatría y Neurología en Barcelona titulado «Síntomas de la patología mental que se hallan en las obras literarias de don Benito Pérez Galdós». En él, prescindiendo de «la parte artística de las obras del señor Pérez Galdós, de todo lo referente a los primores de ejecución y preceptos de estética», examina algunos personajes galdosianos desde el punto de vista de la patología, llegando a la conclusión de que Galdós ha acertado en ellos concordando lo descrito por el escritor con la experiencia práctica del psiquíatra.

El estudio de Bravo Moreno no deja de tener mérito y de concluir, como ya lo había hecho Freud en su estudio del *Gradiva* de Jensen, que las intuiciones de los escritores muchas veces sobrepasan a los conocimientos científicos. En efecto, Freud usa como prueba de que su propia interpretación de los sueños es correcta, el hecho de que los mismos tipos de sueños hubieran sido creados anteriormente por la imaginación artística de Jensen.

Lo que pretende ver el presente estudio es exactamente lo que excluyó Bravo Moreno; i. e., ¿cuál es la función *artística, novelística*, del sueño tal como lo emplea Galdós? Al hacernos esta pregunta hemos hallado que los sueños galdosianos sirven varias funciones, y a veces el mismo sueño ejerce diversas funciones a la vez. En un estudio que ya está en manos del impresor he examinado el sueño en toda la novelística de Galdós, desde *La sombra* (1870), a *La razón de la sinrazón* (1915), usándose *sueño* en su acepción más general para incluir alucinaciones, sonambulismo y somnílocuo.

En ese estudio me había propuesto: primero, establecer la incidencia de sueños en sus novelas, descubrir si hubo períodos en la carrera creadora de Galdós en los cuales se sirvió con más frecuencia del elemento onírico, y observar si los sueños ocurren más en cierto tipo de novela; e. g., epistolar, autobiográfica, dialogada. Segundo, notar la manera en que se presentan los sueños, si narrados por el autor mismo, o puestos en soliloquios de los personajes, o directamente en boca de ellos. Tercero, determinar la función que sirven los sueños dentro de la estructura total de la novela. Y, finalmente, analizar cada sueño con el fin de formar una hipótesis sobre la extensión de los conocimientos de Galdós en materias oníricas, comparándolos con lo que hoy día sabemos de este interesante tema, viendo si estos conocimientos se desarrollaron durante su larga carrera de escritor, y cómo los usó para dar la impresión de realismo que tanto se nota en sus novelas.

Ahora me propongo dar de una manera sucinta (y el tema merece ser tratado con mucho más detalle) una idea de cómo encajan los sueños en la obra maestra de Galdós, *Fortunata y Jacinta*. En ella se encuentran nada menos que veintitrés sueños: uno de Barbarita Arnáis, dos de Jacinta, dos de Moreno Isla, tres de Mauricia la dura, seis de Maximiliano Rubín, y nueve de Fortunata. En algunos, Galdós vuelca sus dotes descriptivas; en otros, unos renglones parecen bastar. Muchos de estos sueños tienen que ver con la trama: anticipan algún suceso futuro, es decir, son sueños proféticos; otros desarrollan algún aspecto presentado sólo por medio del sueño; y aún otros tratan sobre algo ya visto en la novela, pero ahora presentado bajo la nueva realidad del sueño. A veces los sueños ponen de manifiesto las supersticiones de los personajes; otras veces sirven al autor para escapar de las rigurosas normas del realismo y hacer volar su imaginación rayando y, en efecto, cayendo de lleno en unas descripciones muy poéticas. Es curioso que Galdós, a quien se le ha acusado de falta de estilo, de vulgaridad y de lenguaje puramente prosaico, tenga momentos poéticos, los cuales, según he notado, aparecen sólo en sus descripciones oníricas. Este es un tema de la técnica galdosiana digno de investigación.

Sin duda, la función más importante del sueño galdosiano es la de profundizar en la presentación de los personajes. ¡Cuán acertado por parte de don Benito utilizar una técnica que deja entrever el subconsciente de sus personajes! Veamos cómo los sueños apoyan y realzan la presentación de los caracteres, creados por Galdós.

El anteriormente citado sueño de Barbarita subraya algo que Galdós ya había mencionado al contar la historia de los Arnáiz: el deseo de Barbarita de tener un hijo. Este tarda diez años en llegar. Es natural que en sus sueños viera un niño con «los puños cerrados, la cara dentro de un gorro, con muchos encajes, ya talludito, con su escopetilla al hombro y mucha picardía en los ojos».

El mismo tema de la maternidad es el que llegará a obsesionar a Jacinta, en cuyos sueños siempre aparece un hermoso niño a quien ella amamanta. Galdós mismo dice:

«La impresión que estos letargos dejan suele ser más honda que las que nos queda de muchos fenómenos externos y apreciados por los sentidos.»

Y, efectivamente, el despertar es siempre triste para Jacinta, que se echa la mano al pecho y lamenta que sus sueños no sean realidad.

El lector recordará, sin duda, aquella larga descripción del sueño de Jacinta cuando se duerme oyendo en la ópera una larga obra de Wagner. En un lugar en que «todo estaba forrado de un satín blanco con flores» se le aparece «un muchacho lindísimo que le tocaba la carne y le metía la mano en el pecho». Hay un cierto humor en la reproducción del lenguaje infantil con el que Jacinta trata de rechazar al niño.

«Quita, quita…, eso es caca…, ¡qué asco!…; cosa fea, es para el gato… No, no, eso no…; quita…, caca…»

Luego, el «niño-hombre» da cabezadas contra el seno de Jacinta y ante su mirada seria Jacinta ya no puede resistir más y empieza a soltar botones.

«Perdió la cuenta de los botones que soltaba. Fueron ciento, puede que mil…»

Saca el pecho y, cogiendo la cabeza del niño, la atrae hacia sí. Galdós entonces rompe el hechizo y da una explicación de la causa fisiológica del sueño y también de ese estado intermedio entre el dormir y el despertar cuando el soñador no está todavía seguro si lo soñado es realidad o ilusión.

«…y, quieras que no, le metió en la boca… Pero la boca era insensible, y los labios no se movían. Toda la cara parecía una estatua. El contacto que Jacinta sintió en parte tan delicada de su epidermis era el roce espeluznante del yeso, roce de superficie áspera y polvorosa. El estremecimiento que aquel contacto le produjo dejóla por un rato atónita; después abrió los ojos y se hizo cargo de que estaban allí sus hermanas; vio los cortinones pintados de la boca del teatro, la apretada concurrencia de los costados del paraíso. Tardó un rato en darse cuenta de dónde estaba y de los disparates que había soñado, y se echó mano al pecho con un movimiento de pudor y miedo.»

Es curioso, aunque encaja perfectamente dentro del positivismo del autor realista, que al presentar un sueño Galdós siempre menciona el estado físico del personaje, sus experiencias previas al sueño, y hasta la posición de sus brazos y piernas; en fin, todo cuanto según creía él influía en nuestros sueños.

Mauricia la dura, esa acertadísima creación de Galdós, nos muestra en sus sueños la dualidad que rige su vida. Su bondad y amistad hacia Fortunata se entrevén cuando le cuenta un sueño suyo en que le asegura a Fortunata que Dios le hará justicia y le devolverá a su amado Juanito. En cambio sus ataques de locura también ocurren en sueños, como en aquel vivido sueño en que Mauricia entra en la capilla de Las Micaelas, coge la Custodia, le habla y acaba por comerse la hostia.

En el caso de Moreno Isla sus sueños revelan su hiper-susceptibilidad nerviosa. En ellos aparecen mendigos deformes que le persiguen y a quienes da una insuficiente limosna. Estas alucinaciones le estorban tanto el reposo que casi no duerme. En efecto, su incomprensible muerte ocurre poco después de ver y oír en sueños a una pobre ciega a quien había visto esa mañana en compañía de un viejo guitarrista.

Maximiliano Rubín se compensa en sus sueños de lo que no tiene en la vida. Su primer sueño en la novela da la clave de lo que luego será su dilema vital, su perdición. Maxi no es, ni aun aproximadamente, lo bastante hombre para llevar una vida normal con Fortunata. Su tragedia es haberse casado con ella. Y, desgraciadamente, ya casado, su problema no tiene solución excepto en sueños, como cuando de estudiante soñaba que era guapo y que llegaría a ser soldado.

«Algunas noches, Maximiliano soñaba que tenía su tizona, bigote y uniforme..., figurándose haber crecido una cuarta, tener las piernas derechas y el cuerpo no tan caído para ade-

lante, imaginándose que se le arreglaba la nariz, que le bro-
taba el pelo y que se le ponía un empaque marcial como
el del más pintado.»

Su complejo de inferioridad y la imposibilidad de
compaginar sexualmente con Fortunata hacen que Maxi
se vuelva loco. Galdós describe con maestría las diversas
fases de la enfermedad de Maxi: 1) introspección, 2) obsesión, 3) sospecha, 4) irritabilidad, 5) violencia y 6) aparente paz causada por una idea fija.

Sabiendo que es poco viril, Maxi recurre a tratar de
ganarse la lástima de Fortunata. Un día, después de uno
de sus ataques de jaqueca, le cuenta a ella que soñó que
ella se iba y le dejaba para siempre. Ella, para calmarle,
le arrulla como a un niño y Maxi se duerme. Luego, cuando Maxi tiene sospechas de que Fortunata le engaña, y ya
entrado en su fase violenta, le cuenta a ella un sueño en
que él bebió veneno y entonces se le apareció un ángel
que le dijo:

«José, no tengas celos, que si tu mujer está encinta, es
por obra del pensamiento puro...»

Sospechando el engaño de su mujer, Maxi se forja un
mundo suyo para escapar a la triste realidad. Tiene otros
sueños violentos en los cuales sueña de muerte y de armas. Al comentar otro de sus sueños da la clave de su
personalidad:

«Cuando duermo algo, sueño que soy hombre...»

Más tarde, en su última conversación con Fortunata,
Maxi se muestra super-razonable y totalmente consciente
de sus previos estados. Dice:

«No sé decir bien si soñé que ibas a ser madre, o si me
inspiraron estas ideas los celos que tenía. Porque yo tenía
unos celos, ¡ay!, que no me dejaban vivir. Mi mujer me falta
—decía yo—, no tiene más remedio que faltarme, no puede
ser de otra manera'.»

He aquí una sucinta declaración por parte de Maxi
mismo sobre su triste tragedia. El doctor Bravo Moreno,
comentando sobre la acertada creación de Maxi, dice:

«Está de acuerdo la psiquiatría moderna con lo hecho por Galdós. La medicina forense tradicional le consideraría 'irresponsable'; pero la psiquiatría legal moderna, prescindiendo de toda herrumbre metafísica, le juzga como un 'enfermo peligroso', por cuya circunstancia se impone su ingreso en un asilo, adonde muy oportunamente le condujo Galdós al internarle en Leganés.»

Los sueños de Fortunata no son menos importantes para comprender su caracterización. Casi todos ellos tienen que ver con su amor por Juanito Santa Cruz, amor que controla todos sus actos, sean conscientes o subconscientes. Fortunata es espontánea, impulsiva. Su ley es el amor, la pasión, rara vez rige en ella la razón. Seis de los nueve sueños de Fortunata tienen que ver directamente con Juanito, dos con Mauricia, y el último con el hijo de Juanito. Cuando no está con su amante sueña que él viene, que se encuentran en la calle, que él la quiere.

«...soñaba que era ella la esposa y Jacinta la querida de tal...»

En el mismo día de su boda con Maxi sueña con Juanito.

«Y allá de madrugada fue vencida del sueño, y se le armó en el cerebro un penoso tumulto de cerrojos que se descorrían, de puertas que se franqueaban, de tabiques transparentes y de hombres que se colaban en su casa filtrándose por las paredes.»

Ya extremadamente cansada de la vida que lleva con Maxi, vuelve a soñar con Juanito.

«¿Qué me miras tú? ¿Qué dices? ¿Que estoy guapa? Ya lo creo. Más que tu mujer.»

Vuelve a soñar con Juanito viéndolo arruinado y trabajando de escribiente. Ella sueña con irse con él y trabajar para él. Todo lo que sea necesario con tal que estén juntos. Su último sueño, sin embargo, refleja su desilusión para con Juanito. Luego de haberse enterado de las relaciones de éste con su amiga Aurora, Fortunata ha acabado por darse cuenta de que no puede esperar nada de él, que se ha cansado nuevamente de ella. Desde entonces vive Fortunata para su hijo y con el continuo temor de que se lo quiten. Sueña, ya en un delirio mortal; que Aurora entra en su cuarto y se lleva al chiquillo como antes se había llevado a Juanito.

Hemos visto en este breve examen de algunos sueños en *Fortunata y Jacinta* que Galdós acierta estupendamente en usar el sueño para presentar o mostrar el desarrollo del rasgo *esencial* de sus personajes: en Jacinta, la maternidad frustrada; en Mauricia, la dualidad; en Maxi, un grave complejo de inferioridad; en Fortunata, el ansia de pertenecer a Juanito. Galdós ha podido, mediante su hábil manejo del elemento onírico, trazar a sus personajes no en forma unilateral, sino redondeada, desarrollada plenamente, presentándoles como seres de carne y hueso y adentrando en sus secretos nocturnos, verídicos reflejos de sus preocupaciones y deseos diurnos.

(*Insula*, XV, 166, 1960.)

J. J. ALFIERI

EL ARTE PICTORICO EN LAS NOVELAS
DE GALDOS

Hay a través de la obra de Galdós un evocar continuo del arte pictórico, sea en forma de alusiones a cuadros famosos, sea en su técnica de «retratar» a los personajes o de darles una base iconográfica[1]. Galdós muchas veces pinta a sus criaturas adoptando el punto de vista del retratista o del caricaturista[2] y para realzar características físicas y morales de ellas las compara con retratos de pintores conocidos. Entre sus personajes aparecen artistas y coleccionistas de arte que al discutir sobre las pinturas emiten juicios que indican el gusto artístico de la

[1] En este artículo me limito a señalar brevemente algunos aspectos del arte pictórico en las novelas de Galdós. Lo que se presenta aquí formará la base para un estudio monográfico que estoy preparando sobre dicho tema.

[2] Ha dejado dos álbumes de dibujos satíricos que hizo cuando joven en Las Palmas. En *Benito Pérez Galdós, antología nacional*, Madrid, 1953 dice Maximiano García Venero en el prólogo: "Don Benito tenía la habilidad y aptitudes de dibujante. A punto estuvo de frustrarse por la dicha actitud" (pág. 12). Es de notar que el novelista pintaba en colores y que dos de sus cuadros recibieron mención honorífica en la Exposición Provincial de Las Palmas en 1862. Berkowitz ha comentado este hecho en *Pérez Galdós, Spanish Liberal Crusader*, Madison, 1948, pág. 33. Véase también Luis y Agustín Millares, "Pérez Galdós: recuerdos de su infancia en Las Palmas", *La Lectura*, XX, 288, 1919, págs. 333-352. Se supone que la habilidad de Galdós para el dibujo entra en sus novelas. En cuanto a los manuscritos, ha dejado en las márgenes de las páginas recuerdos de su afición al dibujo. Las cabezas y las caras trazadas en el manuscrito de *La desheredada* pueden ser representaciones de los personajes que va retratando en la novela. Agradecemos a doña María Galdós el habernos permitido mirar el manuscrito de *La desheredada* y le agradecemos también los valiosos informes que nos proporcionó sobre los cuadros y dibujos de su padre que ella guarda en su casa en Madrid.

época y el criterio estético del propio autor. Ningún escritor estuvo más en contacto con el mundo artístico de Madrid ni más al corriente de las tendencias del arte español que Galdós. Dentro y fuera de sus obras el arte figura como uno de sus intereses predilectos y merece ser estudiado para ver si se puede llegar a una nueva apreciación de su novelística.

En *Arte y crítica* el novelista habla de su costumbre de asistir a las exposiciones de pintura y se acuerda de unos setenta pintores que desde 1862 habían alcanzado cierta fama [3]. A su interacción con los artistas contemporáneos se debe la edición ilustrada de las dos primeras series de los *Episodios nacionales*. En el prólogo de dicha edición menciona a los hermanos Mélida (Enrique y Arturo), artistas muy conocidos, bajo cuya dirección se llevó a cabo la empresa. Refiriéndose al éxito de esta edición, el autor elogia a los Mélida, llamándoles «colaboradores tan eficaces que con sus dibujos han tenido mis letras una interpretación superior a las letras mismas, cuyo don principal consiste en sublimar y enriquecer los asuntos» [4]. Aunque en esa época era bastante común ilustrar obras literarias, en el caso de los *Episodios* el hermanar de las dos artes es de una naturalidad destacada porque en los *Episodios* predomina el elemento gráfico y, según el novelista, es «condición casi intrínseca de que sean ilustradas».

Las relaciones entre Galdós y Aureliano de Beruete, paisajista e historiador de arte, indican un intercambio sustancioso entre el arte y la literatura y muestran la ascendencia de la novela en la jerarquía de los valores estéticos de la segunda mitad del siglo XIX. Inspirado en Orbajosa, Beruete pintó un cuadro de la ciudad ficticia de *Doña Perfecta* y Galdós felicitó al pintor por haber captado el aspecto negativo de dicha población: «Con admirable intuición artística ha expresado usted en su cuadro el carácter y la fisonomía de la metrópolis, de los ajos, patria de los tafetanes y caballucos» [5]. La versión pictórica de Orbajosa, a la par que muestra que uno de los mejores paisajistas se inspiró en la literatura, es una mani-

[3] *Arte y crítica* (Madrid, 1933), pág. 11.
[4] *Los prólogos de Galdós* editados por William H. Shoemaker, México, 1962, pág. 52.
[5] Robert J. Weber, "Galdós and Orbajosa", *Hispanic Review*, XXI, 1963, pág. 349.

festación notable de la influencia de una obra galdosiana sobre el arte en esta época [6]. Mirado desde otro punto de vista, el paisaje en *Doña Perfecta* alcanza una dimensión estética e ideológica por ser engendrador del paisaje que más tarde celebrarán los escritores de la Generación del 98 [7]. Y el cuadro de Beruete no es el único inspirado en *Doña Perfecta*. En la Casa-Museo de Galdós en Las Palmas, hay un retrato anónimo de un campesino de aspecto brutal, que representa a Caballuco [8]. Con la «Vista de Orbajosa», que así se llama el cuadro de Beruete, empieza una iconografía de escena provinciana que para unos representa una síntesis arqueológica del pueblo castellano, para otros un ejemplo del paisaje y para los de la misma índole política de Galdós significa *Urbs agusta* que con su gente intransigente y reaccionaria amenaza a todo un país.

Para Galdós el haber conocido a Ricardo Arredondo, paisajista toledano, fue encontrar una verdadera fuente de informes sobre el arte, la arquitectura y la historia de la ciudad gótica. En *Memorias de un desmemoriado* Galdós se acuerda de Arredondo al describir el convento de San Pablo en Toledo: «Cuando visité este convento iba en compañía de Arredondo, pintor famoso avecindado en la ciudad imperial» (VI, 1679). Gregorio Marañón, que fue otro amante de Toledo, nos cuenta que Arredondo le regaló a su «entrañable» amigo Galdós un breviario que había pertenecido al tío del pintor y que guardó el novelista en San Quintín utilizándolo «para su descripción de los oficios de la Catedral [de Toledo] y para las citas en latín que con frecuencia pone en boca de sus personajes» [9]. Gracias a Arredondo, Galdós «rectificó su antiguo

---

[6] Hasta Goya se dejó influenciar por la literatura. Véase Edith Helman, *Trasmundo de Goya*, Madrid, 1963. Para las relaciones entre Jovellanos y Goya, págs. 193-195, entre Moratín y Goya, págs. 193-200; entre Feijóo y Goya, págs. 181-183.

[7] José María Marañón dice: "El paisaje de *Doña Perfecta* no tiene localización exacta. Es un país genérico, germén de todo el paisaje castellano que llega hasta hoy a través de los escritores del 98, sus recreadores" *(El Heraldo*, 5 de enero de 1933), pág. 9.

[8] Hay otro ejemplo de influencia artística que procede de *Doña Perfecta*: en una carta fechada el 19 de febrero de 1880, Pellicer, artista que le había ayudado a Galdós con la edición ilustrada de los *Episodios*, le comunica al novelista que ha hecho veinte dibujos para la versión dramática de dicha novela.

[9] *Elogio y nostalgia de Toledo*, Madrid, 1958, pág. 158.

desvío hacia El Greco»[10], a quien llamó el novelista «un artista de genio, en quien los terribles defectos de su enajenación mental oscurecieron las prendas de un Ticiano o un Rubens» *(Toledo,* VI, 1602)[11]. Marañón ha sido testigo de esta rectificación y la prueba más patente de ella es el éxito con que pudo Galdós penetrar en la vida espiritual de Toledo al escribir *Angel Guerra.* «Nadie ha conocido y comprendido mejor que [Galdós]», dice Marañón, «todo lo que representa la gran ciudad para el alma de España»[12].

José Francés ha comentado sobre las relaciones entre los pintores contemporáneos y Galdós a quien «le atraían los artistas y tenía la tendencia de poner artistas entre los personajes de sus obras»[13]. De los personajes-artistas de Galdós se hablará más adelante. Lo que aquí nos interesa es la costumbre del novelista de mencionar en sus novelas artistas que conocía y de ensalzar el arte contemporáneo. Las experiencias vividas y compartidas con los pintores aparecen casi sin disfraz en sus obras. En *La incógnita,* Augusta, mujer de punto de vista muy moderno, defiende la pintura contemporánea tal como la hubiera defendido el novelista (V, 713). El gusto artístico de Augusta es el de Galdós y del público letrado en general: «en la casa [de Augusta] están representadas visiblemente las ideas de su ingeniosa dueña, y fuera de dos o tres retratos anónimos atribuidos a Pantoja y un Murillo... no hay en ella un cuadro antiguo» (V, 713). Eloísa en *Lo prohibido* es también partidaria de la pintura moderna y tiene en su casa cuadros de Palmaroli, Martín Rico, Domingo y Emilio Sala. Su primo y amante, José María, es otro aficionado al arte moderno y promete regalarle a Eloísa cuadros no sólo de pintores españoles sino de extranjeros también. Eso de nombrar a los pintores refleja el interés de Galdós por el arte contemporáneo y nos recuerda su propia colección de cuadros que incluye obras de varios pintores mencionados en *La incógnita* y *Lo prohibido.*

La descripción de los retratos de Domingo y de Sala

[10] Santiago Sebastián, "Arredondo y otros paisajistas toledanos", *Arte Español,* XXIII, 1960, pág. 119.

[11] Edición usada en este estudio *Obras completas,* ed. F. Carlos Sáinz de Robles, 6 tomos, Madrid, 1960-63. El cuarto tomo lleva la fecha 1960 y el quinto y el sexto 1961.

[12] *El Greco y Toledo,* Madrid, 1962, pág. 211, nota 215.

[13] Datos obtenidos en una entrevista con el señor Francés.

que expone Eloísa en su salón nos convence que realmente los había visto Galdós y que conocía muy bien la técnica de los dos artistas. Estos retratos —un cesante de Domingo y una chula de Sala— pertenecen a la escuela naturalista y por eso mismo los estima Galdós que también incorpora en sus obras las tendencias del naturalismo[14]. El retrato del cesante recuerda al protagonista de *Miau*, novela que se publicó en 1888, tres años después de *Lo prohibido* donde ya se anuncia en forma pictórica el tema de la burocracia. La chula tiene antecedentes en la maja de Goya («una gran señora disfrazada») que trae un elemento erótico a las novelas de Galdós. La chula es un reflejo de la propia Eloísa y de las relaciones ilícitas entre ella y su primo. De los tres cuadros que forman parte de la colección que se guarda en la casa de la hija de Galdós, dos son de apariencia chulesca, categoría a la cual pertenecen Refugio Sánchez Emperador que sirve de modelo a tres pintores (*El doctor Centeno, Tormento*); Fortunata, amante por un tiempo de pintores en *Fortunata y Jacinta;* Isidora Rufete en *La desheredada* y *Torquemada en la hoguera* y otras jóvenes parecidas que aparecen en la obra de Galdós. Se supone que el novelista conoció a la chula de Sala cuando ella servía de modelo al pintor[15] y que ella es la encarnación de esta chula o que al menos comparte con ella características que representan la esencia de lo chulesco. Ricard[16] reconoce que hay elementos autobiográficos en *Lo prohibido*, pero ni siquiera menciona a los pintores nombrados en la novela que eran amigos de Galdós, los cuales le incluían en su mundo bohemio. Debe de ser una manifestación autobiográfica la narración de José María cuyo yo se confunde a veces con el yo del autor, sobre todo en las conversaciones íntimas de los amantes.

Entre los personajes ficticios de Galdós no hay mu-

---

[14] "Triunfan en aquel tiempo en la pintura española tendencias avanzadas de procedimiento naturalista, que dignamente sustentan los talentos de Emilio Sala y Francisco Domingo, y Galdós, atento a la innovadora manera no vacila en considerarlas de atrayente interés." Ceferino Palencia y Tubáu, "Galdós, dibujante, pintor y crítico", *La Lectura*, II, junio, 1920, pág. 141. Este comentarista se refiere al año 1885, fecha de *Lo prohibido*.

[15] Dice el señor Francés que Galdós acostumbraba visitar a Emilio Sala que vivía en una casa hecha para pintores y que allí el novelista tuvo ocasión de conocer a las modelos del pintor.

[16] *Galdós et ses romans*, París, 1961, pág. 80.

chos artistas y aun cuando encontramos un artista digno de llamarse personaje principal —como lo es Horacio Díaz en *Tristana*— el novelista no lo coloca entre los genios del arte. Melchor, amigo de Rafael del Aguila en *Torquemada en la cruz*, estudia pintura en la Academia de San Fernando y desea igualar a Rosales y a Fortuny, dos pintores de talento excepcional y quizá dos de los mejores del siglo XIX. Martín, pintor tísico en *Torquemada en la hoguera* y amante de Isidora Rufete, sirve más para mostrar la miseria típica del artista que para ensalzar la pintura y muere como había muerto Rosales quien parece ser su modelo y que al morir tan joven (1836-73) forja una leyenda del pintor romántico. Personajes de poca importancia son también los dos pintores en *Fortunata y Jacinta*, Torellas y su amigo, que nos dan otro ejemplo de la vida bohemia del artista.

Ningún personaje-pintor en la obra de Galdós resume mejor que Horacio Díaz la formación artística, el proceder y, especialmente, el modo de ser de un pintor típico de la época. La función del arte en *Tristana* es embellecer y celebrar el amor de Horacio por la joven e inspirar en ella una apreciación por la pintura y un deseo de ser artista. La vocación artística de Horacio le lleva a Italia, país que, junto con Francia, atrae a los pintores españoles por varios motivos [17]. Maneja el color muy bien, pero no llega a dominar el dibujo, defecto muy común en los pintores del siglo XIX [18]. No tiene éxito como pintor y reconoce sus defectos; lo que tiene de artista se reduce a la personalidad y el modo de ser bohemio del artista. El arte en *Tristana* sirve para librar a la heroína de sí misma y de su tiránico protector, Lope Garrido. Bajo el tute-

---

[17] Lafuente Ferrari comenta esta tendencia: "los talentos que en el arte producimos se ven solicitados por la tentación de emigrar, no sólo para beneficiarse con el estimulante espiritual de un ambiente más tónico y más denso, sino para buscar una clientela que en su país no encuentran". *Breve historia de la pintura española*, pág. 202. El propio Galdós habla de la "desproporcionada abundancia" de artistas en España y de la existencia precaria de los pintores españoles. *Arte y crítica*, pág. 10.

[18] Luis Alfonso, "La pintura contemporánea", *Revista de España*, XXIX, 1872, pág. 186. Al asistir a una exposición de pinturas dice este crítico: "apenas figuró en el concurso un lienzo, en que las leyes del diseño ejerciesen el justo y riguroso imperio que ejercer deben". *Ibíd.*, pág. 170. Galdós dice que una de las cualidades destacadas de los pintores españoles consiste "en el sentimiento colorista llevado hasta la magia". *Arte y crítica*, pág. 18.

laje de Horacio se le abre a Tristana el mundo del arte: «una nueva inspiración se reveló a su espíritu, el arte, hasta entonces simplemente soñado por ella, ahora visto de cerca y comprendido. Encendieron su fantasía y embelesaron sus ojos las formas humanas o inanimadas que, traducidas de la Naturaleza, llenaban el estudio de su amante» (V, 1569).

Tristana, como otras novelas de Galdós, nos da a conocer los modelos pictóricos predilectos de los estudiantes de las academias en España y entre los pintores copiados los más nombrados son El Greco, Velázquez, Murillo y Goya. Galdós utiliza cuadros de Velázquez en *Tristana* para reforzar el carácter de los personajes. Este pintor célebre ayuda a los jóvenes a comprender el carácter de Lope Garrido que, según Horacio, «parece figura escapada del *Cuadro de las Lanzas*» (V, 1563), asociación que más tarde repite Tristana: «estaba guapo [don Lope], sin duda, con varonil y avellanada hermosura de Las Lanzas» (V, 1567). En un estado clorofórmico, antes que le corten la pierna infectada, Tristana sueña con *Las hilanderas* de Velázquez y piensa en la perfección del artista (V, 1597). En este sueño, como dice Schraibman [19], Tristana expresa su deseo de perfeccionarse en el arte, pero también se identifica con Horacio y alude a su amor por él, un amor inspirado en el cuadro de Velázquez que parece vivir sólo en el arte.

Galdós no es tan aficionado a la pintura histórica en las novelas sociales como lo es en los *Episodios* y cuando comenta sobre la pintura histórica se queja no tanto de los temas históricos como del academismo de muchos pintores cuyos cuadros, con pocas excepciones, resultaban artificiales y de inspiración dudosa. Hubo ocasión en la cual el novelista les aconsejó a los artistas que pintaran la realidad actual: «Pintad la época, lo que veis, lo que os rodea, lo que sentís» [20]. Estas amonestaciones nos recuerdan la esencia de su propia novelística y el aspecto más notable de su visión de la España decimonona. En sus novelas sociales Galdós muestra la afición del público y de los artistas contemporáneos por la pintura histórica que, según Enrique Lafuente Ferrari, estuvo de moda «desde El Dos de Mayo y Los Fusilamientos de Goya

[19] *Dreams in the Novels of Galdós*, New York, 1960, pág. 117.
[20] *Arte y crítica*, Madrid, 1923, pág. 11.

(1814)... hasta el propio siglo XX" [21]. Tristana manifiesta
esta preferencia por cuadros históricos, aconsejando a Horacio que pinte un cuadro titulado «Embarque de los moriscos expulsados» que ella considera un asunto histórico
profundamente humano (*Tristana*, V, 1585) y cuyo tema
es el mismo que empleó Galdós en un drama en verso
que escribió cuando joven [22]. Hinterhäuser cree que la inspiración de este drama, que se ha perdido, viene de un
cuadro de Domingo Marqués con el mismo título, expuesto en el Salón de Madrid en 1867 [23]. Puede creerse también que la inspiración para doña Catalina de Artal en
Halma, que tiene «cierto parecido con Juana la 'Loca'»
(V, 1755), viene del famoso cuadro de Pradilla del mismo
asunto, premiado en la exposición de 1879 [24]. Tristana quiere que Horacio alcance fama como la alcanzaron Pradilla,
Palmaroli, Gisbert y otros, pintando un cuadro histórico
cargado de emoción como la mayoría de las pinturas históricas cuyos temas «son siempre los más patéticos y terribles», según Galdós [25]. El entusiasmo de Tristana por
el cuadro histórico, fuera de ser una crítica de un género de pintura muy popular, expresa un amor romántico
que nace y se sostiene del arte.

En general, la actitud de Galdós ante la historia se diferencia de la de los pintores contemporáneos; mientras
éstos excluyen de sus lienzos los hechos históricos de su
propia época, Galdós los considera dignos de expresarse
pictóricamente: «la pintura llamada histórica puede aceptarse cuando es representación de un suceso más o menos
notable, contemporáneo del autor...» [26] En cuanto a la
historia de los *Episodios*, no es trillada ni forzada como

---

[21] *Breve historia*, pág. 481. Ya hemos indicado la actitud de Galdós hacia la pintura histórica, véase pág. 169). En *Arte y crítica* dice:
"Existirá siempre la pintura histórica, pero sólo como un arte puramente decorativo, sin la preeminencia que se le ha querido dar sobre
los demás géneros de pintura", pág. 19. En *Fortunata y Jacinta* el
novelista satiriza la pintura histórica por medio de José Izquierdo que
se gana la vida sirviendo de modelo a pintores de cuadros históricos
(V. 488).

[22] H. Chonon Berkowitz, *Pérez Galdós, Spanish Liberal Crusader*,
Madison, 1948, pág. 60.

[23] *Los "Episodios nacionales" de Benito Pérez Galdós*, pág. 81.

[24] Lafuente Ferrari, pág. 505. Debe mencionarse que Galdós trató
el tema de Juana la Loca en su drama, *Santa Juana de Castilla*,
estrenado en 1918.

[25] *Arte y crítica*, pág. 18.

[26] *Arte y crítica*, pág. 22.

lo es muchas veces en los cuadros históricos de los pintores contemporáneos. Fiel a su propio criterio, Galdós se limita a narrar los hechos históricos de un pasado cercano y en parte vivido por él si se toman en cuenta las últimas series de los *Episodios*.

La afición de Galdós por el retrato obedece a una tradición profundamente arraigada en la pintura española. Es en el retrato donde el novelista más se asemeja a los pintores de su época. En realidad, las cabezas y rostros tan gráficos de sus personajes no son sino una transposición a su mundo novelístico de la técnica de los retratistas y aun de los mismos retratos, sobre todo cuando éstos eran de figuras históricas (la semejanza, por ejemplo, entre Lope Garrido en *Tristana* y los caballeros de *Las Lanzas* de Velázquez). Para retratar a los personajes históricos de los *Episodios* Galdós se aprovechó de la abundancia de retratos de reyes, militares y políticos que se habían hecho un nicho en la historia de España [27]. Sean históricos o de su propia invención, los personajes en las novelas sociales son casi siempre retratos de una cualidad gráfica acentuada. En cuanto a los personajes puramente ficticios es como si Galdós los colocara al lado de los retratos históricos para que se contemplaran unos a otros a través del tiempo, orgullosas las figuras históricas, especialmente las del Siglo de Oro, de pertenecer a un pasado ilustre que contrasta con la época contemporánea, un poco cansada y deslucida.

Esta obsesión de los españoles por el retrato [28] la muestra Fidela del Aguila en la serie Torquemada, la cual afirma que las memorias en literatura son el equivalente del retrato en la pintura: «Así como en pintura... no debe haber más que retratos, y todo lo que no sea retratos es pintura secundaria, en literatura no debe haber más que memorias...» (*Purgatorio*, V, 1035) [29]. Es el retrato también el que más atrae a su hermano Rafael, pero ni él ni

[27] Hinterhäuser, Los "*Episodios nacionales*", pág. 85.

[28] Emilia Pardo Bazán muestra esta obsesión diciendo que el retrato "es a la vez el estudio más real y más psicológico a que puede entregarse un artista... Dice más de una época un retrato que una batalla". *Cuarenta días en la exposición* en *Obras Completas*, Madrid, 1888-1922, XXI, pág. 263.

[29] Max J. Friedlander en *Landscape, Portrait, Still-Life*, New York, 1963, habla de la correspondencia entre el retrato y la biografía y entre el autorretrato y la autobiografía, pág. 231.

12

Fidela se preocupan por la idea de la inmortalidad o la salvación que acostumbran ver los españoles en los retratos. Lo que expresa Fidela es el orgullo de los españoles y el deseo de ser recordada como miembro de una familia ilustre antes de venir a menos. Por otra parte, el retrato del difunto marido de doña Lupe en *Fortunata y Jacinta*, pintado irónicamente con muy mal gusto, representa para la viuda la inmortalización de su consorte (V, 192).

Si pudiéramos formar una teoría sobre el retrato literario en las novelas de Galdós, diríamos que, en general, hay un parecido entre los personajes del autor y las generaciones retratadas (en literatura tanto como en pintura) de las épocas anteriores. Esta teoría implicaría un determinismo en el sentido de que, siendo un personaje parecido a una figura del pasado, la semejanza tendría que ser existencial tanto como visual. La verdad es que los retratos o modelos a los cuales se refiere Galdós al delinear sus personajes influyen en éstos, pero la influencia se reduce a semejanzas físicas y no psíquicas. Cisneros en *La incógnita* se parece al famoso cardenal, confesor de Isabel la Católica, pero sólo en lo exterior. Muchas veces Galdós compara a sus personajes con modelos pictóricos destacados para producir un efecto irónico. Debemos recordar también que la abundancia de retratos en las obras de Galdós —los suyos tanto como los aludidos— se atribuye a una técnica muy común entre los novelistas de incluir el retrato como dato biográfico de los personajes.

Mientras que los pintores contemporáneos evitaban la pintura religiosa, Galdós sin abogar por ella, la cita y la emplea para realzar las crisis morales y espirituales de sus personajes. Eran tan escasos los cuadros religiosos en el siglo XIX como eran comunes los retratos y la pintura histórica. Dice un crítico de arte: «El espíritu de la época y las exigencias de los tiempos que alcanzamos han proscrito casi por completo de concursos y museos la pintura religiosa»[30]. Se nota esta reacción contra el arte religioso en Augusta en *La incógnita* que «sostiene... que

---

[30] F. B. Navarro Reig, "La pintura y la exposición de bellas artes de 1878" *Revista de España*, XXIV, 1871, pág. 92. C. Boutelou comenta la indiferencia del público contemporáneo ante las pinturas religiosas (*La pintura en el siglo XIX*, Sevilla, 1868), pág. 185. Francisco

la aburren los cuadros de santos, la poca variedad de los asuntos y el amaneramiento de la idea» (V, 713). La indiferencia de los pintores y del público hacia el arte religioso se debe al decaimiento del fervor cristiano en el siglo XIX y también a la falta de temas religiosos que no hubieran sido ya tratados ampliamente por los grandes maestros de la pintura.

Era de esperar que Galdós utilizara el arte religioso ya que la religión ocupa un lugar preponderante en sus obras. Aprecia mucho el cuadro religioso, sobre todo, si es de los siglos XVI y XVII, pero se impacienta con los cuadros y la escultura religiosos si son inferiores y de mal gusto como lo son en *Doña Perfecta*. Pepe Rey hace una crítica dura —la misma que hubiera hecho Galdós frente a un templo verdadero— del arte en la catedral de Orbajosa «...no me causaban asombro, sino cólera, las innumerables monstruosidades artísticas de que está llena la catedral» (V, 432). Angel Guerra, por otra parte, se pone de rodillas y reza ante los cuadros religiosos (entre ellos «dos copias al óleo de anacoretas de Rivera») que se guardan en la casa de su madre, aunque sus oraciones no son ortodoxas sino improvisadas y personales (V, 1274). Se prepara así para el ambiente espiritual de Toledo cuyo arte religioso le seducirá más tarde. En *Doña Perfecta* y *Angel Guerra*, Galdós no se fija en un solo cuadro religioso para establecer el estado de ánimo del protagonista sino en el conjunto artístico de la ciudad. Angel Guerra se mide espiritualmente contra el arte religioso de Toledo y termina por entregarse a este ambiente saturado de historia, de arte y de misticismo; Pepe Rey, desde un punto de vista secular, no puede aceptar la fe exagerada de los habitantes de Orbajosa ni la cualidad estéticamente deplorable de las obras artísticas de su catedral. Entre las novelas de Galdós es *Doña Perfecta* una de las pocas en que el arte religioso produce un efecto negativo en el protagonista y en los lectores.

Ciertos cuadros entran repetidas veces en las descripciones de Galdós y entre ellos hay varios de tema religioso que emplea el novelista para acentuar una u otra característica de sus personajes. En *Fortunata y Jacinta*,

---

María Tubino también nota la escasez de cuadros religiosos en el siglo XIX (*El arte y los artistas contemporáneos en la Península*, Madrid, 1871), pág. 199.

Angel Guerra y *Gloria* compara los ojos del Niño Dios de Murillo con los de unos niños de estas novelas [31]. En *La familia de León Roch* y *La sombra* se menciona un Cristo de tez amarilla de pintor no identificado que recuerda esos Cristos «que con el cuerpo lívido, los miembros retorcidos, el rostro angustioso, negras las manos, llenos de sangre el sudario y la cruz, ha creado el arte español para el terror de devotas y pasmo de sacristanes» (*La sombra*, IV, 191). María Egipcíaca al morir en los brazos de su marido evoca el Cristo de Velázquez: «Apartó de sí León aquellos brazos ya flexibles, que cayeron al punto exánimes, y cayó también la pálida cabeza sobre el pecho, velada por su propia melena como la del tétrico, y maravillosamente hermoso *Cristo* de Velázquez» (*Roch*, IV, 889) y en *La desheredada* Isidora Rufete contempla una copia de la misma pintura en la casa de Joaquín Pez (IV, 1039). Lo frecuente en las novelas galdosianas es encontrar un cuadro religioso que anuncia las luchas interiores de un personaje. Al presentarnos a Ramón Villaamil en *Miau*, Galdós, medio irónico y medio serio, nos insinúa el sufrimiento del cesante aludiendo a un cuadro religioso: «Tenía la expresión sublime de un apóstol en el momento en que le están martirizando por la fe, algo del *San Bartolomé* de Ribera» (V, 555). Benina en *Misericordia* tiene que parecerse a una santa por lo mucho que sufre: «parecía una Santa Rita de Casia que andaba por el mundo en penitencia» (V, 1882) [32].

La iconografía religiosa muestra distintos aspectos espirituales y morales del mundo novelístico galdosiano: a veces la postura espiritual de un personaje o la fe simple de un hogar humilde; otras veces el ambiente religioso de una ciudad o la fe superficial de la clase media. Para expresar estas facetas del alma espiritual de su mundo

---

[31] Para Jacinta los ojos de Pitusín "Eran como los del Niño Dios pintado por Murillo" (*Fortunata y Jacinta*, V, 116); el sobrino del sacerdote Eleuterio García Vironés en *Angel Guerra:* "su perfecta hechura de cuerpo, su rostro de peregrina belleza, recordaban los inspirados retratos que hizo Murillo del Niño Dios" (V, 1476); el niño ilegítimo de Gloria de Lantigua "Era la imagen viva de aquel chicuelo divino, cuyos ojos, tan lindos como inteligentes miraron con amor al mundo antes de reformarlo. Diríase de él que no nació de madre sino por milagro del arte y de la fe, recibiendo cuerpo y vida de la ardiente inspiración de Murillo" (*Gloria*, IV, 681).

[32] Galdós, sin duda, conocía los cuadros de esta santa, sobre todo, el del pintor contemporáneo Rafael Hidalgo de Caviedes cuyo cuadro de Santa Rita está en la Iglesia de la Consolación en Madrid.

Galdós va desde las obras maestras del arte español y europeo hasta la sencilla estampa de un Cristo o un santo que se vende en la calle.

Tantas son las alusiones al arte en las novelas de Galdós que se pudiera construir una jerarquía iconográfica para sus personajes y colocarlos en ella según el período, el cuadro y el pintor o según las figuras contemporáneas que conocía el novelista por haberlas tratado en su vida o visto en grabados de periódicos y revistas. Lo que dice Hinterhäuser acerca de los modelos pictóricos de los personajes en los *Episodios* [33] puede decirse también de las novelas: Galdós trata de orientar al lector identificando a sus criaturas con retratos de pintores muy conocidos [34]. A esta observación podemos agregar otra: el novelista con frecuencia usa modelos contemporáneos para delinear a sus personajes y esta forma de comunicación visual refuerza la contemporaneidad de sus novelas. Aun cuando usa Galdós la iconografía de los siglos pasados, lo hace para acentuar características permanentes de la raza española, sean buenas o malas, manteniendo siempre un punto de vista moderno.

La fusión pictórica del pasado con el presente nos ayuda a entender el aspecto temporal en la obra de Galdós. María Zambrano lo explica de esta manera: «El tiempo con ritmo imperceptible en que transcurre lo doméstico agitado todavía por lo histórico, el tiempo real de la vida de un pueblo que en verdad lo sea, es el tiempo de la novela de Galdós» [35]. El arte pictórico en las obras

---

[33] Los *"Episodios nacionales"*, pág. 85.

[34] El parecido entre Francisco Bringas *(La de Bringas, Tormento)* y Thiers, el político e historiador francés, nos dará una idea del uso que hace Galdós de modelos contemporáneos. El novelista debía de haber estimado mucho a Thiers a juzgar por las cuatro estampas del francés que había sacado de revistas y periódicos y que se guardan en la Casa-Museo Galdós en Las Palmas. Hay otras de Thiers en la Casa-Museo: su retrato junto con su necrología en el *Almanaque de la Ilustración* (V, 1877, pág. 4) y un libro escrito por él, *De la propiedad*, traducido por Vicente Vázquez Queipo (Madrid, 1848).

[35] *La España de Galdós*, pág. 89. Angel del Río explica el elemento histórico en las obras de Galdós de la siguiente manera: "El aspecto histórico de la vasta obra galdosiana no termina con los *Episodios*. Permanece como subyacente en todas y cada una de sus páginas. Hasta puede decirse que la visión histórica se ahonda en las obras puramente novelescas" *(Estudios galdosianos*, Zaragoza, 1953), pág. 17. María Zambrano habla de un "ayer histórico" que se nota tanto en los *Episodios* como en las novelas sociales con la diferencia de que aquéllos tratan de pura historia aunque es "historia entretejida con lo más cotidiano" (pág. 88). En contraste con los *Episodios*,

del novelista obedece a este concepto temporal y sin perder la perspectiva histórica Galdós alcanza lo que nunca alcanzaron los pintores: pintar el modo de ser de la época contemporánea en todos sus múltiples aspectos y retratar a la gente que en ella se mueve, quizá mejor de lo que hicieron los pintores.

(*Anales galdosianos*, III, 1968.)

Galdós pinta en las novelas sociales "la historia absorbida y refleja por el mundo de lo doméstico en su calidad de cimiento de lo histórico, de sujeto real de la historia" (Zambrano, pág. 88). Lo que dice Tubino de los cuadros históricos preferidos de la pintura española refleja este "ayer histórico" y puede decirse también de la técnica de Galdós en los *Episodios:* "No puede afectarnos en igual grado el heroísmo de Numancia que el de Zaragoza" (pág. 75). Hinterhäuser habla de los pintores que se inspiraban en el pasado reciente y del hecho de que a Galdós, como era de esperar, le interesaban estos pintores (pág. 358). Pero hay también un ayer lejano en la obra de Galdós, un ayer más noble y menos violento que el ayer cercano, un ayer que representa la génesis de los personajes y de los acontecimientos actuales y que se evoca en forma de iconografías de la hidalguía castellana.

III
GALDOS Y OTROS NOVELISTAS

GALDOS Y BALZAC

"Convertir los sucesos en ideas, tal
es la función de la Literatura."

G. Santayana, *Little Essays*, página 138.

En mayo de 1867, apenas cumplidos los veinticuatro,
años, marchó Pérez Galdós a París por una breve temporada. Se celebraba entonces la Exposición Universal
que visitó con detenimiento, y recorrió casi palmo a palmo la capital de Francia con curiosidad infatigable. Un
día encontró casualmente en ya típicos puestos de libros
viejos de la orilla del Sena la novela de Balzac *Eugenia
Grandet*. La leyó con fruición y quedó tan impresionado,
que al parecer se entregó en seguida con avidez a la lectura de toda la *Comédie Humaine*, que habría de llamar
maravillado en uno de sus *Episodios*, verdadera «selva
encantada». El destino glorioso de nuestro gran novelista, estaría marcado y, sin duda, próxima a las inciertas
laxitudes del despertar, dormiría ya en él su vocación
esencial. Atribuir al azar de un paseo solitario la existencia de Galdós como figura literaria, sería absurdo. Pero no deja de ser significativo que al volver a Madrid tras
ese primer encuentro con el novelista francés junto al río
que fue como el Ecuador del mundo balzaciano, abando-
nara sus primeros proyectos literarios y comenzara a escribir *La Fontana de Oro*, primera novela de Galdós y
heraldo triunfante de la novela moderna en España; también es curioso que *La Fontana de Oro* se terminara de
escribir al año siguiente, sobre tierras de Francia. La
primera novela de Balzac fue también una novela histórica, *Les chouans;* por la «novela histórica» entraron ambos en la «novela social». Con razón afirmó Comte que la
más profunda significación de aquélla fue la de presentarnos unidas la vida pública y la vida privada; así, pues,

también en la literatura la visión histórica condujo a la visión sociológica.

Raro es el trabajo o alusión a Galdós en que no se le llame «el Balzac español», expresión que llega a ser tópica en la escasa bibliografía española sobre el autor de *Fortunata y Jacinta*. Salvo en muy contadas ocasiones, y siempre con brevedad, apenas si se ilustra la afirmación con especiales consideraciones; así ocurre incluso en los libros de Clarín y Casalduero que debemos citar por excepcionales.

Decir que Galdós es el Balzac español puede significar simplemente que al primero corresponde en la literatura española un lugar parecido al que ocupa el segundo en la literatura francesa y en este sentido sólo se pretende constatar las respectivas situaciones de preeminencia literaria. Puede significar también una equiparación, cabría decir formal, entre sus producciones consideradas como totalidad y con especial referencia al tema y propósito. Y puede indicar, por último, dando máxima intensidad a la fórmula comparativa, que la analogía alcanza, tanto a sus personalidades cuanto a la conjunta significación, calidad y forma de sus creaciones literarias. Poco tendríamos que objetar a lo primero, algo más a lo segundo y bastante a lo tercero. Pero no pretendemos en estas líneas plantear siquiera el esbozo de la cuestión, sino sugerir tan sólo algunas coordenadas que ayuden a situarla; y ello desde ángulos y perspectivas no exclusivamente literarios, cosa que, un tanto ajena a nuestras normales preocupaciones, dejamos para quienes puedan hacerlo con más autoridad y conocimiento.

El tema y propósito general de las obras de ambos es en principio el mismo: la sociedad contemporánea. «La Sociedad Francesa iba a ser historiador, no resultando yo sino el secretario», dice Balzac en el prólogo de la *Comédie Humaine*. «Imagen de la vida es la novela...; la Sociedad es la primera materia del arte novelesco», confiesa Galdós en su discurso ante la Real Academia. Siendo el objeto tan radicalmente histórico, parece obligado considerar cómo se les ofreció objetivamente. Hubieran coincidido en el espacio y en el tiempo, y la objetiva existencia de una misma realidad social-histórica, podría haberse visto desde diferente plano, pues como dice Ortega hay tantas realidades como puntos de vista y es éste el que crea el panorama. Pero cincuenta años es tiempo suficiente —y más en un siglo de profundo y acelerado proceso histórico—, no sólo para transformar la configuración de una realidad social, sino para cambiar radicalmente anteriores puntos de vista; sobre todo, cuando el lindero cronológico en el que coinciden casi exactamente la muerte de uno con el nacimiento del otro es nada menos que el año 1848.

Francia, en la primera mitad del siglo XIX, ofrecía el espectáculo sin par de la gestación de una nueva Sociedad, «Francia es el país donde los movimientos generales que interesan a toda Europa toman con rapidez y decisión una forma definida... La atención del mundo culto y de las clases poseedoras, el interés del historiador y las investigaciones del pensador encuentran aquí un terreno igualmente rico para observar las causas profundas y las luchas que animan hoy nuestra sociedad europea». Esta verdad que en 1848 proclama Lorenz von Stein, había sido percibida con anterioridad por Balzac cuando aseguró, que no era por gloria nacional ni por patriotismo por lo que había escogido como tema de su obra la sociedad francesa, sino porque en su país más que en ningún otro se ofrecía el «hombre social» bajo los más diversos aspectos; «quizá sea sólo Francia —añadía— quien ignore la grandiosidad de su papel, la magnificencia de su época, la variedad de sus contrastes». La agonía y muerte de la sociedad estamental, la resistente supervivencia de los elementos del «ancien régime», la lucha de la burguesía por el poder, las nuevas formas de propiedad, los balbuceos del proletariado como clase, la entronización del dinero y la aparición de nuevas instituciones civiles y mercantiles, la destrucción de toda organización corporativa... Y por otra parte, bandazos políticos impresionantes: de Austerlitz a Santa Elena, de Carlos X a la Comuna, de Waterloo al Imperio Colonial... Una inmensa ebullición de fuerzas políticas, económicas, sociales e individuales, en tiempos de plena exaltación romántica. Fragua colosal donde se forjaba la nueva época.

¡Cuán distinta la España y la sociedad de Galdós! Se estaban aventando las últimas cenizas que habían «gloriosamente ardido». Un siglo que comenzó por agotar en singular epopeya las reservas vitales del pueblo que poco antes había dominado el mundo, nos fue consumiendo en luchas civiles, cerradas incomprensiones y estériles anarquías. La sociedad española de Galdós se encontraba triste, cansada, confusa y a medio hacer. «No somos una sociedad siquiera sino un campo de batalla donde se chocan los elementos opuestos que han de constituir una sociedad», decía Larra en la tercera década de la centuria. Años más tarde, cuando Galdós comenzaba a hacer el doloroso y dolorido balance de sus *Episodios Nacionales*, ni siquiera la sensación de choque; tan sólo quietud, anquilosamiento, mediocridad. Decir que en la sociedad española de la época estaba ya cuajada aquella sociedad que en la Francia de Balzac vimos fraguarse no sería exacto; ni se había cuajado la sociedad liberal burguesa, ni había comenzado a apuntarse la era socializadora y masificada que ahora vimos (el que hayamos comenzado experimentando ésta, sin haber recorrido el ciclo completo de aquélla, tiene una profunda significación histórica nacional). Nuestra sociedad en la época de Galdós estaba sencillamente detenida, interrumpida. No se trataba de la madurez, siempre relativa, de una estructura social-histórica; de ese reposo activo de la sociedad inglesa de la época —que por cierto, tanta relación guarda con la obra de otro gran novelista del siglo, Dickens—, sino de la inanición casi completa y de un desesperante estancamiento de su evolución espiritual, social y económica. Por nuestra patria, como en los tiempos de Fígaro, no pasaba nada; ella es la que solía pasar por todo.

La sociedad francesa encontró un cantor apasionado; la española inspiró a un observador entristecido. Balzac se entusiasma con su época, con todas las manifestaciones históricas de su tiempo. Galdós no puede entusiasmarse. Esta actitud ante el entusiasmo es una de las claves principales para la comprensión de sus respectivas creaciones literarias, sin que por ello olvidemos que el hombre Galdós es bien distinto del hombre Balzac, y que esta diferencia no se da sólo en un plano cultural e histórico, sino que afecta a los rasgos más entrañables e individualizados de la íntima personalidad.

En Balzac lo que realmente vemos es la sociedad francesa. Lo más extraordinario de la obra de Balzac es que obtuvo la reducción a unidad de ese momento tumultuoso y alucinante de trabajosa gestación de la sociedad nueva. Es en circunstancias como ésta, de caos constructivo, cuando el hombre se esfuerza más en reducir a unidad la compleja y cambiante realidad que le entorna. Sólo así puede verdaderamente conocerla y ese esfuerzo constituye la única forma de evitar el ser arrastrado y engullido por ella. La reducción unitaria ha de hacerse por una mentalidad filosófica o poética: la mente filosófica que acertó a dar sistema al inmenso tropel de acontecimientos históricos de la Francia del comienzo decimonónico fue Comte; la mente poética que acertó a intuir y expresar literariamente el orto de la nueva sociedad, fue Balzac. Hay párrafos enteros de Balzac que son comteanos. El nombre de Comte no figura en la obra balzaciana (digamos de pasada que el de Balzac muy pocas y ligerísimas veces en la de Galdós). Con reservas admite Bernard Guyon la posibilidad de que Comte figure en *Un grand homme de province à Paris*, bajo el nombre de León Giraud, uno de los jóvenes miembros del cenáculo de la calle de los Quatre-Vents y del cual dice Balzac: «León Giraud, este profundo filósofo, este atrevido teórico que renueva todos los sistemas, los juzga, los explica, los formula y los conduce hasta los pies de su ídolo: la Humanidad; siempre grande incluso en sus errores ennoblecidos por su buena fe. Este trabajador intrépido, este sabio concienzudo ha llegado a ser jefe de una escuela moral y política sobre cuyo mérito el tiempo habrá de pronunciarse». Verdaderamente si la suposición de Guyon «non é vera, é ben trovata».

De la *Comédie Humaine* surge una Sociedad entera con estructura social y económica y configuración cultural mucho más definida y plástica de lo que efectivamente estaba la sociedad real en que vivió Balzac. Halagaba al novelista francés que se le llamara filósofo y que se le considerara poeta, y en cuanto la filosofía es síntesis y la poesía intuición estética, no resulta en verdad desorbitada la pretensión balzaciana. Plantado ante la Sociedad francesa de su época, Balzac ordenó su movimiento, condensó su energía, pulsó su vitalidad, interpretó su nacionalismo, percibió su brillantez y asimiló sus fuerzas generadoras. Por eso con portentosa capacidad intuitiva, «vio» como totalidad y unidad la Sociedad de entonces. Podemos decir que Balzac tenía en la cabeza «su» Sociedad antes que Francia y Europa la consideraran como propia.

Galdós no tenía delante un organismo vivo y creciente, sino uno enclenque y esmirriado, que no le suscitaba la necesidad de reducirlo a unidad. Balzac hace un diagnóstico de la sociedad francesa captando su «bios» orgánico. Galdós hace una autopsia de la española, analizando sus peculiaridades anatómicas. La obra de Balzac tiene la alegría ruidosa y optimista de un bautizo y la de Galdós la tristeza silenciosa y conmovedora de un viático.

La Sociedad española no estaba en la cabeza de Galdós, porque realmente quizá no estuviera para entrar en la cabeza de nadie, sino para traer de cabeza a cualquiera. De aquí que no intentara siquiera tratarla con propósito filosófico y sintético, sino analítico y artístico. Al hablar Galdós de «La Sociedad presente como tema novelable», después de reducir lo social a «vulgo» como «muchedumbre alineada en un nivel medio de ideas y sentimientos», afirma que desea «encararse con ese «natural», hablando en términos pictóricos...». Pues bien, la sociedad para Galdós es un «natural», y su actitud literaria esencialmente pictórica. Sus novelas son «cuadros sociales» que copia del «natural» —quieto, estático, exánime, inexpresivo— de la Sociedad española de finales de siglo. Galdós se sitúa ante un modelo, Balzac ante un fenómeno. Galdós traslada el modelo a la obra a través de su finísima sensibilidad de artista; Balzac expresa el fenómeno en palabras valiéndose de su aguda intuición sociológico-filosófica. Galdós da forma literaria a un «natural» que tiene delante, Balzac a un «social» en el que existe y consiste. Por eso Galdós pinta a lo Delacroix, contemporáneo de Balzac —forma, colorido, drama— y Balzac a lo Dégas, contemporáneo de Galdós —luz, espontaneidad, movimiento.

Decía Walpole que para quien la contemple con el corazón, la vida es una tragedia y para quien la vea con la cabeza, una comedia; «comedia humana», tituló Balzac a su obra porque contempló la vida con la cabeza; drama humano pudo titular Galdós a la suya porque la vio con el corazón. Dickens hubiera podido llamar tragicomedia a la que salió de sus manos, porque percibió la vida inglesa con la suficiente cabeza para no producir lo que Ortega llamaría un chafarrinón y con el corazón bastante para ofrecernos todo un mundo social, sentimental y afectivo. Balzac se acercó a su época por el puente de la sociología filosófica, Galdós como artista por el de la observación y Dickens como psicólogo por el de la ironía.

Si de la Sociedad pasamos a los hombres los esquemas

trazados acentúan sus relieves. «Los seres vulgares no me interesan... los agrando y les doy proporciones espantosas o grotescas»; así salieron Vautrin, Grandet, Nucingen, la prima Bela... Alguien ha dicho que un personaje no es en verdad balzaciano sino cuando posee una fuerte energía creadora. No hay en Balzac esa «ternura poética y pudorosa para todo lo delicado y débil» de que nos habla Clarín y que aleja a Galdós del autor de *Illusions perdues* y lo acerca al de *Oliver Twist*. Con una simplicidad, quizá poco realista, y desde luego escasamente sociológica, Galdós ve la sociedad como «vulgo», más aún, como pueblo. Pero el pueblo de Galdós no será —habla Clarín— «aquel inverosímil de guardarropía, de las novelas cursis que tanto tiempo hicieron estragos en parte del público, ni tampoco el idealizado de las novelas socialistas de Sue; ni, añadimos nosotros, el pueblo como «proletariado» que encontramos en *Germinal*, de Zola, o en *La horda*, de Blasco Ibáñez.

El pueblo galdosiano está en redor de la baja —pequeña y mísera— burguesía española. Son los «tipos normales» que Bourget señalaba como propios de la novela de «costumbres» o «social», las medianías, los de «la segunda capa» de que hablaba Turgueniev. No todos los personajes de Balzac son excepcionales, monstruosos o grotescos, ni todos los de Galdós endebles personalidades vulgares e irrelevantes. El primo Pons, Petrilla y la propia hija de Grandet pueden ser personajes «galdosianos», como Pepet, Orozco o Viera pueden serlo de Balzac. Balzac deja de pintar monstruos cuando no hace representar a sus personajes una fuerza energética social. Galdós los deja marchar por sus propios pies, sin necesidad de tener que sostenerlos continua y paternalmente a través de su mundo novelesco, cuando los crea como personificación de un valor ético, individual o social, de un sentimiento, e incluso cuando quiere cargarlos de densidad histórica como en *Doña Perfecta*, aunque al ideologizarlos arquetípicamente a veces nos resultan o un tanto amanerados como Pepe Rey, o un algo pedantes como Máximo, que hizo exclamar graciosamente, y no sin cierta razón, a Unamuno: «¡Dios nos libre de ingenieros así!»

La generación del 98 admitió a Balzac y despreció a Galdós. Si lo primero puede explicarse, lo segundo se nos antoja a todas luces injusto. La admiración hacia Balzac no podía llegar por la vía puramente literaria, pues sin ser un modelo de elegancia lingüística, Galdós escribió mucho mejor el castellano que Balzac el francés. El desprecio por Galdós no pudo justificarse por su creación artística, porque Balzac, en el terreno que precisamente empezó a desbrozar el 98 —el de una nueva ordenación estética— no tiene, como puro novelista, como cultivador de un género literario concreto, la talla artística de Galdós. No se pudo ver en Balzac mayor autentidad nacional —y quien la viera se equivocó—, porque Galdós es mucho más honda y apasionadamente español, que Balzac francés, y en la obra del primero palpitan más fibras específicamente nacionales que en la del segundo. La antropología balzaciana es menos moral, bajo un punto de vista cristiano occidental, que la de Galdós. Al primero le obsesiona, ante todo, la voluntad fuerte, concebida como energía física, como fuerza biológica, como cerrada y radical afirmación de la propia existencia individual; a Galdós le preocupa la voluntad como motor de una acción a la que es previo un conocimiento de lo bueno y de lo malo, es decir, un entendimiento de la moral individual y de la ética social, y un concepto espiritualista de la vida.

Unamuno, descarnado detractor de Galdós, afirmaba que en el futuro —escribía el año 1920, recién muerto Galdós—, cuando se leyera a Galdós, se sentiría «toda la inmensa desolación de una muchedumbre amorfa y amodorrada de hombres y mujeres anémicos, sin huesos, sin fe ni esperanza; de un pueblo que soñaba en el puchero y la cama diciendo: «se vive». Se queja Unamuno del «mundo sin pasiones ni acciones que se deja vivir, pero que no hace la vida, y que pasando por el alma de Galdós nos ha quedado para siempre en su obra de arte». Esa expresión, «pasando por el alma de Galdós» nos evidencia que la enemiga del 98 proviene más de una auténtica animadversión —contraria ánima— que de una apreciación serena. Es verdad que así fue la Sociedad y el mundo que pintó Galdós, pero no pretendió dejárnoslos eternizados con propósito de ejemplaridad, ni siquiera con espíritu de condescendencia. Al menos, el alma de Galdós —de una españolía que sólo puede desconocerse adoptando un anticasticismo demasiado poco o demasiado mucho castizo—, nunca se deleitó en la observación de esa enteca y pobretona vida española, ni trató nunca de disfrazarla con «la buena capa que todo lo tapa» de un patriotismo fácil, ni contribuyó a aturdirla con el ruidoso folklore de un panderetismo jacarandoso.

Quizá Galdós no pudo dar con exactitud en la esencia de España tal como la ansiaba captar el 98, a causa de buscarla en su más inmediata perspectiva. Pero, quienes como los maestros del 98, tanto se afanaron en encontrarla, tenían más que aprender de Galdós, tan impenitente idealista humano como contumaz realista literario (paradoja que explica muchas cosas no sólo de Galdós, sino de gran parte de la literatura española desde el *Quijote),* que de Balzac, maravillosa, pero caótica asimilación de los ingredientes más contradictorios y explosivos. No es justo el menosprecio hacia Galdós, y mejor que nadie nos lo dice uno de los hombres más representativos del 98: «la nueva generación de escritores —escribe Azorín— debe a Galdós todo lo más íntimo y profundo de su ser: ha nacido y se ha desenvuelto en un medio intelectual creado por el novelista. Galdós, como hemos dicho, ha realizado la obra de revelar España a los españoles». La inquieta y apasionada búsqueda del ser de España que caracteriza al 98 no debió olvidar que Galdós pintó como nadie la existencia española de los años que precedieron al «desastre». Tan exacta hizo la descripción y tan latentes se encontraban en ella las íntimas ansias galdosianas de regeneración, que los «regeneradores» del 98 sólo tuvieron que leerla para repudiarla, y estamos por decir que la repudiaron porque la leyeron.

Algún día dedicaremos más atención a los temas aquí sugeridos, en un trabajo más extenso. Trataremos de que contenga una máxima comprensión y generosidad para la sociedad galdosiana, y una valoración objetiva apologética para nuestro gran novelista. Lo primero, porque en definitiva aquella Sociedad comprende un trozo de nuestra historia de la que no podemos sin más desolidarizarnos. Lo segundo, porque somos los españoles —todos los españoles— los directos legatorios de su gloria.

ROBERT RICARD

GALDOS ANTE FLAUBERT Y ALPHONSE DAUDET

A la memoria del Profesor Charles de Trooz

Cuando los críticos enumeran a los grandes novelistas modernos que pueden haber inspirado a Galdós ciertos aspectos de su obra, suelen mencionar —con matices variados— a Balzac, Dickens, Zola, Tolstoi y Dostoyevski [1]. Con menos frecuencia mencionan a Flaubert y con menos aún a Alphonse Daudet [2]. Sin embargo, esta repetida omisión no parece del todo justificada. De ahí el que me sea posible constatar que un episodio de *La familia de León Roch* evoca claramente cierto pasaje de *L'Edu-*

---

[1] Por ejemplo: Joaquín Casalduero, *Ana Karénina y Realidad,* en *Bulletin Hispanique,* XXXIX, 1937, págs. 375-396 (se ha deslizado un error en la pág. 391 con respecto a *Tormento:* es inexacto decir que Agustín Caballero y Amparo se casan; más bien viven en unión libre); H. Chonon Berkowitz, *Pérez Galdós, Spanish Liberal Crusader,* Madison, University of Wisconsin Press, 1949, págs. 67, 88, 180-183 (Dickens), 55, 88, 216-217, 323 (Balzac), 155, 215, 337 (Zola), 319 (Tolstoi); Joaquín Casalduero, *Vida y obra de Galdós,* Madrid [1951] (libro muy discutible en muchos aspectos), págs. 81 y 91; Angel del Río, *Estudios galdosianos,* Zaragoza, 1953, págs. 21, 36, 113, 117, 121-122; Carlos Clavería, en *Atlante* (Londres), I, 1953, pág. 85; Jaime Torres Bodet, *Tres inventores de realidad, Stendhal, Dostoyevski, Pérez Galdós,* México, 1955, págs. 230, 266-267 y 271-272; Ricardo Gullón, *Estudio preliminar* de su edición de *Miau,* Madrid [1958], págs. 45-63 y 295-302. Naturalmente es necesario añadir a Erckmann-Chatrian para los *Episodios nacionales* (p. ej. Torres Bodet, págs. 230-231). Clarín, en la recopilación de artículos sobre Galdós que forma el tomo I (Madrid, Renacimiento, 1912) de sus *Obras completas,* insiste especialmente en Zola.

[2] Con la excepción de Torres Bodet, quien en uno de los pasajes indicados en la nota anterior (pág. 271) ha visto muy bien ciertas afinidades entre Daudet y Galdós. Pero él no cree ver una influencia directa de *Fromont jeune et Risler aîné* y del *Nabab* en el novelista español.

cation sentimentale y que, de un modo semejante, las últimas páginas de *Miau* hacen pensar en un capítulo del *Nabab*. Estas son las relaciones que yo quisiera destacar aquí. ¿Hace falta añadir que mis observaciones están hechas sin segunda intención y no pretenden, en modo alguno, disminuir la originalidad de Galdós? Nadie admira más que yo a este vigoroso genio. Se verá además que no se trata de imitación, y mucho menos de copia. Sería inútil hacer con Galdós y los citados novelistas franceses lo que se acaba de hacer con éxito con Eça de Queiroz, por un lado, y con Flaubert y Anatole France, por otro; cotejar paso a paso los textos, colocándolos frente a frente en dos columnas [3]. En Galdós se trata de transposiciones originales, y esto es precisamente lo que hace tan interesante el caso. Además, todos sabemos muy bien que en las letras y las artes, como en las ciencias, los creadores más grandes jamás inventan ni pueden inventar *ex nihilo*. Aparte de lo que deben a la observación directa de la vida —y el papel desempeñado por esta observación es en Galdós importantísimo— son los herederos de una tradición a veces muy larga. Nunca pueden librarse por completo de ella, aun si la recusan y se esfuerzan por innovar. No es sino muy natural ver a Galdós inspirarse, tal vez por simple reminiscencia inconsciente y sin abdicar su propia personalidad, en dos escritores de temperamento distinto del suyo, pero cuya obra obedece en líneas generales a una estética y a una concepción de la novela muy próximas a las suyas.

Claro está que es imposible demostrar que Galdós ha leído los dos textos que he citado [4]. Si uno consulta el inventario de su biblioteca publicado por el llorado Chonon Berkowitz, descubre que, por una singular ironía del destino hacia el investigador, en esa lista figura la mayoría de las novelas de Flaubert y Daudet, salvo precisamente *L'Education sentimentale* y *Le Nabab* [5]. Tal ausencia nos priva de una confirmación de mi hipótesis, o más exactamente, la debilita ligeramente, sin anularla por en-

---

[3] Cf. Jean Girodon, "Eça de Queiroz, Flaubert et Anatole France", en *Bulletin des études portugaises*, Lisboa, t. **XX**, 1957-1958, págs. 152-207.

[4] Esta es la explicación probable de la reserva de Torres Bodet (véase n. 2).

[5] Cf. H. Chonon Berkowitz, *La biblioteca de Benito Pérez Galdós*, *El Museo Canario* [Las Palmas, 1951], págs. 179-180 (núms. 2.667-2.675 y 2.685-2.687).

tero. Es verdad que Galdós no leyó todos los libros, o, dicho con más rigor, no utilizó todos los tomos de su biblioteca: las páginas de muchos de ellos ni siquiera están cortadas [6]. Por otra parte, es probable que leyera otros que no poseía o que había dejado de poseer. Sea como fuere, la dificultad no es grave: Flaubert y Daudet no son folicularios desconocidos, y *L'Education sentimentale* y *Le Nabab* son novelas conocidas; no es aventurado pensar que Galdós las hubiera leído, aun cuando faltaran de su biblioteca.

Galdós se interesaba apasionadamente en la medicina, y se complacía en introducir en sus obras a los médicos. Entre ellos hay dos, José Moreno Rubio y Augusto Miquis, que reaparecen constantemente y que deben ser clasificados entre sus criaturas favoritas [7]. Si se interesaba tan vivamente por la medicina, no es sólo por la atracción que este difícil arte ejercía sobre él, sino porque con frecuencia la enfermedad, fuese o no mortal, definitiva o curable, era uno de los resortes fundamentales de sus relatos: recordemos *Gloria, Marianela, El doctor Centeno, La de Bringas, Lo prohibido, Fortunata y Jacinta, Angel Guerra, Tristana,* la serie de *Torquemada, El abuelo,* y aun muchos más. *La familia de León Roch* (1878) nos lle-

---

[6] *Ibíd.*, págs. 12-14.

[7] Basta hacer una lista de las novelas en que aparecen, a veces el uno y el otro: *La familia de León Roch* (1878), *La desheredada* (1881), *El amigo Manso* (1882), *El doctor Centeno* (1883), *Tormento* (1884), *La de Bringas* (1884), *Lo prohibido* (1884-1885), *Fortunata y Jacinta* (1886-1887), *Angel Guerra* (1890-1891), *Tristana* (1892), *Torquemada y San Pedro* (1895). En cambio, en el inventario de Chonon Berkowitz (págs. 40-42), sorprende la escasez de la biblioteca médica: esta sección reúne sólo 28 obras, de las cuales no todas tratan de la medicina científica. Sobre los médicos de Galdós, cf. Luis S. Granjel, "El médico galdosiano", en *Archivo Ibero-Americano de Historia de la Medicina y Antropología médica,* VI, 1954, fasc. 1-2, págs. 163-176. Véase también Carlos Clavería, en *Homenaje a J. A. van Praag,* Amsterdam [1956], pág. 36, núm. 4. Parece ser que el doctor Gregorio Marañón, que conocía íntimamente a Galdós y que lo atendió en su última enfermedad, debía su vocación médica a la lectura y la influencia del gran novelista (cf. Francisco Javier Almodóvar y Enrique Warleta, *Marañón o una vida fecunda,* Madrid, 1952, págs. 38-41). El gusto de Galdós por la profesión médica está atestiguado además por un rasgo que el autor explica en el prefacio escrito en 1913 para la edición Nelson de *Misericordia:* para investigar más fácilmente los barrios de mala fama de Madrid, durante la preparación de esta novela, se hizo pasar por un médico de los servicios municipales de higiene.

va a la misma conclusión. Es sabido el papel que allí desempeñan la enfermedad y la muerte de Luis Sudre, y luego la enfermedad y la muerte de su hermana María, la mujer de León Roch.

Otra enfermedad, también muy grave, pero no de consecuencias funestas, tiene un lugar en la novela, y aunque sea un lugar menor, el episodio no carece de importancia. Ocurre en el capítulo 4 de la segunda parte, el titulado, con un recuerdo de Calderón: «El mayor monstruo, el 'crup'». La hija de Pepa Fúcar, Monina (diminutivo de Ramona), ha caído víctima de la difteria, enfermedad cuya complicación habitual era el crup, casi siempre mortal en la época en que escribía Galdós. Este cuenta con suma precisión el desarrollo del mal, sus vicisitudes y sus peripecias, y con emoción la lucha dramática de la madre y del médico, Moreno Rubio, con quienes se alía León en el esfuerzo de vencer y dominar la dolencia. El médico prueba sin éxito diferentes terapéuticas. En el momento en que, a instancias del desesperado León Roch, se resigna a realizar una traqueotomía, la niña es salvada bruscamente por la inesperada expulsión de las falsas membranas.

En el capítulo sexto de la segunda parte de *L'Education sentimentale* hay un episodio análogo: el hijo de Madame Arnoux, el pequeño Eugène, se encuentra igualmente atacado por la difteria. El también parece perdido cuando la expulsión espontánea de las falsas membranas restaura de repente la respiración normal [8]. ¿Coincidencia fortuita? No lo creo. Es más probable que sea una reminiscencia, pues poco tiempo separa las dos novelas: la de Flaubert es de 1869 y la de Galdós de 1878. Además, las dos obras tienen en común un elemento que me parece esencial: la curación del niño enfermo por virtud de la expulsión de las falsas membranas. La opinión general es que con anterioridad al descubrimiento del suero, la curación del crup, siempre excepcional, sólo podía producirse de dos maneras: una artificial, la traqueotomía, y una natural, la expulsión de las falsas membranas. También se coincide en considerar la segunda como sumamen-

---

[8] Para *La familia de León Roch*, sigo el texto de la edición Aguilar, Benito Pérez Galdós, *Obras completas*, t. IV, Madrid, tirada de 1954, págs. 759-760; véase págs. 835 a 840 b. Para *L'Éducation sentimentale*, utilizo la edición de la Bibliothèque de Cluny, París, Armand Colin [1957]; véase págs. 294-302.

te insólita. ¿Por qué optaron los dos novelistas, Flaubert y Galdós, por solución tan rara? Indudablemente necesitaban que el niño se salvara, cosa que pudiera haberse logrado practicándole la traqueotomía. Los comentaristas dicen que Flaubert fue al hospital Sainte-Eugénie (hoy Trousseau) para presenciar una traqueotomía, pero no tuvo valor para llegar al final de la operación. Por eso habría optado por otro modo de curación, pese a su extraordinaria rareza [9]. ¿Tendría Galdós el mismo motivo? No lo sabemos. Lo único que podemos constatar es que él también evitó la traqueotomía. Moreno Rubio no parecía estar pensando en una intervención tan brutal y de consecuencias tan dudosas en persona de tan corta edad. Cuando en una situación sin esperanza, León Roch le sugiere esa posibilidad, el médico objeta que en criaturas tan jóvenes (Monina tiene veinticinco meses) la traqueotomía es casi un asesinato. Esta réplica podría sorprender, pues las cosas han llegado a tal punto que no queda sino jugarse el todo por el todo. Pero Galdós probablemente desea darle a León Roch el papel principal, en vista de lo que vendrá después. Así, ante la insistencia de León, Moreno Rubio se resigna a intervenir, y en el momento en que comienza sus preparativos el milagro se produce. Ya sólo hará falta dejar que obre la naturaleza. Uno tiene la impresión de que Galdós también ha vacilado ante la

---

[9] Véase la nota de Yves Lévy en la edición de la Bibliothèque de Cluny, pág. 472. Pero se encontrarán más detalles en el epílogo de René Dumesnil en la edición ilustrada de *L'Éducation sentimentale* del Club des Libraires de France en la colección "Livres de toujours" [París, 1958], pág. 578. No habiéndose atrevido a presenciar la operación hasta el final, y repugnando describir una escena que no hubiera visto por sus propios ojos, Flaubert encontró la solución en las *Cliniques médicales de l'Hôtel-Dieu* de Trousseau, gran partidario de la traqueotomía. Aprendió allí que en efecto en un número ínfimo de casos, la falsa membrana puede ser expulsada por el enfermo. Del texto de Trousseau sacó Flaubert apuntes que luego empleó con la mayor destreza en su novela. Según nos dice René Dumesnil, "la comparaison de la toux avec l'aboiement lointain d'un jeune chien, les mouvements convulsifs de l'enfant qui porte ses mains à la partie antérieure du cou comme pour en arracher quelque chose qui l'étouffe, ou qui écorche avec ses ongles les tentures de la muraille, la comparaison de la fausse membrane avec un tube de parchemin, sont dans Trousseau...". Seguramente Galdós no sabía esto al leer *L'Éducation sentimentale*, pero habrá podido sospechar una fuente de este tipo, ya que él trabajaba más o menos de la misma manera, quizá fiándose más de su memoria, de la cual todos los testigos aseguran que era extraordinaria (véanse los trabajos citados en la n. 1).

traqueotomía. Ignoramos los motivos que tendría para esquivarse así, pero, ¿no podemos suponer que a fin de cuentas le pareció justo y nada inconveniente hacer lo que hiciera su ilustre antecesor?

Pero con todo, Galdós sigue siendo Galdós. Los dos textos no tienen la misma extensión, ni la misma factura, ni producen la misma impresión. Primero, se observa en seguida que el de Flaubert es mucho más corto. Tras un preludio de media página, apenas ocupa tres páginas en una edición de tipo corriente. El episodio galdosiano no exige menos de doce columnas de impresión densa en la edición Aguilar. Esta diferencia de dimensiones responde a razones de fondo. Si Galdós se proponía, sobre todo entre 1881 y 1898 [10], fines que no dejan de tener alguna analogía con los de Flaubert, como hombres en cambio, los dos no se parecen nada. Menos aplicado que Flaubert, Galdós tiene una imaginación flexible, más rica y más espontánea, a la cual se abandona con gusto. Mientras Flaubert, en sus esfuerzos por ser conciso y denso, a veces peca de sequedad, Galdós no siempre logra evitar la prolijidad. Sus páginas están repletas de detalles médicos muy precisos, del tipo que Flaubert excluía para atenerse a lo esencial. Además, en modo alguno aspira a la impasibilidad marmórea del novelista francés. Ama a sus innumerables criaturas, incluso a las más ridículas y patéticas, como José Ido del Sagrario; incluso a las más terribles, como Pedro Polo, y a las más bufonescamente odiosas, como Torquemada. El mismo se empeña en la lucha que se desarrolla a la cabecera de la pequeña Monina, y arrastra al lector con él. Flaubert, en cambio, relata brevemente, como un testigo que se queda fuera, presenciando la escena a través de la ventana. Es verdad que no rehúye la nota emocionante o patética, varias de las cuales pueden señalarse en el texto. Pero el lector experimenta la impresión de que inserta estos rasgos por oficio más que por emoción, y de que se trata de un cuidadoso ejercicio estilístico. Hay que reconocer que se ha complacido en la dificultad al dejar a Madame Arnoux sola frente a su hijo enfermo; el marido no está allí; Fré-

---

[10] Véase su artículo de 1870, "Observaciones sobre la novela contemporánea en España", en *Madrid,* ed. José Pérez Vidal, Madrid [1957], págs. 223-249, donde expone un programa que ha de aplicar sobre todo a partir de *La desheredada* (1881) (cf. sobre este punto mis observaciones en *Bulletin Hispanique,* LIX, 1957, pág. 349).

déric Moreau tampoco. Los dos médicos que asisten al niño sólo aparecen de una manera pasajera y casi impersonal: son simples comparsas. Por el contrario, Galdós convierte el episodio en un drama de tres personajes, lo cual le permite desarrollarlo con más soltura y mayor variedad. Pepa Fúcar no lucha sola al lado de su hija; León Roch comparte sus esfuerzos y sus angustias hasta tal punto que en cierto momento trata de tomar a su cargo el cuidado de la niña enferma. El médico Moreno Rubio, que finalmente se encarga de todo, no es una pálida silueta anónima y borrosa como los médicos de Flaubert: es una persona conocida, amistosa, familiar y adicta. Tal conjunto da al relato de Galdós una tonalidad y una coloración muy características.

Aunque el texto de Flaubert es más breve, los sucesos narrados duran más. Y a pesar de su brevedad la exposición logra darnos la impresión de una serie de días que transcurren lentamente. Presenta la enfermedad desde sus primeros síntomas, vagos aún, interrumpe el relato para contar la espera inútil de Frédéric sólo en el *rendez-vous*, deja pasar las noches, nos muestra sucesivamente los dos médicos a quienes se ha llamado: «Les heures se succédèrent, lourdes, mornes, interminables, désespérantes...» Y después de esta larga y atroz inquietud, el restablecimiento súbito e inesperado. Galdós, por su parte, nos lanza *in medias res;* León Roch llega a casa de Pepa Fúcar sin sospechar nada, y cae en plena tragedia. Enterado de la situación, entra en el cuarto de Monina y encuentra a la niña casi en la agonía, a Pepa llorando, y al médico a su lado. Si en su carrera de escritor Galdós llega al teatro tardíamente, siempre había tenido afición a este género, y aquí lo manifiesta tanto en la hechura casi teatral de la escena como en la abundancia de diálogos. El texto es más extenso que el de Flaubert, pero, como en el teatro, el ritmo es mucho más rápido, y el relato, pese a su mayor extensión, es siempre el de una crisis violenta y breve: «Transcurrieron horas; ¡qué horas! El día pasó como un instante...» ¿Es que a conciencia y para despistar a la crítica, Galdós cambió al niño de Flaubert en niña, y para caracterizar los espasmos respiratorios de la enfermedad, evoca el canto del gallo mientras Flaubert alude al ladrar de un perro? [11] Son detalles de poca im-

[11] Es posible que Galdós se haya dejado extraviar por una falsa etimología de la palabra *crup,* que él deriva *según algunos,* (pág. 835b),

portancia. Sólo debemos recordar que Monina no existe únicamente para esta escena, pues aparece en otras partes del relato, y que la comparación con el canto del gallo no la inventó Galdós [12]. De más importancia es el hecho de que los dos pasajes sirven funciones marcadamente distintas en la economía de las novelas. En *L'Education sentimentale,* el episodio sirve para separar a Madame Arnoux de Frédéric Moreau: una vez más, él no la hará suya; la enfermedad de su hijo le impide ir a la cita concertada, y, sobre todo, ve en esa enfermedad como «un aviso de la Providencia»; ante esta advertencia, ofrece a Dios, «como un holocausto, el sacrificio de su primera pasión, de su única debilidad». En Flaubert, lo que importa es, ante todo, el resultado, y tal vez por eso se cuenta lo ocurrido con cierto alejamiento. En *La familia de León Roch* todo ocurre de otra manera; no importa tanto el desenlace del drama como el drama mismo, y la muerte de Monina sin duda no habría cambiado nada. Lo que fortifica la pasión que Pepa Fúcar siente por León Roch, lo que estrecha su intimidad y refuerza la atracción que el uno experimenta por el otro, preparando así un desenlace que no tiene nada en común con el de *L'Education sentimentale,* es la parte que toma León en las angustias maternales de aquélla. Como siempre, Galdós ha sabido utilizar en forma original los elementos que le proporcionaba su maravillosa memoria, logrando hacer del episodio una creación original.

El examen de *Miau* nos conduce a conclusiones análogas. Se recordará el trágico final de esta novela: cesante, fatigado de luchar contra la miseria cotidiana, perdida la esperanza de verse reintegrado a la administración en que había figurado, víctima de tres mujeres tontas o incapa-

---

de la palabra inglesa *crow.* Bien podría provenir el término de las Islas Británicas, pero sería una voz dialectal (¿gaélica?) del habla de Edimburgo (cf. Bloch-Wartburg, *Dictionnaire etymologique de la langue française,* París, 1950, s. v. *croup). Crup* en español parece ser galicismo; la palabra vulgar en castellano, tan expresiva, es *garrotillo.* El portugués tiene formas paralelas, *crupe* y *garrotilho.*

[12] Sin embargo, la comparación es aplicada con mayor frecuencia a la *coqueluche,* contaminada tal vez por una paraetimología o "etimología popular" (Bloch-Wartburg, s. v.), siendo el sentido correcto de la palabra, al parecer, *capuchon.* Es sabido que en español se designa esta enfermedad con el término *tos ferina,* que no puede prestarse a la misma interpretación, sea certera o falsa, que el francés *coqueluche.*

ces —su mujer, su cuñada y su hija— que ni pueden comprenderle ni ayudarle, suegro de un aventurero poco delicado, cínico y libertino, el triste Villaamil huye de su casa sigilosamente para suicidarse de un tiro de pistola en un barrio apartado de Madrid. Pero, antes de desaparecer, quiere recordar de nuevo algunas de las pequeñas satisfacciones de que le había privado la tiranía familiar que pesaba sobre él. Caminando hacia la plaza de San Marcial, el barrio del Príncipe Pío y la Casa de Campo, goza plenamente la primavera temprana, el aire tibio, el sol que comienza a picar, las flores que empiezan a brotar y las hojas que van apareciendo en los árboles. Contempla la Sierra ante un fondo azul puro con manchas de nieve como si antes no la hubiera visto nunca. En el momento en que ha decidido morir descubre la naturaleza, la felicidad y la vida, porque su decisión ha hecho de él un hombre libre. Se regala un buen desayuno solitario en una taberna, y luego sigue su camino con el alma ligera, el espíritu satisfecho, los sentidos contentos. Vuelve hacia su casa, la contempla desde lejos para mofarse por última vez de la existencia que va a abandonar, huye de nuevo, se refugia en una taberna donde el encuentro de «cuatro mujeres de malísimo pelaje» le inspira una brusca y fugitiva tentación, después de treinta años de fidelidad conyugal. Finalmente, vuelve sin prisa a un rincón oscuro de la plaza de San Marcial y con toda calma se levanta la tapa de los sesos.

Miau data de abril de 1888 y es posible que la primavera soleara los balcones de la casa de Galdós cuando acababa su novela y describía la felicidad de Villaamil ante las flores y las hojas que broteaban en el aire tibio. Once años antes, en 1877, Alphonse Daudet, en el capítulo 22 del *Nabab*, había descrito la «marche à la mort» de un hombre que iba también a quitarse la vida. El Marqués de Monpavon, gentilhombre tarado y galán envejecido, cubierto de afeites y ungüentos, se encuentra comprometido en un grave escándalo financiero. Al verse citado por el juez de instrucción, sabe lo que ha de hacer: su decisión «estaba tomada de antemano». Pone en orden sus asuntos, vacía los bolsillos para que no puedan identificarle, y anuncia a su criado que va a bañarse. Luego sale «con paso tranquilo»; siente una cierta melancolía al ver a una mujer guapa; se anima al ver pasar a un viejo político vencido a quien él se parecerá si enflaquece en su resolución, y sigue adelante más firme y orgulloso que antes. Permítaseme ahora citar:

> M. de Monpavon marche à la mort. Il y va par cette longue ligne des boulevards tout en feu du côté de la Madeleine, et dont il foule encore une fois l'asphalte élastique, en museur, le nez levé, les mains au dos. Il a le temps, rien ne le presse, il est maître du rendez-vous. A chaque instant, il sourit devant lui, envoie un petit bonjour protecteur du bout des doigts ou bien le grand coup de chapeau de tout à l'heure. Tout le ravit, le charme, le bruit des tonneaux d'arrosage, des stores relevés aux portes des cafés débordant jusqu'au milieu des trottoirs. La mort prochaine lui fait des sens de convalescent, accessibles à toutes les finesses, à toutes les poésies cachées d'une belle heure d'été sonnant en pleine vie parisienne, d'une belle heure qui sera sa dernière et qu'il voudrait prolonger jusqu'a la nuit [13].

Deja atrás el suntuoso establecimiento de baños que solía frecuentar; tampoco se detiene en los Baños Chinos. Es muy temprano; la hora.aún no ha llegado. Además, desea morir anónimamente, y por estos barrios es persona muy conocida: «busca, en el inmenso París, la zona alejada y perdida en que comenzará para él la terrible pero tranquilizadora confusión de la fosa común». Más allá de las puertas Saint-Denis y Saint-Martin, llega a la *terra incognita* en donde quiere desaparecer, y cerca del crepúsculo tropieza al fin con lo que buscaba, un establecimiento escuálido y miserable, en el que a nadie se le ocurrirá ir a buscarle. Mientras el mozo le prepara el baño, se asoma a la ventana y saborea el aroma de un último cigarro... Cuando al fin su ausencia acaba por preocupar, lo encuentran muerto en el baño, «dos cortes de navaja a través de la magnífica pechera inflexible»...

---

[13] Para *Le Nabab,* utilizo la edición Fasquelle en 2 vos., 134º mil, París, 1949 (Bibliothèque Charpentier). El episodio aquí estudiado se encuentra en el t. II, págs. 182-202. Para *Miau,* se le refiere al lector o al t. V de las *Obras* de Aguilar, Madrid, tirada de 1950, págs. 551-683, o a la edición reciente de Ricardo Gullón, citado en la n. 1. Cabe preguntarse si no hay un vago recuerdo del Marqués de Monpavon en uno de los personajes de *Misericordia* (1897), Francisco Ponte Delgado, viejo galán que se tiñe el pelo y también recurre a los afeites y las pomadas. Podrá compararse sobre todo la reflexión del mozo de baños ante el cadáver de Monpavon ("... ce n'est plus le même...", t. II, pág. 202) con lo que escribe Galdós sobre Ponte hacia el final del cap. 16 de *Misericordia:* "Entraba como un cadáver, y salía desconocido, limpio, oloroso y reluciente de hermosura." Expresión análoga, pero en sentido inverso.

El chupatintas Villaamil no es el Marqués de Monpavon —sería inútil subrayar todo lo que los separa— y no se mata de la misma manera. Es el protagonista, patético y un poco sórdido, de *Miau*, pero es el protagonista; en *Le Nabab*, el Marqués de Monpavon es sólo un personaje de segundo orden. No es su muerte sino la de Jansoulet, «el nabab», lo que constituye el desenlace del relato. Y, por último, el proceso psicológico es diferente en las dos obras. Galdós describe cuidadosamente el casi imperceptible avance de la desesperación y la locura en Villaamil; minado poco a poco por la miseria y el dolor, naufraga en una perturbación mental que no le priva de lucidez ni aniquila enteramente su voluntad, pero que es de evidente carácter patológico. El Marqués de Monpavon, en cambio, se mantiene normal hasta el fin. Súbita y fríamente, con plena conciencia de sus actos, lleva a cabo una decisión adoptada también fría y conscientemente mucho antes, el día en que había calculado tranquilamente los riesgos que asumía al meterse en negocios sucios. Pero, a pesar de las discrepancias, ¿cómo no ver la analogía entre los dos episodios? En ambos casos la muerte es una liberación. Villaamil se libera de su familia y de su miseria: «yo soy libre y liberal y demócrata y anarquista y petrolero, y hago mi santísima voluntad». Monpavon escapa de la prisión y de la deshonra. Y es una liberación casi feliz, gozando de las últimas alegrías ofrecidas por la naturaleza y la vida, con una fugaz tentación amorosa, rápidamente superada por la obstinación en buscar una muerte oscura y apacible, en la noche y en el anónimo. El momentáneo regreso a su casa opera sobre Villaamil de manera semejante a como el encuentro con Marestang, el político deshonrado opera sobre Monpavon; reafirma su valor y fortalece su resolución. Pero fomenta también una ironía amarga, ignorada por Monpavon, hombre demasiado caballero, aun en su caída, para rebajarse a sentir rencor.

Sobre todo —llama la atención—, lo he dicho ya y hay que insistir en ello —esta alegría final, esta exasperación de los sentidos que se produce en los dos hombres durante sus últimas horas. Es aquí donde resulta difícil no ver una reminiscencia de Daudet en Galdós. Pero lo dicho arriba muestra suficientemente cómo procede, lo que retiene y lo que descarta, y la originalidad con que transpone sus recuerdos. Para no dejar cabos sueltos, es importante observar que los dos relatos no están construidos de la misma manera. El de la muerte de Villaamil integra sin solución de continuidad los tres últimos capítulos de *Miau;* es rectilíneo, y sólo trata de la historia de Villaamil, que como protagonista de la novela, permanece siempre en primer término. En el capítulo XXII del *Nabab,* titulado *Drames parisiens,* Daudet con gran dominio del oficio entremezcla y entrecruza dos dramas, el de Monpavon y el de Mme. Jenkins. Como ninguno de los dos es el protagonista de la novela, en la perspectiva del relato puede empujarlos sucesivamente al primer término, ya que sólo representan dos aspectos de las costumbres parisianas —*Moeurs parisiennes* es el subtítulo de la obra— que se propone describir. De ahí que el capítulo comience con Mme. Jenkins, siga con Monpavon, y vuelva a Mme. Jenkins, hasta el momento en que se descubre a Monpavon desangrado en el baño. Es verdad que en *Miau* no falta este tipo de procedimiento. Galdós también entremezcla tres historias: la del pequeño Luisito, la de Víctor Cadalso y Abelarda, y la de don Ramón Villaamil. Pero ha deseado situar a éste en primera fila. Al final de la novela renuncia al entrecruzamiento; abandona a Luisito y a la pareja Víctor-Abelarda, cuyo destino último desconocemos, dejando su historia en la incertidumbre y la ambigüedad [14]. El autor sólo deja ante nuestros ojos al desgraciado Villaamil, cuyo drama personal domina trágicamente las últimas páginas. Los entrecruzamientos terminan. En *Le Nabab* continúan; antes que Jansoulet re-

---

[14] Sobre esta ambigüedad en la novela en general, cf. José Luis L. Aranguren, *Catolicismo día tras día,* Barcelona [1956], págs. 31-33. Hay una pequeña galería de personajes ambiguos en Galdós; Orozco en *Realidad,* Carrillo (a comparar con Orozco), y María Juana en *Lo prohibido,* Nazarín, Angel Guerra, que muere sin ver claro en sí mismo. De manera semejante, en *Miau,* uno se da cuenta de que Villaamil es víctima de trastornos mentales, pero no sabe bien hasta qué punto ha perdido la razón. He aquí lo que dice Aranguren: "El novelista no debe prejuzgar nada [el problema es saber si puede hacerlo]. El libro tiene que quedar *abierto* ante el lector." Puede compararse lo que dice un personaje de Galdós, Rogelio, en la novela *Casandra (Obras,* Aguilar, t. VI, Madrid, tirada de 1951, pág. 147a): "...las historias verdaderas no tienen desenlace... Los desenlaces son artificios inventados por los malos poetas...". No obstante, se ve claramente la necesidad tanto estética como psicológica de que la historia de Villaamil tenga un desenlace, y un desenlace trágico; sólo un desenlace de esta índole podía dar a la novela su cabal significación.

aparezca fugazmente para morir, aún podemos leer dos capítulos en que otros personajes ocupan el escenario.

¿Habré sido lo bastante persuasivo como para convencer al lector; lo bastante elocuente como para hacerle compartir mis impresiones? A mí no me toca responder. No obstante, aunque se niegue a seguirme y a aceptar mis interpretaciones, no creo haber perdido el tiempo. Nunca es inútil y siempre es instructivo intentar comparaciones como las esbozadas. Facilitan una mayor comprensión de las aspiraciones de los grandes escritores y de los medios que emplean para realizarlas. Y para quien quiera ir más allá de la estilística y de la simple técnica literaria, iluminan las diferencias de temperamento entre los hombres. Por mucho que Galdós asigne a la novela fines análogos a los de los otros dos escritores citados o procure inspirarse en ellos, resulta patente que pertenece a una familia de espíritus creadores diferente de la de Flaubert y Daudet, quienes además ni se parecen entre sí. El contraste resalta, sobre todo, cuando lo colocamos al lado de Flaubert. Daudet, de menos hondura y de talla menor, queda a mitad del camino entre ellos. Aunque más espontáneo que Flaubert, no alcanza la prodigiosa fecundidad de Galdós, pues no se entrega como éste, no teniendo su íntima cordialidad ni su vitalidad. Su sensibilidad, viva y real, es más superficial que profunda y cae fácilmente en la sentimentalidad o en la sensiblería. Escribe y compone con destreza, pero el oficio siempre queda visible. La «marche à la mort» del Marqués de Monpavon es un fragmento brillante, bien conseguido y de acuerdo con el carácter del personaje; aun así se le nota el artificio demasiado claramente. Flaubert sabe ocultarlo mejor, aunque no siempre logra disimular el esfuerzo; el lector lo adivina tenso, afanándose, empeñado en buscar «algo apretado y violento»[15]. Galdós jamás produce este efecto; al contrario, se abandona sin contenerse suficientemente; tiene su propio estilo, pero no se cuida de evitar la vulgaridad y la negligencia. Mientras que el problema de la expresión torturaba a Flaubert, a Galdós nunca parece preocuparle seriamente[16]. No se consumía elabo-

---

[15] Marie-Jeanne Durry, *Flaubert et ses projets inédits*, París, [1950], pág. 395.
[16] Cf. las observaciones de Antonio Espina, *Ganivet, El hombre y la obra* (col Austral, núm. 290), 3.ª ed., Buenos Aires [1954], pág. 125.

rando un estilo «artístico»; marchaba siempre adelante, empujado por ese irresistible brío vital que caracteriza su obra, al que me refería hace un momento. A este respecto, no es excesivo decir con Clarín que, dentro del realismo, Galdós es todo lo contrario que Flaubert [17].

No es excesivo afirmarlo en cuanto a lo literario. ¿Sería excesivo decirlo también en cuanto a lo humano? Quede planteada la pregunta. Sin duda, los flaubertistas protestan enérgicamente cuando se habla de la inhumanidad de Flaubert. Y no les falta fundamento. Pero lo que puede observarse es que esta humanidad apenas se manifiesta en su obra novelesca. Si no fuera por su correspondencia y por sus notas personales la ignoraríamos casi enteramente. Se concederá sin dificultad que si esa humanidad se expresa a menudo de manera grosera o pueril, también puede ser dolorosa y hasta patética. La diferencia es que Galdós, que rehuía las confidencias y cuya vida íntima se nos escapa con tanta frecuencia, ha puesto toda su humanidad en la obra misma. Tal vez por eso, siendo siempre fuerte y a veces dura, la humanidad galdosiana no produce la impresión de «grotesco triste» [18] y de delectación en un hastío lóbrego y sin esperanza que se desprende de la humanidad de Flaubert cuando éste pinta a los hombres de su siglo.

(*Les Lettres romanes*, XIII, 1959.)

(Traducido por Douglass Rogers.)

---

[17] "Clarín', *Galdós* (citado en n. 1), pág. 16.
[18] Marie-Jeanne Durry, *Flaubert*, etc., pág. 323.

JOAQUIN CASALDUERO

ANA KARENINA Y REALIDAD

La aparición de *Realidad* causó en España honda impresión, pues la crítica se dio cuenta inmediatamente de la novedad de su forma y su asunto, y aun mentes más finas, que seguían de cerca la producción galdosiana, estando atentas a la sensibilidad de la época y al movimiento de ideas en Europa, advirtieron en seguida que Galdós con esta novela abría en las letras españolas una nueva perspectiva, que coincidía con aquellas que en países del Norte renovaban el mundo literario europeo y daban por acabada la concepción naturalista del mundo: unos sin renegar de ella e intentando superarla, otros en posición decididamente antitética.

Era natural, pues, que surgiera la cuestión de si la nueva deriva de Galdós se debía a un acto mimético o si por el contrario la coincidencia con el pensar lejano tenía como base la propia evolución de su mundo. Clarín no pone en duda la originalidad de Galdós; Altamira al hacer la crítica del estreno de *Realidad* [1], tampoco habla de influencias, aunque en una ocasión dice: «el carácter de Orozco... hace pensar en Ibsen» [2], y en otra al hablar de la actitud de Orozco con su mujer escribe, «no tiene tacto ninguno para con Augusta. En aquellos momentos [cuando llega la catástrofe], Orozco se parece al marido de Ana Karénina; y Augusta, como Ana, no lo entiende, se desespera en aquella rigidez, en aquella frialdad en que su falta de adaptación traduce, no sin lógica, el imperativo moral de su cónyuge» [3].

---

[1] R. Altamira, *De Historia y Arte,* Madrid, 1898, págs. 275-305.
[2] *O. c.,* pág. 294.
[3] *O. c.,* pág. 303.

14

George Portnoff, en su libro *La literatura rusa en España*[4], partiendo de este párrafo de Altamira, que no cita, aunque afirma que el crítico español atribuye «la iniciativa de Galdós en la composición a la influencia de Tolstoy en el lenguaje, y de Ibsen en el ideal»[5], lo cual no es exacto, construye una teoría, según la cual la clave de la nueva dirección galdosiana, emprendida en opinión unánime de la crítica con su novela *Realidad*, hay que buscarla en la novela de Tolstoy, *Ana Karénina*. Balseiro al analizar *Realidad*, en su estudio *Novelistas españoles modernos*[6], afirma que en esta novela «se percibe la influencia de *Ana Karénina*, de Tolstoy». Así parece quedar aceptada la relación apuntada por Portnoff[7], y es de suponer que dentro de poco tiempo queden engarzadas para siempre la trágica historia de amor ruso y la novela de Galdós, que también cuenta una historia trágica de amor.

Antes que esto ocurra, sería prudente revisar la doctrina de Portnoff, pues no sólo podemos hallar que es incorrecta, sino que impide captar la contextura del cosmos galdosiano, la gravedad de lo cual no se escapará a nadie.

Las dos novelas tratan de la infidelidad de una mujer casada, sus relaciones con su amante y la muerte de uno de los dos amantes. Augusta engaña a Tomás Orozco con Federico Viera, éste se suicida. Ana es infiel a Alexey Alexandrovich con el Conde Vronsky, aquélla se suicida. Sin embargo, nada más lejos de los dos autores que tratar el tema del adulterio, al cual se alude, es claro, sobre todo Tolstoy, pero cuyo único papel es ser el origen en ambas obras del conflicto en el cual el alma de

---

[4] George Portnoff, *La literatura rusa en España*, New York, 1932, págs. 123 y ss.

[5] O. c., pág. 133.

[6] José A. Balseiro, *Novelistas españoles modernos*, New York, 1933, pág. 299.

[7] La responsabilidad es de Portnoff y no de Altamira, pues éste, como se habrá observado, habla de parecido pero no de dependencia, y no propone nunca a Tolstoy o a Ibsen para explicar la nueva modalidad galdosiana, y, aunque cita como punto de comparación *La dama del mar* de Ibsen, añade que Galdós con su drama se une "al novísimo e interesante movimiento ético y espiritualista que agita a los escritores modernos, desde G. Duruy a Mrs. Ward...". Véase Altamira, O. c., pág. 298, nota 1. De lo cual se desprende que Altamira, como Alas, piensa que Galdós en *Realidad*, como en toda su obra, está dentro de su época.

los personajes puede mostrarse en la plenitud exacta de todas sus dimensiones.

Basta recordar a los tres personajes indicados de *Realidad* para que podamos analizar la novela. No sucede lo mismo con *Ana Karénina;* junto a los nombres apuntados hay que citar a Oblonsky, hermano de Ana, y a su mujer Dolly, cuya hermana Kiti se casa con Levin. Tenemos tres matrimonios y, además, a Vronsky. Ana vive en Petersburgo, Dolly en Moscú y Kiti en cuanto se casa va a Pokrovsky, lugar en que se encuentran las fincas de su marido Levin.

De Petersburgo a Moscú, de Moscú a Pokrovsky y de aquí a Moscú y de Moscú a Petersburgo, desbordando los linderos de Rusia para que la nostalgia condense de la manera más concentrada el sentimiento ruso. Las criaturas del mundo tolstoyano están viajando continuamente. El tren y las estaciones son un fondo tan importante a la novela como el campo con su cielo estrellado; aquél con su misterio inquieto, con sus ruidos melancólicos y agobiantes, con sus fuegos envueltos en noche, tiene en su seno a Karénina, cuyo destino está hecho de negruras y ráfagas de fuego; que corre anhelante, sin paz y sin reposo, tras la felicidad; éste preñado de silencio, con la armonía de luces infinitas, que horadan el azul oscuro, acoge a Levin, cuando inquieto y atormentado se le revela por boca de un campesino la verdad que buscaba.

Nacer y morir, he aquí también un punto de partida y un punto de llegada, y el camino la vida. En el camino de la vida podremos ser ricos o pobres, fuertes o débiles, poderosos o miserables, pero en cualquier estado en que nos encontremos lo esencial es ser feliz. Ana rompe todo freno moral para vivir en su mundo de pasión, pero al cabo de su experiencia amorosa ha de exclamar: «No me conozco a mí misma, sólo conozco *mes appétits* como dicen los franceses.» Desde este momento el mundo le parece algo horrible, y los hombres seres que piensan únicamente en hacerse daño unos a otros. Su loco correr tras el amor no da otro fruto que este cruel descubrimiento. Ha vivido con los ojos fijos en la tierra y yendo en busca del amor encuentra sólo la lucha y el rencor; ha pensado siempre en ella misma, su alma estaba abierta para lo perecedero y terrenal, cerrada para lo eterno, y se entrega a la muerte llevada por el odio en que se ha convertido todo su amor a Vronsky. Con su suicidio piensa poder continuar viviendo en el alma de su amante, causándole eterno tormento.

Al mundo de la carne, de los sentidos, de lo terrenal se opone el mundo del espíritu. Levin —que estuvo a punto de no casarse con Kiti, pues ésta se había enamorado también de Vronsky, siendo la llegada de Ana a Moscú lo que ahuyenta al conde su lado— había abandonado las creencias de su niñez por las doctrinas positivistas, y había sustituido la religión por la ciencia; activo siempre, vive lejos de la ciudad; el hecho más importante de su vida hubiera sido su matrimonio, si la muerte de su hermano no le hubiera obligado a plantearse el problema de la vida y la muerte, el cual visto a la luz de la razón se le ofrecía insoluble. «No puedo vivir sin saber lo que soy y por qué existo; puesto que no puedo llegar a saberlo, la vida es imposible —se decía Levin a sí mismo—. En la infinitud del tiempo, en la infinitud de la materia, en el espacio infinito, se ha formado una célula, existe por un momento y se deshace. Esta célula... soy yo.» «Esto era un oscuro sofisma; pero era el único, el supremo resultado de la labor de la inteligencia durante siglos.» «Y Levin, feliz padre de familia, hombre en perfecto estado de salud, se hallaba a veces tan inclinado a suicidarse, que ocultaba las cuerdas de su vista para no ahorcarse, y temía salir con una escopeta de miedo a pegarse un tiro. Pero Levin ni se ahorcó ni se pegó un tiro, sino que continuó viviendo y luchando.»

Sentía que su primer deber era vivir, pero no cesaba de preguntarse, ¿qué soy?, ¿dónde estoy? y ¿por qué estoy aquí? Hasta que un día un campesino le dice: «Los hombres son distintos unos de otros. Unos viven para su vientre, otros viven para su alma», y como le preguntara qué quería decir con eso de vivir para su alma, el campesino le respondió: « ¡Qué!, es bastante claro. Es vivir según Dios..., según la verdad.»

Levin no ha descubierto nada nuevo, pero de los labios del campesino sale esta verdad llena de vida y Levin la revive plenamente. «La razón descubre la lucha por la existencia —esta ley que nos exige el vencer todos los obstáculos que se encuentran en el camino de nuestros deseos—. Este es el resultado de nuestra razón; pero la razón no tiene nada que ver con el amor al prójimo.» Esta es la verdadera felicidad: vivir pensando en Dios y no en nosotros mismos; amar al prójimo. Y en el polo opuesto a Ana —ese ramillete de instintos—, para la cual en el mundo sólo hay odio y los hombres son enemigos unos de otros, está Levin, que ha sentido la ley del amor y la hermandad de los hombres.

Esta es la polaridad de la obra, la razón y la fe, la pasión y el amor, la sumisión a nuestros apetitos, a nuestros instintos y la liberación.

Pero no hay que olvidar la pareja formada por Oblonsky y Dolly, pues se podría creer que toda la desdicha y desgracia de Ana viene de su adulterio. Oblonsky y Dolly están casados —el tema del matrimonio con sus sombras de adulterio sirve de fondo al tema principal: la verdadera felicidad, la salvación— y son desgraciados también; precisamente Ana fue a Moscú, donde conoció a Vronsky, para que hicieran las paces su hermano y su mujer, porque Dolly, cansada de las infidelidades de su marido, quiere divorciarse. Ana logra la reconciliación, pero no la felicidad del matrimonio, pues Oblonsky no se reforma y Dolly tiene que vivir resignada.

«Todas las familias felices se parecen, pero las desgraciadas lo son cada cual a su manera», dice la primera frase del libro, y Tolstoy nos pinta a dos hermanos que destrozan el hogar. Uno desafiando a la sociedad, el otro sometiéndose a ella; pero sólo aquel que vive para Dios encuentra la felicidad, y sólo se puede vivir para Dios de una sola y única manera. No es el espíritu del mal el que puede superar la dualidad del mundo y crear la armonía, sino el espíritu del bien. En Dios está la unidad y la armonía de lo plural.

Si Flaubert es el que ha sentido más profundamente la mezquindad y mediocridad de la burguesía, ha podido liberarse creando su obra; en cambio, Wagner es un prisionero del espíritu burgués falsamente heroico —de aquí que pueda ser el intérprete de las ansias de heroísmo del alma burguesa—; y Tolstoy está encerrado en su burgués, falso sentimiento religioso, por eso es el exponente más claro del espíritu confusionista de su época. Tanto en Tolstoy como en la mayor parte de los escritores finiseculares, incluyendo a Galdós, está patente ese deseo de salir del marasmo en que se encuentran y la ausencia absoluta de verdadero sentimiento religioso. Levin cree haber dado con la razón de su existencia y todo lo más que podemos admitir es que ha conseguido una norma ética, y le perdonamos la puerilidad de sus nuevas dudas en gra-

cia a su candor y buena fe, pues todavía se pregunta si
el Dios según el cual ha de vivir es el revelado a la Iglesia Ortodoxa, o a la Romana, o a Mahoma, o Buda. Se
decide por la Ortodoxa, es claro, y a partir de este momento, en que Levin logra acallar las inquietudes de su
alma, ya sabemos que no es Tolstoy quien revelará al
mundo la verdad, aunque él tenga el valor de separarse
de toda Confesión.

Tenía necesidad de hacer este inciso, porque por conmovedor que sea este dolor de las postrimerías del siglo XIX, me parece que es algo definitivamente terminado, y, gracias, quizá, a ese mismo padecimiento, totalmente superado.

En cambio, donde Tolstoy se muestra creador es en
su manera de captar la realidad al describirnos el ambiente social y los personajes.

Además de los caracteres citados (sobre alguno de los
cuales he de volver más tarde), es necesario estudiar un
momento al marido de Ana, Alexey Alexandrovich, y al
amante, Vronsky, pues es en el carácter de estos dos personajes, juntamente con el de Ana, y no el asunto o composición de la novela, en lo que, si no me equivoco, Galdós ha sido influido por Tolstoy, según Portnoff.

Alexey es un alto empleado de la Administración rusa
y goza a la vez de un gran prestigio en el desempeño de
su cargo y de extraordinaria consideración en el reducido
círculo de la sociedad más elevada de Petersburgo. Exacto, razonador, minucioso y diligente, tiene todas las cualidades necesarias para desenvolverse a maravilla en la
maraña administrativa, en las juntas y en las comisiones;
las zonas de la sensibilidad, del sentimiento y de la imaginación, le están vedadas. El mismo reconoce su limitación, y de aquí que aún ponga más empeño en estar al
corriente de lo que se publica sobre arte, poesía y literatura. Después de un día de continuo trabajo todavía encuentra tiempo para encerrarse en su biblioteca con un
libro de poesía. No se ha preguntado nunca si su mujer
y su hijo son felices, si él mismo es feliz, y no se ha hecho esta pregunta, porque, dadas las determinantes de su
carácter, no podía formulársela. La familia es una sección
más de ese gran organismo administrativo que es la sociedad, y de la misma manera que no introduce este valor de la felicidad para resolver un expediente, sino que
lo hace pensando sólo en las leyes con sus artículos y apar-

tados correspondientes, del mismo modo se ha conducido con su familia. La institución familiar marchaba, el niño crecía y la mujer sumisa comprendía su papel de engranaje, representándolo muy bien y al parecer con sinceridad. Se puede imaginar fácilmente la consternación de Alexey cuando ve introducido en su maquinaria este sentimiento de que se habla tanto en las novelas y poesías, cuya lectura consideraba deber, el amor.

Al principio piensa que el mal puede remediarse con tal de que las apariencias se salven, pero ni a eso está dispuesta Ana. Entonces decide el divorcio para castigar a su mujer, que tendrá que llevar siempre en la frente el estigma de su adulterio. Su espíritu cristiano, sin embargo, le impide abandonar a la pecadora, y su conducta por razones que voy a indicar inmediatamente, es admirada por Karénina. Pero, más tarde, el buen empleado con su carrera destrozada entra en la zona de influencias del espíritu religioso, sentimental y sensiblero, con sus ribetes de charlatanismo, espiritismo, etc., que representa la condesa Lidia Ivanovna, personaje que continúa la tradición en el siglo XIX de ese amor a lo platónico y a las veces terrenal, que en el siglo XVII tiene sus escarceos en las sacristías y rejas de oratorios monjiles.

A partir de este momento, Alexey, es el instrumento con que la sensualidad más o menos reprimida de la Condesa expresa su odio a Ana, y su envidia a esa naturaleza con todo el bullir de una catarata. En realidad, no es Alexey el que niega por fin a su mujer el hijo y el divorcio, sino la Condesa.

Los sentimientos de Ana para con su marido van del desprecio más profundo a una cierta admiración; le desprecia cuando contempla su matrimonio desde el vértice de su incompatibilidad: ella toda amor, deseo, instinto, jugo de vida, sintiéndose excitada a la rebelión por el freno de la ley en lugar de contenida; él por el contrario no puede sentir la vida hasta que no la comprende, y para llegar a comprenderla necesita transformarla en cuerpo de ley lleno de considerandos y conclusiones; para Alexey razonar es vivir, pero no adaptando la razón a la vida, sino la vida a la razón. Con Tolstoy, Levin, Esteban, Vronsky, Kiti, Dolly, nos sentiremos seducidos por Ana, y en compañía de Tolstoy también tendremos una mirada de compasión y piedad para el pobre escolástico y leguleyo.

Pero si Ana es la torrentera y el torbellino que nos

arrastra con su romántico impulso destructor, Alexey se nos impone por su sumisión a la norma. El que no tiene la capacidad de crear ¿debe concederse el derecho a destruir? Esta pregunta se la hacía ya León Roch y la contestaba negativamente. Alexey no se la formula, pero es este espíritu antirromántico de no destrucción lo que en él admira Ana, lo que llega a considerar como una perfección. Además Alexey tiene una cualidad eminentemente rusa, y Ana no podía por menos de ser sensible a ella: su capacidad de humillación, en la cual vemos una de las quintaesencias del cristianismo, que el alma occidental no ha logrado asimilar.

Es esta capacidad de humillación la clave para comprender inteligentemente y a derechas la escena de la vuelta de Alexey: Cuando Alexey ha decidido divorciarse, parte para Moscú en viaje oficial, que queda interrumpido por la llegada de un telegrama notificándole la gravedad de Ana, que acaba de dar a luz una hija (el padre es Vronsky, y Alexey lo sabe). El alto empleado acude en seguida a la cabecera de la moribunda, allí se encuentra también el amante. El marido no tiene ni una palabra de reproche para su desleal compañera, ni un gesto de odio para quien le ha robado, con la tranquilidad y el bienestar, el honor. Ante la muerte, el Evangelio deja de ser un repertorio de citas y se convierte en carne y sangre, en espíritu y vida, en el alma de Alexey. Perdonar, perdonar generosamente, en esto sólo piensa Alexey.

Ana siente la grandeza de su alma, Vronsky se contempla empequeñecido, y Alexey ya no piensa en el divorcio, quiere que una nueva vida comience. Pero Karénina no puede superar la repugnancia física y moral que su marido le inspira, y éste comprendiéndolo se decide a conceder la libertad a su mujer y entregarle su hijo, recabando para sí toda la culpa. Entonces, nos dice Tolstoy, Alexey «estaba humillado, mortificado; pero con todo experimentaba una sensación de felicidad y una emoción al reconocer su propia humildad». Ese estado anímico es, sin embargo, pasajero, y, cuando su mujer abandona la casa con su amante, que había estado en peligro de muerte por un suicidio frustrado, Alexey cae, como ya he apuntado, bajo la influencia de la condesa Lidia.

Vronsky es un hombre sacado de ese medio aristocrático al cual pertenecía el mismo Tolstoy y que tan bien conocía. Físicamente sano y guapo, despejado, adornado con todas las cualidades requeridas para triunfar en el mundo social del cual formaba parte, disfrutaba, además, de una desahogada situación económica. Era militar y, debido a sus prendas personales y a la influencia familiar, le esperaba un espléndido porvenir en su carrera. En los campos de batalla de los salones se había mostrado táctico experto, su valor, sin embargo, era indudable, como daba buena prueba en las carreras de caballos —supongo que ya habrá sido notado el papel simbólico de la carrera de obstáculos, que se describe en la novela, en que la yegua que monta Vronsky muere por una falta del jinete [8]—. Su moral laxa de soltero no se puede decir que presente anomalía de ningún género, pues aún están vigentes las excepciones al código del honor que permiten despreciar al marido, seducir a la mujer y no considerar sagradas más deudas que las del juego. Sin embargo, su contacto con Ana, si no modifica su actitud hacia el marido en general —exceptuando la breve crisis ya consignada—, le hace penetrar en un mundo más hondo, en que los sentidos alejados de toda zona frívola se encuentran en un plano demoníaco. De aquí que Vronsky tenga la fuerza de voluntad necesaria para sacrificar a Ana su carrera y su posición social.

Con el mismo poder con que Tolstoy hace visible la fina red del sistema moral de Alexey, o con que observa el delicado proceso por el cual pasa el amor idílico de Levin al cristalizar en esa institución social que es el matrimonio, ahora analiza las dificultades insuperables de la adaptación de Vronsky a la nueva vida que voluntariamente ha elegido. Para Ana no hay impedimento ninguno, pues la única resistencia a su amor apasionado es su hijo y su inclinación hacia el amante la vence. Mas la atmósfera del amor-pasión es demasiado enrarecida para que en ella Vronsky respire libremente y experimenta la imperativa necesidad de reajustar su vida al marco social en que ha nacido. Vronsky no es infiel a Ana, pero ésta percibe que él rehuye seguirle por el camino de la pasión,

---

[8] De Frou Frou, la yegua, dice Tolstoy: "Era uno de esos seres que no dejan nunca de cumplir su promesa a causa de un defecto en su construcción mecánica." Además de la connotación con Ana, téngase en cuenta la actitud antinaturalista de Tolstoy, tanto aquí como al hablar de la inclinación al suicidio de Levin. Y no pase inadvertido en la descripción de la caída de la yegua y de su muerte la emoción de Tolstoy, que cree un deber moral contener ante el suicidio de Ana.

y la sensación de algo que les separa fatalmente se adueña de ella, empujándola al suicidio.

¿Por qué el amor de Ana Karénina ha de acabar en la muerte, cuando el adulterio es algo corriente en la sociedad a que pertenece? Formular esta pregunta indica que no se ha penetrado en el espíritu de la obra, pues ese trenzado de adulterios que sirve de contrapunto al amor de Ana pone de relieve la calidad de este amor, alejado por completo de todo lo trivial, frívolo y falso. Ana confiesa a su marido la pasión por Vronsky, porque sólo puede vivir en un mundo sincero; y el sacrificar su hijo a su amante, no sentir cariño por la hija de éste y renunciar a volver a tener hijos, nos está indicando que ella sólo puede vivir entregada a su pasión, las velas siempre desplegadas al viento sin entrar en el puerto.

Lo que sí es arbitrario es la oposición entre el destino de Ana y el de Levin. La voluntad de Tolstoy de que su heroína muera porque únicamente se encuentra la salvación dentro del marco social [9] no es bastante para infundir espíritu trágico en su creación, y sentimos, a pesar de Tolstoy, que no es un poder social trascendente el que condena a Karénina, sino que ella muere porque la gran llama del amor-pasión sólo puede apagarse en la muerte.

Esta es la íntima contradicción en la obra: un fondo social ruin, magníficamente captado, en el cual se injerta una pasión heroica, que debe servir de palenque a la lucha entre la fe y la razón, el bien y el mal, lo espiritual y lo terrenal. Si Tolstoy hubiera poseído la fe, el bien y el espíritu, la lucha hubiera podido tener lugar, y quedar destruida la corrompida y ciega sociedad de su época, mientras los sentidos se consumían en su propio fuego y Levin-Tolstoy salía triunfante con la verdad en los ojos, los labios y el corazón; pero Tolstoy es el primero que está atormentado por la duda, y cuando Levin nos dice que ha encontrado el camino, sabemos que tienen completa conciencia de que se está engañando; en el fondo al asegurarnos Levin que no hace partícipe a su mujer Kiti de la nueva confianza que reina en su corazón, porque teme que no pueda elevarse a su altura, percibimos muy bien que lo que él teme es que su mujer —mansa

---

[9] Comp. "Nous sommes, tôt ou tard, punis de n'avoir pas obéi aux lois sociales", Balzac, *Une double famille*, París, Louis Conard, 1912, pág. 305.

burguesa, es verdad; pero teniendo todavía la ingenuidad suficiente para no tomar un cántaro vacío por un cántaro lleno— descubra que todo es falso y que se quiere engañar a sí mismo, teme la mirada piadosa de Kiti y él quiere pasar por hombre fuerte.

Nosotros le admiraríamos si tuviera el valor de no engañarnos engañándose; pero como no lo tiene, despreciámos la sociedad de Alexey y Levin, de Vronsky y Esteban, en que de un género u otro todo es falsedad, y sólo nos rendimos ante el alma de Karénina hecha de amor y sinceridad. Por otra parte es seguro que al Tolstoy creador le sucedía lo mismo, y el Tolstoy-Levin, el moralista, sentía toda su pequeñez al enfrentarse con Karénina; salvándose como artista precisamente por ser capaz de sentir la grandeza de Ana y su propia pequeñez.

Podemos resumir este análisis así: Ana quiere librarse de todo lo convencional y adaptar la vida a su propia naturaleza. Fracasa.

Vronsky se cree capaz de libertarse de la sociedad y vivir en la zona del amor-pasión. Fracasa.

Alexey ha vivido según la letra y no según el espíritu, ajeno por completo al sentimiento. Fracasa también.

Levin, fiel a la vida y a la sociedad (matrimonio; oposición a su hermano revolucionario), ve coronado su esfuerzo en su afán por buscar la verdad, y le espera, tras la lucha, el triunfo.

Portnoff no tiene para nada en cuenta a este último personaje, comparando a la mujer española con la rusa, y a los maridos y a los amantes entre sí respectivamente. Es difícil seguir su argumentación, porque si en un lugar afirma: «nuestro fin no es buscar la influencia ni en la composición, ni en la técnica, ni en el contenido del argumento» [10], repetidamente dice que la trama no es comparable, que las situaciones son diferentes y que lo único que le interesa es indicar la influencia del pensamiento del autor ruso en el español; páginas más tarde añade: «en el capítulo anterior hemos visto que la actitud ética y parte del asunto ejercieron influencia en *Realidad*» [11].

Seguiré un orden distinto al de Portnoff, pues primero estudiaré a Federico Viera, después a Augusta y, por

---

[10] *O. c.*, pág. 125.
[11] *O. c.*, pág. 175.

último, a Orozco. Trataré de demostrar que es imposible relacionarlos con los personajes de Tolstoy, y para ello analizaré los personajes españoles e intentaré refutar los argumentos de Portnoff.

Federico Viera vive una vida doble. Sin dinero, en un medio material miserable, sin oficio ni beneficio, frecuenta la buena sociedad de Madrid, en la cual es aceptado y visto con agrado por su nacimiento, su corrección y porte distinguido, su tacto, sus buenas cualidades que le hacen brillar con luz propia.

Todo el mundo sabe que bajo las apariencias del caballero hay un ser noble y de altos ideales, pero también conocen que esas apariencias ocultan a un ser incapaz de hacer algo, devorado por las deudas y cuya única fuente de ingresos son las mesas de juego en los garitos más inmundos. Esta escisión no sólo se proyecta en la vida social de Viera, sino que también la encontramos en su vida sentimental. De un lado, tenemos su amistad con La Peri; de otro, sus relaciones con Augusta. Aquélla es una prostituta y, sin embargo, su trato con Federico se ha elevado hasta un plano de amistad en el que sus almas pueden convivir en la unión más digna y pura; en Augusta, por el contrario, sólo sus sentidos son satisfechos. Además, Augusta es la mujer de su mejor amigo, cuya grandeza de alma nadie conoce mejor que él mismo.

Esta antítesis —pertenecer a un mundo en el cual no puede vivir, vivir en un mundo al cual no pertenece; satisfacer sus ansias de pureza con una prostituta, acallar sus sentidos en una mujer honrada— se hace patente también en las ideas sociales de Federico, pues su espíritu aristocrático no quiere reconocer el triunfo de la democracia y se empeña quijotescamente en vivir en el siglo XIX como si fuera un caballero del siglo XVI, sin querer admitir que el tiempo ha pasado.

Clotilde ha de amoldarse a la absurda vida que su hermano Federico le impone. No teniendo medios para poder alternar en sociedad, Clotilde tiene que limitarse al círculo de sus criadas, y como no hay esperanzas de que se case con un hombre de su medio debe pensar en quedarse soltera. Federico cree preferible este sacrificio a menoscabar la alcurnia de su nombre; pero el instinto de vivir es más fuerte en Clotilde que el amor a su hermano, y se marcha de su casa para casarse con el dependiente de una casa de comercio. Clotilde se salva y, además, establece la alianza entre la aristocracia y el pueblo que será el fundamento de la sociedad futura, según una de las ideas caras a Galdós, que piensa que o la depauperada aristocracia se une libremente al pueblo o no tiene más remedio que desaparecer, morir.

Si Clotilde representa la solución vital, Federico encarna la negativa. Este decreta libremente su muerte como única solución al conflicto entre la vergonzosa vida que lleva, de la cual no ve manera de salir en la sociedad democrática en que está inscrito, y su idea del honor. Federico caído en manos de los usureros, pendiente del tapete verde, aceptando incluso dinero de La Peri, no se rebaja a pedir un favor a sus amigos, ni busca una colocación, ni acepta que ninguno de los de su círculo intervenga en sus asuntos. Semejante concepción de la dignidad ofrece más de una paradoja y a Federico no se le escapa, pero él es así y no puede obrar de otra manera.

En el polo opuesto al amante se encuentra el marido, que tiene el mismo espíritu excelso, pero en el cual no se da esta contradicción entre sus actos y sus ideas. Federico es uno de los sinceros admiradores de Orozco, y éste siente una gran simpatía por Federico, pues sabe muy bien descubrir la nobleza de alma de su amigo en medio de las bajezas de que se rodea. Precisamente esta simpatía es la causa accidental del suicidio de Federico. Deseando, Orozco, libertarle del agobio económico en que constantemente se encuentra trata de entregarle una cantidad, y es su misma mujer, Augusta, la que tiene que persuadirle a que la tome, ya que nadie más puede convencerle. En este momento Federico ve que el abismo que separa sus hechos y sus ideas es cada vez mayor, y no sólo se niega a aceptarlo, sino que pone fin a esta divergencia, logrando unir sus actos y sus ideales en su muerte voluntaria.

Vronsky está sacado de la realidad de su época. Su vida, que Ana divide en dos períodos distintos, es universalmente humana, incluyendo su momento de crisis, aunque la motivación de ésta —la humillación de Alexey— le dé un tono particularmente ruso. Federico, por el contrario, pertenece a la realidad simbólica de la España moderna, de la España postridentina plasmada en el Barroco. La tragedia de Federico —conflicto entre las ideas y los hechos, por no querer o no poder adaptarse a su época, al siglo XIX— es, según Galdós, la tragedia de España, y estudiada desde uno u otro punto de vista se encuentra en su obra a partir de su primera novela. No creo que Tolstoy trate de expresar en Vronsky su idea «del triunfo del bien sobre el mal» como afirma Portnoff [12]; pero sea de esto lo que quiera, lo que sí es indudable es que esta idea impide la comprensión de Federico.

Federico es superior a Vronsky, según Portnoff, pero Augusta es inferior a Ana. No puedo establecer una relación de superioridad ni de inferioridad, porque no hallo el punto de contacto entre estos personajes. Augusta es apasionada y no se somete a la razón, esto tiene de común con Ana y con un número infinito de creaciones literarias; casi no hay una novela de Galdós sin alguna figura femenina que presente una de estas dos características o ambas.

«Es muy raro encontrar en España, tanto en la clase alta como en la clase media, quien se exprese, o ni siquiera quien piense íntimamente como Augusta: *Si mi fe religiosa fuera más viva... me consolaría; pero mis creencias están como techo de casa vieja llena de goteras*», dice Portnoff [13], olvidando, al parecer, que Galdós había creado la figura de Gloria Lantigua, muchacha que se había internado peligrosamente en las doctrinas de la Iglesia y que, gracias al amor, siente vacilar la fe de sus mayores, con una gravedad, por cierto, que Augusta estaba muy lejos de sentir.

Ana, por el contrario, no duda nunca de la religión. Portnoff mismo hace la cita [14], aunque sin duda se le escapa, porque él transcribe el texto de Tolstoy para comparar la situación de Ana, que no puede buscar ayuda en la religión, ya que tendría que renunciar a su amante, con la de Augusta, a la cual se le plantea el mismo problema: «La confesión religiosa —dice Augusta— no acaba de satisfacerme. A un cura tendría yo que prometerle la enmienda, y esto no puede ser» [15]. Pero este parecido surge de la situación idéntica en que se encuentran, y algo análogo teníamos ya en *Tormento* y en *Fortunata y Jacinta*.

---

[12] *O. c.*, pág. 170.
[13] *O. c.*, pág. 139. El carácter español de los personajes lo discutiré más tarde.
[14] *O. c.*, pág. 145.
[15] Citado por Portnoff, *O. c.*, pág. 145.

Ana no ha amado nunca a su marido y siente por él desprecio, sólo en su lecho de moribunda llega a decir que es un santo, pero en cuanto recobra la salud vuelve a renacer en ella el odio y la repugnancia por Alexey. Augusta, en cambio, si no ha sentido nunca amor por su marido le ha admirado siempre, aunque a veces su perfección moral le parece lindar con la locura, lo cual muestra cómo se asimila rápida y ligeramente las ideas de su época.

Augusta es inferior a su marido —lo contrario de Ana— y acude al adulterio con la misma frivolidad que al matrimonio. Augusta es de calidad radicalmente distinta a Ana y por eso su amor es diferente. Porque Ana no puede vivir sólo amando, sino que tiene que compartir su amor con la sociedad, se suicida. El trazo esencial en el carácter de Ana es su sinceridad, que le obliga a darse por completo a su pasión y le impide engañar a su marido. Si no confesara a su marido que está enamorada de Vronsky, su situación sería idéntica a la de tantas otras damas cuya sociedad frecuenta; pero es más, su mismo marido le invita a que respete sólo las apariencias, y a ello se niega, porque su carácter sincero no le permite vivir en un mundo de falsedad y mentira. Augusta, opuesta siempre a Ana, se desenvuelve con tal maestría en una atmósfera de engaños, que todo el mundo que la rodea ignora sus amores con Federico, y no comprende, al exigir de éste que acepte los favores de su marido, la rebelión de su amante a continuar viviendo en un mundo de tanta doblez. Por último, cuando Federico se suicida, lo único que le preocupa es ocultar su emoción para no venderse, y su mayor tormento es pensar que en momentos de fiebre ha podido traicionarse y declarar la verdad a su marido.

Si no hay ningún punto de contacto entre los amantes ni entre las mujeres, todavía menos puede encontrarse entre los maridos.

No creo que la sociedad zarista fuera la única que encerrara en su seno maridos como Alexey, y es claro que en todos los medios sociales se le trataría con el mismo desprecio que en la sociedad rusa. Lo específicamente ruso es la crisis que eleva por un momento a Alexey del bajo nivel espiritual en que siempre ha vivido.

El marido ruso aparece en su desairada situación casi al comienzo de la obra, mientras que Orozco sospecha la conducta de su mujer al final de la novela. Imaginar la futura actitud de Orozco para con su mujer sería entrar inútilmente en un terreno hipotético; por tanto, ya desaparecen casi todas las posibilidades de paralelo entre estos dos personajes. Pero hay dos datos que son aprovechables. Al convencerse Orozco de que su mujer infiel es incapaz de un acto de valor moral, afirma: «Me he quedado solo, solo como el que vive en un desierto.» La conducta de Alexey al enterarse de la pasión de su mujer es ruin, despreciable, no siente, y además no puede sentir, esta soledad espiritual, porque no es un hombre que viva en la región del espíritu, sino en lo meramente formal y mecánico; de aquí que la única soledad que tema sea la social y lo único que le preocupe, en oposición a Orozco, sea salvar las apariencias. ¿Cuál sería la actitud de Orozco para con el amante? Contestar es presentar una de las hipótesis que me parece inútil discutir. En cambio, sí es pertinente indicar que Orozco no mata a su mujer, como tampoco lo ha hecho Alexey.

La conducta de los dos maridos es imposible relacionarla, a no ser que nos fijemos en el dato externo, que por serlo está desposeído de toda importancia; sin embargo, Portnoff cree que debe compararse y aún añade que lo insólito de la conducta del marido español se debe a ser un reflejo de la novela de Tolstoy. En el país del pundonor, el marido tiene que matar a la mujer infiel, y por eso el españolismo de Orozco es indefendible. Al mismo Portnoff, empero, le parece un poco arriesgada esta teoría y concede que las ideas del honor, que tenían los españoles en el siglo XVI, no eran las mismas de los contemporáneos de Galdós, y que la sociedad española ha evolucionado, «pero España ha tenido una tradición, cuyas huellas existen hoy día en ella. El sentimiento del honor sigue siendo el móvil de más fuerza en la vida española» [16]; por tanto, cree que debe ponerse en duda la españolidad de todo desenlace incruento de una historia en que la mujer engañe al marido, tanto más cuanto que tuvo la ocasión de presenciar en 1922, «en el teatro Eslava, una obra teatral traducida del francés, *Le retour*, de Robert de Flers y Francis de Croiset, en donde aparece un marido (aunque tratado en broma) por el estilo de Orozco, y el público madrileño, tanto los hombres co-

---

[16] *O. c.*, pág. 138.

mo las mujeres, protestaron con toda el alma contra la obra, y fue preciso quitarla del cartel al día siguiente» [17]. La refutación de este argumento es demasiado fácil: *Realidad* interesó y tuvo éxito [18].

En la misma obra de Galdós encontramos precedentes para la conducta de Orozco. Si no se quiere aceptar a Maxi *(Fortunata y Jacinta)*, piénsese en Agustín Caballero *(Tormento)*, que enamorado de Amparo y dispuesto a casarse con ella llega a saber el pasado de la muchacha —sus relaciones amorosas con un sacerdote—, y si duda un momento, por fin se casan. En *Lo prohibido*, la conducta de Pepe Carrillo de Albornoz, marido de Eloísa, y la del padre y hermano de ésta no nos recuerda para nada a Calderón.

Podemos negar a Orozco la calidad de español juzgándole por las ideas de Doña Perfecta, según la cual no es español todo aquel que no se somete a lo que ella cree la tradición española; pero precisamente toda la labor de Galdós no es otra cosa, como ya es sabido, que poner los fundamentos de una nueva tradición, esto es, de una nueva vida. Orozco es antitradicionalista, como lo son Agustín Caballero, León Roch, Gloria, Pepe Rey, Salvador Monsalud —protagonista de la segunda serie de *Episodios Nacionales*—, Martín Muriel —*El audaz*— y Lázaro —*La Fontana de Oro.*

El tema religioso, que Galdós lo había tratado en un plano histórico y social en *Doña Perfecta*, *Gloria* y *La familia de León Roch*, lo estudia a partir de *Fortunata y Jacinta* —novela en la cual supera su concepción naturalista del mundo— desde el punto de vista del individuo; *Realidad* es un hito más en la evolución de Galdós y no puede ser comprendida sin tener en cuenta *Fortunata y Jacinta* y *Miau*.

Orozco se debate de continuo para lograr su perfección moral y depuración interior; su ética se basa en el imperativo kantiano pasando por Kierkegaard; de aquí su parecido con los héroes ibsenianos. El individuo tiene

[17] *O. c.*, pág. 157.
[18] Según Altamira, *O. c.*, pág. 281: "El estreno fue un triunfo. Como de cosa propia, felicitábanse unos a otros los críticos de buena fe; y Menéndez Pelayo... me saludó con las siguientes palabras, que escuché con tanta fruición como si para mí fueran: *¡Qué hermoso es esto!* Y era la verdad." Por no aportar un testimonio que pudiera parecer parcial no cito las palabras de Galdós sobre el estreno de *Realidad*. V. B. Pérez Galdós, *Memorias*, Madrid, 1930, págs. 175-176.

15

que reformarse a sí propio y obtener por su propio esfuerzo su salvación.

Cuando Portnoff escribe: «el modo de comportarse con su mujer cuando le pide que le confiese la verdad —confesión completamente inútil, puesto que ya veía bien claro el ultraje—, hace ver claramente que Orozco no sólo no tiene chispa alguna del egoísmo vengativo de los maridos clásicos del teatro español del siglo XVI..., etc.» [19], Portnoff demuestra no haber comprendido a Orozco, pues éste no pide que su mujer le notifique su falta, sino que tenga el valor moral de enfrentarse con la verdad —esto sí que le diferencia de los maridos del teatro clásico español— y para ello no puede auxiliar a Augusta, porque ha de ser precisamente Augusta la que se salve a sí misma.

Se hubiera podido comparar de una manera aparentemente más convincente a Orozco con Levin, pero su aparente semejanza confundirá solamente a aquellos que no sepan ver que ella subraya la esencial diferencia que entre ambos existe; porque Levin se afana por encontrar la fuente de la verdad y la vida, y Orozco busca su perfeccionamiento moral. Aquél se mueve en un plano metafísico, o, más exactamente, religioso, y éste en un plano ético. Orozco es uno de los personajes krausistas de Galdós.

Orozco es antitradicionalista no por dejar de matar a su mujer —desenlace literariamente posible en el siglo XIX sólo desde un punto de vista pasional y no del honor; adviértase además que *Realidad* fue pensada y escrita como novela—, sino por anticatólico, y es ambas cosas por ser protestante, es decir, moderno, entendiendo por protestantismo en este caso el racionalismo ético de Kant y el individualismo de Sören Kierkegaard, con lo cual no quiero indicar una influencia directa de ambos filósofos en Galdós, ni tan siquiera indirecta por medio de Ibsen.

Entre el autor español y el dramaturgo noruego hay una coincidencia ideológica tanto más fácil de explicar cuanto que el gran esfuerzo de Galdós consiste en querer incorporar España al movimiento de ideas que ha tenido su origen en Alemania, Francia e Inglaterra y de donde ha salido la Europa individualista, burguesa, industrial, irreligiosa y ética. Galdós comparte con un gran número de sus contemporáneos europeos los mismos ideales y

---

[19] *O. c.*, pág. 156.

las mismas preocupaciones: su fe en la ciencia y en el trabajo, primero; sus inquietudes espirituales, después. Y de la misma manera que no creo imprescindible acudir a Zola para explicar el naturalismo de Galdós, exceptuando, es claro, la incorporación a su novela de algunos elementos de la nueva técnica de novelar, tampoco creo necesario hacer intervenir a Ibsen en su nueva etapa, que arranca de *Fortunata y Jacinta* y no de *Realidad*, aunque haya que tenerle también en cuenta, quizá, para explicarnos la evolución de su técnica.

Galdós, con un selecto número de españoles de su época, piensa como Zola y siente como Ibsen, hasta el punto de que los elementos técnicos extraños (piénsese en el árbol genealógico y las taras hereditarias de *Lo prohibido*, en las alucinaciones y apariciones de *Realidad)* están totalmente asimilados. Tenemos lo opuesto en Echegaray, la Pardo Bazán, etc.; Echegaray, por ejemplo, totalmente alejado del mundo moderno, se inspira, sin embargo, en Ibsen, según declaración propia; se siente arrebatado por el genio artístico de Ibsen, pero no perteneciendo a su mundo ideológico, ni pudiendo siquiera penetrar en él, lo único que consigue es crear grotescas parodias del autor de *Espectros*, lo cual fue ya visto claramente por Yxart [20].

La imposibilidad de relacionarlo con Tolstoy se confirma todavía más al analizar la actitud de los amantes respecto a los maridos y viceversa. Vronsky desprecia a Alexey y éste a aquél; en cambio, Orozco y Federico están ligados por su mutua admiración, que proviene del inquebrantable, aunque paradójico, fondo de dignidad de Federico. Por esto, cuando Orozco habla con la sombra del muerto afirma: «Pues mi opinión es que moriste por estímulos del honor y de la conciencia; te arrancaste la vida porque se te hizo imposible, colocada entre mi generosidad y mi deshonra. Has tenido flaquezas, has cometido faltas enormes; pero la estrella del bien resplandece en tu alma. Eres de los míos. Tu muerte es un signo de grandeza. Te admiro y quiero que seas mi amigo en esta región de paz en que nos encontramos. Abracémonos.»

Esta conjunción del espíritu de Orozco y Federico puede comprenderse a condición de penetrar en la estructura del mundo galdosiano. Para lo cual indicaré sucinta-

---

[20] José Yxart, *El arte escénico en España*, Barcelona, 1894, vol. I, págs. 294-304.

mente que Galdós sintió la necesidad de superar el concepto naturalista del mundo al crear *Fortunata y Jacinta*, porque el choque entre Fortunata y Jacinta pone al descubierto un conflicto que el Naturalismo no puede desentrañar por sí solo. Los mundos opuestos de estas dos mujeres rebasan la muralla material que los circunda, y al derramarse muestran estar supeditados a una fuerza espiritual que Galdós sinceramente no podía ignorar y no tenía por qué ignorar, pues precisamente el Naturalismo debía redescubrir el Espíritu. Este elemento espiritual se hace más perceptible en *Miau* y es completamente patente en *Realidad*, novela en la que se deshace el enigma que ofrece *La incógnita*, porque mientras en ésta se han tenido en cuenta sólo los datos observables, en aquélla se ha penetrado en el recinto de la conciencia.

En *Fortunata y Jacinta*, pues, termina la etapa naturalista de Galdós y comienza su nuevo ciclo, que se caracteriza por la presencia del Espíritu y de los valores espirituales rigiendo la vida humana. *Realidad* es uno de los jalones en la producción de este período.

A este desarrollo del pensamiento galdosiano se debe el marco de la novela. Comprenderemos el asunto y la psicología de los personajes si, olvidándonos de Ibsen y aún más de Tolstoy, recordamos las ideas históricas de Galdós sobre España.

Si no estoy equivocado, Galdós considera que el concepto español de la vida se fijó y quedó cristalizado en el siglo XVII. La característica más importante de la mentalidad española tal como queda plasmada en esa época es el vivir en un mundo de ilusión, haber perdido todo contacto con la realidad y haberse negado a colaborar en la organización racionalista de Europa; de aquí que la actividad española en todos sus sentidos —religioso, moral, económico, político— engendre formas vacías de contenido, meras apariencias. Esta manera de ser produce sus más fatales consecuencias, en la zona religiosa y moral, ya que el espíritu cristiano ha sido suplantado por el dogma, el rito y el verbalismo; pero es en la vida económica y política donde antes se notan, pues el observador más superficial advierte en seguida cómo la riqueza es un disfraz de la pobreza, y lo que preocupa no es crear bienes, sino aparentar bienestar, etc. Esta manera de ser es hondamente humana y se podrá encontrar en todos los países y en todas las épocas, pero lo que en todos sitios es un peso muerto contra el cual se lucha, dando lugar incluso a la revolución, en España se ha convertido en el móvil dirigente de toda la vida; por esto es algo típico español a partir del siglo XVII, sin que las tímidas advertencias de unos cuantos hombres avisados hayan podido poner remedio. Es lo mismo que si un enfermo se empeñara en considerar su estado patológico como normal, lo cual, es claro, le impediría curarse. Lo anormal no es estar enfermo, sino ignorar la enfermedad y no ponerse en cura.

Galdós está en la línea de todos estos reformadores que han surgido en España desde el siglo XVII. Su labor es, sin embargo, algo más valiosa, porque no se ha detenido en cuestiones de detalle. Lo esencial no es reformar tal o cual ley, tal o cual institución, sino transformar nuestra manera de ser, es decir, vivir en la realidad y no en la ilusión. Principio fundamental que rige la creación galdosiana y al cual se deben Teodoro Golfín *(Marianela)*, que representa la ciencia dominando la imaginación; Pepe Rey *(Doña Perfecta)*, el mundo racionalista, crítico y tolerante, contra el dogmatismo y la intolerancia; Agustín Caballero *(Tormento)*, el hombre que se ha hecho a sí mismo, el hombre trabajador, salvando a la mujer que un sacerdote (en este caso el sacerdote representa al hombre de imaginación, falto de voluntad y que no es capaz de aceptar su estado ni de hacerse una vida nueva) deshonró y atormentó, para no citar nada más que ejemplos anteriores a *Realidad*.

Pero la actitud crítica de Galdós no es un obstáculo para que se acerque cordial y comprensivamente a ese mundo que censura, lo cual le permite verlo en toda su grandeza trágica, y crear a Doña Perfecta, o a Isidora Rufete *(La desheredada)*, cuyos sueños de nobleza le llevan a despreciar el trabajo y lo vulgar, causa de su desquiciamiento, pero que nos seduce y admira por el amor profundo y el bello gesto sincero con que se adhiere a su fábrica de sueños. La misma incapacidad para aceptar la realidad y dedicarse al trabajo la hallamos en Federico Viera, incapacidad que es la causa de su vida inútil y vergonzosa, pero al hacerse justicia a sí mismo muestra que su idea de la dignidad podría ser equivocada; sin embargo, era algo vivo y actuante en él. El Destino y el Tiempo hacen que Federico muera y su hermana Clotilde viva, y hay que aceptar los designios irrevocables del Destino y el Tiempo; pero Orozco, el hombre nuevo, verdaderamente nuevo en oposición a tanto falso charlatán únicamente moderno, ayudará a Clotilde y, comprendiendo que Federico —la España vieja y envejecida— debe morir, será el único —Orozco, el hombre verdaderamente nuevo— en reconocer en Federico un hombre de dignidad y honor en misterioso conflicto con el Tiempo.

Podría resumir todo lo que antecede en las siguientes líneas: Tolstoy en *Ana Karénina* enfrenta la pasión y el amor, lo destructor y lo creador, la naturaleza y el espíritu, Ana Karénina y Levin, y busca las raíces de la vida verdadera, pasada, presente y futura.

Galdós en *Realidad* trata tres problemas distintos: *a)* insuficiencia de la razón y de la observación para captar el mundo; *b)* la España tradicional en lucha con el Tiempo se ve vencida y obligada a desaparecer si no quiere terminar en la ignominia; *c)* la nueva conciencia, el hombre nuevo.

Esos tres planos del pensamiento galdosiano se encuentran ya en sus primeras novelas y, exceptuando su manera de ver la historia de España, que no varía al través de toda su obra, aunque se hace más compleja y comprensiva a medida que avanza en su tarea, toda su labor no es otra cosa que la evolución de su vivida experiencia filosófica y ética, evolución paralela y coincidente con la de gran número de escritores de su época —Zola, Ibsen y, a partir de la serie de *Torquemada* (cuando la experiencia del sentimiento de la culpa le hace descubrir las raíces de la catolicidad española), pero no antes, también Tolstoy—. Coincidencia y paralelismo que nacen de haber sentido palpitar en España el espíritu del momento en que le tocó vivir.

(*Bulletin Hispanique*, XXXIX, 1937.)

VERNON A. CHAMBELIN Y JACK WEINER

DOÑA PERFECTA, DE GALDOS, Y PADRES E HIJOS, DE TURGUENEFF: DOS INTERPRETACIONES DEL CONFLICTO ENTRE GENERACIONES

Generalmente se acepta que de las siete novelas escritas por Galdós en su primera época, las más importantes son *Doña Perfecta, Gloria, Marianela* y *La familia de León Roch*. Hay varios estudios dedicados a examinar las fuentes utilizadas por Galdós en la creación de todas ellas [1], exceptuando a *Doña Perfecta*. Como ésta es la más temprana de las cuatro novelas, y se considera una de las obras más importantes y mejor conocidas de Galdós, parece conveniente efectuar una investigación de sus orígenes. El objeto de este estudio es sugerir una fuente principal para *Doña Perfecta*, de Galdós, que es la famosa obra maestra de Iván Turgueneff, *Padres e hijos* (1861), y mostrar, además, en qué difiere Galdós de Turgueneff al tratar un material semejante.

En una entrevista concedida por Galdós en su casa de Madrid, en 1884, al periodista y corresponsal extranjero Isaak Ia. Pavlovskii, dijo a éste:

«La muerte de Turgueneff me ha conmovido mucho. *El fue mi gran maestro;* conozco todas sus obras y le estimo como a un amigo a pesar de que nunca le llegué a conocer personalmente. Me escribió dos veces y guardo sus cartas como si fueran reliquias.» (El subrayado es nuestro) [2].

---

[1] Véanse Walter T. Pattison, *Benito Pérez Galdós and the Creative Process* (Minneapolis, Minn., 1954), referente a *Gloria y Marianela;* Louise S. Blanco, "Origin and History of the Plot of *Marianela*", *Hispania,* 47 (1965), págs. 463-467; y Alfred Rodríguez, "Algunos aspectos de la elaboración literaria de *La familia de León Roch*", *PMLA,* 82 (1967), págs. 120-127.

[2] Mikhail Pavlovich Alekseev, "Turgenev i ispanskie pisateli" ["Turgueneff y los escritores españoles"], *Literaturnyi Kritik,* 11 (oc-

La prueba de que Pavlovskii conoció a Galdós puede hallarse en el hecho de que le regalara posteriormente una copia autografiada de su libro *Souvenirs sur Turgueneff* (París, 1887), que Galdós conservaba en su biblioteca de Santander[3].

A pesar de que los eruditos rusos tenían conocimiento de la entrevista de Pavlovskii con Galdós desde hace años[4], sólo recientemente se ha publicado en una lengua occidental[5]. Es obvio que esa declaración sobre Turgueneff ofrece nuevas posibilidades para el conocimiento de los contactos de Galdós con la literatura rusa. Parece indicar, sobre todo, que la influencia rusa, percibida con frecuencia en las obras posteriores de Galdós, habría hecho su aparición en una fecha muy anterior a la admitida generalmente. Se han notado ecos de influencia rusa a partir de *Fortunata y Jacinta* (1886-87). *Angel Guerra*, *Realidad* y *Nazarín* —publicadas en la década de los noventa— se encuentran entre las novelas más concienzudamente documentadas en este sentido[6]. Sin embargo, los autores rusos a quienes se relaciona más frecuentemente con Galdós son Tolstoy y Dostoievsky; nunca, al parecer, Turgueneff. Por ejemplo, ni Portnoff, al tratar de Galdós en *La literatura rusa en España*[7], ni Berkowitz, en su biografía, mencionan en absoluto a Turgueneff[8]. Pero la afirmación contenida en la entrevista de Pavlovskii sugiere que Turgueneff también contribuyó al arte de Galdós.

Se sabe que Galdós tuvo, desde muy pronto, interés

tubre, 1938), 142; apareció más tarde como "Turgenev y los escritores españoles", *La literatura internacional*, 11 (1943), págs. 54-60.

[3] H. Chonon Berkowith, *La biblioteca de Benito Pérez Galdós* (Las Palmas, 1951), pág. 199. Alexandre Zviguilsky también dice haber visto dos cartas de Pavlovskii a Galdós en "Tourguéniev et Galdós", *Revue de Littérature Comparée*, 41 (1967), pág. 119.

[4] Alekseev, "Turgenev i ispanskie pisateli".

[5] Zviguilsky, "Tourguéniev et Galdós", pág. 118. El artículo de Zviguilsky apareció primero en *Turgenevskii sbornik: Materialy kpolnomu sobraniyu sochinenii i pisem I. S. Turgeneva* (Leningrado, 1966), II, págs. 321-324.

[6] Véanse, entre otros, George Portnoff, *La literatura rusa en España* (Nueva York, 1932), págs. 125-205; Vera Colin, "Aa Note on Tolstoy and Galdós", *Anales Galdosianos*, 2 (1967), págs. 155-168; y Patricia Crayne de Rincones, "A Comparison of the Mystical Characters of Fyodor Dostoievsky and Benito Pérez Galdós", tesis de "Master", Kansas, 1958.

[7] Págs. 123-171.

[8] *Pérez Galdós, Spanish Liberal Crusader* (Madison, Wis., 1948).

por las cosas rusas. Sin duda, una de las razones de ese interés fue la investigación de materiales históricos que Galdós llevó a cabo para sus *Episodios Nacionales* [9]. El papel de Rusia en las guerras napoleónicas y su posterior influencia en España, durante el reinado de Fernando VII, fue tan importante que Galdós se vio obligado a informarse concienzudamente acerca del mismo.

De 1870 a 1876, año en que escribe *Doña Perfecta*, Galdós alude frecuentemente a cosas rusas en sus novelas históricas. En *La Fontana de Oro* (1870) menciona al influyente embajador ruso Tatishcheff [10]. En *La corte de Carlos IV* (1873) no sólo habla de la intervención de Rusia en la política de España, sino que menciona varias obras teatrales españolas basadas en temas rusos, representadas en los teatros de Madrid durante el reinado de Carlos IV [11]. En *Bailén* (1873) cita con entusiasmo a Kutuzoff, el comandante en jefe de las tropas rusas en la batalla de Telnitz (I, 489). En *Zaragoza* (1874) compara la defensa de esta ciudad con la de Sebastopol, durante la guerra de Crimea (I, 675). En *El equipaje del rey José* (1875) menciona de nuevo a Rusia (I, 1245), y en *La segunda casaca* (1876) escribe con desdén sobre los barcos —inútiles para la navegación— que Alejandro I facilitó a España para luchar contra la rebelión de las colonias hispanoamericanas (I, 1377).

Es probable que Galdós, además de historia, conociese también la literatura rusa. Comenzó muy temprano [12] la lectura de obras maestras de otros países —Francia, Inglaterra, Alemania— y el conocimiento de la literatura rusa contemporánea estuvo también a su alcance en esta época. En 1852, por ejemplo, el *Semanario pintoresco español* publicó un artículo sin firma titulado «Estado actual de la literatura rusa» [13]. Según Berkowitz, Galdós poseyó la colección completa de esta revista, desde 1837 hasta 1852 [14]. Por otra parte, Alekseev ha demostrado que,

---

[9] Sobre la importancia de la documentación en el proceso creador de Galdós, véase Berkowitz, *Pérez Galdós...*, págs. 108-112.

[10] *Obras*, ed. de F. C. Sáinz de Robles, IV (Madrid, 1954), pág. 172.

[11] *Obras*, ed. de F. C. Sáinz de Robles, I (Madrid, 1958), páginas 277-278. Las referencias a los *Episodios Nacionales* que siguen son de esta edición.

[12] Véase Pattison, págs. 6-17.

[13] Vol. 17, págs. 398-399. Este artículo trata exclusivamente de los escritores neoclásicos rusos.

[14] *La biblioteca*, pág. 210.

durante los años sesenta, los intelectuales españoles conocían bien la literatura rusa [15]; uno de ellos, el famoso orador y hombre de estado Emilio Castelar, no sólo estudió el idioma ruso sino que escribió un artículo sobre Pushkin (antes de 1874) [16].

Una fuente probable del contacto de Galdós con las novelas de Turgueneff fue el padre Konstantin Lukich Kustodieff (1837-75), capellán ruso ortodoxo agregado a la Embajada de su país en Madrid. El padre Kustodieff fue socio del Ateneo de Madrid (1868-70) al mismo tiempo que Galdós. Era una persona muy simpática, bien conocida y popular entre los contertulios del Ateneo; estudió lengua y literatura españolas en la Universidad de Madrid, y también dio clases de lengua rusa. En el otoño de 1869, pronunció en el Ateneo una serie de conferencias sobre literatura rusa [17]. Parece inevitable que el padre Kustodieff se ocupara ampliamente de Turgueneff en sus conferencias, puesto que *Padres e hijos* había causado un enorme furor en Rusia, motivando el exilio de su autor a París, donde era ya muy conocido y se encontraba en plena actividad. Como Galdós recibió una buena parte de su temprana inspiración y de su estímulo literario de las conferencias y de la biblioteca del Ateneo [18], debe considerarse la posibilidad de que su primer contacto con Turgueneff fuese a través de esa institución. En todo caso, pudo haber leído *Padres e hijos* en las ediciones francesas de 1863 y 1865, o bien en la edición inglesa de 1867 [19].

Indudablemente, las primeras obras de Galdós reflejan su interés por el tema principal de la obra maestra de Turgueneff: el conflicto entre la vieja y la nueva ge-

[15] *Ocherki istorii ispano-russkikh literaturnykh otnoshenii XVI-XIX*, vv (Leningrado, 1964), págs. 207-214.
[16] Alekseev, pág. 212, nota 12.
[17] Alekseev, págs. 210-211.
[18] Véase a Pattison, págs. 12, 20, 37-38, 52-53, 115-116.
[19] Ambas ediciones francesas fueron publicadas en París (Vladimir Boutchik, *Bibliographie des oeuvres littéraires russes traduites en français*, París, 1934, pág. 163); la edición inglesa fue publicada en Nueva York *(British Museum General Catalogue*, CCXLII, 352). No hay prueba de que Galdós poseyera un ejemplar propio de ninguna de las tres ediciones mencionadas. Berkowitz catalogó solamente un ejemplar de la tercera edición francesa (París, 1880) como perteneciente a la biblioteca de Galdós después de su muerte *(La biblioteca*, pág. 199). Sin embargo, muchos de los libros que Galdós poseyó en un tiempo habían desaparecido, pues "fue notablemente despreocupado y generoso con sus propiedades personales" (Pattison, pág. 11).

neración. Aunque no aparezca en *La sombra* (1866-1867), escrita antes de las conferencias de Kustodieff, ese conflicto figura ostensiblemente en *La Fontana de Oro* (1870), publicada poco después de las conferencias. Al año siguiente, Galdós vuelve al tema en *El audaz* (1871), donde describe la pugna entre la joven generación liberal y el viejo e intransigente orden social. (También se perciben ecos de este mismo tema en algunos de los primeros *Episodios Nacionales*.) [20]

Sin embargo, Galdós no presenta a su héroe joven y rebelde como un licenciado en ciencias hasta la aparición de *Doña Perfecta*, en 1876. Mientras Lázaro en *La Fontana de Oro* y Martín Muriel en *El audaz* han buscado soluciones políticas, a Pepe Rey, más maduro y con mejor educación (como el protagonista de Turgueneff, en *Padres e hijos)*, sólo le interesan los cambios que la ciencia y el positivismo puedan traer. Una explicación obvia del desplazamiento de interés de la política a la ciencia puede encontrarse en el hecho de que el año 1876 marca la derrota final del carlismo, que había simbolizado para Galdós la vieja y dogmática generación. Ahora estaba en vísperas de alcanzarse en España una solución política, y no parecía necesario seguir enfocando ese problema. Pero Galdós conocía, por el encarnizamiento de dos guerras civiles, las profundas raíces de la lucha política. El vio que España, lo mismo que Rusia, estaba terriblemente atrasada en comparación con los demás países europeos, y comprendió que el punto de vista científico (junto con la industrialización y la ingeniería moderna) era un arma esencial en la lucha de la nueva generación por controlar el destino del pueblo español. Como Turgueneff, reconoció que el conflicto no era una simple lucha entre juventud y vejez, y expuso en *Doña Perfecta* su propia manera de entender esa batalla.

Por ser el tema de *Doña Perfecta* tan parecido al de *Padres e hijos*, parece obligado un examen comparativo de estas novelas. En ambas un joven rubio, licenciado en ciencias, llega de la capital para visitar una provincia no identificada. Recibido en la estación por un representante de su familia, el joven puede observar, mientras se dirige a su destino, una comunidad rural atrasada, descui-

---

[20] Especialmente, en *Bailén* (1873) y en *Cádiz* (1874); véase Catherine E. Law, "The Genesis of *Doña Perfecta*", tesis de "Master", Smith College, 1939.

dada y primitiva. Galdós y Turgueneff emplean técnicas parecidas al describir el paisaje y los habitantes:

Galdós

Un amasijo de paredes deformes, de casuchas de tierra pardas y polvorosas como el suelo formaba la base, con algunos fragmentos de almenadas murallas, a cuyo amparo mil chozas humildes alzaban sus miserables frontispicios de adobe, semejantes a caras hambrientas que pedían una limosna al pasajero. Pobrísimo río ceñía, como un cinturón de hojalata, el pueblo [21].

Turgueneff

Había varios arroyos desperdigados, de orillas carcomidas, y minúsculas lagunas que rebosaban sus desmoronados muros de contención; aldeas de chozas enanas, bajo techos de paja oscura y desarreglada; destartalados cobertizos, con sus paredes entretejidas de hojas de maíz; puertas abiertas que bostezaban hacia patios de graneros desiertos; e iglesias, algunas de ladrillo, cubiertas de yeso que se desconchaba, y otras de madera, con las cruces torcidas y los cementerios en ruinas [22].

Ambos autores utilizan incluso la misma imagen del mendigo:

Galdós

La desolada tierra sin árboles, pajiza a trechos, a trechos de color gredoso, dividida toda en triángulos y cuadriláteros amarillos o negruzcos, pardos o ligeramente verdeguedeados, semejaba en cierto modo a la capa del harapiento que se pone al sol (pág. 410).

---

[21] *Obras*, ed. de F. C. Sáinz de Robles, IV (1954), pág. 413. Las referencias siguientes serán a esta edición. Pepe Rey también ve "vetustas casas de labor..., norias desvencijadas, cuyos cangilones lagrimean lo bastante para regar una media docena de coles, desolación miserable y perezosa" (pág. 409).

[22] *Fathers and Sons*, trad. de Bárbara Makanowitzky (Nueva York, 1963), págs. 9-10. Las referencias siguientes serán a esta edición [vertidas al español por el traductor de este ensayo, F. D. J.].

Turgueneff

Para completar el cuadro, los campesinos que alcanzaban iban vestidos de harapos y montaban caballejos decrépitos; los sauces que bordeaban la carretera se erguían como mendigos andrajosos, con la corteza cayéndose y las ramas tronchadas; vacas extenuadas, hirsutas, arrancaban ávidamente el pasto que crecía junto a la cuneta (pág. 10).

Para los dos escritores, las alusiones a un paisaje comparable a un mendigo son un preludio de la descripción de los empobrecidos habitantes del país. Turgueneff presenta imágenes específicas al llamar la finca de Kirsanoff «La Granja de los Pobres» (p. 11), mientras que Galdós introduce de hecho «repugnantes mendigos que se arrastraban a un lado y otro del camino..., lastimoso espectáculo» (p. 413). Las horribles condiciones del campo parecen indicar la gran necesidad que existe de ideas progresivas, así como de la competencia de los jóvenes licenciados, que en las dos novelas están fieramente convencidos de que la ciencia puede remediar el daño hecho por la superstición y la educación deficiente. *(DP*, p. 422; *PH*, pp. 47-48, 81).

En ambos libros, el joven héroe se ve pronto envuelto en un fiero y directo conflicto verbal con otro hombre, mayor que él, que representa a la familia que visita (en *Doña Perfecta*, Don Inocencio; en *Padres e hijos*, Pavel Kirsanoff). En los dos casos el mayor, miembro y defensor del orden social establecido, es hostil a las ideas del más joven y le provoca con verdades a medias y afirmaciones irónicas. El joven acepta el reto: su formación y temperamento le convierten en portavoz de sus ideas, exponiendo de manera abierta sus opiniones liberales y positivistas, de inspiración francesa y alemana.

En ambas novelas, el joven protagonista siente una inclinación amorosa hacia una joven de la familia que visita (Rosario, en *Doña Perfecta*; Fenechka, en *Padres e hijos)*, a quien el mayor desea ver casada a toda costa con otro miembro de su propia familia; como consecuencia, el joven científico es expulsado a la fuerza. El conflicto entre las generaciones, expresado en las ideologías opuestas, llega a ser tan grande que, agravado por los planes del hombre maduro acerca del matrimonio, hace imposible una reconciliación. Al no ser aceptado el joven por la sociedad tradicional, se le niega la oportunidad de encontrar la felicidad en el matrimonio. Finalmente, ambos héroes jóvenes sucumben a una muerte trágica, y ninguno de los dos puede llegar a emplear su educación en beneficio de su patria [23].

En contraste con el protagonista, lleno de dedicación, aparece en cada novela otro hombre joven: en *Doña Perfecta*, Jacinto; en *Padres e hijos*, Arkadii Kirsanoff. Este segundo representante de la juventud, sin formación científica y de personalidad más débil que la del héroe, transige con la vieja generación y se ajusta a ella. Al no representar una amenaza para las fuerzas de la tradición, no tiene que sufrir una muerte trágica, sino que es asimilado por la sociedad en que vive.

Doña Perfecta y *Padres e hijos* ofrecen claramente muchas semejanzas; conviene destacar, sin embargo, que no es aquélla una imitación de ésta. Difieren ambas novelas de manera notable, pues aunque tengan un mismo tema (el conflicto entre generaciones), no comparten la misma tesis. Galdós creía sinceramente que las ciencias exactas y naturales, en manos de las jóvenes generaciones, constituían la verdadera clave para la salvación y regeneración de su país. Turgueneff, en cambio, era ambivalente; incluso quizá temía las manifestaciones de la ciencia y el progreso ilustradas por su protagonista Bazaroff [24]. La pugna en *Padres e hijos* no es fundamentalmente una lucha de la ciencia y el progreso contra una religión aliada al feudalismo (como en la novela de Galdós), sino más bien entre la ciencia y el nihilismo (expresión que hizo famosa Turgueneff) contra el viejo senti-

---

[23] En *Doña Perfecta*, "Caballuco" mata de un tiro a Pepe Rey, y en *Padres e hijos* Bazaroff muere de un envenenamiento de la sangre producido por uno de sus propios instrumentos quirúrgicos. Al año siguiente de la publicación de su novela, Turgueneff contestó a sus críticos, reiterando que ciertamente había sido su intención el que la muerte de Bazaroff fuese interpretada como trágica. Véase "Letter to Sluchevsky", *Fathers and Sons*, Trad. de Bernard G. Guerney (Nueva York, 1961), págs. xxxiv-xxxv.

[24] Turgueneff dijo que había concebido a Bazaroff como "una figura sombría, salvaje, grandiosa, la mitad de su cuerpo creciendo de la tierra, poderoso, rencoroso, honrado, y, sin embargo, destinado a la perdición, pues estaba aún colocado en el umbral del futuro", "Letter to Sluchevsky", pág. xxxv. Cf. Ruth Davies, "Bazaroff, whom Turgueneff himself admitted he did not know whether to love or to hate", *The Great Books of Rusia* (Norman, Okla., 1968), pág. 100.

mentalismo de la aristocracia, con su secuela de buenos modales y decadente gentileza.

La actitud divergente de ambos escritores con relación a las materias comunes de que se sirven aparece reflejada en el estilo y la estructura de sus respectivas novelas. La de Turgueneff, de ritmo reposado, rehúye el tono dramático y muestra una considerable objetividad, permitiendo que el lector pueda simpatizar con los personajes de ambos bandos en el conflicto generacional[25]. Las condiciones de vida en la Rusia de 1861 no habían producido, por supuesto, una guerra civil; aún era posible ver la situación de manera bastante serena y objetiva. La España de Galdós, por el contrario, estaba sacudida por la segunda guerra fratricida del siglo, una auténtica tragedia nacional. Probablemente fue por esta razón que Galdós concibió y creó a *Doña Perfecta* en un estilo que recuerda la tragedia clásica antigua, como ya lo han demostrado Stephen Gilman y Rodolfo Cardona[26]. Aunque *Doña Perfecta* esté escrita en prosa narrativa, su estructura se asemeja a la de un drama trágico[27]. Además, el tono y el ritmo de la novela, que refleja conflictos más agudos y trascendentales entre personajes, envuelve al lector en experiencias de una intensidad emotiva no intentada por Turgueneff.

Galdós logra también una mayor intensidad dramática al observar estrictamente la unidad de lugar. Casi toda la acción tiene lugar en el pueblo de Orbajosa; el inquieto protagonista de Turgueneff viaja, por el contrario, de una finca rural a otra, así como a una ciudad cercana. La Rusia rural que aparece en *Padres e hijos* es realmente bucólica, mientras que el marco de *Doña Perfecta* es un paraíso provinciano sólo en la mente errada de sus habitantes[28]. Según Galdós, Orbajosa es un sím-

---

[25] Debido a la objetividad de Turgueneff, muchos de sus lectores tuvieron dificultad en decidir a qué bando favorecía el escritor y con cuál él deseaba que simpatizasen. Véase Turgueneff, "Apropos of *Fathers and Sons*", *Literary Reminiscences and Autobiographical Fragments*, trad. de David Magarshak (Nueva York, 1958), págs. 194-200; también "Letter to Sluchevsky", págs. xxxii-xxxv.

[26] Stephen Gilman, "Las referencias clásicas de *Doña Perfecta*: Tema y estructura de la novela", *NRFH*, 3 (1949), págs. 353-359; también Rodolfo Cardona, en su introducción a *Doña Perfecta* (Nueva York, 1965), pág. 20.

[27] Gilman, págs. 358-359. Cf. Cardona, introducción a *Doña Perfecta*, pág. 20 y pág. 26, nota 12.

[28] Véase Ruth Davies, *The Great Books of Russia*, pág. 83; tam-

bolo atroz de todo lo que redunda en perjuicio y retraso para la España del siglo XIX.

Los dos personajes principales, aunque parecidos en lo superficial, también difieren notablemente. El tiempo ha consagrado a Bazaroff no sólo como el personaje más grandioso de Turgueneff, sino también como una de las figuras más sobresalientes de toda la literatura rusa. No es posible decir otro tanto de Pepe Rey. Galdós no parece estar demasiado interesado en la creación de personajes extraordinarios; ciertamente, no tenía el menor interés en ofrecer una visión equilibrada y objetiva de la lucha generacional. En *Doña Perfecta*, quiso escribir una novela de tesis eficaz y definida. Con el fin de intensificar y aclarar el conflicto entre lo viejo y lo nuevo, representado por sus personajes, eliminó todas las contradicciones internas en su protagonista, convirtiéndolo en un personaje fácilmente comprensible (aunque no de extraordinaria talla), con quien sus lectores pudieran identificarse, y no un ser complejo como Bazaroff. Eleva además a su protagonista hasta darle el papel de un posible redentor, al usar imágenes relacionadas con Jesucristo; también le identifica específicamente con las fuerzas de la luz, en lucha contra la vieja generación, a la que aplica reiteradamente términos de oscuridad e imágenes de animales repugnantes [29]. Como es bien sabido, también concibió a Pepe Rey como a un héroe trágico al estilo clásico, marcándole con el defecto trágico —la *hybris* griega— de la arrogancia, y haciendo que el destino de la nación entera dependa de su lucha heroica.

Galdós sostiene la imagen de un protagonista completamente sincero al hacer que éste ame a una sola mujer, mientras que Bazaroff se ve envuelto en el amor de dos mujeres. Galdós aumenta aun más la intensidad del conflicto y define su naturaleza trascendental, al atribuir al personaje de la mujer (Rosario) el carácter de símbolo de la propia nación española, convirtiéndola en el galardón por el cual luchan la vieja y la nueva generación [30].

bién Gustavo Correa, "El arquetipo de Orbajosa en *Doña Perfecta*", en *El simbolismo religioso en las novelas de Pérez Galdós* (Madrid, 1962), págs. 38-39.

[29] Véase Vernon A. Chamberlin, "*Doña Perfecta:* Light and Darkness, Good and Evil", en *Papers of the Galdós Symposium* (Fredericksburg, Va., 22 de abril de 1967), págs. 57-70.

[30] Véase la introducción a *Doña Perfecta*, de Cardona, págs. 21-24, y Gilman, págs. 358-359.

También difiere Galdós de Turgueneff en su tratamiento del clero. El héroe de Turgueneff, aunque sea un ateo declarado (en contraste con el liberal religioso de Galdós), no choca con el cura de la novela, el padre Alexis. El autor ruso presenta favorablemente al sacerdote como persona sincera y bondadosa [31], y no como un luchador agresivo a favor del *status quo*. Pavel Kirsanoff, el reaccionario que presenta Turgueneff, es el representante a la defensiva de una aristocracia decadente y casi afeminada. Galdós, por el contrario, creía que el clero en España era aun más rígido y egocéntrico que la aristocracia a la que dominaba [32]. Es comprensible, pues, que Galdós convierta al cura (Don Inocencio) en un personaje principal y le utilice, en vez de a un miembro de la clase rural acomodada, para aguijonear al protagonista y enredarle en disputas, valiéndose de la ironía y de la hipocresía.

Galdós aumenta el conflicto y agudiza la división entre las fuerzas aliadas del bien y del mal, al efectuar un cambio en el carácter del segundo joven universitario, el que se pliega al criterio de sus mayores. En *Padres e hijos* este joven (Arkadii Kirsanoff) es amigo y compañero del protagonista. Difícilmente podría ser amigo de Pepe Rey una persona tan conformista. En *Doña Perfecta* el segundo joven es el sobrino del cura, el rival de Pepe como pretendiente de la heroína, y claramente un enemigo del protagonista [33].

Importa notar que el protagonista de Turgueneff es significativamente un médico, alguien que tiene el poder simbólico de curar los males del país (si no fuera nihilista), mientras que Pepe Rey es un ingeniero, un constructor que pondría sus conocimientos, su idealismo, y sus energías al servicio de una España nueva. Bazaroff muere, irónicamente, por su propia mano (de un corte acci-

---

[31] Págs. 131-132. Un lector protestó porque Turgueneff permite que el padre Alexis venza al protagonista en un juego de naipes. Véase "Apropos of *Fathers and Sons*", pág. 196.

[32] Con referencia al bien conocido anticlericalismo de Galdós, véase, entre otros, Berkowitz, *Pérez Galdós*, págs. 72-73, 139-141; y Galdós, "La España de hoy", reproducida en Josette Blanquat, "Au temps «d'Electra» (documents galdosiens)", *Bulletin Hispanique*, 68 (196), págs. 295-303.

[33] Los que estimulan el interés de Jacinto por Rosario son, naturalmente, María Remedios y don Inocencio. Sin embargo, para la época en que Pepe Rey llega a Orbajosa, puede ya considerarse a Jacinto como un pretendiente rival *(Doña Perfecta*, págs. 425-426).

dental con un bisturí no esterilizado, un instrumento que
debería salvar vidas); Galdós, en cambio, hace que su
héroe sea cruelmente asesinado por las fuerzas del os-
curantismo. La enigmática figura de Bazaroff confundió
tanto a los lectores rusos, que Turgueneff fue atacado con
dureza por representantes de los dos bandos en conflicto. Los liberales declararon que Turgueneff había carica-
turizado sus aspiraciones intencionada y maliciosamen-
te, mientras que para los conservadores el escritor había
creado un monstruo con el cual los destruiría[34]. En España, por el contrario, todo el mundo comprendió el mensaje de Galdós, así como sus sentimientos personales.

También creó Galdós un número de personajes que no
encuentran prototipo en *Padres e hijos*, incluyendo el
cacique Caballuco, el historiador Don Cayetano y las hermanas Troya; pero el rasgo que más diferencia a la novela de Galdós de *Padres e hijos*, es, sin duda, la figura
de Doña Perfecta misma. No hay ningún personaje que
pueda comparársele en la obra de Turgueneff, donde la
nobleza rural está representada por Pavel y Nikolai Kirsanoff, dos caballeros aristócratas. Muchos críticos han
visto en Doña Perfecta la encarnación de la madre de
Galdós, una mujer áspera, intransigente y religiosa[35]. Suponiendo que este punto de vista fuese acertado, sería posible ver cómo Galdós llegó a incluir en la ficción de la
novela su propio conflicto personal en el choque de generaciones, un conflicto que interrumpiría trágicamente
su bien conocido afecto por Sisita Tate. En forma que recuerda a la propia madre de Galdós, Doña Perfecta también destruye el amor de un joven sincero y liberal por
una muchacha inocente[36].

La declaración de Galdós de que conocía todas las
obras de Turgueneff merece un estudio más amplio, pero
la presentación aquí ofrecida indica, sin duda, que leyó
a *Padres e hijos* y que sus declaraciones al periodista
Pavlovski deben ser consideradas como una valoración
justa y sincera de su actitud hacia Turgueneff. Aunque
Galdós generalmente esquivó discutir sus fuentes de ins-

[34] Ruth Davies, p. 86.
[35] Véase Berkowitz, *Pérez Galdós*, pág. 19; Donald F. Brown,
"More Light on Galdós' Mother", *Hispania*, 39 (1956), pág. 403; y
Vernon A. Chamberlin, "Galdós' Use of Yellow in Character Delinea-
tion", *PMLA*, 79 (1964), págs. 159, 161.
[36] Véase Berkowitz, *Pérez Galdós*, págs. 16-19, 95-97, y a Brown,
pág. 405.

piración y sus técnicas creativas, sabemos que cuando reconoció su deuda a otros escritores (Dickens, Balzac, y Shakespeare, por ejemplo) lo hizo con la mayor sinceridad [37]. Es muy probable, pues, que sintiera afecto personal y admiración profesional por Turgueneff. Dos novelistas de relieve en su época eran también almas gemelas [38]; ambos estaban interesados, además, en presentar a sus lectores el conflicto entre generaciones tal como lo vieron en sus respectivos países.

Al afirmar que Turgueneff fue su gran maestro, parece probable que Galdós expresaba su reconocimiento por una fuente que le había inspirado el tema, el protagonista, el esquema general del argumento y ciertas técnicas descriptivas utilizadas en *Doña Perfecta*. Al cambiar y remodelar esta base, Galdós creó una novela independiente y singularmente dramática (para aquella época); tan independiente y personal en el tono, que hasta ahora no habían llegado a sugerirse las fuentes importantes de su inspiración [39].

(PMLA, LXXXVI, 1, 1971.)

(Traducido por Felipe Díaz Jimeno.)

---

[37] "Memorias de un desmemoriado" y " Memoranda", *Obras,* ed. de F. C. Sáinz de Robles, VI (Madrid, 1951), págs. 1693, 1426. Véase también Pattison, pág. 7.

[38] Entre los muchos paralelos en las vidas de Galdós y Turgueneff, vale subrayar que ambos fueron cosmopolitas y liberales en política, con un gran amor por la música. Añádase a esto que los dos tuvieron una madre de carácter excesivamente dominante, permanecieron solteros el resto de sus vidas y tuvieron que hacer frente al problema de una hija ilegítima. Para mayores detalles, véanse Berkowitz *Pérez Galdós,* y Avrahm Yarmolinsky, *Turgenev: The Man-His Art-And His Age* (Nueva York, 1926).

[39] El estudio inédito de Catherine E. Law, "The Genesis of *Dona Perfecta*" enfoca solamente la creación de *Doña Perfecta* frente a las novelas anteriores de Galdós; y Alexander H. Krappe, en su "The Sources of B. Pérez Galdós' *Doña Perfecta,* cap. vi", *PQ,* 7 (1928), págs. 303-306, se limita al fiero discurso de Pepe Rey contra la superstición religiosa, donde Krappe encuentra ecos de Heinrich Heine *Zur Geschichte der Religion und Philosophie in Deutschland,* y de Lucrecio, *De Rerum Natura.*

IV
NOVELAS

RODOLFO CARDONA

INTRODUCCION A *LA SOMBRA*

Benito Pérez Galdós ha sido considerado principalmente como un escritor realista que, a lo largo de su extensa producción, proporciona un vasto panorama de la vida española del siglo XIX, a la que se acerca desde dos perspectivas distintas: históricamente en su serie de *Episodios nacionales,* y socialmente en sus *Novelas contemporáneas.* Como novelista su misión ha sido entender, analizar y describir el conjunto de la vida histórica y social de la nación. Así, pues, se ha concluido que la obra de Galdós «fluctúa entre la observación y la historia»[1]. Sólo en los últimos años han empezado los críticos a considerar otros aspectos relevantes de su obra. Algunos han llamado la atención sobre un importante elemento «fantástico», que se repite en toda su producción, señalando su presencia en obras como *Casandra, El caballero encantado, La razón de la sinrazón,* libros todos de madurez, así como el uso que Galdós hace de sombras y fantasmas en obras anteriores como, por ejemplo, en algunos de los *Episodios* y en las *Novelas contemporáneas, Miau* y *Realidad*[2]. Naturalmente, no deja de tener importancia que, desde su primera novela publicada, *La sombra,* pusiera de manifiesto su interés por lo «fantástico». Debe recordarse que Galdós, según propia declaración, escribió esta novela ha-

[1] Carlos Clavería, "Sobre la veta fantástica en la obra de Galdós", *Atlante,* vol. I, núm. 2, abril, 1953, pág. 82.

[2] Ver Guillermo de Torre, "Nueva estimativa de Galdós y su mundo novelesco". *La Nación,* Buenos Aires, 4 de julio de 1942, y Carlos Rovettá, "*La sombra,* novela primigenia de Galdós". *Nosotros,* Buenos Aires, año VIII, vol. 23, núm. 29, noviembre de 1943, págs. 181-186.

cia 1866-67 y la publicó por primera vez por entregas en *Revista de España* en 1870, el mismo año en que apareció *La Fontana de Oro*, novela que muchos de sus biógrafos consideran la primera publicada. También es significativo que cuando publicó *La sombra* en forma de libro, en 1890, Galdós, que ya había alcanzado una sólida reputación de realista, considerara necesario pedir perdón por la publicación de esta novela «fantástica»:

> El carácter fantástico de las cuatro composiciones contenidas en este libro reclama la indulgencia del público, tratándose de un autor más aficionado a las cosas reales que a las soñadas, y que sin duda en éstas acierta menos que en aquéllas... Se empeña uno a veces, por cansancio o por capricho, en apartar los ojos de las cosas visibles y reales, y no hay manera de remontar el vuelo, por grande que sea el esfuerzo de nuestras menguadas alas. El pícaro *natural* tira y sujeta desde abajo, y al no querer verle, más se le ve, y cuando uno cree que se ha empinado bastante y puede mirar de cerca las estrellas, éstas, siempre distantes, siempre inaccesibles, le gritan desde arriba: «Zapatero, a tus zapatos» [3].

De esta apología se desprenden dos hechos importantes: primero, que más de una vez Galdós ha hecho deliberados esfuerzos por escapar de la realidad tangible y visible a fin de vislumbrar las misteriosas zonas que bordean lo fantástico y, después, que cuantas veces lo ha intentado ha sido «tirado y sujetado» a la tierra por lo *natural*, entendiéndose por lo natural lo opuesto a lo *sobrenatural*. Esta doble tendencia galdosiana, aparentemente paradójica, tiene su explicación cuando, tras estudiar el uso de lo «fantástico» en su obra, nos percatamos de que Galdós pretende no tanto apartar los ojos de «lo real y lo visible» cuanto sondear las fuerzas misteriosas que muchas veces parecen gobernar la disposición y funcionamiento de la realidad, y especialmente de las personas. Galdós sabía muy bien que hay un estrato entero de la realidad que se resiste al conocimiento obtenible puramente por medio de la razón y de los sentidos. En esta zona «misteriosa» están situadas esas fuerzas extrañas que gobiernan la conducta humana.

No se debe olvidar que Galdós, a diferencia de los no-

---

[3] Ver la nota escrita por Galdós a la primera edición —en forma de libro— de *La sombra*, Madrid, La Guirnalda, 1890, págs. 7-8.

velistas del siglo XX, no disponía de los grandes descubrimientos psicológicos de la era freudiana. La índole y las causas de las enfermedades mentales eran, en su mayor parte, un misterio. Apenas hacia la última década del siglo XIX empezó la psiquiatría a considerar los fenómenos de la conducta humana desde otros puntos de vista que los meramente orgánicos o genéticos que habían prevalecido hasta entonces. En España, el estado de la psiquiatría era especialmente baldío[4]. El interés de Galdós en explorar el alma humana, en presentar las fuerzas «misteriosas» que gobiernan la conducta del hombre y las extrañas formas que esas fuerzas asumen, interés que mostró desde el principio de su carrera de novelista, es lo que le llevó a volver la mirada de lo «real» a lo «fantástico». Al hacerlo llegó a retratar intuitivamente varios casos en los cuales realiza, con asombrosa plenitud de detalles, algo muy próximo al proceso psicoanalítico en el más estricto sentido freudiano. Las primeras novelas galdosianas, con los defectos y virtudes inherentes a las obras primerizas de todo gran novelista, apuntan muchas tendencias que se habían de encontrar en sus creaciones posteriores. *La sombra,* por tanto, no es sólo su primera obra publicada, sino también la primera en que Galdós utiliza lo «fantástico» para sondear en el carácter y la conducta de los seres humanos. Como tal, esta novela es probablemente una de las primeras en toda Europa que presenta el «historial» completo de un psicópata con el propósito de explicar sus autoengaños, logrando así una novela notablemente «freudiana» mucho antes de que Freud hubiera comenzado sus investigaciones[5]. En ella nos encontramos con un caso asombroso de intuición galdosiana que, combinada con un gran conocimiento empírico de la conducta humana conseguido mediante aguda y constante observación, le llevó a su «descubrimiento» del psicoanálisis: debemos tener en cuenta que toda la novela es una supuesta confesión hecha al autor a través de la cual

---

[4] Ver el prólogo de Laín Entralgo a *La psiquiatría española en el siglo XIX,* del Dr. Trino Peraza de Ayala. Madrid; C.S.I.C., 1947.

[5] En su artículo "On the History of the Psychoanalytic Movement" Freud afirma que en 1880-82 era todavía "un estudiante preocupado por los exámenes" (Ver *Collected Papers,* vol. I, Nueva York, Basic Books, Inc., 1959, pág. 288). Como hemos dicho antes, Galdós escribió *La sombra* entre 1866-67, o sea, más de veinticinco años antes de que Freud empezara a publicar.

éste descubre las *realidades* subyacentes a todos los acontecimientos «fantásticos» narrados por el protagonista.

La novela empieza en estilo narrativo, con el autor relatando en primera persona. El lector conoce al protagonista, el doctor Anselmo, y la misteriosa casa en que vive y trabaja e inmediatamente se da cuenta de la extravagancia de casa y dueño, por no decir más. El autor se sirve de descripciones llenas de alusiones pictóricas y literarias para crear conscientemente una atmósfera de misterio, mencionando figuras tanto históricas como ficticias que de una u otra forma están relacionadas con la nigromancia [6]. Cuando Galdós recurre a alusiones pictóricas para crear la atmósfera apropiada, menciona cuadros y representaciones teatrales del Fausto o las bien conocidas pinturas de alquimistas de Teniers. Cuando presenta a su protagonista, Galdós nos dice que «no es empresa llana hacer una exacta calificación de aquel hombre, poniéndole entre los más grandes o señalándole un lugar frente a los mayores mentecatos nacidos de Madre». Estas palabras nos recuerdan el problema de Cervantes y de muchos de los personajes de su novela, que no sabían si clasificar a Don Quijote como un loco de remate o como hombre de gran inteligencia y sensatez [7]. Más adelante Galdós añade: «El mismo nos revelará en el curso de esta narración una porción de cosas que serán otros tantos datos útiles para juzgarle como merezca.» Con estas palabras Galdós está, en primer lugar, definiendo su punto de vista, que divide en dos por un lado su descrip-

---

[6] Una de las figuras mencionadas es la de un tal "maestro Klaes". Probablemente se trata de Balthazar Claës-Molina, Comte de Nourho, un alquimista del siglo diecinueve, protagonista de la novela de Balzac, *La recherche de l' absolu*. Es interesante hacer notar que, dada la fecha de composición de *La sombra*, 1866-67, la mención del "maestro Klaes" indica que Galdós había leído a Balzac antes de su primer viaje a París a pesar de lo que el mismo don Benito indicara más tarde cuando escribió que durante su primer viaje a París había descubierto al maestro. Más tarde he podido corroborar mi hipótesis al ver la lista de libros comprados por Galdós durante sus dos primeros años en Madrid en la que figuran bastantes tomos del novelista francés. La lista se encuentra en el archivo de la Casa-Museo Pérez Galdós de Las Palmas de Gran Canaria.

[7] Que Galdós tuvo presente a Cervantes cuando creó a Anselmo se hace aún más evidente por la elección del nombre, que Cervantes utiliza en su narración corta "El curioso impertinente", incluida en la primera parte de *Don Quijote*. El Anselmo de Cervantes es también un hombre obsesionado por la virtud de su esposa.

ción del protagonista y por otro la relación que hace el mismo Anselmo de aquellos episodios de su vida que constituyen el relato— y en segundo lugar preparando el camino para que Anselmo, a través de su propia «confesión», presente suficientes «datos útiles», según los cuales nosotros los lectores, y el propio autor, podamos juzgar su caso. En cierto modo se puede decir que lo que Galdós está haciendo es establecer la estructura psicoanalítica que explicará los acontecimientos «fantásticos» narrados por Anselmo; los cuales deben tener una explicación lógica o, más bien, psicológica.

Si nos enfrentamos a *La sombra* únicamente desde una perspectiva psicoanalítica, nos damos cuenta de que Galdós no necesitaba pedir perdón por haber usado lo «fantástico» y que realmente no fue capaz de alejarse demasiado de lo *natural*, que, como dice en su corta introducción, siempre le «sujeta». Por tanto, el carácter misterioso de la presentación de Anselmo es un recurso del novelista para brindar a los lectores el «historial» de un psicópata que sufre de alucinaciones, aparentemente sobrenaturales, que ni él mismo puede entender. Al hacer que su personaje hable y nos cuente su vida, Galdós, en cuanto autor, está usando intuitivamente una técnica psicoanalítica que logra aclarar las experiencias «fantásticas» de Anselmo. Lo que es más, esta técnica está descrita con un asombroso lujo de detalles como lo prueban afirmaciones del tipo de la siguiente: «Su conversación versaba siempre sobre hechos de su propia vida, que él sacaba a colación en todo y por todo. Nunca se hacía de rogar y lo que contaba era por lo común tan peregrino, que muchos lo juzgaban todo pura invención de su fantasía.»

Aquí sale a relucir ya la importancia de hablar con entera libertad como requisito necesario en el psicoanálisis. Más adelante la juventud de Anselmo está descrita de tal manera que vamos encontrando síntomas iniciales de su tendencia maníaco-depresiva que se agudizan con el paso del tiempo.

> Tuvo el tal una juventud muy borrascosa y desde su primera edad se notó en él gran violencia de sentimientos, desbarajustes en la imaginación, mucha veleidad en su conducta y alternativas de marasmo y actividad que le dieron fama de hombre destartalado y de poco seso...

Cuando Anselmo empieza a hablar de sí mismo, con frecuencia lo hace en términos de una personalidad esquizoide. Dice que su imaginación le impone una «doble vida» y luego añade:

> ...porque soy un ser doble: yo tengo otro dentro de mí, otro que me acompaña a todas partes y me está siempre contando mil cosas que me tienen estremecido y en estado de perenne fiebre moral.

Los síntomas maníaco-depresivos de su juventud se hacen más agudos tras el matrimonio:

> Hubo en los primeros días de mi matrimonio —continuó— momentos de inefable felicidad: me creí elevado, espiritualizado, loco; sentía como una inflamación cerebral, e impulsos de correr, gritar, hablar a todo el mundo. Mas de pronto caía en el abismo de mis cavilaciones, sumergiéndome en mi propia tristeza. Nadie me hacía decir palabra. Tenía clavada en el pensamiento mi idea, mi tormento. ¿No sabe usted lo que era?

Sería injusto para con el lector descubrir la naturaleza y la causa de la obsesión de Anselmo. El propósito de esta introducción no es hacer un análisis completo de la novela para mostrar, paso a paso, que es posible explicar, desde una perspectiva psicoanalítica, todos los sucesos del relato de Anselmo, sino simplemente señalar que tal posibilidad existe. El lector puede escoger pasajes como el antes citado que dejan al descubierto los varios síntomas de la enfermedad mental de Anselmo. Baste mencionar aquí que cuando lo vemos al principio de la novela, Anselmo puede ser clasificado como un psiconeurótico que en su vida anterior, especialmente durante su vida matrimonial, ha tenido momentos en los que ha sido un auténtico psicópata [8]. Quizá sea preciso señalar también que Galdós se da cuenta desde el principio de la no-

---

[8] Psiconeuróticos son aquellos individuos que muestran una "alteración de las funciones psicológicas o fisiológicas, o de ambas, producida como reacción a una tensión externa o interna, pero que no altera seriamente su valoración de la realidad sensorial o social"; mientras que los psicópatas "son personajes definitivamente insanos que han perdido contacto con la realidad y que, incapaces de valerse por sí mismos, con frecuencia constituyen un peligro para los demás. Muestran una completa desintegración de la personalidad y generalmente se encuentran en instituciones para enfermos mentales con diagnósticos tales como paranoia, esquizofrenia..., etc.". Ver A. H. Maslow y B. Mittelmann, *Principles of Abnormal Psychology*, New York, 1941, pág. 607.

vela de que está tratando con una persona anormal y así nos dice: «Tal vez conociendo algunos detalles de su vida y prestando atención al incidente que él mismo nos va a referir sepamos cómo llegó aquel entendimiento a tal grado de desbarajuste y cómo se aposentaron en su cerebro tantas y tan locas imágenes...» Galdós, pues, sugiere que se pueden encontrar las razones de la conducta anormal de una persona si se conoce lo suficiente de su pasado. Presenta, así, a Anselmo alternativamente como un psiconeurótico, un psicópata y otra vez como un psiconeurótico. El período psicopático coincide por completo con el período de su vida de casado. Durante este período todos los síntomas se agudizan: sus tendencias maníaco-depresivas, su esquizofrenia, su paranoia. Más tarde, después de la muerte de su esposa, mejora y vuelve a ser más o menos el mismo psiconeurótico que fue en su juventud; quizá algo menos, porque desde la muerte de su mujer ha tenido la oportunidad de practicar una especie de autoanálisis que le ha ayudado a entrever los motivos de su enfermedad. Sin embargo, hasta que no se expresa abiertamente, hasta que no hace «confesión» completa al autor, no llega a percatarse de la verdadera causa de su desarreglo mental. En este momento autor y lector se dan cuenta de que las aventuras de Anselmo, lejos de ser una serie de sucesos «fantásticos», son todos producto de una mente enferma que transforma un problema personal real en una mezcla deplorable de alucinaciones y realidad.

En el orden que sigue Anselmo para contar la historia de su vida matrimonial, sus alucinaciones preceden a todo indicio de las condiciones *reales* que han producido su obsesión. Sin embargo, hacia el final de su narración, ofrece suficiente información para que el autor pueda percatarse que sus experiencias fantásticas son siempre anticipadas por algún incidente que probablemente pone en marcha su prodigiosa imaginación, fabricando las alucinaciones, que en su relato aparecen como la *causa* de su locura, cuando en realidad son su *consecuencia*. Al terminar Anselmo su relato, el autor advierte que hubiera sido más «lógico» creer que la experiencia real precedió a la obsesión y fue el punto de partida de sus alucinaciones. Anselmo admite que pasado algún tiempo y una vez desaparecida la causa de su ansiedad —su mujer— ha tenido la oportunidad de analizar cuidadosamente su experiencia y ha llegado a la conclusión de que, efectivamente, hubo una experiencia real que le condujo a la serie de los extraños acontecimientos por él narrados.

Así vemos cómo, en un esfuerzo por hallar la causa de la anormalidad, el autor consigue, mediante una serie de preguntas y sugerencias, establecer el orden correcto de los acontecimientos de la vida de Anselmo. Como un psiquíatra, el autor ha sondeado en el pasado de Anselmo y ha dado con una explicación para su enfermedad; el enfermo admite la verdad descubierta por el autor. Aunque Anselmo acepta la explicación del autor y el «orden lógico» en que debería narrarse su historia, aduce, sin embargo, que «para dar a mi aventura más verdad, la cuento cómo me pasó, es decir, al revés». Esta afirmación es significativa porque demuestra que Galdós estaba al tanto del orden en que el psiquíatra contemporáneo contemplaría sus casos: remontándose a la causa desde la manifestación de la anormalidad. Es más significativo todavía desde el punto de vista puramente literario, porque Galdós presenta su historia como si verdaderamente fuera algo fantástico y sobrenatural, para sólo al final despojarla de estas cualidades y revelar la verdad. De ahí que adopte el punto de vista doble, con la ventaja de poder no sólo añadir realismo a su narrativa, sino también de facilitar a su personaje los medios que le permitan expresarse abiertamente y presentar su caso exactamente como le sucedió. Terminada la novela, el lector podría continuar especulando sobre la causa inicial de la inseguridad que hiciera reaccionar a Anselmo como lo hizo. Para ello es evidente que tendría que hacer uso de teorías formuladas por Freud muchos años después. El hecho es, sin embargo, que Galdós, intuitivamente, proporciona material y detalles suficientes para hacer posible tal especulación que, precisa y sorprendentemente, exige partir de premisas freudianas.

Cuando observamos el uso que Galdós hace de lo «fantástico» en *La sombra* nos damos cuenta de que las fantasías que presenta no son sino proyecciones de la forma de ser de sus personajes, muchos de ellos anormales. Además, la preocupación de Galdós por estos tipos —que manifestó desde el principio de su carrera de novelista, como lo evidencia ésta su primera novela— va más allá que un simple interés en la gente anormal (algo nada raro en los novelistas del siglo xx), pues, sin apelación posible a las teorías y experimentos de la moderna psicología, cuando el psicoanálisis estaba todavía en mantillas, Galdós, con asombrosa perspicacia, retrata tipos anormales de toda índole.

> Esta profunda comprensión de los impulsos humanos y de los mecanismos de la mente anormal resulta más admirable todavía si se tiene en cuenta que su conocimiento no nace de estudios ni investigación científica, sino de aciertos de la intuición de un realista que observó la vida detenidamente y fue capaz de interpretar científicamente esos detalles sutiles y subconscientes de la experiencia humana que pueden pasar desapercibidos al observador ordinario... Un estudio cuidadoso de la obra completa de Galdós... revela no sólo que se adelantó muchísimo a sus tiempos en la concepción psicológica de las enfermedades mentales, sino que decididamente anticipó muchas de las teorías aceptadas hoy, sobre todo aquellas de la escuela psicoanalítica» [9].

Sus novelas, sin embargo, no son meros casos clínicos, ni las anormalidades le interesan exclusivamente como tales. Galdós escribió siempre con un hondo sentido de los valores humanos fundamentales, en constante búsqueda de la verdad. Maestro en el estudio del alma humana, su mundo narrativo es un mundo de ficción conmovedor, poblado por cientos de personajes, tan varios como los seres que integran la realidad. Es difícil imaginar un tipo humano que no haya sido retratado con rara penetración y exactitud. En la considerable vastedad de la obra de Galdós se evidencia esta profunda comprensión de las motivaciones humanas y su destreza en la creación de los personajes. *La sombra* es sólo el primer eslabón de una larga serie.

(W. W. Norton, N. Y., 1964.)

(Traducido por Antonio Martínez Herrarte.)

---

[9] Leota W. Elliot y F. M. Kercheville, "Galdós and Abnormal Psychology". *Hispania*, vol. XXIII, núm. I, febrero, 1940, pág. 27.

Por lo general —cosa a primera vista muy extraña—, las mujeres en las novelas del señor Galdós se hallan delineadas con mayor firmeza; permanecen más fieles a su tipo, luchan mejor, flaquean menos y acaban por oscurecer a los hombres.

Tal vez sería lícito añadir que este desequilibrio entre el valor individual de uno y otro sexo refleja en cierto modo el que hoy ofrecen en aquellos pueblos atrasados, donde el hombre más culto suele vivir en perpetua fluctuación, arrastrado por vientos y aun tempestades contrarias; mientras la mujer, alejada en ellos todavía del mundo donde batallan las ideas y se disputan las más grandes cuestiones e intereses humanos, suele conservar, allá en su apartamiento, con aquella «celestial ignorancia» que tanto arroba al protagonista de la presente novela, el duro molde en que fundió su alma la rutina.

No es este el único lunar que debe repararse en las novelas del señor Galdós. La rica experiencia de la vida, en sus varias esferas, propia de los novelistas ingleses, por ejemplo; la profunda intención que de aquí revelan en sus obras; la maestría en el diseño de los personajes; el arte con que desenvuelven los sucesos que, por admirable lógica natural, brotan, como de un germen, de los antecedentes y circunstancias de los autores; la poderosa individualidad de éstos, tan diversa de la abstracta y vaga personalidad de la novela alemana; la sobriedad en el sentimiento (con la mayor intensidad consiguiente) y en el movimiento dramático de las situaciones y por oposición a la manera sentimental, declamatoria y trágica de los franceses; la delicada intuición orgánica, por decirlo así, que sabe sorprender en un pormenor la unidad entera de un carácter, son cualidades que, parte por la diferente (e inferior) complexión de nuestro medio social, parte por falta de madurez en un ingenio quizá llamado en su día a muy mayores empresas, no siempre hay ocasión de admirar en nuestro novelista. Y si después de saborear esta o aquella de sus producciones comenzamos a leer una de las obras superiores de Bulwer, de Dickens, de Thackeray, a las pocas páginas hallamos que el interés se hace más grave y pasa como de la superficie al fondo; las figuras adquieren con un mayor relieve más alta significación; los talentos, las virtudes, los vicios mismos se engrandecen y salen de la medianía y la vulgaridad: los buenos son más buenos; los sabios, más sabios; los tontos, más tontos; la obra entera, como que se agiganta, y exclamamos involuntariamente: «éste ya es otro mundo».

Y cuenta que ninguna prueba más fehaciente de nuestra simpatía por los talentos del señor Galdós podemos dar que este paralelo. A nuestro entender, los novelistas ingleses, si descontamos al autor del *Quijote,* son hasta hoy los primeros novelistas del mundo y los que han resuelto de una manera práctica la ya olvidada polémica de los tiempos de Winckelmann sobre la preferencia entre lo general y lo característico, latente luego en la de clásicos y románticos y que comienza a agonizar en manos de realistas e idealistas.

Ignoramos si el autor de *Gloria* creería ocioso, con otro afamado literato español de nuestros días, el estudio y hasta la lectura de esos afamados maestros; si así fuere, en el pecado llevará la penitencia.

Sirve esta ya interminable introducción —a uso de buen krausista, que no reniega su abolengo— para venir a acabar al cabo en su última y recientísima novela..., pero no sirve, porque de ella parece a primera vista inducirse que *La familia de León Roch* —tal es su título— no vale gran cosa, y no es tal ni con mucho nuestra opinión. Hay más: entre las que comprende hasta hoy la serie de sus *Novelas españolas contemporáneas,* la preferimos a todas, a *Doña Perfecta,* a *Gloria,* a *Marianela.* Ya veremos por qué.

La concepción de *La familia de León Roch* está toda ella subordinada a un fin moral: mostrar cómo en España la religión, el principio mismo del amor y concordia entre los hombres, se convierte hoy en potencia diabólica de perversidad y de odio; fenómeno, por lo demás, muy explicable y que debemos agradecer a nuestro largo hábito de intolerancia religiosa, con el indispensable cortejo de ignorancia, de superstición y de falta de piedad natural y sincera con que nos ha enriquecido la lógica implacable. No hace mucho que una persona de lo más encumbrado de nuestra aristocracia se indignaba al saber que un monarca español pudo educarse en un colegio donde se hallaban alumnos de diversas comuniones, con los cuales habría tenido que alternar, estudiar y comer y hasta jugar Su Majestad...

¡Y no era de las más incultas en su clase! La discordia con que estos sentimientos ora impiden que se formen las familias a impulsos de las más nobles inclinaciones, ora siembran la disolución dentro de ellas, es fruto lentamente sazonado y que debía probarse tan luego como llegase la hora de que en esta tierra, empobrecida, despoblada e incivilizada por el fanatismo, no fuese ya un delito vivir apartado públicamente de creencias que, después de todo, sólo por una hipocresía más o menos disculpable parecen ser las de la mayoría de la nación; y cuando se comenzase a vislumbrar con espanto que los pícaros heterodoxos, racionalistas, ateos o como quiera llamárseles —que esto de los motes importa poco— no son ni peores ni menos tratables, ni siquiera más ignorantes que los demás españoles.

A estos conflictos ha tomado singular predilección nuestro simpático novelista. *Gloria, Doña Perfecta* y su última obra dan de ello muestra suficiente. No entraremos a discutir la legitimidad de la que llaman los críticos alemanes *tendenziöse Literatur*, o, lo que tanto monta, la legitimidad con que se ordena a un fin extraño toda una obra poética (contando a la novela en este género, con perdón de muy entendidos tratadistas). Víctor Hugo, no ya en novelas, sino en sus poemas, como *La leyenda de los siglos,* y aun en sus dramas —véanse, por ejemplo, sus celebrados prólogos—, y con él gran parte de los poetas franceses, han seguido este camino, en el que, al fin de todo, podría encontrarse el señor Pérez Galdós nada menos que con Lessing, cuyo *Nathan,* por cierto, es un tributo a los mismos principios a que rinde culto el novelista hispano.

Lo que sí importa consignar es que, aun admitiendo el género, no es lícito sacrificar la obra al fin, que aquí tampoco justifica los medios.

Esto, sin embargo, en nuestro sentir, acontece con *La familia de León Roch.* Dos clases de acción forman una novela: la exterior, o sea de los hechos sociales que el concurso de los personajes va formando, y la interna, que viene a ser como el eco que en el espíritu de éstos forma la primera. Novelas hay predominantemente objetivas, en que aquélla sobresale y excede: las de Walter Scott, por ejemplo; en otras, como *René, Werther,* o las de Bernardino de Saint Pierre, con toda la escuela sentimental, sucede lo contrario.

En las de primer orden, como el *Quijote, Copperfield* o *Bleak House,* se funden perfectamente y en igual proporción ambos factores; jamás desaparece por completo ninguno de ellos. Ahora bien: en la última obra del señor Galdós la acción externa es por demás insignificante, punto menos que nula: *no pasa nada,* según la frase vulgar. La última se adivina más que se contempla, sin que el lector asista al hervidero de pensamientos y emociones, propósitos y dudas que en el ánimo de los personajes van naciendo; hasta el punto de que, más que novela, es ésta una galería de retratos (algunos de ellos admirables), entre los cuales hay muchísimas menos relaciones de las que el autor se empeña en querer establecer. Balzac y Jorge Sand, los dos primeros novelistas franceses y los más diestros quizá en hacer *un mundo de la nada,* se habrían visto apurados para crear cosa alguna con esta historia y con la escasa revelación que de sí propio da el protagonista.

Lo que acabamos de decir nos conduce a hablar de los personajes, aunque, en realidad, las observaciones expuestas al comenzar esta carta se aplican literalmente a la presente obra. Hay más: ninguno de los héroes del señor Pérez Galdós es quizá de tan escasa importancia, tan insignificante como León: desgracia doblemente grave en una novela *tendenciosa,* porque, al par con la poesía, padece también la alta representación que en él ha querido encarnar el poeta. Desde las primeras escenas en que aparece (el episodio de los amores con la hija del Marqués del Fúcar), muestra un género de debilidad, una irresolución, una inexperiencia del mundo, una cobardía, unas complacencias, que por sí mismas no afean creación alguna, ya que al cabo también hay caracteres de esta clase; pero que son radicalmente incompatibles con la idea de un hombre inteligente, bueno, animoso, experto y tan completo en todas sus partes como ha querido pintar a León.

En realidad, si un hombre de ciencia, un pensador, un fino *connaisseur* del corazón humano se enamora como un colegial de la primera mujer bonita con quien topa, aun siendo tan contraria a su ideal (discretísimamente expuesto, por cierto, en la página 140); aguanta con increíble paciencia los arranques de la marquesita en aquella conversación nocturna que cualquier caballero, y hasta un simple hombre de mundo, habría evitado con tacto, en vez de complacerse en buscarla para apurarse luego con ello con un sentimentalismo de doctrina; elige por confidente de sus más delicados e íntimos afectos a un

perdulario como Cimarra, a quien de tal manera desprecia y hasta llama poco antes *ladrón;* trasnocha como un
calavera o un bohemio; se casa con toda la execrable familia de su novia, sufriendo sus impertinencias y dándo-
les dinero para sus caprichos y aun para sus vicios; pasa
por una luna de miel cuya sensualidad raya en grose-
ría; deja que su mujer tire en sus barbas a la chimenea
el libro que lee y llega a proponerle aquel extraño trato
de sacrificarle sus libros y estudios, ¡a condición de que
ella no vaya a misa más que los domingos!...; si esto
hacen los sabios, ¿qué harán los tontos, inexpertos e ignorantes? Verdad es que ya el autor tiene la previsión de
advertirnos indirectamente de que su recomendado (el
cual tiene un gabinete de estudio, como esos que no se
ven más que en los teatros, decorado, entre otras maravillas, con un ojo grande, grande, de los que sirven, no
para que los sabios aprendan, sino para enseñar a los niños en las escuelas y en los institutos), y a quien el estudio de la Filosofía había producido *un mareo insoporta-
ble* (!), no debía ser precisamente una inteligencia pasmosa, ni con mucho; pero así y todo, no ha sido, de seguro, el ánimo del señor Galdós presentarnos un necio.
Y, en este caso, qué honda duda suscitará (contra su intención, que es lo más grave) en el ánimo de las personas
crédulas que tomen su novela como espejo de la realidad
y de la vida. ¿Para qué sirve entonces —se dirán de fijo—
tener más inteligencia, y más corazón, y más cultura, y
más horizonte, y más elevación, y más principios, y más
honradez, y más sentido común, si luego un hombre tan
grande procede como un advenedizo? Si el autor hubiese
querido venir a esta conclusión, su obra tendría en este
respecto suma maestría; toda la maestría justamente de
que carece para venir a parar en la opuesta. Si hubiese
pintado otro tipo, el del sabio sencillo, inocente, sin conocimiento de la sociedad, dotado del adorable candor
de aquel Caxton de Bulwer, algunas de estas cosas se com-
prenderían; ¡pero en León Roch!... Así es que, con su
certero instinto natural, el autor ha sentido la dificultad
de manejar a su héroe sin desmentirlo; y aun en escenas
(como la del capítulo XI), punto menos que inconcebi-
bles sin su intervención personal, brilla más por su silencio que por su palabra y, sobre todo, por su discreción, contentándose con oír, ver, callar... y pagar los vi-
drios rotos. ¡Bravo ejemplo!

Alguien ha notado ser frecuente achaque en las novelas del señor Pérez Galdós que la pintura de los personajes subalternos exceda a la de los principales. En la misma *Fontana de Oro* (que todavía sigue siendo la obra maestra del señor Galdós), es difícil hallar un tipo menos vigoroso que el de Lázaro. No será ciertamente (hasta ahora) *La familia de León Roch* la primera excepción de la regla. Los de Tellería están fotografiados, sobre todo Luis Gonzaga, retrato tan perfecto que es tal vez el primero que en nuestra novela contemporánea puede compararse con las creaciones magistrales de esta literatura. Su hermana María deja que desear, aunque no tanto como la señorita de Fúcar. Aquélla, al principio, es demasiado alegre para encontrárnosla un año después hecha una dama tan seca, desabrida y llena de pretensiones teológicas. Pepita Fúcar está cargada de tintas, y ha salido la pintura —sea lícita la frase— algo ordinaria. Pase lo de tirar las porcelanas por el balcón, y aplastar perlas con el pie y montar y desmontar la estufa del jardín, y hacer «picadillos de encajes», aunque no deja de ser un tanto fuerte; ¡mas aquello de escupir los «palitos» del tallo de la rosa a la cara de León, una, y otra, y otra vez, sabe Dios cuántas! Perdone el señor Galdós; pero es *shocking* hasta dejárselo de sobra. Verdad es que aquí, en España, la mayoría quizá de los hombres, y aun muchas mujeres, víctimas, por lo visto, de salvaje catarro perpetuo, escupen sin ton ni son en la calle, en sus casas, en las ajenas, por los balcones, en los Parlamentos, en las cátedras, ¡en los templos!, sobre los adoquines o los ladrillos, lo mismo que sobre los tapices de Persia, como podrían economizar el pañuelo para otras secreciones cercanas y análogas; verdad que pocos espectáculos menos edificantes que el que presentan los aparatosos salones de nuestras Cámaras, cuyas alfombras, en ocasiones verdaderas obras de arte de la fábrica de Madrid, desaparecen a trechos bajo las colillas, fósforos y salivajos de los dignos colegas de ambos estamentos; verdad que nuestras habitaciones están atestadas de esos cacharros destinados a recibir y conservar ciertos residuos de nuestros amigos, cacharros cuya vista nos producirá, andando los tiempos, idéntica impresión a la que hoy nos causaría hallar en una sala otra clase de piezas de cerámica que es inútil nombrar; verdad que, no ya en los Museos, sino hasta en casas particulares, hay necesidad de poner carteles advirtiendo que «está prohibido escupir», cuya prohibición extrañaba a cierto personaje, porque, «al fin y al cabo —decía—, la salivación es una función natural»; principio de incuestionable exactitud fisiológica, pero resbaladizo y ocasionado a peligrosas complicaciones; verdad que, de vez en cuando, ya todo un grave ministro de la Corona, ya tal cual dama de las más empinadas cúspides sociales, nos asombran a la gente plebeya y de a pie por la destreza y fuerza de musculatura gutural con que desde el carruaje abierto en que se ofrecen a nuestros homenajes lanzan asquerosos proyectiles, describiendo correcta parábola sobre las aceras, distantes medio kilómetro...

Pero, todavía, de esto a escupir tantas veces en la cara a un caballero y a que éste lo sufra hay un abismo que debe respetarse: porque la incultura tiene también sus grados y nosotros, a quienes ya en el siglo XVI extrañaba la noticia que da Garcilaso, de que «el Inca no escupía en el suelo, sino en la mano de una señora muy principal por majestad», ¿es mucho hallemos ya discutible en el XIX que una señorita (aunque en otros respectos tan mal criada) como la de Fúcar se tomase las estupendas libertades que el novelista le atribuye?

La familia de León Roch casi no puede llamarse, después de todo, novela. Hasta ahora, más parece una como presentación de los actores que han de intervenir en la novela, inédita aún: un catálogo ampliado y perfeccionado de los personajes al modo de los que preceden a las obras dramáticas.

Pero si, en suma, esta novela no es propiamente novela, sino estudio de costumbres, galería de retratos o cosa semejante, ¿cómo nos parece mejor, v. gr., a *Gloria*, que tanta fama ha dado a nuestro autor? Las proporciones son más modestas; el desempeño era más fácil por lo mismo y menos propenso a la declamación excesiva, a la exaltación inmotivada, a la acumulación de incidentes abultados y sucesos terribles, que no pueden llegar sin una preparación natural y discreta. Además, la musa del señor Galdós, lo mismo que la del señor Valera, por ejemplo, de ningún modo es trágica; por lo cual ni uno ni otro debiera salir nunca de su tono habitual, ya festivo y ligero, ya serio y aun profundo, pero siempre tranquilo. Cuando lo abandonan, ambos descarrían con suma facilidad; no atinan con la justa medida, con la necesaria sobriedad de color y claroscuro, con la igualdad en el desarrollo y hasta en la entonación del estilo, y tropiezan a cada paso, incoherentes, como si perdiesen la serenidad y aquel gobierno de sí mismos que —digan lo que quieran los partidarios de la calentura— jamás abandona impunemente el artista.

Por esto, el excelente y dramático fin de la presente obra, en el cual domina la nota tranquila, es quizá el mejor que ha escrito el señor Galdós; aunque allí mismo le tentó el demonio de la tragedia y le hizo poner en labios de María aquel ¡malvado! que ningún lector espera, de seguro. Cosas como ésta evitaría nuestro novelista si trabajase con algún mayor esmero. Su último libro parece revelar cierta precipitación: como si los elementos de que debería constar no hubieran llegado aún a fundirse para formar una sola pieza.

Por esta precipitación, sin duda, se notan descuidos que en la generalidad de nuestros novelistas no hay para qué señalar, ya que son constitutivos de sus obras, y para hacerlos desaparecer tendrían que escribir otras nuevas que de seguro no serían mejores. Pero en el señor Galdós esta clase de defectos son lunares; con lo que dicho se está que pueden y deben corregirse. Hagamos gracia de todo lo que podríamos llamar el elemento científico y naturalista de su novela: de que nos diga que la ciencia tiende hoy a hablar en figuras y a «lisonjear, en vez de espantar, el sentido de la muchedumbre», confundiendo cosas enteramente distintas (como si, por ejemplo, ahora se escribiesen los tratados de secciones cónicas en el estilo de Julio Verne); que se llame «paquidermos» a los caballos y nos hable de lentes que reflejan y de conchas esmaltadas de rosa «y nácar», y nos despliegue con cierta complacencia tal vez algo infantil una Geología y una Astronomía que realmente lo son. Pero ¿cómo dejar pasar los constantes sermones y discursos de los personajes, que deberían revelar su significación, ante todo, en sus hechos, y que afean a cada paso el fondo mismo de la novela? Al fondo toca también la tendencia a recargar hasta un extremo imposible los caracteres menos simpáticos al autor; ¿era, por ejemplo, necesario hacer que Cimarra, un abonado, como si dijéramos, a la tertulia de Gobernación, casi un periodista, por cariño que al tapete verde tuviese, llevase la baraja en el bolsillo? ¿Hay en eso sombra siquiera de verosimilitud? ¿Lo ha visto el señor Galdós alguna vez? Y si lo ha visto, ¿puede nunca darse un valor típico a un hecho excepcional, perfectamente ajeno a la característica del personaje?

Hay otro punto menos grave por su importancia propia que por el influjo que sobre un escritor tan discreto, tan español y castizo, parece ejercer la literatura transpirenaica de *Fanny*, *L Assommoir*, *Le Nabab*, *Madame Bovary* y demás compañeras. Nos referimos al estilo. Hasta aquí no pasa más adentro ese influjo —puesto que lo fuese—, pero no hay por qué tolerarlo aun en esta secundaria esfera. Hablar de la «estrangulación deliciosa» que produce la pasión durante la luna de miel (pág. 77), de los «besos húmedos» de la abuela (81), de temas que se discuten «con saliva» (135), de hombres que gozan al sentir «chupado y mascullado» su cuerpo (200) será siempre de tan pésimo gusto como el que León diga de su mujer que es una «odalisca mojigata» (160); advierta el señor Galdós que Víctor Hugo no es Víctor Hugo por haber transcrito en *Los Miserables* la exclamación de Cambronne. A otro orden de ideas más limpio aunque no menos censurable pertenecen ciertas figuras y comparaciones un tanto aventuradas y abultadas. Por ejemplo, un hombre, después de resistir a la coquetería de una señorita romántica y nerviosa que él sabe bien que no morirá del disgusto, concedamos que se aleje «turbado como un pecador»; pero « ¡tétrico, cual un asesino! » (60). Y la «pomposa flor» que lleva en el pecho un pobre diablo, vicioso y calavera, ¿en qué se parece al «mango de un puñal, cuando se acaba de consumar un asesinato»? (114). Las palabras «estúpido, idiota» y otras análogas resuenan en la amistosa conversación de León y María harto más de lo que es uso entre marido y mujer bien educados. Por último, las frases «después que hay ferrocarriles» (17), «después que está enamorado» (115), «falsos dientes», por postizos (42), «separación de cuerpo» (225), ¿cree el señor Galdós que podrán pasar nunca por españolas?

No se dirá que escaseamos la censura; pero si el señor Galdós llegase a ver estas líneas comprenderá cómo suponen una lectura y aun estudio atento, que sólo cabe hacer con gusto y sin escrúpulos de conciencia cuando se trata de un libro interesante, y que no se riñe —si se nos permite esta palabra ajena a toda clase de presunción personal— sino a las personas que estimamos y que creemos capaces de corregirse. Ojalá que en la segunda parte de esta novela, que debiera llamarse mejor segundo tomo, pues que en el primero, el asunto, en vez de cerrarse y formar un todo completo, queda pendiente, sin verdadera solución..., ojalá, decimos, que en la segunda parte sólo motivos de plácemes hallemos. Por lo demás, si sólo se tratase de una persona tan discreta como el señor Galdós sería inútil advertir que no pretendemos los honores de la infalibilidad, sino los de una opinión sincera.

De otra parte, cuantas faltas aquí se advierten no son, decíamos ha poco, sino lunares, manchas, excepciones. En efecto: ya hemos hecho notar la elevación del generoso propósito que en sus últimas obras el autor persigue, el tono sereno que en ésta predomina, el admirable estudio de algunos personajes, todo lo cual pertenece al conjunto, y con lo castizo y propio de la concepción y diseño basta para dar a la obra un lugar distinguido, análogo a las del señor Valera y a los *Proverbios* del señor Ruiz Aguilera (aunque enteramente de otro corte), y superior a la de los señores Pereda, Trueba, Alarcón y demás novelistas, dotados, sin duda, de indiscutibles talentos y cuyos libros han obtenido en ocasiones éxitos ruidosos. Si ahora para poner término a estas líneas quisiésemos mencionar algunos de los pormenores más sobresalientes, nos veríamos apurados para elegir: tan abundantes son en el libro. Hay juicios severos, gráficos, exactos: como el de la caridad de aquella dama que da dos mil reales a una mujer para celebrar una novena y un duro a la viuda de un albañil, muerto en las obras de su propio palacio, o el de la doble nivelación democrática de nuestra antigua aristocracia merced al negocio, que hace a todos plebeyos, y al Gobierno, que hace a todos nobles; o el de los libros ordinarios de rezo; o el de «esas barracas enyesadas que en Madrid llevan el nombre de iglesias, dando testimonio así de la religiosidad de este pueblo», o el del marqués y su hijo, que van en el mismo tren, cada uno en su coche y con distinta compañía, «pero ambos con billetes de favor»; o el de los cachivaches que sustituyen en nuestros salones de lujo a las verdaderas obras de arte, reemplazadas por bronces execrables, juguetes, muñecos, cajas de dulce y otras chucherías igualmente cursis del repertorio, y que dan el aire de tienda de tiroleses (según el dicho de un hombre de Estado) a los que debieran ser lugares confortables de conversaciones, donde la vista no hallase más que cosas agradables, capaces ba-

EL AMIGO GALDOS SOBRE EL ESTILO

Leí últimamente en la isla *El amigo Manso*, de nuestro Galdós; su novela que pasa por ser la más personal, en el sentido de más introspectiva o más autobiográfica. En todos los personajes de un novelista hay algo de éste; pero en Máximo Manso poco, muy poco, que no sea de Galdós. Y es significativo que sea esa novela aquella en que encontramos ciertas indicaciones sobre el estilo. Cuando don Benito iba a dársenos a sí mismo, bajo un pudoroso disfraz —era hombre recatado—, preocupábase del estilo.

«Yo no existo»..., empieza diciendo Máximo Manso, a manera de un catedrático. El amigo Galdós dudaba de su propia existencia, es decir, de su propia personalidad, de su estilo. Y prosigue:

> «Soy (diciéndolo en lenguaje oscuro para que lo entiendan mejor) una condensación artística diabólica hechura del pensamiento humano *(ximia Dei)*, el cual, si coge entre sus dedos algo de estilo, se pone a imitar con él las obras que con la materia ha hecho Dios en el mundo físico...» (Cap. I).

Se ve, pues, que ya desde que trata de crearse, de darse existencia, el Amigo Manso, el amigo Galdós siente que tiene que ser con el estilo cogiéndolo entre los dedos. Pero en Dios el estilo es dedo. O el dedo es estilo. Sólo una vez se nos cuenta que escribiese Cristo, y fue con el dedo y sobre la arena del suelo. Y el dedo de Dios, el estilo de Dios, es el destino. Al crearnos, crea nuestra suerte.

Hablando de Manolito Peña, su discípulo, el Amigo Manso dice:

«Entonces caí en la cuenta de que su verdadero estilo estaba en la conversación, y de que su pensamiento no era susceptible de encarnarse en otra forma que en la oratoria.»

Y añade poco después:

«¡Refractario a la filosofía, rebelde al estilo! ¡Pobre Manolito Peña!»

Pero si la conversación era su estilo y conversaba, no era refractario a él. Y el propio estilo del amigo Galdós, que era un taciturno, un hombre de escasa conversación, era un estilo oratorio que se buscaba en otra forma, que pretendían huir de la oratoria, huir de sí mismo.

En otro pasaje dice:

«Como el muchacho era rico y había de representar en el mundo un papel muy airoso, debía prepararse a ello, cultivando y ensayando, desde luego, el aspecto, la forma, el buen parecer, el estilo, pues estilo es esto que da al carácter lo que la frase al pensamiento, es decir, tono, corte, vigor y personalidad» (Cap. VII).

Y he aquí una definición genuinamente oratoria, o mejor, una indefinición. Eso de «tono, corte, vigor y personalidad» se le ocurre al que está buscando su estilo sin encontrarlo, al que se está buscando —después de declarar: «yo no existo»— sin encontrarse. Manolito Peña tenía que prepararse a representar en el mundo un papel muy airoso cultivando y ensayando el estilo. ¿Solía ayudarle en ello su maestro, el Amigo Manso? Muy escasamente.

Bastante más adelante, treinta y seis páginas después, dice:

«La persona tiene su fondo y su estilo; aquél se ve en el carácter y en las acciones; éste se observa no sólo en el lenguaje, sino en los modales, en el vestir» (Cap. XII).

Pobre y triste concepto del estilo, que se reduce a algo accidental y muy exterior.

Y el pobre concepto que el amigo Galdós tenía del estilo, a pesar de decir que con él imita el hombre las obras de Dios, se ve más adelante, en lo que dice hablando de Irene, y es así:

«Hasta su graciosa muletilla, aquella pobreza de estilo por la cual llamaba *tremendas* a todas las cosas, me encantaba...» (Cap. XLII).

¡Pasaje capital y hondamente significativo! El amigo Galdós, como los meros y netos creadores, confundía la pobreza de estilo con la pobreza de vocabulario, sin comprender que cabe un estilo riquísimo, la expresión de una personalidad riquísima —que siempre será una expresión riquísima— con un vocabulario pobrísimo, con unos centenares de palabras. El amigo Galdós debía de creer, como Canalejas, que el estilo oratorio consiste en la abundancia de palabras diferentes, en el juego de los sinónimos. Y hay veces en que la riqueza de estilo exige el repetir una misma palabra, la ceñida, cuantas veces sea menester.

Hay hoy un orador político español, un ex ministro, que cuando habla rara vez da con el epíteto único, el insustituible, y si le busca, por lo cual no vacila al hablar, no roza una expresión y parece estar recitando algo aprendido. No hiñe el pensamiento, ni lo modela, sino parece estar fundiendo algo que se le dio heñido y modelado. Pero en cambio jamás le falta el rodeo para sustituir al trazo derecho que no encuentra; jamás le falta la paráfrasis que ocupe el hueco del epíteto insustituible. Y a esto se le llama oratoria.

La pobre Irene, la que acabó casándose con Manolito Peña, los dos discípulos del Amigo Manso, tenía su muletilla de llamar «tremendas» a todas las cosas; pero el estilo de su maestro, del Amigo Manso mismo, era un estilo todo él de muletillas, de frases de cajón, de expresiones trilladas. Era el estilo de quien empezaba declarando que no existía, y sufría por no existir, de quien se estuvo buscando toda su vida sin haberse encontrado. El Amigo Manso creía que el hombre imita las obras de Dios, cuando es acaso, Dios quien imita las obras del Hombre, del Hombre que le crea merced al lenguaje.

(El Imparcial, 1924.)

V. S. PRITCHETT

GALDOS

(Sobre *La de Bringas*)

El siglo XIX fue la gran época de la novela; pero el único novelista español que logró, en cierto modo, superar el provincianismo y puede ser comparado con las figuras europeas es Pérez Galdós. En su obra ofrece una extensa galería de escenas y de personajes; ha viajado más allá de los Pirineos; es, además, un escritor moralista y social. Sus maestros fueron Balzac, Dickens y Cervantes, y su copiosa producción forma una especie de «Comedia humana» española; escribió cuarenta y cinco narraciones, aparte de un buen número de novelas de mayor ambición, una de las cuales es más larga que *La guerra y la paz.*

¿Cómo es posible, sin embargo, que sea tan poco conocido fuera de España y haya sido tan escasamente traducido? En el largo y cordial análisis que de la obra galdosiana hace Gerald Brenan, en su *Literature of the Spanish People,* se establecen varios puntos que sugieren una explicación. El primero es «la falta de temperamento» en Galdós, y a continuación se observa:

> Buscamos en vano en su galería de retratos figuras extraordinarias... Quizá la explicación de esto sea que él nunca trata a sus personajes como seres aislados, sino siempre como miembros de una clase, de un grupo o de una familia. Es un historiador social que aspiró, más que a trazar figuras individuales, a reflejar el carácter genuino de una sociedad y, lo que aún importa más, de una sociedad que él consideraba frívola y corrompida.

Galdós nació en las Islas Canarias y pasó su larga vida en Madrid, fundamentalmente, como un observador, o a la manera de médico domiciliario que acude a diagnosticar una enfermedad. Adopta por ello una mirada objetiva para cuanto ve y sus criaturas nunca rebasan el nivel cotidiano; «la mayoría de sus personajes —cito de nuevo a Brenan— son mediocres, algunos casi penosos, por su falta de personalidad». Lo mismo que los novelistas rusos, Galdós acrece su poder evocativo poniendo a prueba a sus personajes contra el «predicamento nacional»; pero sin el deseo de aquéllos de magnificar a los protagonistas. Lo que Galdós pretendía, como él escribió alguna vez, era un tipo especial de naturalismo, sazonado de ironía española; aunque su percepción psicológica sea fina, no dejamos de sentir que su excelencia depende en alguna medida de nuestra conciencia de la peculiaridad de la vida española de aquella época.

Galdós fue un escritor muy leído en España, aunque ha estado prohibido y ha existido siempre oposición clerical contra su obra. Según mis noticias, durante el actual régimen, la censura ha mutilado parcialmente algunas ediciones de sus obras. No puede sorprender esto: Galdós fue un liberal, enemigo de los ultramontanos. Y, por supuesto, ridiculizó algunos aspectos de la religiosidad española y de la perenne corrupción política de las clases dirigentes.

El lector inglés tiene ahora la oportunidad de iniciar su contacto con Galdós, a través de la traducción de *La de Bringas (The Spendthrifts)* realizada por Gamel Wolsey [1]. Los personajes de las novelas galdosianas aparecen en diversas obras suyas; la citada sigue a *Tormento* y a *El doctor Centeno*, aunque sea independiente de ellas. *La de Bringas* es una brillante y muy bien construida historia cómica, que brota en forma absurda de la realidad política de su tiempo. La traducción conserva el tono literario y muestra una fluidez sencilla y natural.

El tema dominante de la novela tiene el sello balzaciano de la teoría de la pasión dominante de una mujer por el lujo. No es éste un tema trivial. Conduce a Galdós hasta el corazón de una sociedad que vive preocupada por la ostentación a toda costa. Evidentemente, cuanto mayor sea la pobreza de un país y su corrupción social y política, más importante será la pública ostentación. La cortesana Refugio, que se dedica también a la venta de trajes y som-

---

[1] Farrar, Straus and Giroux, Inc., New York, 1952 *(Nota del Traductor)*.

breros procedentes del contrabando, dice hacia el final de la novela:

> Y aquí, salvo media docena, todos son pobres. Facha, señora, y nada más que facha. Esta gente no entiende de comodidades dentro de casa. Viven en la calle, y por vestirse bien y poder ir al teatro, hay familia que se mantiene todo el año con tortillas de patatas...[2].

¿De dónde procede el dinero? De sobornos, sinecuras, prevaricaciones y de la eterna tragicomedia del regateo, el sablazo, la compra al fiado o simplemente el robo, por no pagar sus cuentas la mitad de la gente. Y en la cima de esa pirámide, formada por todo el sistema, aparece la figura ociosa, generosa y descuidada de la reina. Galdós ha situado la comedia en el último año del reinado de Isabel; al final de la novela se ha producido ya su derrocamiento y todo el castillo de naipes se ha venido abajo.

Los Bringas son una modesta, pero elevada familia de la alta clase oficial. El marido tiene un puesto en la Corte y la familia vive en una increíble colmena de intrigantes palaciegos, en el último piso del Palacio. Bringas siente el terror de las deudas y llega a ser tan tacaño, que cuenta cada centavo del presupuesto familiar. Ha conseguido evitar que su mujer entre en sociedad privándola de trajes a la moda. Pero si los vestidos constituyen el ideal de su mujer, también tiene Bringas su propio capricho. Como en otros muchos casos, la posición y los progresos de su hijo son debidos a la «influencia», lo que obliga al padre a tener satisfechos a los personajes importantes, mediante el halago e incluso el tácito soborno. Al muchacho, por ejemplo, le han dado un empleo oficial a los dieciséis años, cuando todavía se encuentra en la Universidad, y sólo aparece por la oficina para cobrar su paga. Por ése y otros favores, Bringas desea mostrarse agradecido de una manera espectacular a su benefactor. Para ello se dispone a hacer un cuadro, utilizando sólo cabellos, en memoria de la hija muerta de quien le protege. El culto español a los muertos nunca ha sido tratado de manera tan cómica. El cuadro de Bringas es un monstruoso calado, representando un paisaje de tumbas, con ángeles, sauces, lagos y lejanos muros góticos, encerrado todo en un marco

---

[2] En vez de la traducción inglesa, citamos aquí las *Obras completas*, vol. IV, Madrid, Aguilar, 1969, pág. 1675 *(Nota del Traductor)*.

ovalado de media vara de ancho; está tejido con los cabellos de la muchacha muerta y algunos otros de la madre y de una hermana. La tarea es minuciosa y monstruosa; cada cabello tuvo que ser cogido con pinzas y cortado a tijera en trozos no mayores que la más leve pincelada, pegados después cuidadosamente al lienzo.

Mientras Bringas pasa el día absorto en esta fúnebre extravagancia, su mujer es contagiada gradualmente por una ridícula amiga con la manía de los trapos. Muy pronto es atrapada por las deudas y estafada por los amigos que le han prestado dinero. Cuando llega la crisis, la salva un golpe de suerte; la minuciosa tarea a que está dedicado su marido le deja temporalmente ciego. Así, ella puede vender unos candelabros y hurgar en su hucha sin ser vista. No tarda, sin embargo, en encontrarse irremisiblemente a la deriva, en medio de un grupo de mujeres arruinadas y mentirosas, que se prestan mutuamente unas a otras. Para salir de apuros, acaba tomando un amante. Asistimos, pues, a la gradual caída de una amable y fiel esposa, a su humillación en manos del amante, que rehúye cortésmente el ayudarla después de haberla conseguido, y, finalmente, a su definitiva y completa deshonra en manos de una cortesana que pretende ser miembro de la familia.

Por lo dicho, la novela podría parecer sencillamente un cuento de Maupassant, seca e irónica en su comienzo, dura e inexorable en el desenlace. Pero Galdós se interesa mucho más en el personaje y en la densidad de las relaciones humanas, que en el simple argumento. Su moral no aparece nunca perfectamente definida. De ahí que haya dos maneras de apreciar a Rosalía Bringas y a su marido. Es indudable que podemos verlos como un buen matrimonio piadoso, consagrado a la educación de los hijos. Si Bringas siente apego por el dinero, es simplemente porque está decidido a no vivir la necia vida de pretensiones y deudas de las gentes que le rodean. Cuando pierde la vista, es Rosalía su abnegada enfermera. Viven cloqueando juntos, como una pareja de divertidos y ansiosos patos en su pequeña isla doméstica. Por otra parte, la pasión de Rosalía por los trapos es congénita, femenina e imaginativa; su vanidad es un elemento más de la antigua comedia de la vida de las mujeres; su piedad es la adecuada. El sueño de los vestidos lujosos no es otro que el de don Quijote, aunque en distinto idioma.

Pero Galdós nos ha permitido también conocer en

Tormento, la novela precedente, a una Rosalía envenenada por la sociedad. La envidia, el orgullo familiar y el de clase aparecen en ella. No se detendrá ante nada para mantener su posición social; luchará con uñas y dientes para apartar a las mujeres de clase inferior. Su religión es una ignorante vulgaridad; también es un desagüe financiero. Cuando su amante la deja burlada y la cortesana —que pretende ser de la familia— la obliga a humillarse por un préstamo y arroja su desprecio sobre la respetable mujer casada y su moralidad «superior», estalla la violencia española de Rosalía; inmediatamente piensa en el asesinato. Pero lejos de quedar escarmentada, interpreta su lección de manera distinta: se endurece. Después del intolerable agosto que se ha visto obligada a pasar en Madrid, en vez de salir de veraneo —y en ese ambiente Galdós resulta admirable, por ser un novelista urbano—, sobreviene el golpe de Estado, su reaccionario marido queda arruinado, ella pierde su sitio seguro dentro del Palacio; pero siente entonces el estremecimiento del poder al saber que la familia entera pasará a depender de ella. Le han enseñado la importancia de ir tras de los hombres acaudalados, y ha aprendido muy bien la lección. La pobre mujer tentada se convierte en una formidable y briosa experta.

Hay en el libro muy buenos retratos. Doña Milagros, con sus elegantes fiestas que no puede pagar, con sus autoengaños y sus emotivas mentiras, se encuentra en un grado del proceso más avanzado que el de Rosalía. Doña Cándida, la simple, infatuada e inocente estafadora, y la cortesana Refugio aparecen en grados todavía más avanzados. Vemos a un delicioso político proustiano en don Manuel Pez, el *dandy* sereno y experto manejador de fórmulas, que expresa todas sus ideas por triplicado:

> ...es imposible, es muy difícil, es arriesgadísimo aventurar juicio alguno. La Revolución, de que tanto nos hemos reído, de que tanto nos hemos burlado, de que tanto nos hemos mofado... [3].

Y otras muchas cosas por el estilo. Pez, el centro urbano del sistema de soborno, de influencias y de recomendaciones en que el Estado español estaba —y todavía está— basado, no tardó en recuperarse del golpe de Estado. Nin-

---

[3] *Ob. cit.*, pág. 1607.

gún comité, ni aun revolucionario, podría funcionar sin
él y sin su ejército formidable de amigos y relaciones.
¿De qué otro modo iban a poder conseguirse pases gratui-
tos de ferrocarril, mercancías pasadas de contrabando desde Francia y trabajo para los necesitados?

Entre los retratos menores, los de los niños son excelentes; representan su papel. Sin duda alguna, las com-
posiciones de Galdós están bien ordenadas, a pesar de
algunos toques de extravagancia dickensiana.

Hay también en Galdós, no obstante el vigor de su
mente, una suavidad que nos hace recordar el citado comentario de Brenan sobre su carencia de temperamento.
El historiador amplía los rasgos del novelista, que carece
del filo intelectual de los novelistas franceses de su tiempo o del sentido inglés del teatro. Hay cierta vaguedad en
la ironía cervantina, como si estuviéramos escuchando
el artificio creador de una mente perezosa. Pero es necesario ver *La de Bringas* para sentir su efecto completo,
no sólo en relación con otras novelas del mismo autor,
sino como un enfoque más de su larga y triste especulación de la problemática vida española. No hay un «alma
española» comparable al «alma rusa», en el mismo tipo
de novela, ni tampoco siente Galdós que esté haciendo
una historia natural del género humano. Aunque profundiza en el egoísmo español, fue radicalmente europeo al
explorarlo. Escribió en una época de renovación intelectual y se encuentra libre de ese «típico» regionalismo que
envejece tan pronto en la literatura. Por ello tiene su obra
la seguridad, la agudeza y el poder del novelista saturado
de su tema.

Si todo en España resulta personal, como suele decirse, bien puede ser considerado Galdós el novelista de
esa peculiar sociedad que destruye toda idea y todo problema con una embrollada preocupación de carácter personal. Con Galdós, uno se halla profundamente inmerso
en el siglo XIX español. Y, sin embargo, *La de Bringas*
es una novela que parece enfrentarse con la realidad de
la España de hoy.

(New Statesman, Nation, 1952; *Books in General,* 1953.)

(Traducido por Miguel Luis Gil.)

WILLIAM H. SHOEMAKER

LA «ESCENA CLASICA» DE GALDOS, EN
LA DE BRINGAS

Aunque muchas novelas de Galdós son intensamente
dramáticas, *La de Bringas* no lo es. Como análisis y exposición realistas de la vida del funcionario mesocrático
—especialmente de sus preocupaciones materiales y materialistas, su situación y condición sociales y los problemas de carácter moral relacionados con aquéllas— *La de
Bringas* adelanta desde el principio y durante mucho tiempo con ritmo pausado, por no decir lento. Parece que lo
que Galdós deseaba especialmente era presentar, sobre
un fondo socio-económico vasto y detallado, un estudio
de un miembro de esa sociedad, la protagonista, cuyo
nombre da título al libro, Rosalía, la mujer de Francisco
Bringas. El estudio de Galdós trata sobre todo de la decadencia moral de esta señora, quien aun siendo buena
mujer y buena madre se deja coger en las redes de la
usura, arrastrada por su sed irresistible de vestir con
elegancia, sed despertada inicialmente por los regalos de
un pariente rico —regalos que Galdós califica de «man-
zana de Eva»[1]— y mantenida continuamente por irres-
ponsables pero admiradas amigas a quienes reputa árbi-
tros de la sociedad, como la insolvente Milagros, Marquesa
de Tellería.

Desde la primera tentación Galdós sigue a Rosalía por
las gradas descendentes —algunas no de gran altura, otras
sí— del derroche y la insensatez, de la envidia y la hipocresía, del engaño y la falsedad, hasta caer en una especie de desfalco o robo familiar y, finalmente, en la infi-

---

[1] Benito Pérez Galdós, *La de Bringas*, Madrid, 1906, págs. 49, 54.
Todas las referencias de este estudio corresponden a esta edición.

delidad, todo ello relacionado con sus estériles esfuerzos por hacer compatible la irrefrenable manía de lujo con los recursos para satisfacerla, cada vez más reducidos. La caída de Rosalía es paralela a la del orden político isabelino y se llega finalmente al punto, septiembre de 1868, que marca a la vez el derrumbamiento de la monarquía y el de la moral de la protagonista.

En la novela no faltan tensiones, conflictos, sorpresas e incertidumbres, ni siquiera escenas dialogadas; pero el resultado de estas notas dramáticas es más bien acumulativo, pues el proceso de la degradación moral es gradual y las conversaciones sirven más que nada para presentar las costumbres de los personajes o para revelar su modo de ser. Por su infidelidad, la mujer de Bringas se ha ido a pique, y el argumento, en cuanto se refiere a los datos objetivos, está prácticamente terminado. Pero, irónicamente, la infidelidad de Rosalía no ha producido los beneficios que ésta esperaba y todavía no le ha sido posible pagar las deudas contraídas con el usurero Torquemada. Al llegar aquí, cuando la novela está a punto de terminar, Galdós obsequia al lector con una de las más bellas escenas de su repertorio.

Dos horas antes de expirar el plazo en que debe entregar el dinero a Torquemada o consentir en que éste revele la verdad al esposo que tanto confía en ella, Rosalía, de pronto, como iluminada por la desesperación, recuerda que Refugio [2] puede salvarla, porque Refugio tiene dinero. Hacía tiempo que Rosalía miraba a esta parienta lejana [3], Refugio Sánchez Emperador, con el más profundo desprecio económico, social y moral. Cuando al morir su indigente padre quedaron huérfanas Refugio y su hermana mayor, Amparo, recibieron algún socorro de la familia Bringas. Refugio, a diferencia de su hermana, se rebeló contra esa protección ambigua, que más bien era tiranía y explotación domésticas, pues las rebajaba al nivel de sirvientas. Refugio decidió marcharse de la casa —aunque fuera olvidando elementales respetos y

---

[2] Hasta es posible que Galdós ya tuviera en consideración esta escena cuando, en *Tormento*, la novela que precede a *La de Bringas*, introduce y nombra a Refugio, si bien la importancia simbólica del nombre sólo se revela ahora. *La de Bringas* es como la segunda parte de *Tormento*, en lo que se refiere a la cronología y a varios personajes, aunque el enfoque del autor sea distinto y cada novela independiente y completa tanto temática como estructuralmente hablando.

[3] Cf. *Tormento*, Madrid, 1900, pág. 29-30.

quizá con ignominia— para librarse del trato humillante a que Rosalía la sometiera. Y Rosalía jamás la había perdonado. Ahora, sin otra salida a la vista, no vacila en acudir a ella, pensando: «prefiero rebajarme a pedir este favor a una...» (260). Se da cuenta de su bajeza moral, pues al tocar el timbre de la casa de Refugio y «considerando lo que aquel paso le degradaba», se dice a sí misma: «Ahora sólo falta que me eche a cajas destempladas para que sea mayor mi vergüenza y mi castigo completo» (260).

La escena empieza cuando la misma Refugio abre la puerta y se sorprende de la visita [4]. En seguida dará pruebas de su generosidad y de su hospitalidad, al mismo tiempo que de lo inequívoco de su posición en la sociedad. Cariñosamente a coge a Rosalía, le da *aigrettes* y un sombrero (264, 280); más tarde le ofrece café (274, 275). La casa está en el mayor desarreglo: ropas, muebles, ornamentos, cuadros, cortinas, todo en desorden; Refugio ni se halla vestida; sus cabellos están sin peinar, el suelo cubierto de manchas y es tal la intimidad de trato con su sirvienta o compañera (que lleva el nombre simbólico de Celestina) que Rosalía pensó que «no se podría fácilmente decir cuál de las dos era la señora» (261; también v. 276). Las posturas descuidadas, poco elegantes y aun sensuales de Refugio (271, 273); el dejar caer accidentalmente «una cajetilla de cigarros» (275); sus repetidas referencias a «si estuviera aquí la *Señora*» (275); las alusiones a lo que «dice un caballero que yo conozco» (271, 273) —junto con el hecho de que tiene dinero, aunque ha salido mal de un pequeño negocio de artículos importados, confesando ella misma que «no he hecho más que perder dinero» (263)— son detalles que completan el cuadro.

La de Bringas se apresura a aclarar que no ha venido a hacerla una visita de cumplido, sino a pedirle prestados cinco mil reales, lo que no sorprende a Refugio, bien informada de la situación de su parienta. Desde ese momento empieza la humillación de la orgullosa, presuntuosa e hipócrita Rosalía por la muchacha que alguna vez había trabajado en su casa como sirvienta; humillación que se prolonga hasta el punto de casi convertirse en una farsa.

---

[4] La escena ocupa más de tres de los cincuenta capítulos de la obra, empezando al principio del cap. 45 y terminando en la primera mitad del cap. 48 (págs. 260-290).

No llega a serlo porque la escena está totalmente dominada por la voluntad de Refugio (Galdós concibe esta página como punto culminante de su exposición del castigo y retribución moral —los dos muy merecidos— de la protagonista). En una serie de hasta diez cambios de actitud, Refugio oscila entre avivar las esperanzas de Rosalía y hacerlas añicos, dejándola ver los billetes de banco en un cajoncillo o costurero (266, 268) y luego sobre la chimenea (270), diciendo que pudiera ayudarle, que le gustaría ayudarle y que quizá lo haga (274, 277, 280), aunque realmente no puede hacerlo porque tiene cuentas que debe pagar (266, 276, 279, 280), ofendiendo la dignidad de Rosalía (269) con repetidas alusiones al parentesco que las une (270, 277, 279, 280) y obligándola a que escuche sus sermones sobre la vanidad y la hipocresía («¡Todo por aparentar!», 273) de la sociedad a la cual cree pertenecer (271, 273, 279), «jugando con su víctima» (276) o, como lo ve Rosalía, «me... está escupiendo» (273), «está jugando conmigo como un gato con una bola de papel» (277). Mientras esto sucede, el reloj sigue su marcha implacable hacia la hora fatal para Rosalía, las tres: «había dado la una» (264); «son las dos y cuarto» (274); «las tres menos cuarto» (276); y finalmente el grito desesperado de Rosalía, «¿Pero te haces cargo de la hora que es?» (277). Hasta ahora, además de *rebajar* y *degradar* (260), la palabra *humillar* ha sido usada cinco veces —dos por Rosalía en su pensar y tres por el narrador mismo, omnisciente e intencionado (267, 269, 274). El único consuelo de Rosalía mientras dura esta humillación punitiva es que nadie la presencia: «Yo sola paso la vergüenza; nadie me lo sabe, ni nadie me lo ha de sacar a la cara» (273).

Con esto llegamos a la parte de la escena que nos interesa especialmente. Rosalía ha pensado: «Lo que quiere esta bribona es que yo me humille más, que yo le ruegue y le suplique y haga algún puchero delante de ella... quiere que me arrastre a sus pies para pisotearme...» (276); «Esta sinvergüenza quiere que me ponga de rodillas delante...» (268). Refugio misma ha insinuado que unas lágrimas (268, 275) e imploraciones hechas de rodillas (275) pudieran ser eficaces. Pero cuando sólo faltan quince minutos y Refugio dice que sí, que le dará el dinero pero que habrá de ir a pedírselo a una amiga y que por supuesto para salir tiene que vestirse y peinarse, Rosalía corre a ayudarla y en verdad se convierte en criada de Refugio:

Rosalía, dando algunos pasos hacia ella, cogió el vestido
y lo ahuecó, haciendo ademán de ponérselo...

—Echate este vestido... te pones un manto, un pañuelo por
la cabeza...

Refugio pasó a la alcoba. Desde ella dijo: «mi corsé», y la
de Bringas corrió a llevárselo y le ayudó a ceñírselo.

Después de esto, Refugio pregunta:

—Qué le parece, ¿me peinaré?

—No, recógete el pelo con una redecilla, con una cinta...
Así estás muy bien... estás mejor... con esa melena alboro-
tada... Pareces una Herodías que hay en un cuadro de Palacio... Vamos, avíate... súbete esos pelos... Mira que es muy
tarde... A ver, yo te ayudaré.

Sentóse Refugio, y la Bringas le arregló la abundante ca-
bellera en un periquete.

—Vaya una doncella que me he echado —dijo la de Sánchez riendo—. ¡Tanto honor! (277, 278).

Luego Refugio aterroriza a Rosalía; se sienta con toda
tranquilidad y se niega a salir, pretextando que hace demasiado calor. Al fin, tras otro pequeño sermón, pone los
billetes de banco en manos de Rosalía y la deja marcharse. Aunque no tenga nada que ver con nuestro propósito actual, es importante para la escena galdosiana en
su conjunto y para consumar el castigo a Rosalía, con
un último golpe, el hecho de que Refugio le aconseje, en
el momento de la despedida, que rehuya la compañía de
su supuesta amiga Milagros, la Marquesa de Tellería, pues
ella, que también había venido a pedirle dinero (273), le
había dicho que Rosalía era «una cursi» (280).

La escena del motivo ama-convertida-en-criada que
acabamos de resumir, con la que Galdós da fin a *La de
Bringas* y en la que concentra muy eficazmente valores
económicos, sociales y morales a través del contraste irónico y del conflicto entre Rosalía y Refugio, es una adaptación muy original de una escena cuyo lejano prototipo
se halla en la *Asinaria* de Tito Maccio Plauto.

En el tercer acto de esta comedia latina, y muy romana, cuya acción y argumento por lo demás no tienen nada
que ver con *La de Bringas*, dos esclavos, Libano y Leonida, son enviados por el padre de un tal Argyrippus para

que entreguen a éste las veinte *minas* que necesita para pagar durante un año los favores de la cortesana Philaenium; los esclavos deciden primero burlarse, tal vez merecidamente, de Argyrippus [5]; cuando le dicen que tienen veinte *minas* y le preguntan qué hará para conseguirlas, Argyrippus responde que los llamará *libertos;* cuando insisten está dispuesto a llamarlos *patronos* (652). Pero los esclavos quieren que Philaenium les ruegue dulcemente, y ella lo hace, hasta con caricias y besos, a lo que se opone Argyrippus. Este llega a ponerse de hinojos ante Leonida, diciendo «fricentur, dan quod oro» (671).

Luego, lleva a Libano sobre las espaldas:

Lib.   vehes pol hodie me, si quidem hoc argentum ferre speres.
Argyr. Ten ego veham?
Lib.   Tun hoc feras argentum aliter a me?
Argyr. Perii hercle, si verum quidem et decorum erum vehere servom, inscende.
Lib.   Sic isti solent superbi subdomari (702) asta igitur, ut consuetus es puer olim. scin ut dicam? em sic. abi, laudo, nec te equo magis est equos ullus sapiens.
Argyr. Inscende actutum.
Lib.   Ego fecero. hem quid istuc est? Ut tu incedis? Demam hercle iam de hordeo, tolutim ni badizas.
        ... ...
        asta ut descendam nunciam in proclivi (699-710).

Aquí hay un modo de humillar al orgulloso, observa Libano (702), aunque tal no fuese la primera intención de los esclavos; después de exigir adoración y elogios al ansioso, pero algo incrédulo Argyrippus, quien dice «nec quid dicatis scire nec me cur ludatis possum» (730), acceden a entregarle el dinero.

Conviértanse los esclavos en una sirvienta y omítanse sus groseras exigencias a la cortesana de su amo y tendremos en este breve pasaje de sólo ochenta y ocho líneas los elementos esenciales de la escena galdosiana: por dinero el amor orgulloso se humilla, sufre indignidades y realiza actos serviles para los esclavos, echándose de rodillas, abrazando y llevando en brazos a uno a la inversa

---

[5] Véase 1.646. Todas las referencias a la *Asinaria* son de la edición de Paul Nixon, pub. en la "Loeb Classical Library": *Plautus*, Cambridge, Mass., 1937, vol. I.

de lo que ocurría en su relación anterior con ellos, llegando así a la total inversión de sus papeles.

El conocimiento que tenía Galdós del latín y de la literatura clásica parece haber sido suficiente para leer la *Asinaria,* adaptando más tarde a sus propios y más amplios fines el recuerdo de la escena del amo convertido en criado. Sus estudios universitarios de literatura latina, el gran respeto que siempre tuvo por el profesor don Alfredo Adolfo Camús, las alusiones clásicas deslizadas en *Doña Perfecta* (de las que Gilman ha ofrecido una explicación interesante), son indicaciones que tienden a corroborar esta suposición [6], aunque las pruebas sean escasas comparadas con las que confiamos puedan descubrirse algún día. Por cierto, la importante aparición de Refugio en la novela, tardía e inesperada, para resolver el apremiante conflicto de Rosalía y dar fin a la obra, se parece mucho al uso de la *dea ex machina* en la tragedia clásica. Sin embargo, Galdós no tenía en su biblioteca ninguna comedia de Plauto, ni siquiera en traducción, y sólo le menciona dos veces en toda su obra, mencionándole una vez a la ligera con Calderón y Moratín [7] y otra caracterizándole casi trivialmente como «el que imaginó las mejores comedias de la antigüedad, dando vueltas a la rueda de un molino...» [8]. En su artículo laudatorio sobre Camús, Galdós no menciona a Plauto y declara que su profesor era «enemigo declarado del realismo grosero» [9].

Si rechazamos la *Asinaria* como fuente directa de la escena galdosiana, no es por motivos circunstanciales, sino porque existe otra adaptación de la escena plautiana más cercana, que coincide en detalles más numerosos y significativos. Se trata de la escena entre la infanta Felicina y su criada Dileta en el último acto de la *Comedia Aquilana,* de Torres Naharro (1524) [10], obra cuyas deudas con

---

[6] Cf. William H. Shoemaker, ed., Galdós, *Crónica de la quincena,* Princeton, 1948, págs. 33-34; y Stephen Gilman, "Las referencias clásicas de *Doña Perfecta",* *NRFH,* III (1949), págs. 353-362. La biblioteca de Galdós en San Quintín, Santander, contenía su librillo de *Apuntes de literatura latina según las explicaciones del Dr. Dn. Alfredo Adolfo Camús* (Véase H. Chonon Berkowitz, *La biblioteca de Benito Pérez Galdós,* Las Palmas, 1951, núm. 2.999).

[7] *La estafeta romántica* [1899], Madrid, 1900, pág. 58 (al final del cap. 7).

[8] *Doña Perfecta* [1876], Madrid, 1907, pág. 265 (primer párrafo del cap. 26).

[9] *Crónica de Madrid,* Madrid [1933], pág. 183.

[10] *"Propalladia" and Other Works of Bartolomé de Torres Na-*

la *Asinaria* fueron señaladas hace más de treinta años por A. Lenz[11].

Dileta, sabiendo la feliz noticia de que Aquilano, el bien amado de Felicina, no ha de ser ejecutado —pues al fin se le ha identificado como el hijo del rey de Hungría, con quien el Rey Bermudo, padre de Felicina, deseaba casar a su hija— ofrece a su señora un «presente de alegría... si me lo pagas» (181-182). Felicina no se interesa hasta que Dileta observa:

> quán bendita fue la hora
> que Aquilano conociste! (208-209).

Entonces, cuando Felicina la importuna:

> descarga, si quieres ya,
> tu embaxada o badajada (216-217).

Dileta retrocede, diciendo:

> No pienses que assí será,
> primero será pagada (218-219).

Felicina no cree que la prometida «alegría» puede ser en su provecho («¿que a desonra ay medicina?») (223), pero Dileta describe la felicidad del rey, padre de Felicina y los preparativos para una fiesta y dice que no puede comprender:

> ¿Cómo ora no te desnudas
> para darme quanto tienes? (273-274).

Felicina responde impaciente:

> Sí faré;
> dime agora, por tu fe,
> dó nacen tantos p[l]azeres (275-277).

---

harro, ed. Joseph E. Gillet, II, Bryn Mawr, 1946, págs. 457 y ss. Todas las referencias a la *Aquilana* son de esta edición. La escena Felicina-Dileta ocupa la Jornada V, 11. págs. 180-404.

[11] A. Lenz, "Torres Naharro et Plaute", RHi, *LVII* (1923), páginas 99-107. Véase también Raymond Leonard Grismer, *The Influence of Plautus in Spain before Lope de Vega*, New York, 1944, págs. 154-159, donde se hallan algunos paralelos entre las dos comedias.

Dileta se refrena un poco, y en vez de dádivas como las mencionadas (también «saya») (195), dice:

> pero todos los dessecho
> si me demandas perdón
> de quantos males me has hecho (282-284).

y sigue hablando a su admirada señora:

> Pues aquí tengo el señal
> del chapinazo de antaño (288-289).

Felicina descarta sus palabras, pero cede, diciendo:

> Sí, que perdón te demando (292).

Dileta insiste:

> Pues, híncate de rodillas (293).

En cuanto lo hace Felicina de mal talante:

> Heme aquí, pues que pequé (298).

su criada sigue insistiendo:

> Ora bésame la mano (299).

Felicina vacila, pero cuando Dileta dice:

> Hazme tamaño p[la]zer,
> que aquí nadie no nos vee (308-309).

Felicina consiente:

> Daca acá (310)

y Dileta exclama:

> Besa. ¡Quán humilde está! (313).

Pero ni con esto queda satisfecha la criada:

> Primero quiero de ti
> otro plazer tamañito.

Felicina.	¿Qué quieres?
Dileta.	*Que* por aquí
	seas mi moça un poquito. (316-319).

... ...

	Hasme de venir detrás,
	y alçarme la halda *y* todo.
Felicina.	¡Ay, mezquina!
	Triste muger Felicina.
	¿Si salen los ortelanos?
Dileta.	Toma, si quieres, ayna;
	desembuéluete essas manos.
	Esso, sí.
	Camina cerca de mí,
	no me descubras los pies.
	¡O, qué moça tengo aquí!
	¿Quánto quieres cada mes? (323-334)

Al fin se ablanda Dileta, se apiada de su señora y le da
las buenas noticias.

Esta escena de Torres Naharro [12], que anticipa en más
de tres siglos a *La de Bringas*, tiene demasiadas semejanzas con la escena ama-convertida-en-criada, entre Rosalía y Refugio, para que la podamos descartar fácilmente
como modelo de Galdós. Ambas escenas están motivadas
por un mismo deseo, en Dileta y en Refugio: humillar
al ama orgullosa; tal intención relega a un lugar secundario el deseo de conseguir una recompensa material,
aunque en el caso de Dileta pudiera parecer lo contrario.
Se arrodilla Felicina y a Rosalía se le sugiere que haga lo
mismo. Algunos detalles de las escenas son distintos, pero
ambas señoras se alegran de que no haya testigos de su
humillación [13]; ambas ayudan a sus respectivas fustiga-
doras a vestirse y se ven burlonamente aplaudidas como
buenas criadas.

[12] No se ha señalado hasta ahora que esta escena tiene un antecedente (aunque no en la parte comparable con *La de Bringas)* en un
encuentro del acto anterior (Jornada IV), entre Faceto, criado de
Aquilano, y el Rey Bermudo. El primero consigue del segundo varias
concesiones a cambio de noticias agradables: garantías de seguridad (646), inmunidad ante el mal trato (648-649), "mil doblas" (652),
e, inmediatamente, la capa del rey mismo (677). Faceto entonces
explica a Bermudo el secreto de la identidad de Aquilano, "pues me
alegraron tus paños" (687).
[13] Las dos mujeres son los únicos personajes en ambas escenas.
En *La de Bringas,* se habla de Celestina, que entra a tomar café
con Rosalía, pero permanece muda y ausente durante la mayor parte
de la escena. Al comenzar "la escena clásica" empieza "a poner
algún orden en el gabinete" (276); Refugio la llama después (277),
pero no hay indicación de que acuda.

No hay razón convincente para dudar de que la *Comedia Aquilana* de Torres Naharro pueda haber proporcionado a Galdós un modelo español —cronológicamente más cercano de *La de Bringas* que la *Asinaria* de Plauto—, y los puntos de semejanza entre las dos escenas están suficientemente marcados como para sugerir esa relación entre esa parte de ambas obras. Sin embargo, no podemos creer que Galdós siguiera el modelo de Torres Naharro, aunque haya indicios de ello. Nos faltan pruebas de que Galdós conociese y respetase la obra de Torres Naharro o de que haya seguido procedimientos análogos en el uso de modelos en otras creaciones.

El único comentario de Galdós sobre la obra de Torres Naharro no revela ningún conocimiento de ella y no hace otra cosa que asociar su nombre a la elementalidad del teatro primitivo. En *El caballero encantado*, Becerro dice a Ramirito: «Yo no voy a estrenos. Ya conoce usted mi simplicismo teatral: me he plantado en Bartolomé Torres Naharro. Ni a tres tirones paso más acá...»[14]. Y no hay razón para creer que Galdós hubiera leído la *Comedia Aquilana*. No le habría sido fácil hacerlo: en su biblioteca no había nada de Torres Naharro. Pudo conocer la edición de Cañete y Menéndez y Pelayo, pero el volumen II, que contiene la *Aquilana*, no se publicó hasta 1900[15]. Aparte de ésta, la otra edición posterior al siglo XVI en que se incluye la pieza, la presenta en una forma muy abreviada y omite la escena del ama convertida en criada[16].

De mayor importancia es recordar que Galdós utilizaba su experiencia y observación personales más que las fuentes literarias, hecho fundamental en su procedimiento creador, sobre todo en lo referente a lo novelesco, sin excluir a los *Episodios*. En su excelente estudio del proceso creativo en *Gloria*, Pattison llegó a la conclusión de que «aquellos personajes que con más exactitud reflejan el sentimiento dominante de la novela son los de menos

---

[14] Madrid, 1909, pág. 29.
[15] *Libros de antaño*, vol. X, Madrid, 1900.
[16] J[uan] N[icolás] B[öhl] de F[aber], *Teatro español anterior a Lope de Vega*, Hamburgo, 1832. Entre muchas otras omisiones del texto de la *Aquilana*, apuntamos las siguientes: 11. 225-229, 260-269, 355-365, 370-383, y sobre todo, la parte importante de 11. 390-344, donde se hallan los detalles significativos que corresponden a las escenas aquí estudiadas de la *Asinaria* y de *La de Bringas*.

origen literario»[17]. Aunque nosotros hemos disentido en parte de esta conclusión, por no creerla totalmente apoyada por la prueba aportada por la novela misma [18], creemos que en gran parte es cierta, especialmente si se piensa en el período realista-naturalista, después de 1880, en el cual *La de Bringas* fue observada, experimentada, creada y escrita [19]. El sentido de esta novela se refleja principalmente en Rosalía Bringas, y secundariamente en los pocos personajes asociados con ella, entre los cuales Refugio Sánchez Emperador es uno de los principales. Otros dos estudios recientes han mostrado que, aun en casos en que parecía probable que se hubieran registrado influencias literarias directas, en realidad la influencia procedía de otras fuentes. El que esto escribe ha demostrado que el título de *La de los tristes destinos* no se basaba en cierta traducción del *Richard III*, de Shakespeare, sino en una frase repetida con mucha frecuencia y tomada del discurso de un estadista español, pronunciado en sesión de Cortes [20]. Y el estudio de Rogers sobre una representación de *Othello*, descrita imaginativamente por Galdós en *La Corte de Carlos IV*, prueba que el novelista incorporó el artificio llamado «sustitución de carta» utilizado por su estimado contemporáneo, Manuel Tamayo y Baus, en *Un drama nuevo* [21], obra que casi sin duda el joven Galdós vería representada en los días impresionables del año 1867, cuando asistía regularmente al teatro.

Así, parece poco probable que Galdós conociera la *Comedia Aquilana*, de Torres Naharro, en 1884 y, aunque pudiera haberla conocido en una edición del siglo XVI, esta hipótesis es mucho menos plausible que imaginar que la escena culminante entre los personajes tan impor-

[17] Walter T. Pattison, *Benito Pérez Galdós and the Creative Process*, Minneapolis, 1954, pág. 110.

[18] Reseña de Pattison en *RR*, XLVI (1955), pág. 67.

[19] José Fradejas Lebrero en su artículo "Para las fuentes de Galdós" *(Revista de literatura*, Fasc. 8, oct-dic., 1953, págs. 319-344) estudia la posible y parcial utilización en *Misericordia* de materiales sacados de una obra de Francisco Cutanda, *Doña Franciscana, el portento de la caridad*, Madrid, 1869.

[20] "Galdós *La de los tristes destinos* and its Shakespearian Connections", *MLN*, LXXI (1956), págs. 114-120. Ricardo Gullón es de la misma opinión con respecto a las influencias del *King Lear* de Shakespeare y de "elementos personales... procedentes de vivencias y experiencias" en *El abuelo*. Véase su ed. de *Miau*, Madrid, 1957, pág. 113.

[21] Paul Patrick Rogers, "Galdós and Tamayo's Letter-Substitution Device", *RR*, XLV (1954), págs. 115-120.

tantes como Rosalía y Refugio se deriva de alguna experiencia propia, más inmediata. Pero las semejanzas entre la escena de la novela y la de la *Aquilana* son tan notables que no podemos rechazar, sin más, el modelo del siglo XVI.

Sospechamos que Galdós descubrió la escena en la representación de algún drama y que la adaptó o la recreó en su novela; concluimos, además, que la escena o desciende directamente de la *Asinaria* de Plauto o de la *Aquilana* o, por otra línea, española o extranjera, que incorpora, entre otras cosas, las características más salientes de la *Aquilana*. Por último, creemos que algún día, *deo volente*, se podrá identificar la pieza y su escena de ama convertida en criada que sirvieron de fuente a Galdós [22]. Se nos ofrecen varias direcciones prometedoras, pero por ahora, puesto que la fuente inmediata sigue siendo difícil de precisar, deberemos contentarnos con una hipótesis y, lo que es más importante quizá, con reconocer que existe una escena plautiana que ha llegado hasta el siglo XIX a través de un redescubrimiento renacentista, y que esa escena, de pura farsa clásica, ha sido entretejida en la textura de una importante novela moderna cuyo logro más importante es el estudio moral de una mujer, de su clase social, de su nación y de su época. Al mostrar una vez más su afinidad con las obras clásicas, aunque lo hiciera sin intención e indirectamente, Galdós muestra otra vez, en la reminiscencia y en la utilización de lo prestado, un aspecto de su originalidad creadora.

(Hispanic Review, XXVII, 1959.)
(Traducido por Paul P. Rogers.)

---

[22] Puede verse una semejanza superficial entre nuestra escena y otra que Galdós había narrado brevemente más de siete años atrás en *Los cien mil hijos de San Luis* (terminado en febrero de 1877), donde Genara de Barahona desempeña el papel de criada de su doncella Mariana y, para poder marchar más pronto a las Cortes, la ayuda a vestirse. El parecido es extremo en su totalidad, pues la criada ni induce a Genara a que actúe así, ni la acción es en modo alguno denigrante o humillante. Al contrario, la escena es iniciada y dominada por Genara misma, que quiere que Marina se vista "de señora... con suficiente elegancia para poder ir al lado mío", como *señorita de compañía* (c. 23, última página). Karl von Reinhardstoettner, en su extenso estudio, *Plautus. Spätere Bearbeitungen plautinischer Lustspiele. Ein Beitrag zur vergleichenden Litteraturgeschichte*, Leipzig, 1886, pág. 234, no sólo no encontró adaptaciones de la escena de la *Asinaria*, sino que ni siquiera la describió con el detalle necesario para que pudiéramos utilizarla aquí.

STEPHEN GILMAN

LA PALABRA HABLADA Y
FORTUNATA Y JACINTA

> Finge leyendo mil artes y modos,
> pregunta y responde por boca de todos,
> llorando y riyendo en tiempo y sazón.
>
> Aloso de Proaza

Cuando Valle-Inclán *(Luces de Bohemia,* IV) llamó a
Pérez Galdós «don Benito el Garbancero», quiso expresar,
al menos implícitamente, una crítica de su estilo en cuanto hombre y en cuanto escritor. Valle-Inclán se refería al
decoro, y pensaba en la esencial vulgaridad que a él y a
otros miembros de su generación les resultaba tan inaguan-
table en las novelas de Galdós. Por los mismos años, Ortega y Gasset hizo una crítica distinta: Galdós, a semejanza de Dickens, de Sorolla y de otros artistas del siglo XIX, no tenía en realidad estilo alguno. Como las de
esos artistas, las virtudes de Galdós se limitaban al «carácter», es decir, a un contenido significativo y real. Si los
artistas de la generación de Ortega estaban «deshumani-
zados», lo cual equivalía, para Ortega, a 'altamente estili-
zados', Galdós tipificaba a todos aquellos que se habían
apartado del «camino real del arte», o sea del camino del
estilo[1]. No es mi intento, aquí, tratar de conciliar esas dos

---

[1] *La deshumanización del arte,* en *Obras completas,* t. III, página
368: "El realismo..., invitando al artista a seguir dócilmente la forma de las cosas, le invita a no tener estilo. Por eso, el entusiasta de
Zurbarán, no sabiendo qué decir, dice que sus cuadros tienen "carácter", como tienen carácter, y no estilo, Lucas o Sorolla, Dickens o
Galdós."

opiniones (Ortega y Valle dicen en el fondo la misma cosa, sólo que la enfocan de manera distinta), sino más bien recordar a los devotos de Galdós que uno de los factores que más han impedido que se cuente a don Benito entre los «grandes» escritores de España y del mundo es precisamente su estilo. Durante décadas, las palabras escogidas por Galdós y su manera de asociarlas han parecido descuidadas, vulgares, poco artísticas. Y, como acabamos de ver, no sólo los académicos y tradicionalistas —los partidarios de Valera o Pereda —han pensado así, sino también los hombres de más fina sensibilidad literaria y lingüística que ha producido España. Es éste un hecho que hay que encarar y comprender, en vez de negarlo o pasarlo por alto [2].

En los últimos años se ha empezado a revalorar a Galdós, aunque no puede hablarse propiamente de un resurgimiento. Se trata más bien de una serie de repentinos descubrimientos que determinados lectores —Madariaga, Amado Alonso, Federico de Onís, Casalduero, María Zambrano y muchos otros— han hecho de la profunda importancia humana de Galdós y de la complejidad artística de sus grandes novelas. Uno tras otro, al percibir la trascendencia de aquello que Galdós tiene que decir a nuestro tiempo, los críticos han tendido a considerarse a sí mismos como descubridores y a mostrarse maravillados ante ese mundo nuevo que de pronto se les revelaba. De ahí su tendencia a saltar impacientemente sobre las barreras estilísticas que a otros les habían impedido la entrada [3]. Que yo sepa, sólo Joaquín Gimeno Casalduero se ha detenido en el nivel del estilo para considerar de cerca lo que allí puede mirarse —y oírse— y para reflexionar sobre ello [4].

[2] El mismo Galdós parecía compartir esta opinión, cuando criticaba —y lo hacía a menudo— lo que doña Emilia Pardo Bazán llamaba "el estilo oficialmente castizo y elegante", sobre todo el estilo oratorio. Al describir su propio arte (por ejemplo en el prólogo a *Misericordia*, en la ed. Nelson), insiste en su interés por la reproducción naturalista de personajes y ambientes. Pero, aun aceptando esto, nos damos cuenta de que tanto Galdós como sus críticos tienen un concepto limitado y equívoco del estilo: el estilo precisamente como "estilización".

[3] Aunque estas revelaciones individuales comienzan ahora a gozar de general aceptación, todavía en 1956 podía observar Torrente Ballester, en su increíble *Panorama de la literatura española contemporánea*, que Galdós "no es tampoco un gran escritor, aunque no sea tan malo como suele decirse".

[4] Primero en su tesis sobre *Galdós y el naturalismo*, Murcia, 1955, y después en el artículo citado a continuación, que publicó en el

En su artículo «El tópico en la obra de Galdós», Gimeno examina con notable finura el uso de tópicos orales como fuente importante de la materia prima lingüística. Ha intentado ver, por una parte, si se trata de una forma de realismo oral —de mera transcripción— y, por otra, si contribuye a revelar la radical vaciedad de la vida social y política española a fines del siglo XIX [5]. Nacidas de la oratoria parlamentaria (que Galdós aborrecía muy especialmente), de los pseudo-intelectualismos de los periódicos (a menudo mal traducidos del francés o del inglés), o bien del habla vulgar [6], esas fórmulas fijas deleitan a los pobladores del mundo galdosiano —y a la vez los ponen en evidencia. Ofrecen un refugio, tan reconfortante como frágil, para la conciencia nacional: «Galdós observa cómo la sociedad del XIX vive por entero del tópico; mediante él, siente, piensa y habla» (art. cit., p. 45). Nada tiene de raro, pues, que los miembros de la generación subsiguiente, con toda su sensibilidad estilística y su voluntad de renovar y vivificar el lenguaje, se hayan sentido desconcertados por esas novelas.

La mera reproducción de tópicos de la época no es en sí misma un estilo. ¿Qué hizo Galdós con esa materia prima? Gimeno propone dos respuestas, que se complementan una a otra: 1) la mayor parte de los tópicos sirve de vehículo a la ironía, dentro de la tradición permanente de la novela [7]; pero al mismo tiempo, 2) ciertas clases so-

---

casi inasequible *Boletín informativo del Seminario de Derecho Político de la Universidad de Salamanca,* enero-abril de 1956.

[5] Gimeno cita en su tesis estas reveladoras observaciones de M. Baquero Goyanes (que dirigió su investigación): "cabría decir que la novela naturalista se nutre de temas tópicos, abunda en ideas tópicas y se expresa también a través de fórmulas topiquizadas... Podríamos ver en el naturalismo un revalorizador del tópico, incluso —paradójicamente— un destopiquizador de la existencia" *(La novela naturalista española: Emilia Pardo Bazán,* Murcia, 1955).

[6] Otras fuentes que propone Gimeno son los documentos oficiales y los sermones y libros religiosos. La lectura de *Fortunata y Jacinta* parece mostrar que el lenguaje infantil es también muy fértil. En cierto modo, es lástima que la propaganda comercial estuviera tan poco desarrollada en esa época.

[7] En cierta medida, la novela galdosiana cala más hondo que la sátira de la "afectación" estilística propuesta por Henry Fielding. Porque en vez de ser una perversión superficial y cómica del estilo aceptable, el lenguaje tópico llega a las raíces de la existencia histórica. Desde luego, el tratamiento irónico de los tópicos está presente a cada paso. J. Pérez Vidal *(Galdós en Canarias,* Las Palmás, 1952) hace notar que en sus trabajos estudiantiles el joven Galdós criticó a menudo los lugares comunes estilísticos que le obligaban

ciales (concretamente, las «no ociosas») suministran fórmulas «llenas de jugosidad, de vida y de gracia», que Galdós emplea para sazonar su estilo. No me convencen las conclusiones de tipo sociológico. Después de todo, los miembros de la «burguesía trabajadora y emprendedora» —que, según Gimeno, es la más apta para revitalizar la lengua [8]— pueden, en determinadas circunstancias, usar cualquiera de las dos clases de tópicos. El lenguaje de doña Lupe (en *Fortunata y Jacinta)* mezcla, típicamente, frases inertes —«en toda la extensión de la palabra», etc.— con chispeantes metáforas populares [9]. Sin embargo, es imposible negar esa dualidad de carácter y de actitud, claramente demostrada por Gimeno. La inercia lingüística y la vivacidad lingüística, la ironía y la aceptación gozosa, son fundamentales en la transcripción que Galdós hace de los tópicos de su tiempo. Cuando Torquemada comienza una frase con el giro «Partiendo del principio...», y cuando la tía Roma le dice: «Don Francisco, usted está malo de la jícara», la experiencia directa del texto nos está confirmando las dos respuestas de Gimeno; éste nos ha mostrado, en su artículo, la amplitud del ámbito estilístico de Galdós.

Dentro de tan vastas fronteras se implanta la riqueza idiomática casi inverosímil de Galdós, riqueza que llega a superar la del mismo Lope. Ricardo Gullón cita la espléndida descripción de Unamuno (cuya ambivalente actitud ante Galdós está por estudiarse): «la lengua de Galdós —que es su obra de arte suprema— fluye pausada, maciza, vasta, compacta, sin cataratas ni rompientes, sin remolinos, sin remanso...» *(De esto y aquello,* I, p. 357). ¿Qué aguas corren por este río épico? Doña Emilia Pardo Bazán, en una reseña de *Angel Guerra,* las describe de esta manera: «En los libros de Galdós hay un tesoro, un caudal léxico de giros, palabras, idiotismos corrientes, formas ya canallescas, ya amaneradas, lo oratórico de la ple-

a aprender. Lo que yo trato de insinuar es que el uso galdosiano del lenguaje tópico no se limita a la tradicional ironía novelística (la practicada por un Fielding o un Dickens), sino que la trasciende.

[8] Dice Gimeno que este aspecto de su teoría procede de un artículo de E. Tierno Galván, "El tópico, fenómeno sociológico", *REP,* 45 (1952), págs. 111-131.

[9] Así, en su primer diálogo con Maxi comienza por decir: "Tengo que hablarte *detenidamente*", y concluye: "Sosiégate; tú eres así, o la apatía andando o la pura pólvora... Eso es ahora, que antes, para mover un pie le pedías licencia al otro" (pág. 181). Cito por las *Obras completas,* ed. Aguilar, tomo V.

be, la jerga parlamentaria o política, lo pasajero y lo estratificado del idioma» [10]. Es decir, que cada novela de Galdós constituye una *summa* [11] del español del siglo XIX, una *summa* que no sólo registra cuanto hay de registrable, sino que también revitaliza la lengua, puesto que entrega ese tesoro al orden vivo del fluir temporal. Y no podía menos de ser así. Porque, como ha insinuado Gullón (Introducción a *Miau*, Madrid, 1957, p. 237), la imagen fluvial de Unamuno viene a ser, quizá sin quererlo él, una derivación de la expresión «lenguaje *corriente*»: «El idioma de Galdós es el lenguaje corriente, sencillo; lenguaje impregnado de las inflexiones, el tono y las resonancias de la palabra hablada; al tiempo de leerlo sentimos la impresión de estar escuchándolo, de oírlo con el acento y hasta el volumen que cada palabra tendría si estuvieran diciéndola a nuestro lado.» Galdós fue, pues, un maestro de la lengua española tal como se habla. Más aún, fue un maestro en el empleo del lenguaje lleno de significación, lo cual equivale a decir que fue un magistral estilista en su lengua. No debe sorprendernos que sus palabras no sean literarias, ni artificiales, ni conscientemente pintorescas; que sean, ni más ni menos, las palabras que se decían en el Madrid de su tiempo, las palabras y frases de un «garbancero», en lo bueno y en lo malo. Esa ha sido, después de todo, la gran tradición del estilo castellano, desde sus orígenes épicos y el *Libro de buen amor* y la *Celestina* hasta el día de hoy [12].

De ahí que el empleo de tópicos por parte de Galdós deba comprenderse a la luz de esa cualidad oral de su estilo. No basta catalogar, comparar y clasificar la mul-

---

[10] *Nuevo teatro crítico*, núm. 8, 1891, págs. 57-58 (cit. en la tesis de Gimeno).

[11] Sobre la novela como *summa*, véase el penetrante examen de *La guerra y la paz* que hace Thibaudet en sus *Reflexions sur le roman*, París, 1938.

[12] En su maravilloso *Gustave Flaubert* (París, 1935), Albert Thibaudet estudia la manera como Flaubert renovó el estilo de la novela recurriendo a las posibilidades expresivas del habla popular (entre otras, el pretérito imperfecto, vivificador y sentimental). Para su propio estilo, Flaubert seleccionó cuidadosamente aquellos aspectos del francés hablado que mejor podían enriquecer y vitalizar la narración. Relegó los tópicos —que, naturalmente, aborrecía— al diálogo de un Homais o al de Buvard y Pécuchet. ¡Qué distancia entre esta escrupulosa discriminación y el aprovechamiento que Galdós hace de *todos* los aspectos del lenguaje hablado a su alrededor! Si Flaubert condena los tópicos a un limbo oral, Galdós, como veremos, acepta su contribución a la compleja orquestación de estilos orales.

titud de frases hechas que llenan sus novelas. Porque las palabras habladas se resisten, aún más que las escritas, a quedar violentamente arrancadas de su contexto. Son palabras que dice una persona a otra persona, siempre dentro de una situación concreta, y de acuerdo con ella. Para juzgarlas certeramente tenemos que saber dónde y cuándo, por quién y a quién se dicen. Van directas de la boca al oído, y aunque no las veamos volar, tienen alas. A pesar de su vulgaridad, su tradición no es sólo castellana, sino también homérica. O quizá sería mejor decir que en el Madrid galdosiano del XIX, los ἔπεα πτερόεντα. de Homero se convierten en τόποι πτερόεντες, tan alados y tan certeros como sus antepasados griegos, a pesar de su total falta de singularidad heroica. Por eso debemos examinar cada tópico de acuerdo con la novela, el capítulo y el párrafo en que vive.

Es éste el único punto en que no estoy de acuerdo con las opiniones expuestas por Gimeno en su revelador artículo. Cuando en *Fortunata y Jacinta* doña Isabel Cordero saca a pasear a sus siete hijas casaderas, hermosas pero sin dote (una de ellas es, por supuesto, Jacinta), y describe la operación mediante la jerga profesional de su marido —«concurriendo con su género»— debemos hacernos cargo de que la reproducción naturalista, el buen humor irónico y una vital renovación lingüística se han fundido en una sola unidad de estilo. Pensar que el lenguaje hablado, esto es, el lenguaje humanamente situado y dirigido, expresa actitudes, valores y sentidos *únicos*, es cerrar los ojos a la realidad. Lo normal en él son la multivalencia y la ambigüedad, la existencia de sentidos que se funden pero no se mezclan, que son complejos pero no contradictorios. No nos encontramos, pues, con dos clases de tópicos, los unos manidos y los otros frescos. Para leer a Galdós como hay que leerlo, debemos darnos cuenta de que cualquier tópico, por mucho que lo haya desgastado el uso mostrenco, puede renovarse en ciertas circunstancias. Sus prostitutas lingüísticas, como sus prostitutas humanas, tienen siempre abierto el camino de la redención [13]. Casi en cada frase de cada novela coexisten

---

[13] He aquí un ejemplo: la frase que don León Pintado dirige solemnemente a su público de prisioneras Filomenas y Josefinas: "Tronó, como siempre, contra los librepensadores, a quienes llamó *apóstoles del error* una y mil quinientas veces (pág. 251). Esta mohosa frase arrojará más tarde súbitos destellos: cuando Mauricia sale ex-

hasta cierto punto la «gracia» y la «vacuidad»; sólo en situaciones extremas funcionan como cualidades que se excluyen la una a la otra. Tal es el genio galdosiano del estilo hablado.

Para comprender las posibilidades y las limitaciones de tal estilo, examinemos primero el hecho puro de la situación oral, tomado en sí mismo. Si leemos *Fortunata y Jacinta*, la *summa summarum* de Galdós, descubriremos un enorme y complejo tejido de situaciones orales, tejido que constituye el contexto de todo aquello que observó doña Emilia y de muchas otras cosas. El libro es una historia oral al parecer ilimitada, en que se registran infinitas conversaciones en una infinidad de lugares. Aún más, la mayoría de esas charlas son multilaterales, charlas en los cafés, en las tertulias, en las casas particulares o en las tiendas. Se ha hablado mucho sobre la disección sociológica a que Galdós somete la vida de café madrileña, «ambiente natural» de Juan Pablo Rubín [14]; sin embargo, se trata sólo de una situación oral casi institucional dentro del ilimitado repertorio galdosiano de «costumbres turcas». En el punto más bajo de la escala social encontramos la

«horita de tertulia que solía pasar [Segundo Izquierdo] en el puesto de la carne» (pág. 533);

---

pulsada del convento, y los niños barrenderos se burlan de la borracha, "... ella se les puso delante en actitud arrogantísima, alzó el brazo... y les dijo: «¡Apóstoles del error!»" (pág. 260). Al final de este ensayo tendremos ocasión de ver un ejemplo fundamental y profundamente serio de la misma metamorfosis.

[14] No debemos considerar este retrato de la vida de café como una presentación satírica sin más, o meramente crítica. Después de todo, Cervantes, mismo fue un gran lector de libros de caballerías. En el siguiente pasaje hay algo más que un asomo de emoción: "¿De qué hablaban aquellos hombres durante tantas y tantas horas? El español es el ser más charlatán que existe sobre la tierra, y cuando no tiene conversación, habla de sí mismo... En nuestros cafés se habla de cuanto cae bajo la ley de la palabra humana desde el gran día de Babel, en que Dios hizo las opiniones. Oyense en tales sitios vulgaridades groseras y también conceptos ingeniosos y oportunos. Por que no sólo van al café los perdidos y maldicientes; también van personas ilustradas y de buena conducta. Hay tertulias de militares, de ingenieros; las de empleados y estudiantes son las que más abundan, y los provincianos forasteros llenan los huecos que aquéllos dejan. En un café se oyen las cosas más necias y también las más sublimes. Hay quien ha aprendido todo lo que sabe de filosofía en la mesa de un café, de lo que se deduce que hay quien en la misma mesa pone cátedra amena de los sistemas filosóficos..." (pág. 297).

registrar todas las situaciones análogas sería cosa de nunca acabar [15]. Hay reuniones «especializadas», en las cuales escuchamos el vocabulario exclusivo de los cesantes, de los jugadores de mus o de los mancebos de botica. Otras —la gran mayoría— nos permiten presenciar un español común y corriente, tópico, propio de cualquier conversación, esto es, el español de los «aficionados». Pero en cualquier caso, ya se trate de un español especializado, ya del español general, la abundancia de situaciones orales estables y semi-institucionales es condición básica del arte de *Fortunata y Jacinta*.

Tomado en su conjunto, el lenguaje de la novela es, pues, el lenguaje de la sobremesa, de la «peña» y de la tertulia. Es un lenguaje semipúblico y social, situado en algún punto intermedio entre la oratoria y las intimidades verbales de un diálogo interior. Dedicado a los comentarios y argumentos de grupos humanos, revela casi siempre las aspiraciones de ciertos individuos que lo emplean —un Maxi o una Fortunata—, su afán de superación. Humorístico o petrificado, violento o sentencioso, el tono sube y baja de acuerdo con los hablantes (que son toda una población) y con la infinita variedad de relaciones que los vinculan. Los tópicos están siempre ahí, pero no por sí mismos ni sólo para que Galdós los manipule irónicamente. Por el contrario, cada frase o expresión tópica puede considerarse como una muestra del léxico social de ese mundo oral, sumamente segmentado, que es el Madrid de la novela galdosiana [16]. Los tópicos —es decir, las palabras y frases que no sólo se repiten una y otra vez, sino a las cuales se asignan sentidos y matices convencionales— caracterizan el lenguaje de los grupos. Y Galdós los usa para crear —o tal vez habría que decir: para invocar— los múltiples ambientes orales que funcionan en la novela, del mismo modo y con la misma fi-

---

[15] Otros ejemplos notables son las "sobremesas" de la familia Santacruz, las veladas de los Samaniegos, la "inmemorial tertulia de la tienda de Arnáiz", las "jaranas" de José Izquierdo.

[16] La estructura oral de la novela se basa en la separación de los hablantes en compartimientos estancos (tertulias, profesiones, clases sociales, etc.), y también en la unidad lingüística del mundo de Madrid en su conjunto. El lenguaje tópico es la savia vital de todo el organismo novelístico y fluye por sus diversos órganos y partes de tal modo, que el lector se da cuenta de que existe allí una especie de unanimismo *avant la lettre*. Dicho en otras palabras, el principal hablante de *Fortunata y Jacinta* es Madrid, en perpetuo diálogo consigo mismo.

nalidad con que funcionan en el *Quijote* los libros de caballerías.

Debemos detenernos en esta idea —al parecer grotesca— de que la atmósfera del café, en *Fortunata y Jacinta,* corresponde a la atmósfera del *Amadís de Gaula* en la novela de Cervantes. El esfuerzo de Galdós por reproducir el lenguaje, por captarlo al vuelo, tal como vive en su ambiente natural, origina su increíble repertorio de tópicos. Pero al igual que los tópicos caballerescos (tópicos escritos) empleados por Cervantes, éstos representan algo más: crean, al menos por implicación, un ambiente, toda una manera de pensar y una forma de relación humana. Pueden, pues, usarse para establecer una disparidad que existe entre los esquemas de interpretación exteriores y aceptados por todos, y la autenticidad interna del *yo.* En *Fortunata y Jacinta,* como veremos, el lenguaje social y las realidades únicas de la soledad sostienen continuos choques temáticos. Es una versión oral del conocido tema de la novela del xix: la sociedad contra el *yo.* No quiero decir propiamente que Fortunata esté preocupada por lo que la gente dice de ella (aunque, en cierto nivel, supongo que se encuentra metida en una novela de escándalo, a la inglesa), sino más bien esto: ¿de qué manera puede conocerse y entenderse a sí misma en el lenguaje tópico que le ofrece la sociedad (y cada uno de sus amantes)? En el fondo, era esto lo que pensaba Galdós cuando decía:

«El estilo es la mentira. La verdad mira y calla» *(Tormento; Obras,* t. 4, p. 1,488).

Pero si en *Tormento* todavía preocupaba a Galdós el choque quijotesco de literatura y vida (la «verdad» de Amparo frente a las novelas del «estilista» don José Ido), en *Fortunata y Jacinta* ha descubierto en el lenguaje hablado, situado, en el lenguaje hecho, del café y de la tertulia, una manera adecuada de renovar en su siglo el tema de Cervantes. Fortunata vive —una y otra vez nos lo está diciendo Galdós— dentro de una sociedad que sigue siendo básica y predominantemente oral [17].

---

[17] No negaré, naturalmente, que la principal diferencia que hay entre esta sociedad oral y la de la poesía épica es precisamente la existencia e importancia de la palabra impresa. A menudo, la congelación del lenguaje en ciertos tópicos —como "bajo la prisma de..." y otros análogos enumerados por Gimeno —parece resultado de la

El concepto del manejo galdosiano de la lengua no excluye, por supuesto, el intercambio íntimo[18], ni el que cada personaje tenga su estilo particular. En el nivel más bajo están ciertos rótulos que se repiten y se machacan (aunque nunca con tanta insistencia como en Dickens): el uso cómicamente disparatado que Torquemada hace de la palabra «materialismo», el enfático «en toda la extensión de la palabra» de doña Lupe o la curiosa manera que tiene Aurora Santiago de insertar un «por ejemplo» en medio de la frase[19]. Más significativa es, sin embargo, la habilidad de Galdós para dar al habla de cada uno de sus personajes un sello personal. Los pobladores de *Fortunata y Jacinta*, viviendo como viven en un mundo oral, son, en un sentido muy concreto, criaturas del estilo; cada uno de ellos es una compleja fabricación de su propio ámbito de posibilidades estilísticas. Doña Guillermina Pacheco habla con agudeza, y sus palabras van derechamente al fondo de la cuestión y al corazón de su interlocutor. Nicolás Rubín revela su carácter presuntuoso con las repeticiones y las segundas personas de plural del sermoneador incorregible. Los dos estilos, uno de ellos tan filoso y el otro tan embotado —a semejanza de las respectivas vocaciones religiosas—, no podían ser más opuestos entre sí. Pero el más notable de los numerosos estilos de la falsificación (de lo que Fielding llamaría *affectation)* es tal vez el de Torquemada. Su lenguaje es una obra maestra de caricatura verbal. Podemos oír la melosidad, el subir y bajar de la voz, la dureza de corazón que hay en el

---

inmovilidad que adquieren las palabras impresas en los periódicos, panfletos y documentos oficiales, leídos e imitados luego por los hablantes. Se trata de un proceso muy distinto del de la creación de lugares comunes y tópicos proverbiales por una sociedad totalmente oral.

[18] A veces se burla Galdós del estilo usado en la intimidad, precisamente porque pretende ser totalmente privado y único. El ejemplo más notable es el del lenguaje aniñado que emplean Juanito y Jacinta de recién casados.

[19] Se trata probablemente de un galicismo que el fino oído de Galdós pescaría en alguna parte: "Ya ves: un hombre, *por ejemplo,* que podría haber hecho la felicidad de cualquier muchacha honrada..." (pág. 443). Aurora ha vivido en Francia, y ha importado las modas francesas al mundo madrileño del ramo de telas y ropa (el fundamento comercial de la novela). Característico de esa reticencia creadora de Galdós, de su tendencia (comparable con la de Rojas) a dejar que sus palabras hablen por sí mismas, es el hecho de que nunca explique su uso.

fondo, la radical traición del sentido interior por la forma externa. Si en algún lugar «el estilo es la mentira», es justamente aquí [20].

Pero, en mi opinión, Galdós tiene sus mayores logros cuando somete a sus criaturas estilísticas a situaciones insólitas, situaciones que se ponen de manifiesto y se plasman a través de ciertos cambios en el modo de hablar de los personajes. La decisiva entrevista entre doña Guillermina y Fortunata es un ejemplo extraordinario de ello. La «santa» ha sido incapaz de impedir que Jacinta se esconda en la alcoba para escuchar la conversación. Y, sin salir de la atmósfera oral, los resultados son fatales: «Pero lo verdaderamente singular era que Guillermina, tan dueña de su palabra normalmente, estaba también azorada aquel día, y no sabía cómo desenvolverse». Comienza con su estilo habitual: «Tengamos sinceridad y hablemos claro», pero después de unas pocas frases, cuando Fortunata sale con su «pícara idea» («esposa que no tiene hijos no es tal esposa»), su único recurso es una fútil y fragmentaria condena moral:

> «Por Dios..., cállese usted..., no he visto otro caso... ¡Qué idea!... ¡Qué atrevimiento! Está usted condenada» (páginas 404-405).

Así, mientras Galdós analiza la entrevista, está determinando por medios orales una de las peripecias centrales del argumento. Se nos sugiere claramente que si doña Guillermina no hubiera perdido su dominio sobre el lenguaje, habría podido disuadir a Fortunata de su decisión de tener un hijo de Juanito. Otro ejemplo, menos contundente pero quizá más típico, es el cambio que se opera en el lenguaje de doña Lupe cuando está en presencia de doña Guillermina. La fuerte impresión que ha hecho en doña Lupe su encuentro con la «santa» se expresa de modo maravilloso en su frase de despedida, grotescamente social:

> «Amiga de mi alma, la obligación me llama a mi choza» (pág. 381).

---

[20] Como ejemplo de esta obra maestra de la caricatura oral, véase el increíble discurso de la pág. 195. En Moreno Isla, en Ballester y aun en Juan Pablo Rubín tenemos otras muestras maravillosas de caracterización por medio del diálogo.

La lengua de doña Lupe, habitualmente afilada, disminuye («choza») y a la vez exagera («obligación») cuando trata de ganarse la complicidad —estilística lo mismo que social— de doña Guillermina. Esta combinación (que doña Guillermina penetra en seguida) [21] pone de manifiesto una sutil comedia de confrontaciones humanas, a pesar de su evidente topicidad.

Hay dos personajes centrales cuya conducta hablada difiere de la de los demás. Uno de ellos es Estupiñá, el espíritu familiar de este mundo de palabras:

> «Estupiñá tenía un vicio hereditario y crónico, contra el cual eran impotentes todas las demás energías de su alma, vicio tanto más avasallador cuanto más inofensivo parecía. No era la bebida, no era el amor, ni el juego ni el lujo; era la conversación» (pág. 35).

Como una especie de encarnación del estilo de Galdós, Estupiñá no cambia nunca, sino que continúa repartiendo «jarabe de pico» dondequiera que encuentra quien lo escuche. Estupiñá, cuya figura se destaca particularmente al principio y al final (el piso en que Fortunata conoce a Juanito, y al que regresa para morir, ese piso que da a la Plaza Mayor, está justamente bajo el piso en que vive Estupiñá), funciona como marco temático del conjunto y nos recuerda, cada vez que aparece, la especial naturaleza de su ambiente novelístico. Sea cual sea la situación, estamos seguros de lo que va a hacer. Hablará, puesto que su vida depende de su lengua. En este sentido —y es curioso que Galdós no parezca especialmente interesado en reproducir su lenguaje—, Estupiñá es el personaje más dickensiano del libro. En medio de todos esos personajes que E. M. Forster llamaría «redondos», sólo él es plano. Su vida abarca el siglo XIX, y al igual que la nación por él representada, su reacción ante la experiencia histórica es abrumadoramente oral [22].

El otro personaje que difiere del resto es Fortunata misma. Lo que caracteriza su lenguaje es el hecho de que

---

[21] La respuesta no pide mucho, ciertamente, a la imaginación del lector: "Sí, sí —le dijo Guillermina—, la obligación antes que nada. Hasta luego."

[22] La contraparte visual de Estupiñá es Izquierdo, el cual compensa su escasa facilidad de palabra con su presencia heroica, que lo convierte en modelo de esa pintura histórica tan de la época. Se trata de una pareja creada por el espíritu irónico de Galdós, y muy representativa de su arte novelístico.

en cada ocasión parece hablar de una manera nueva e inesperada. En cierto sentido es la antítesis de Estupiñá (con el cual forma, en este aspecto, una pareja de contrarios), pues la cantidad y la calidad de su habla cambian continuamente. Fortunata existe en un estado de constante metamorfosis lingüística. Gran parte del atractivo que ejerce sobre otros personajes reside justamente en esto: en una falta de formación, en una falta de tipificación, lo cual, en la novela que lleva su nombre, significa una falta de formación y de tipificación estilística. Al comienzo, Fortunata casi no parece capaz de hablar. Su primera conversación con Juanito es muy rudimentaria: dos breves frases y un «yiá voy» pronunciado en voz tan aguda que más parece grito de pájaro que expresión humana. Y durante todo el resto de la Primera parte, aunque sólo tenemos acerca de ella noticias de segunda mano [23], continúa existiendo con una manifestación oral mínima. Más tarde, parece como si la novela se estuviera convirtiendo en un *Bildungsroman* al estilo de Shaw, una novela en que la heroína aprende gradualmente a hablar. Maxi goza enseñando nuevas palabras a Fortunata y corrigiéndole la pronunciación, y aunque a ratos parece ser una estudiante mucho menos dotada que Sancho Panza, es evidente que está aprendiendo. Pero sería erróneo concebir de esta manera la novela. Son los amantes de Fortunata quienes la creen muda. Ya durante los días en que vive con las Micaelas se muestra capaz de hablar de manera sostenida y muy inteligente. El pasaje sobre la «idea blanca» es ejemplo notable de su capacidad para pensar coherentemente y para expresarse con eficacia. A lo largo de la novela encontramos la misma alternancia entre una aparente cortedad de habla y un perorar abrumador. Nunca sabemos cómo va a hablar Fortunata, precisamente porque es un personaje de vida tan intensa. Ella vive la pasión, la razón, la conciencia de sí misma, no con mayor violencia que los otros, pero sí de manera más completa, con toda la integridad del ser humano. Es la única ventaja que tiene sobre los demás personajes, y, de acuerdo con el carácter de la novela, esa ventaja debe ma-

[23] A través de la memoria y de la voz de Juanito durante las confesiones de la luna de miel. Desde luego, la idea que Juanito ofrece de ella es sumamente limitada, si se la compara con la Fortunata de después, a quien vamos a conocer de manera tan íntima. Cuando Villalonga la encuentra en la calle, la primera pregunta que se le ocurre es: "¿Cómo hablará?" (pág. 152).

— 305 —

20

nifestarse y se manifiesta en su habla, en sus palabras. Fortunata dice lo que hace falta y lo que siente. Esta práctica podrá parecer rudimentaria unas veces, y otras inspirada. Lo mismo que Estupiñá, Fortunata es un genio oral, pero si Estupiñá lo es en el sentido social e histórico, ella lo es en el plano personal y vital.

Recapitulando brevemente, al examinar cualquier frase o fragmento del estilo de Galdós, las primeras preguntas pertinentes son «¿dónde?» y «¿quién?» Se trata, desde luego, de un estilo de individuos que hablan en ciertos lugares o situaciones: así lo podemos ver en la enorme cantidad de diálogos que hay en la novela. Pero si por alguna razón un personaje no puede hablar, o Galdós prefiere no dejarlo hablar, sus palabras seguirán infiltrándose en la narración por medio de las mil y una variedades del diálogo indirecto. Será imposible tratar de estudiar aquí en forma adecuada el problema del diálogo indirecto y del «punto de vista» narrativo. Sin embargo, no podremos comprender la estructura oral de *Fortunata y Jacinta* en su totalidad si no mencionamos un aspecto íntimamente relacionado con el diálogo indirecto: el interés continuo que muestra Galdós por los límites o fronteras del lenguaje hablado. Como muchos otros novelistas, Galdós escribe en un estado de continua transición creadora entre el diálogo reproducido y la narración en tercera persona, pasando por el diálogo indirecto [24]. Pero en *Fortunata y Jacinta*, donde se acentúa temáticamente la lengua hablada, parece haber una especial conciencia de esas zonas o situaciones en que comienza o termina el acto de hablar. Acabamos de ver cómo oscila Fortunata entre dos extremos: la pobreza y la riqueza orales. En general, puede decirse que con el estilo del autor ocurre lo mismo. En una serie de ejercicios y experimentos, ese estilo está explorando constantemente sus propios extremos.

¿Cuáles son y dónde están las fronteras de la lengua hablada? Una posible y obvia respuesta es que sus fronteras están en el ruido [25]. Algunos de los momentos de más

[24] Véanse las observaciones que hace Denah Lida acerca de *Misericordia* ("De Almudena y su lenguaje"), en este mismo volumen de la *NRFH*, págs. 307-308.

[25] El ruido parece desempeñar aquí un papel muy semejante al que desempeñan en *La Celestina* la distancia y las barreras físicas. También éstas existen en *Fortunata y Jacinta*, por supuesto; pero como la novela constituye tan evidentemente un mundo tridimensional, esos medios subrayadores e intensificadores son menos notables aquí

intensa experiencia acústica se han construido precisamente de este modo. Un personaje tiene grandes deseos de escuchar o de hablar y se ve impedido por el ruido —ruido que será a menudo el animado zumbido de un café o el rodar de los coches en la calle, pero que también podrá consistir en interrupciones comúnmente agradables, como el canto de los pájaros o la música. Así, cuando Maxi da de comer a los canarios de doña Desdémona,

> «poniéndose todos a piar y a cantar a un mismo tiempo, no era posible que se entendieran las personas que entre ellos estaban. Doña Desdémona hablaba por señas» (pág. 492).

En un mundo temáticamente dedicado al habla, la música —de pájaros o de personas— se oye como ruido [26]. Pocas páginas después, Maxi trata de escuchar una conversación de Aurora Samaniego para confirmar su sospecha de que anda en relaciones con Juanito: «Maxi, aparentando poner sus cinco sentidos en la pieza que tocaba Olimpia, no perdía sílaba... Gracias que la cuestión ocurrió cuando la niña tenía entre sus dedos el *andante cantabile molto expresivo*, que si llega a coincidir con el *allegro agitato*, ni Dios pesca una letra...» (pp. 496-497). En la última de las situaciones de este tipo ya no hay ironía alguna. Fortunata, en su lecho de muerte, trata débilmente de seguir una conversación. El sentido se le escapa, no sólo por su «trastorno», sino también porque

> «el piar de los pájaros... se precipitaba en aquel sombrío confín, y los chillidos con que Juan Evaristo pedía su biberón» (pág. 536) [27].

---

de lo que eran en la obra de Fernando de Rojas, verdadera "inauguración" del diálogo. Sin embargo, Galdós juzgó eficaz el ruido para su novela, precisamente por la rivalidad oral que tiene con el discurso humano.

[26] Otro caso ocurre en un sueño en que Fortunata acaba de encontrar a Juanito: "tiembla Fortunata, y él la coge de una mano preguntándole por su salud. Como el pianito sigue tocando y los carreteros blasfemando, ambos tienen que alzar la voz para hacerse oír" (pág. 410). Algo parecido sucede cuando Jacinta, antes de tener un sueño igualmente freudiano, es arrullada por un pasaje de Wagner "en que la orquesta hacía un rumor semejante al de las trompetillas con que los mosquitos divierten al hombre en las noches de verano" (págs. 86-87). Abundan los ejemplos de interrupciones provocadas por otras clases de ruidos.

[27] Notemos aquí el evidente retorno al comienzo de la novela. La primera presentación de Fortunata abundaba en alusiones simbólicas

Galdós, pues, se interesa no sólo por las situaciones en que el hablar y el escuchar son posibles y aun previsibles (reuniones, entrevistas, encuentros), sino también por aquellas en que son imposibles o en que, por lo menos, se ven gravemente estorbados. Cada una de estas manifestaciones es complemento indispensable de la otra. La conciencia que el lector tiene de la importancia fundamental del arte oral de Galdós, su impresión de que se le ha llevado a un mundo significativamente oral, se ve incrementada por la especial intensidad del lenguaje y del habla cuando llega a situaciones extremas.

Otras fronteras del lenguaje hablado exploradas asimismo por Galdós tienen que ver, no con ciertas situaciones, sino con una innata ignorancia, inexperiencia o incapacidad de los hablantes. Desde el punto de vista del decoro, el más primitivo y vulgar de estos hablantes es sin duda José Izquierdo [28]. Su bajísimo ambiente verbal es, justamente, uno de los factores que han atraído a los dos señoritos, Juanito y Jacinto Villalonga, para hacer su primera excursión a los bajos fondos de la sociedad. Juanito no tiene empacho en ostentar su dominio de las expresiones que allí ha aprendido, y lo demuestra durante su luna de miel, en una especie de indecoroso contraste con esa habla aniñada que emplea normalmente en el trato amoroso. Pero (como explica a Jacinta) el hastío físico junto con el hastío lingüístico lo llevaron, después de un tiempo, a abandonar a Fortunata y a su familia:

> «Me parece que oigo aquellas finuras: "¡Indecente cabrón, *najabao*, *randa*, *murcia*...!" No era posible semejante vida. Di que no. El hastío era ya irresistible. La misma *Pitusa* me era odiosa, como las palabras inmundas» (pág. 61).

El lenguaje de Mauricia la Dura es casi igualmente reprensible, si bien ella tiene un don de elocuencia y de imaginación que en José Izquierdo brilla por su ausencia. En el extremo opuesto al habla de estos dos está la retórica calderoniana del pobre Ido durante sus ataques de celos (pp. 91-92), o los inquietantes y super-racionales discursos de Maxi cuando se convierte en un «loco-cuer-

---

a los pájaros. El siguiente paso en la exégesis de *Fortunata y Jacinta* podría ser un estudio de su complejo simbolismo.

[28] Véanse, por ejemplo, sus casi incomprensibles discursos de las págs. 109-110. Mauricia, cuyo lenguaje es socialmente ínfimo, resulta a menudo elocuente en comparación con Izquierdo.

do»[29]. Me parece significativo que Galdós no lleve el decoro a los extremos habituales de refinamiento y vulgaridad. Más bien desplaza el eje unos cuantos grados, de tal modo que sus nuevos polos son la ignorancia y la locura. Es decir: su sentido del decoro —como el de Cervantes— es más individual y vital que social.

En esta misma línea entra el curioso interés que muestra Galdós por los comienzos del lenguaje, o sea por el lenguaje infantil[30]. *Fortunata y Jacinta* nos ofrece un extenso repertorio de este lenguaje, desde las indecencias del Pituso (pp. 133-134) hasta los últimos y seniles balbuceos de Feijóo. Véanse, como ejemplos, la empalagosa imitación del habla infantil por los recién casados, la encantadora conversación de Fortunata con sus palomas (p. 60) y más tarde con su hijito, y aun las angustiadas palabras que Jacinta dirige a ese simbólico niño-hombre durante un sueño evidentemente «freudiano» (p. 87). El mismo Maxi, durante sus ataques de locura, aporta su contribución:

> «Su risa causaba espanto a las dos señoras, y últimamente no se le entendía una palabra de las muchas que su boca soltaba atropelladamente, pronunciándolas de un modo primitivo, como los chiquillos que empiezan a hablar» (pág. 471).

Aunque esté un poco más allá de esta frontera, también el lenguaje de los niños recibe debida atención. Galdós registra cuidadosamente las entonaciones de Papitos lo mismo que las de los pilluelos que Jacinta encuentra durante su «visita al cuarto estado»:

> «Por el vestido se diferenciaban poco, y menos aún por el lenguaje, que era duro con inflexiones dejosas. "Chicooo... miá éste... Que te rompo la cara... ¿sabees...?"» (páginas 99-100»[31].

---

[29] Pueden verse pasajes típicos en el capítulo "La razón de la sinrazón".

[30] Curiosamente, no hay en la novela ejemplos de español hablado por extranjeros (el inglés borracho de la fonda sevillana apenas dice un par de palabras). Almudena no había atraído aún la atención auditiva del novelista. Sin embargo, la descripción que hace Galdós de su encuentro con el Almudena de carne y hueso y de la fascinación inmediata que en él produjo su manera de hablar (introducción a *Misericordia*, ed. Nelson), es sumamente reveladora para quien se interese por el arte oral de sus novelas. Véase el art. cit. de Denah Lida.

[31] Otro ejemplo bien desarrollado es el diálogo de Barbarita con

Las primeras palabras de las criaturas y el habla tan tradicional y estereotipada de los niños pequeños representan una frontera temporal y vital del lenguaje que parece haber fascinado a Galdós tanto como las fronteras del decoro.

Aparte de la edad, del nivel social y de las circunstancias físicas, los sentimientos que los hablantes mismos tienen en determinado momento pueden poner fin al discurso. En ciertos estados de excitación o de pasión intensa, la comunicación se hace imposible o se ve profundamente afectada. Maxi, sobre todo, a pesar de su frecuente locuacidad, es víctima de un absoluto mutismo en los momentos culminantes de la emoción. Cuando Fortunata acaba por ofrecerle todo su amor (si mata a Juanito y a Aurora),

> «Maxi, lelo y mudo, la miraba, y, al fin, sus ojos se humedecieron... Se deshelaba. Quiso hablar y no pudo. La voz le hacía gargarismos» (pág. 525) [32].

O bien, si el hablante no pierde el uso de la palabra por una oleada de sentimiento, los sonidos que emite pueden transformarse en sonidos animales. Aquí y allá, cuando el personaje se halla convenientemente transportado, el «dice» introductorio se convierte en «ruge», «muge», «gruñe» o «brama». Un paso más, y el habla misma queda abandonada y sustituida por «berridos», «chillidos», «aullidos» y aun «ronquidos... cual monólogo de un cerdo» (p. 506). Galdós había sufrido muy hondamente la influencia de Zola, sobre todo entre los años de 1880 y 1885, esto es, cuando empezaba a escribir la segunda serie de novelas contemporáneas. Lógico sería, pues, interpretar esos gritos, gruñidos y berridos como testimonio de su prolongado interés por el autor de *La bête humaine*. Pero el hecho es que, en Galdós, esa metamorfosis oral no está determinada ni por la herencia ni por el ambiente. Casi en todos los casos es resultado de momentáneas incursiones más allá de las fronteras de la conciencia verbal [33].

---

sus amiguitos, en el cap. 2 de la primera parte. Es precisamente la primera excursión que en esta novela hace Galdós a la realidad oral.

[32] Un inventario de todos esos casos de momentánea incapacidad para hablar resultaría larguísimo.

[33] La misma Jacinta, con su "rabia de paloma" (cuando acaba de escuchar la "pícara idea" de Fortunata), "no podía hablar..., se ahogaba. Tuvo que hacer como que escupía las palabras para poder

En este sentido, la función de las voces animales no es propiamente escandalizar al lector —como puede serlo en Zola—, sino más bien definir, delimitar e intensificar por contraste aquellas regiones de una conciencia plenamente humana —conciencia coincidente con el discurso— que constituyen el interés fundamental del novelista [34].

La frontera última del lenguaje es la muerte. Casalduero (*Vida y obra de Galdós*, Madrid, 1951, p. 109) ha hablado de los recurrentes emblemas fúnebres que parecen entretejer las muertes de la novela dentro de la trama toda. Pero si *Fortunata y Jacinta* es, entre otras cosas, una *Danza de la muerte* del siglo XIX, no debemos olvidar que en cada caso la muerte se presenta, no como diálogo, sino como interrupción definitiva del discurso. Los últimos juramentos de Mauricia parecían salir

> «del hueco de un cántaro muy hondo y sonaba[n] como lejos» (pág. 393) [35],

mientras que Moreno Isla, a quien la muerte coge en uno de sus interminables monólogos interiores, siente «pasar por la garganta» una enorme ola de opresión (p. 461). La muerte de Fortunata es particularmente impresionante por la angustia que le causa el no poder hablar. Después de perdonar a Juanito con ademanes [36], «su respiración fatigosa indicaba el afán de vencer las resistencias físicas que entorpecían la voz». Doña Guillermina la conforta:

> «No necesita usted hablar... basta que manifieste su intención respondiéndome con la cabeza. ¿Perdona usted a

---

decir con gritos intermitentes..." (pág. 407). Izquierdo, en cambio, tan limitado por naturaleza, es capaz de soltar largas parrafadas.

[34] Así hay que explicar también el interés que muestra Galdós por los sueños, y la manera como los utiliza. Los sueños, a menudo visuales más que orales, representan otros sectores del espíritu, y parecen complementar esta zona central de su interés.

[35] Doña Lupe describe así sus últimas palabras: "Luego la vimos mover los labios y sacar la punta de la lengua como si quisiera relamerse... Dejó oír una voz que parecía venir por un tubo del sótano de la casa. A mí me pareció que dijo *más, más...* Otras personas que allí había aseguran que no dijo sino *ya.* Como quien dice: "Ya veo la gloria y los ángeles." Bobería; no dijo sino *más...*; a saber, más Jerez" (pág. 393).

[36] Al igual que en *La Celestina*, en el *Poema del Cid* y en otras obras fincadas sobre el lenguaje hablado, los ademanes son sumamente importantes para Galdós, quien los describe en detalle. Sería de extraordinario interés un estudio sobre este aspecto.

Aurora?...» La moribunda movió la cabeza de un modo que
podría pasar por afirmativo; pero con poco acento, como
si no toda el alma, sino una parte de ella afirmase.

«Más, más claro.»

Fortunata acentuó un poquito más y sus ojos se humede-
cieron.

«Así me gusta.»

Entonces resplandeció en la cara de la infeliz señora de
Rubín algo que parecía inspiración poética o religioso éxtasis. Vencida maravillosamente la postración en que estaba,
tuvo arranque y palabras para decir esto: «Yo también...
¿No lo sabe usted?... soy ángel...» y algo más expresó; pero
las palabras volvieron a ser ininteligibles... (págs. 540-541).

Después de esto, Fortunata logra balbucear dos veces
más ese «soy ángel», y luego su voz se desvanece para
siempre. «¿Había dicho algo? Sí, pero Nones no pudo enterarse». Se ha roto el lazo que unía una conciencia con
otra; se derrumba el puente de palabras; y lo mismo que
al morir Hamlet, lo que queda es el silencio. Es el fin natural y necesario de esa monumental estructura oral llamada *Fortunata y Jacinta*, título que en su dualismo humano parece ya dispuesto a «soltar la palabra»[37] en el
diálogo. Pero si la voz humana termina, no por eso queda
derrotada. Los fragmentos de habla que anteceden inmediatamente al cruce de la frontera mortal son los más
intensos de todo el libro. Ellos revalidan y dan significación decisiva al ámbito oral del conjunto.

Echando una ojeada retrospectiva, nos damos cuenta
de que la maestría artística que Galdós ejerce sobre la
palabra hablada, constituye una de las grandes diferencias que separan a esta novela de los *documents humains*
escritos por los naturalistas. Los naturalistas transcriben
los diálogos y los tópicos orales como partes de un conjunto escrito; no los utilizan en forma creadora. El personaje típico de los naturalistas se caracteriza por una
predeterminada falta de conciencia, que necesariamente
limita su capacidad para el lenguaje significativo. Galdós,
en cambio, situado en la tradición oral del *Lazarillo* y de
la *Celestina* —en el *Quijote* se da un entrelazamiento más

---

[37] Las dos expresiones populares relativas al habla que más abundan en la novela parecen ser *soltar la palabra* y *pegar la hebra*.
Cada una de ellas describe una modalidad básica de la expresión
oral. La palabra puede *soltarse* (como se suelta una flecha) sobre
el que escucha, o bien puede entretejerse en la trama más o menos
agradable de una conversación.

complejo de las formas escritas con las orales—, centra su atención en la conciencia de los personajes. Cada uno de ellos habla, y al hablar se conoce a sí mismo. Cada uno escucha y al escuchar conoce al otro. Américo Castro caracteriza en esta forma al escudero del *Lazarillo*, contraponiéndolo a los personajes bidimensionales del *Decamerón:* «Por debajo del «hidalgo» —en cuanto categoría genérica, abstracta, social— sentimos la conciencia de un hombre que lucha con las dificultades anejas al ser tal hidalgo»[38]. Lo mismo cabe decir de los seres que pueblan el mundo de *Fortunata y Jacinta.* A Galdós no le interesan en cuanto víctimas de la herencia y de la historia. Le interesan en la medida en que su lenguaje nos hace oír su conciencia «luchando con las dificultades anejas» al ser lo que son. Es así como Galdós logra ese «realismo» sintético que exigía doña Emilia Pardo Bazán. Renueva con las posibilidades del siglo XIX el arte oral del pasado, y encuentra así el modo de combinar con el «realismo clásico» los descubrimientos «técnicos» del naturalismo[39].

Llegados a este punto, podríamos considerar las objeciones fundamentales que se han hecho a Galdós, pero enfocándolas de manera algo distinta. ¿No será el lenguaje, y particularmente el lenguaje tópico, una manifestación de la fatalidad, tan implacable como el determinismo de Zola y los positivistas? ¿No estarán los personajes galdosianos tan irremediablemente «agarbanzados»[40] por su habla como, según han dicho injustamente sus impugnadores, lo estaba el propio Galdós? Mi respuesta es la misma que he dado antes, pero ahora será más enfática. Las palabras, por tópicas que sean, no son moldes rígidos e inflexibles del pensamiento. Siempre pueden redefinirse y refrescarse en las situaciones adecuadas y en la boca y el espíritu de los hablantes apropiados. Un ejemplo decisivo en *Fortunata y Jacinta* es la palabra *rasgo,* que aparece primero en sus páginas con toda la falsedad, el convencionalismo y la prevaricación de sus orígenes periodísticos y teatrales y que hacia el final se hace sublime. Probablemente no es mera casualidad que el primer personaje que la pronuncia

---

[38] Introducción al *Lazarillo de Tormes,* ed. E. W. Hesse & H. F. Williams, Madison, Wis., 1948, pág. xiii.

[39] Me refiero, por supuesto, a los preceptos de *La cuestión palpitante.*

[40] Galdós emplea esta palabra cuando describe a Isabel II en sus últimos años *(La de los tristes destinos,* en *Obras completas,* t. III, pág. 641).

sea Juanito Santa Cruz, quien al comienzo mismo de la novela se ve envuelto en un pequeño suceso histórico, provocado por el uso agresivo que Castelar ha hecho de la palabra *rasgo* en *La democracia*. Cuando Juanito, más tarde, intenta restaurar su reputación frente a Jacinta (que acaba de enterarse de sus nuevos amoríos con Fortunata) y trata de mostrar sus acciones a una luz favorable, se dice a sí mismo: «Aquí me viene bien un rasgo» (p. 313). Se escucha ahí la melodramática trivialidad, el dejo periodístico, el abaratamiento de una acción noble, que parece inherente a la palabra. El cinismo de Juanito tiene más tarde su correspondencia en el sacasmo de Feijóo, cuando, en tantas ocasiones, pone en guardia a Fortunata contra su tendencia a los «rasgos» [41]. Así como Castelar había encontrado en esa palabra un arma contra la falsa generosidad de la «reina castiza», así Feijóo la emplea para rebajar y ridiculizar la noble (o, al menos, poco práctica) impulsividad de Fortunata. Pero al final, cuando Fortunata ha cedido su hijo a Jacinta y doña Guillermina ve en esa acción un «rasgo feliz y cristiano», la palabrita se colma repentinamente de significado. El tópico, como la heroína misma, se salva en el momento en que la novela llega a su culminación oral. Se ha superado el determinismo naturalista del individuo a través de su lenguaje, como se ha trascendido también el despego irónico. Un gran maestro del estilo ha consumado así la redención del lenguaje de su tiempo.

Es importante notar que la inspiración para su «rasgo» le vino a Fortunata precisamente «cuando estaba sin habla» (p. 537). Como hemos visto, la estructura oral de la novela se basa en la continua confrontación del lenguaje hablado, no tanto con el silencio cuanto con el «no-lenguaje», con esa región en que el habla es impotente o imposible. De ahí la constante exploración de las fronteras del lenguaje hablado; de ahí también el delineamiento oral de personajes que, cuando son más auténticamente ellos mismos, van más allá del lenguaje, al mundo de los sueños y las visiones. Sin embargo, la muda inspiración de Fortuna-

---

[41] Por ejemplo: "Conque déjese usted de *rasgos*, si no quiere que la silbe, porque esas simplezas no se ven ya más que en las comedias malas" (pág. 327). Véanse otros casos en las págs. 338, 343 y 475. En *Prim (Obras completas*, t. III, pág. 565) se alude al artículo intitulado *El rasgo*, en que Castelar atacaba la pretendida generosidad de la reina, y que fue la causa de "la Noche de San Daniel" (en la cual tomó parte Juanito).

ta es algo más que una repetición final del esquema estructural del conjunto. Demuestra un hecho que ya sospechábamos y que apenas necesita demostración para el lector experto: que la estructura oral se relaciona de manera orgánica con un tema oral. Por ser una novela que hunde sus raíces en la tradición cervantina, el tema de *Fortunata y Jacinta* es necesariamente el del individuo que lucha por conocerse y ser él mismo dentro de contextos sociales y estilísticos ajenos [42]. Pero cada novela tiene que desarrollar este tema a su manera, y, en el caso presente, ese contexto ajeno es sobre todo el lenguaje hablado, el lenguaje tópico. Es por ello profundamente adecuado que en el mutismo de su encuentro con la muerte («cuando estaba sin habla») Fortunata se realice con mayor plenitud a sí misma, se haga más auténticamente ella misma. También es adecuado que esa definitiva integridad de su ser, una vez lograda, se infiltre luego en el contexto oral de su vida novelística y lo redima.

(NRFH, XV, 1961.)

---

[42] Hay, desde luego, muchas maneras de expresar esta idea. Prefiero la mía a la fórmula de Eoff, "Art is life, and life is process" aunque sólo sea porque trata de mostrar la significación cervantina de tal "proceso".

ANGEL GUERRA

Novela original de D. Benito Pérez Galdós

Difícil ha de ser a un escritor de estos tiempos, que no es un iluminado como Tolstoi, ni padece vértigo religioso, ni ha tenido nunca ocasión de arrepentirse, describir los remordimientos, deliquios y visiones de un liberal revolucionario, arrancado por el amor de una monjita a las logias masónicas, y puesto en el camino de la santidad. Claro que escritores hay, y no es menester buscarlos fuera de España, que han estudiado en sus novelas caracteres más o menos místicos; v. gr., el don Luis de *Pepita Jiménez*, para dar un ejemplo de que todos pueden acordarse. Pero la religiosidad del fogoso seminarista, en el peregrino libro de Valera está preferentemente presentada en su aspecto formal, y si puede decirse, político. El misticismo de don Luis, enamorado de Pepita Jiménez, es al misticismo de Angel Guerra, enamorado de Leré, lo que la liturgia es a la teología.

No voy a narrar el argumento de *Angel Guerra;* supongo, desde luego, que han leído la novela todos los españoles —y muchos más— a quien puede interesar un mal articulejo de crítica. Además en este libro, como en casi todos los de Galdós, lo principal son las personas, por dentro, y esta clase de principalidades son *innarrables* o poco menos. Lo que constituye la atmósfera moral en una novela, al igual de la atmósfera física, se siente, sí, pero no se ve ni se palpa. Necesítanse páginas y páginas para ponerse al cabo de estos *tiquis miquis* psicológicos, de estos negocios espirituales, que en *Angel Guerra* rayan tan alto, y son, por decirlo así, la entraña.

Mucho se ha repetido en conversaciones, y no sé si

también en la prensa, que Angel Guerra, lo mismo demagogo que místico, es inverosímil. Claro está, que quien esto afirma, es gente de peso más o menos, pero por desgracia, así suelen ser todos los lectores de novelas en esta tierra donde los *hombres graves* —por no perder su gravedad— continúan no sabiendo qué cosas sean, *naturalismo y realismo.* Debe, pues, tenerse en cuenta la opinión antedicha, no por lo que ella valga en el sentido de crítica literaria, sino como dato demostrativo, de que hay un cierto *realismo superior* que el público español, que come bien y goza de excelente salud, no suele entender. Sería necesario someter a estos felices lectores, a ayunos como los de Angel Guerra, y aun así, muchos se morirían de hambre, sin haber sacado en limpio otra cosa que... morirse.

Asombra en esta novela, el conocimiento que Galdós tiene, de los distintos ambientes sociales, desde el sacristanesco al demagógico. Un novelista que ve tan hondo, que ha adivinado toda una época, como sucede en los *Episodios,* es el llamado a hacer la *novela* de salón, de que tanto se habla hoy día. ¿Qué es *Realidad* sino una novela de este género? Para que ciertos críticos la consideren como tal, no le falta más que un título de duquesa a Augusta.

Pero no es este conocimiento de que acabo de hablar lo que más admiro en Galdós, sino la prodigiosa facilidad que para novelar posee. ¿Qué dirían —si se curasen más de letras españolas— ciertos tasadores literarios que por Francia se estilan, de los tres tomos de *Angel Guerra,* publicados en tan corto espacio? Y no se diga que en esta novela hay pobreza de asunto: todo lo contrario. A ser su insigne autor uno de esos novelistas *recortados* y primorosos como los Goncourt, metódicos y *rectilíneos* como Pablo Bourget, no una sino cuatro novelas hubiese escrito, que para tanto dan materia, los Babeles, Leré, doña Sales y alguno de los magistrales tipos toledanos. ¡Qué galería de admirables figuras! ¡Qué riqueza de caracteres! ¡Qué *abuso* de facultades creadoras! Y, sin embargo, el maestro se queja de no poseer la misma facilidad que antaño. En datos publicados por el eminente crítico *Clarín,* y debidos al mismo Galdós, hay este párrafo:

«El año 1873 escribí *Trafalgar* sin tener aún el plan completo de la obra, después fue saliendo lo demás. Las novelas se sucedían de una manera... *inconsciente.*

Doña Perfecta la escribí para la *Revista de España*, por encargo de León y Castillo, y la comencé sin saber cómo había de desarrollar el asunto. La escribí a empujones, quiero decir, a trozos, como iba saliendo, pero sin dificultad, con cierta afluencia que ahora no tengo.»

En vista de *Angel Guerra*, no creo que haya disminuido mucho la afluencia, y a fe que estoy por lamentarlo. Pienso que a producir con menos facilidad, Galdós sería no más novelista, pero sí más literato. Entonces en *Angel Guerra* se perseguiría más directamente la historia del protagonista: el camino se haría en una sola jornada y allí, como hacen los rapaces para coger moras.

En esta novela, como en *Doña Perfecta*, como en otros libros del primer novelista español, hay un profundo simbolismo. Angel Guerra no es solamente un revolucionario arrepentido, es la encarnación del más puro amor humano, el fanático de las virtudes sociales, el Amadís de Gaula de la caridad, en una palabra: la santidad librepensadora y francmasónica. Angel Guerra, con Tomás Orozco son los primeros apóstoles de una religión *nihilista* —porque ha de nacer de la ruina de las existentes— basada en el evangelio. Son dos bienaventurados heterodoxos, dos iluminados que creen conocer el verdadero sentido de la predicación del *hijo de Dios*. Sus manos y su corazón están siempre abiertos: su vida es una constante práctica del bien.

(*El Globo* [Madrid], 13 de agosto de 1891)

ANGEL DEL RIO

LA SIGNIFICACION DE *LA LOCA DE LA CASA*

I

NOVELA Y TEATRO EN GALDÓS

Escribe Galdós *La loca de la casa* en 1892, al entrar
en un período de ordenación de sus ideas. Imprime entonces un nuevo sesgo a sus creaciones, mediante cambios
que afectan tanto a la técnica de la novela como a la visión de la vida que a través de ella pretende transmitir-
nos. Después de *Fortunata y Jacinta,* donde el arte de la
ficción realista y naturalista, con su ritmo lento y su gusto
por el detalle, llega en España a la plenitud, todos los
esfuerzos de Galdós van a ir principalmente encaminados
hacia la concentración. Al concebir a sus nuevas criaturas
novelescas, desde el Villamil de *Miau* hasta Benigna y Nazarín, le preocupa cada vez más el describir su intimidad:
sentimientos, ideales y pasiones. En la forma, el cambio
más significativo será el paso paulatino de la exposición
analítica y descriptiva de la novela a la técnica dramática.
Debemos detenernos a señalar la finalidad de este cambio, porque, en gran parte, la recta interpretación de la
obra que vamos a estudiar depende de que se entiendan
bien los motivos por los cuales Galdós, novelista nato, entra en el campo del teatro y continúa en él, a pesar de la
insistente reprobación de los críticos profesionales. Si descontamos *Realidad,* obra más compleja y en la cual la
acción gravita aún principalmente hacia lo novelesco [1], *La*

---

[1] El propio Galdós afirma (véase *Memorias de un desmemoriado,
Obras completas,* Madrid, Aguilar, 1942, vol. VI, pág. 1941) que no pen-

loca de la casa es la primera creación dramática de Galdós o, mejor dicho, la primera de lo que él llamó, no sin ironía, «este subgénero... producto del cruzamiento de la Novela y el Teatro».

La nueva técnica que Galdós adopta fue el resultado necesario de la evolución de su arte y, sobre todo, de su actitud ante las ideas y las realidades de su tiempo, que son la sustancia permanente de su creación artística. El cambio obedecía, desde luego, a estímulos más altos que los de conquistar el éxito económico o de público, como con extraordinarias miopía y mala fe sugirieron algunos críticos. Nacía de la amplitud misma con que Galdós fue dando desarrollo a su obra, cuyo tema fundamental será, desde el principio, el de la división interna de España en el siglo XIX, tema dramático en su esencia.

Para Galdós la novela es «imagen de la vida», y la vida, como materia novelable, es ante todo Historia. Ningún novelista de su época poseyó la sensibilidad para lo histórico en mayor medida. Por eso, después de haber dedicado una gran parte de su labor novelística a examinar y describir analíticamente todo lo que destruye a la sociedad española, llega a una especie de concepción dialéctica de la vida y de la Historia, influido, quizá, por un indefinido idealismo hegeliano que se respira en el ambiente intelectual español del momento. A una obra dedicada a mostrar los elementos antitéticos de la realidad española sucede entonces el afán de síntesis. Se dispone Galdós a buscar la posible unidad de un mundo cuya razón de existir no puede ser la de servir de campo de batalla para que los hombres se destruyan unos a otros. Advierte cómo en el fondo de toda lucha y de toda contradicción existe una latente atracción mutua de los contrarios y cómo hay en la esencia de lo humano, de lo social y de lo histórico posibilidades de conciliación y de armonía entre los elementos más opuestos.

---

só al escribirla llevar esta obra [*Realidad*] a la escena, y hubieron de pasar bastantes años hasta que *Realidad* apareciera ante las candilejas". Luego explica *(op. cit.,* págs. 1758-60) cómo se decidió a adaptarla al teatro a instancias del actor Mario. En cambio, *La loca de la casa* la escribe ya pensando en la representación, y su doble forma de debe simplemente a que al leer la primera redacción "resultó tan desaforadamente larga que tardamos dos días en leerla". Y añade: "Desde los primeros días empezamos a dar tajos y mandobles para que quedase en razonables proporciones." Los primeros ensayos dramáticos y juveniles de Galdós carecen de importancia y apenas si tienen relación con el desarrollo posterior de su obra.

El cambio de forma, cuyas causas tratamos de explicar, coincide exactamente con la nueva actitud y viene determinado por ella. Necesita Galdós ahora destacar con nitidez la naturaleza de cada personaje y dar relieve a la oposición entre lo que cada uno de ellos representa. Para esto ya no le sirve la técnica descriptiva y tiene que acudir a la forma dramática, cuya característica primera es la de presentar de manera escueta, sin el moroso análisis de la novela, los conflictos del hombre con todo lo que está fuera de él.

Galdós se dio cuenta, además, de cómo a medida que el artista intentaba penetrar en el dominio de la personalidad y concebir la realidad como algo cambiante y fluido se imponía la ruptura con los antiguos moldes retóricos de los géneros poéticos. Y aunque nunca logró superar enteramente la estética realista ni pudo asimilarse los nuevos procedimientos novelísticos del impresionismo y el simbolismo, movimientos en los que casi desaparece ya la noción de género, percibió, coincidiendo con ello, la creciente indiferenciación de las formas artísticas y la practicó en esta fusión de lo novelesco y lo dramático que su nueva actitud exigía [2].

Sus esfuerzos en el nuevo camino no se lograron siempre artísticamente, aunque sirvieran bien a su propósito ideológico. *Realidad* y *La loca de la casa*, por ejemplo, apenas se diferencian en sus respectivas versiones para ser leídas o representadas más que en cortes, a veces poco re-

---

[2] Galdós tuvo que defenderse insistentemente contra los ataques de los críticos, que vieron en sus obras teatrales una irrupción en un campo ajeno a él. El argumento que Galdós usó constantemente fue éste de la necesidad de romper las limitaciones de los géneros cuando el artista quiere decir cosas nuevas. Véanse los prólogos a *Los condenados, Alma y vida, El Abuelo* y *Casandra*. En este último dice: "Los tiempos piden al teatro que no abomine absolutamente del procedimiento analítico, y a la novela que sea menos perezosa en sus desarrollos y se deje llevar a la concisión activa con que presenta los hechos humanos el arte escénico." Y luego, habla de la conveniencia de casar "a los hermanos teatro y novela... detrás o delante de los desvencijados altares de la retórica." Como siempre, casi el único crítico de su época que vio claro fue Menéndez Pelayo, que dice en el discurso de contestación a Galdós en la Academia, al hablar de sus obras dramáticas: "Aquí, como en todas partes, no ha venido a traer la paz, sino la espada, rompiendo con una porción de convenciones, trasplantando al teatro el diálogo franco y vivo de la novela y procurando más de una vez encarnar en sus obras algún pensamiento de reforma social, revestido de formas simbólicas, al modo que lo hacen Ibsen y otros dramaturgos del Norte."

comendables. Al derivar más tarde casi exclusivamente hacia el teatro, muchas de sus obras arrastran un lastre analítico, que en la mayoría de los casos se traduce en una extensión inadecuada a los efectos dramáticos. Por su parte, las novelas de este período suelen salir sobrecargadas de diálogo y adolecen de un exceso de simbolismo, fácilmente transmisible con los medios plásticos de la escena, pero de difícil y pesada captación en la novela. Mas lo importante para nuestro propósito no es tanto valorar artísticamente este aspecto de la producción galdosiana, sino mostrar cómo Galdós intenta ahora dar una visión conciliadora frente a la visión de la vida como lucha de elementos irreconciliables, característica de su obra anterior, sobre todo de las novelas de la primera época —*Doña Perfecta, Gloria, La familia de León Roch*—, con las que las nuevas obras tienen cierto paralelismo. La nueva actitud no supone necesariamente una rectificación ideológica. Lo que hace es dar mayor amplitud a sus ideas de siempre, evitando el peligro de que se conviertan en dogma, como ocurre con toda idea cuando se aparta de la vida. No renunció a su liberalismo, a su fe en la igualdad humana y en el libre juego de las fuerzas del hombre y la Naturaleza; lo superó con la creencia de que la base de todo liberalismo se encuentra, antes que en la lucha de intereses, en el respeto a la libre determinación del ser: primero viene lo moral y humano; luego, lo económico y lo social. Tampoco renunció al otro de los credos fundamentales de su ideología: el positivismo. Siguió pensando que el hombre, y más el español de su tiempo, necesitaba dominar la materia por medio de la ciencia y el trabajo; pero complementa esta fe, puramente materialista, del positivismo con la convicción de que la verdadera liberación de las necesidades materiales se logra principalmente por el espíritu y de que el progreso material no mejora en nada la suerte del hombre en la tierra si no va acompañado del progreso moral.

Va a pretender, en suma, Galdós indicar un posible camino para que el hombre salga del callejón hacia donde le conducen las contradicciones ideológicas de la época moderna. Entran así su obra y su pensamiento en un período de intentos de integración. Su norma será la de buscar la armonía de los contrarios. Sabe que la alternativa única es la revolución que destruye parte de la vida. Su espíritu generoso quiere evitarla, aun convencido, quizá, en su más íntimo fondo de que es inevitable. En el plano estético los deseos de conciliación se traducen en los ensayos de fundir formas diversas: novela y drama; en el humano y psicológico quiere mostrar cómo en la vida los seres más opuestos se complementan; en el ideológico e histórico, su idea básica será la de que el mundo es ante todo unidad, la de que existe una especie de armonía natural, que el hombre altera cuando su voluntad se rige por el egoísmo, y no por la tolerancia, por el amor y la justicia.

Nada de esto es, en rigor, nuevo en Galdós. Su fe de que la convivencia y el progreso han de buscarse en lo que une a los hombres, y no en lo que los separa, la encontramos ya en sus primeras novelas, *El audaz*, *Gloria*, y todas las demás. Lo nuevo, desde *La loca de la casa*, es que la ideología conciliadora de Galdós aparece ahora más clara y que se supedita a ella la concepción y el desarrollo de la obra misma. La nueva actitud cae con frecuencia en un didactismo de inferior calidad artística. Aun sin aceptar como tales los muchos defectos que se han señalado en el teatro de Galdós, es indudable que al derivar su obra total hacia un arte de tesis, de contrastes netos y de simbolismo ideológico se pierde gran parte de la riqueza de observación y de vida bullente que nos cautiva en sus novelas madrileñas. El peso del mensaje casi hace desaparecer, además, una de las categorías superiores del mundo poético galdosiano: el hondo humor, la risa penetrante y comprensiva de *Miau*, de *Fortunata y Jacinta*, de los cuatro *Torquemada*, presentes todavía, dentro de las obras de este período, en *Misericordia*.

Pero el objeto de nuestro estudio no es el de aquilatar valores estéticos. Queremos más bien fijarnos en la significación de ideas y actitudes, sin olvidar, claro está, que se trata de una creación artística. Para este objeto consideramos *La loca de la casa* como la obra de Galdós que presenta de una manera más simple, casi cabría decir más artificial, el esfuerzo de nuestro gran novelista por sugerir la posible conciliación de todas las antinomias. A través del drama de Victoria y de Cruz va a hacernos ver: primero, la lucha; después, la mutua atracción; y, por último, la unión afectiva de los contrarios.

Victoria y Cruz son dos seres humanos, dos individualidades, pero en ellos ha hecho encarnar Galdós, como si fuesen dos símbolos vivientes, la esencia de los problemas sociales, económicos, morales y religiosos que dividían a la España de su tiempo y que aún dividen dramáticamente al mundo actual.

Intentamos a continuación analizar, sin desviarnos del texto de la obra, el planteamiento de esos problemas y las soluciones que Galdós sugiere, en las que percibimos una síntesis total de su concepción armónica de la vida.

II

El problema social: la armonía de clases

El aspecto que desde el primer momento se define con mayor evidencia en *La loca de la casa* es puramente social: el de los conflictos de clase. De un lado, la aristocracia decadente, los marqueses de Malavella, y la familia Moncada, de grandes industriales catalanes; del otro, Cruz, el plebeyo enriquecido, antiguo criado de esta familia. Al presentarnos a don Juan Moncada en el momento en que su ruina parece inminente y en que su hija Gabriela va a unirse con los lazos matrimoniales a uno de los hijos de los marqueses de Malavella, Galdós quiere significar que la alta burguesía, por hacerse solidaria con la aristocracia, desvitalizada ya, es decir, con lo muerto de la tradición y el pasado, se halla también, como la aristocracia misma, en grave riesgo de desaparecer ante el empuje de las nuevas clases del pueblo ascendente.

La solución, sin embargo, no la ve Galdós (ni en ésta ni en otras obras subsiguientes, donde en una forma u otra vuelve a plantear el mismo problema —*La de San Quintín, Mariucha, Celia en los infiernos*, etc.—) en la desaparición total de las clases superiores, sino en su regeneración, sea por su propio trabajo, sea fundiéndose con el pueblo.

La aristocracia, creación del pasado, de la Historia, es la depositaria de la cultura y del espíritu. El pueblo es la fuerza vital. El pasado es el alma; el presente, la vida. El problema de la Historia es el de ir trasvasando las esencias permanentes del espíritu en las nuevas formas de la vida.

Como tantas otras ideas de Galdós, ésta aparece en su forma primera, aún imprecisa, en los comienzos de su obra, en *El audaz*, y trata de expresarse allí por medio de las relaciones entre Muriel, revolucionario y hombre del pueblo, y la aristócrata Susana; se define claramente, como veremos, en *La loca de la casa;* y encuentra su última y más amplia expresión simbólica, diez años después, en el drama *Alma y vida*. Galdós explica el tema de esta última obra en la forma siguiente: «Moviome una ambición desmedida...: vaciar en los moldes dramáticos una abstracción, más bien vago sentimiento que idea precisa, la melancolía que invade y deprime el alma española de algún tiempo acá, posada sobre ella como una opaca pesadumbre... Pensando en esto..., veía yo como capital signo para expresar tal sentimiento el solemne acabar de la España heráldica, llevándose su gloriosa leyenda y el histórico brillo de sus luces declinantes. Veía también el pueblo, vivo aún y con resistencia bastante para perpetuarse, por conservar fuerza y virtudes macizas; pero lo veía desconcertado y vacilante, sin conocimiento de los fines de su existencia ulterior» [3]. Esta explicación aclara el significado de las palabras finales en el drama. Al morir la duquesa Laura —la España heráldica, la ideal virtud—, el pueblo —la vida— se queda sin alma, y su triunfo, sin ideal superior que le inspire, ya sólo servirá para dar paso a nuevas tiranías. Dice Juan Pablo:

> Vasallos de Ruydíaz, el grande espíritu de nuestra señora está en un reino distante, en un reino glorioso. Era la divina belleza, la ideal virtud, y nosotros, unas pobres vidas ciegas, miserables...
> ¿Qué habéis hecho, qué hemos hecho? Destruir una tiranía para levantar otra semejante. El mal se perpetúa... Entre vosotros siguen reinando la maldad, la corrupción, la injusticia. ¡Llorad, vidas sin alma, llorad, llorad!

De aquí parece desprenderse la idea de que la total extinción de las aristocracias sólo será beneficiosa cuando se hayan transmitido al pueblo los valores en ellas depositados. Su papel no debe ser, sin embargo, enteramente pasivo, porque el espíritu, creación de la cultura y del pasado, si se aísla de la siempre cambiante realidad de la vida, cae sin remedio en la esterilidad y termina

---

[3] Prólogo a *Alma y vida*, *Obras completas*, Madrid, Aguilar, 1942, vol. VI, pág. 933.

por desaparecer. Por eso, la misión de las clases superiores, que han cumplido ya su destino histórico, cuando aún conservan un sentido activo y espiritual, no es la de desdeñar al pueblo, que por nacer de la Naturaleza misma lleva en sí la fuerza renovadora, sino ir a su encuentro, fundirse con él. Es lo que en *La loca de la casa* entiende Victoria, guiada por sus impulsos profundos. Cruz, el pueblo, aparentemente bárbaro y tosco, le produce, al principio, la misma repugnancia superficial, nacida de sus prejuicios de clase y educación, que a su hermana Gabriela. Mas hay en ella algo hondo, la voz del espíritu, que, disfrazada bajo la atractiva ficción del sacrificio para satisfacer a sus escrúpulos religiosos, se manifiesta desde el primer momento en una ingenua simpatía hacia Cruz. Luego, ya casados, aquella simpatía se convertirá, no sin lucha interior por parte de Victoria, en adaptación rutinaria a la costumbre y al fin de la obra tomará la forma de necesidad alimentada por una atracción misteriosa [4].

---

[4] Galdós ha matizado bien los diversos estados por los que pasa la relación afectiva de Victoria con Cruz. Al encontrarse por primera vez frente a él, en oposición al desprecio que hacia el antiguo criado de la casa han demostrado los otros personajes, especialmente su hermana, Victoria recordará no sin cierto encanto los episodios de la niñez, cuando las dos hermanas le echaban salivitas a Cruz y le obligaban a hacer de caballo. Y en el comienzo del diálogo, después de un "señor Cruz" que marca la distancia, se le sale inconscientemente un "Pepet", que indica familiaridad, e inmediatamente le pregunta si es él verdaderamente "aquel muchachote tan...", para exclamar luego con gracia: "¡Vamos y que hacía usted de caballito con una propiedad...!" (Acto II. Escena VI.) En la escena siguiente, al quedarse sola, admite ya la posibilidad de que bajo la corteza burda de Cruz haya un alma "¡Qué hombre, qué trazas de inferioridad! ¿Y en eso hay un alma? *(Pausa.)* Sí que la habrá." Los otros momentos que hemos señalado están igualmente claros: de su adaptación a la rutina, causa profunda de todas las permanentes uniones humanas, dirá Victoria, ahora separada de su marido: "Anoche no pude pegar los ojos. Pensaba en el pataleo del pobre animal Cruz al encontrarse solo." Y añade antes de confesar a su padre que ella también echa de menos a su marido y que desea que la separación no sea definitiva: "Ya ves qué cosas tan divertidas. [Alude a su trabajo como encargada de la contabilidad de la fábrica.] Pero estas vulgaridades crían costumbres y en el molde de la costumbre nos vaciamos y nos endurecemos." Y, por último, reconoce ya la atracción que sobre ella ejerce Cruz: "Y te diré más. Hasta que me separé de él no he conocido que hay algo que hacia él me impele. Atracción misteriosa que no comprenderás quizá." (Acto IV. Escena VI.) Citamos por la edición de la novela, no de la comedia, que como se sabe no se diferencia de aquélla más que en varios cortes y omisiones para adaptarla a la representación. La edición utilizada es la de Madrid, Hernando, 1915.

Ahora bien: si las clases altas, representativas de la tradición y el pasado, sólo pueden aspirar a salvar sus valores ideales mediante la revivificación de ellos por la unión con la nueva sangre popular; el pueblo, cuya virtud fundamental es el trabajo —el poder creador—, sólo puede elevarse a su función social directiva mediante la aceptación de los valores espirituales depositados en la tradición. Cruz lo presiente cuando, después de haber conquistado la riqueza y de haberse elevado con su propio esfuerzo, aspira a «ser señor donde fue criado», «a enlazar el pasado con el presente», «a la rehabilitación gloriosa y triunfante de la niñez». Desea asimilarse todo lo que pertenece a sus antiguos amos sin ofender a las personas, «haciéndolas mías —dice—, o que ellas me hagan a mí... suyo...». Con su inteligencia primitiva, que Galdós cuida de recalcar como una de sus muchas virtudes, se da cuenta también de que el tiempo es la sustancia de la vida y de la Historia, de los cambios y revoluciones: «Ha pasado el tiempo. Su oficio es pasar, correr, mudando y revolviendo todas las cosas, en la corteza, se entiende, que en lo de dentro no hay poder que las cambie.» Y este hombre que así razona, implacable cuando de sus instintos de posesión se trata, define, con precisión admirable, una idea de revolución, que sin duda le era grata a su creador:

> Y yo, hombre rudo, endurecido en las luchas con la Naturaleza; yo que fui y quiero seguir siendo pueblo, deseo que el pueblo se confunda con el señorío, porque así se hacen las revoluciones... sin revolución...
>
> *(Acto II, esc. XII.)*

Pero el deseo no basta para efectuar las grandes transformaciones de la vida. Toda revolución es siempre un proceso doloroso de sangre y violencia. La única alternativa es la renuncia a nuestros instintos más arraigados. En el caso de Cruz, el de la posesión de dinero. En el de Victoria, el de sus ilusiones de ejemplaridad mística. Pepet, la fiera, tiene que ser domado, como Victoria dice; es decir, reprimido en sus pasiones e inclinaciones egoístas. Victoria, criatura angélica, tiene que sacrificar sus sueños de perfección y aceptar una meta mucho más humilde que la que su imaginación le había sugerido: la de salvar de la ruina a su familia y alumbrar en el alma egoísta de Cruz una chispa de bondad:

Y he venido a pensar —le dice al padre, dejando al desnudo su conciencia— que Dios no quiere que yo sea mártir, que fue una chiquillada pensar en tormentos horribles, y que mi destino es una vida pacífica y monótona, labrando sin cesar aquel campo estéril para obtener de él, poquito a poco, frutos de piedad y hacer algún bien a los que me rodean. Mis aspiraciones se achican; pero son quizá más prácticas.

(Acto IV, *esc.* VII.)

Como ocurre frecuentemente en Galdós, el tema central va acompañado, a manera de contrapunto, de otros menores que lo aclaran y complementan. Así, en *La loca de la casa,* frente a la salvación de la familia Moncada por el sacrificio de Victoria, se nos presenta la ruina ya consumada de los marqueses de Malavella. El marqués terminó con su fortuna, no tanto por los vicios comunes a una aristocracia degenerada, como vemos en otras obras de Galdós, sino por un falso y superficial culto al progreso: «Vivió poseído —se lamenta la marquesa— de la fiebre de las mejoras y de la pasión de los adelantos. Se embriagaba, sí..., con el maldito progreso, y no vivía más que para visitar exposiciones extranjeras... Por eso puede decirse del pobre Silverio que fue una víctima de la civilización.» Fina sátira contra las clases directoras —aristócratas o gobernantes— que creían poder salvar a España copiando a los países extranjeros, como si el progreso y lo moderno fueran productos de importación y fácilmente imitables. Lo mismo ocurría con la decadente aristocracia rusa que nos pintan Tolstoi o Chejov.

El contrapunto del otro tema mayor de la obra en el aspecto social, el que podemos llamar la elevación del plebeyo, es más sutil y profundo. La crisis en el carácter férreo de Cruz, tras la cual terminará por aceptar, un poco avergonzado de sí mismo, todas las condiciones que le impone Victoria, se inicia cuando despierta en su ruda naturaleza un sentimiento de tipo espiritual, que es justamente el sentimiento más representativo de la clase opuesta: el sentimiento del honor. Bajo el estímulo de una emoción muy humana, al sospechar que Victoria pueda amar a Daniel, sacudido por los celos en lo hondo de su ser, clamará «con desvarío brutal», según acota cuidadosamente el autor: «Mi dinero. Mi honor.» ¡Mi honor! No sospechábamos hasta ahora que el terrible Cruz pudiera responder a una preocupación tan propia de caballeros inútiles, de los que él llamaba siempre desdeñosamente, y no sin alguna razón, «carcoma de la sociedad». El pensamiento de Galdós se define con esto en toda su complejidad. Cruz, el pueblo, triunfará plenamente sólo cuando sus valores humanos y sociales se completen con otros morales y espirituales, éste del honor, que es la conciencia de la propia dignidad, y otros que va apuntando más tarde: el amor por su mujer y el amor por el hijo, por los hijos que han de venir. En ellos se realizará plenamente su sueño de entroncar con el señorío, de perpetuar, ya fundidos, la vida nueva que él pone y el espíritu que pone Victoria.

El problema económico: la función del dinero

Brevemente formulada, la idea que en el plano económico, inseparable en rigor del social, inspira *La loca de la casa* es ésta: el dinero no tiene valor por sí; su valor, moral y social, se entiende, reside en la función que desempeña, en el fin a que se destina. Su conquista es legítima, porque nace de apetencias e impulsos profundamente enraizados en la naturaleza humana. Es la justificación del capitalismo, que expondrá Cruz: «Yo no distingo nada y aseguro que el dinero es bueno.» El dinero es bueno, porque es el símbolo del poder del hombre sobre la Naturaleza. Representa el triunfo de la voluntad y la inteligencia, que al arrancar a la tierra sus tesoros hacen posible la civilización. Cruz, como siempre, ve con claridad absoluta una cara de las cosas. Victoria, en cambio, pensará, o, más bien, sentirá, que su posesión sólo se justifica en el terreno moral. Es buena cuando sirve para el bien, cuando se pone al servicio de la Humanidad. Es malo cuando, olvidando su función social, sirve sólo para la explotación, como instrumento de poder. Es la justificación del socialismo. Y no deja de ser paradójico —como observaron un poco escandalizados algunos críticos liberales, entre ellos Yxart— que la abogada del nuevo credo sea en la obra la señorita Moncada, la antigua novicia poseída por la fiebre mística. He aquí cómo explica su misión junto a Cruz:

> Arrastróme hacia ti una vaga aspiración religiosa... *(Buscando la palabra.)* Socialista..., así se dice...; la idea de apo-

derarme de ti, invadiendo cautelosamente tu confianza, para
repartir tus riquezas, dando lo que te sobra a los que nada
tienen..., para ordenar las cosas mejor de lo que están; nivelando, ¿sabes?, nivelando...

A lo que su marido contesta:

Cállate; no me provoques... Si eso fuera verdad, tendría
que exterminarte.

(Acto II, *esc.* XVII.)

Cruz quiere defender con el exterminio del contrario
lo que había conquistado con su duro trabajo. Por él habla la furia agresiva del pueblo enriquecido, símbolo del
nuevo capitalismo, ante cualquier intento de nivelación
económica.

Galdós, despierto a todas las ideas de su época, al
concebir a su héroe, ha recogido la sustancia ideológica
de la concepción social y económica de los tiempos modernos. Nacida de la noción religiosa del trabajo y de la
posesión, vendrá, a través de las teorías racionalistas del
siglo XVIII y del materialismo del XIX, a convertirse en la
base del liberalismo económico del mundo capitalista, que
funda su equilibrio en la libre creación y circulación de
la riqueza.

Cruz, el «héroe naturalista», como le ha llamado Casalduero, es un «espenceriano», según ya advirtió Yxart,
un hijo de la cultura protestante, de la que sale toda la
cultura moderna, opuesta a la cultura medieval católica,
donde los fines de la vida se sitúan en una esfera trascendente. Es la encarnación del egoísmo, del *selfinterest*,
como lo concibe Hobbes en su *Leviathan*. Es al mismo
tiempo una especie de nuevo Robinson, que lucha en la
soledad con la Naturaleza, y la vence. La riqueza es su
«pasión dominante». Solo en las «selvas de México» y en
«las minas de California», es decir, en lo profundo y oscuro de la tierra, «arrancando el mineral a sus entrañas»,
ha hecho su fortuna.

Veamos cómo justifica su egoísmo:

Como me he formado en la soledad, sin que nadie me
compadeciera, adquiriendo todas las cosas por ruda conquista, brazo a brazo, a estilo de los primeros pueblos del mundo,

hállome amasado con la sangre del egoísmo, *de aquel que echó los cimientos de la riqueza y de la civilización.*

(*Acto* I, *esc.* VII.)

Es preciso subrayar las últimas frases. Porque la conciencia de ser un instrumento de la civilización y de servir así, aunque sea involuntariamente, la causa del hombre, justifica y redime a Cruz. A su valor individual de creador se une su valor social. Mas para Galdós, cuyo pensamiento, además de ser indudablemente moderno, tiene largas raíces en el eticismo español de bases espirituales, Cruz es sólo el símbolo de una de las fuerzas que gobiernan el mundo. Para que den plenamente sus frutos tienen que armonizarse con las fuerzas contrarias. El egoísmo y el trabajo, virtudes naturales, deben ser superados por una virtud moral y religiosa, más alta en la escala de los valores porque pertenece al reino del espíritu: el amor, virtud cristiana por excelencia, santificada por el Decálogo. Amor que es al mismo tiempo caridad, amar al prójimo como a nosotros mismos, y misericordia, compasión de los trabajos y miserias ajenas [5]. Así es el verdadero y hondo amor que Victoria termina por sentir hacia Cruz; su plena expresión humana es la ternura:

VICTORIA.—*(Cariñosamente, pasándole la mano por los hombros.)* Mi monstruo..., sí... Sí, aunque no quieras mío, has de ser por los siglos de los siglos.

... ...

[5] Aunque *La loca de la casa* es, a nuestro juicio, una de las obras donde más claro y con mayor amplitud se nos muestra el pensamiento social de Galdós, para conocerlo íntegramente hay que tener en cuenta otras obras. No hay duda, por ejemplo, que la caridad y la misericordia —recuérdese la novela de este título— eran para Galdós virtudes supremas, cuando nacían de la honda compasión por el ser humano, no cuando tomaban la forma hipócrita de la limosna, que él no se cansará de ridiculizar. Pero eran suficientes para resolver el problema de la desigualdad económica. Había que añadir a ellas la justicia, según vemos en *Celia en los infiernos:*

LEONCIO.—... pero créame usted, señora, la caridad, por grande que sea, no resuelve el problema que a todos nos conturba, ricos y pobres. La plebe laboriosa no se redime sólo por la caridad.
CELIA.—¿Pues qué más necesita la plebe laboriosa?
LEONCIO.—Justicia, señora.

(*Acto* IV, *esc.* VI.)

— 333 —

—Lo siento, lo siento mucho... Me duele verte padecer...
Padezco yo tanto como tú.
....
—Sosiégate..., por Dios... Monstruo querido..., dragoncito
mío...
....
—Déjame a mí. Soy tu ángel bueno.

(Acto v, *esc.* xvi.)

Resumamos. La civilización de bases puramente materialistas no puede subsistir. Si no va acompañada del amor
y del espíritu, sólo produce odios y luchas. El egoísmo,
impulso adquisitivo en el reino de lo económico, debe ser
superado, pensando en el bien de comunidad. La misión
de Cruz es ganar dinero; la de Victoria, la de hacer el
bien, la de emplearlo en beneficio de los demás. Es el único modo de garantizar la continuidad ascendente de la
Historia, de la vida, simbolizada en el hijo que Victoria
lleva en su seno.

El problema del bien y del mal

Es en la zona de lo moral y lo religioso, zona del espíritu por excelencia, donde se afinca en verdad el **pensamiento de Galdós.** Unicamente si lo entendemos así podremos captar el sentido total de su creación literaria. En
La loca de la casa, obra de integración, lo social y lo económico están, como ya se ha visto, indisolublemente fundidos con problemas de índole espiritual. Si nos fijamos
sólo en lo aparente, Victoria parece ser la personificación
del bien; Cruz, la del mal. Pero a poco que analicemos el
sentido de las palabras y de los personajes, veremos inmediatamente que bien y mal no se nos presentan como
formas de lo absoluto. A Galdós no le interesa su esencia
metafísica. El mal no es para él lo que es para el teólogo;
es decir, la negación o ausencia del bien. No; mal y bien
son principios activos, formas de la vida que en su oposición radical se complementan. Son, en suma, **valores re-
lativos** [6]. Si para Victoria el mal es Cruz, para éste el mal

---

[6] El no entenderlo así ha llevado a algunos críticos a una interpretación errónea de *La loca de la casa.* Yxart, por ejemplo, fue
uno de los que mejor percibió las excelencias de la obra y sobre
todo la claridad de su planteamiento, se indigna ante su final, y al
oír decir a Victoria: "Tú eres el mal", refiriéndose a su marido,

será la compasión y el ideal de Victoria. No se olvide que ha llegado a hablar de la necesidad de exterminarla. El instinto natural, la fuerza y la voluntad de dominio, son el mal desde el punto de vista religioso de Victoria; la espiritualidad es el mal para el materialista Cruz. La lucha moderna, cuya raíz se halla en el monismo filosófico, es el combate entre los que creen que la materia es la única realidad contra los que creen que el espíritu es la única realidad. Galdós trata, como siempre, de elevarse por encima de la lucha para ver las dos realidades y buscar lo que hay en ellas de común.

Mal y bien, lo que los hombres llamamos mal y bien, son formas de la vida; están juntos e inseparables en la naturaleza humana; van también juntos en la marcha de la Historia. Se trata, en último término, del viejo mito bíblico de Caín y Abel. De Caín, «el labrador de la tierra» —según leemos en el *Génesis*—, salen la rebelión y los instintos creadores: la vida. Por eso Jehová prohíbe que se le haga daño[7]. De él nace la Humanidad, y su hijo Tubal-Caín será «acicalador de toda obra de metal y de hierro». El destino de Abel, el bueno, es oponerse al malo, no con la fuerza, sino con el sacrificio, idea que conservará el cristianismo.

«Eres el mal —le dice Victoria a su marido en las palabras finales de la obra—, y si el mal no existiera, los buenos no sabríamos qué hacer... ni podríamos vivir.» De la batalla sin tregua entre el mal y el bien procede el equilibrio, sobre el que se asientan la vida, el progreso y la historia. El triunfo de cualquiera de ellos, suprimiendo al otro, sería el fin del hombre. Cielo e infierno, bien absoluto y mal absoluto, están ya fuera de la vida. Cruz y Victoria sólo se separarán con la muerte, y Victoria, que se da a sí misma la representación del bien, no duda de que su alma irá al cielo:

CRUZ.—Nos enterrarán allí...
VICTORIA.—Sí..., yo así. *(Indicando la actitud de una estatua yacente.)* Tú a mi lado.

---

se le revuelve su ideario positivista: "Esta declaración —afirma—, aun viniendo de Victoria, trastorna todas mis ideas concebidas." Véase José Yxart, *El arte escénico en España*, Barcelona, 1894, vol. I, pág. 341.

[7] "Y respondióle Jehová: —Cierto que cualquiera que matare a Caín, siete veces será castigado. Entonces Jehová puso señal en Caín para que no le hiriese cualquiera que le hallare." *Génesis*, V, 15.

CRUZ.—Eternamente juntos...
VICTORIA.—Nuestros huesos, que las almas... En el cielo estará la mía.

A lo cual Cruz contesta, en uno de los pocos rasgos de humor galdosiano —más rico en las novelas que en las obras teatrales— que contiene *La loca de la casa:*

> La mía también... ¿Eh, qué crees?...; me colaré como pueda... Sobornaré a San Pedro...
>
> *(Acto* IV, *esc.* XVI.)

Como se ve, ni Cruz ni Galdós están muy seguros de que los medios de conquista económica, los únicos que Cruz conoce y domina, sean exclusivamente negocio terrenal. Pueden incluso ser suficientes, con un poco de ayuda por parte de los buenos, para conquistar el cielo.

EL SENTIDO ACTIVO DEL MISTICISMO

En *La loca de la casa* va todo tan trabado y responde todo a tal concepto de unidad, que el examen de cualquier aspecto nos lleva al examen de otros aspectos de jerarquía superior. Así, lo social y económico nos lleva a lo moral, y de lo moral pasamos, siempre en escala ascendente y sin salirnos de los motivos evidentes en la obra, al plano de lo religioso, dentro ya de los fenómenos puramente espirituales. Porque en esa oposición que hemos venido estudiando entre los poderosos y los desvalidos, entre el afán adquisitivo y el amor al prójimo, entre el bien y el mal, ¿cuál es el papel de la religión, cuya encarnación Galdós quiere presentar en los impulsos místicos y las aspiraciones de una vida de sacrificio de Victoria? Se enfrenta Galdós aquí, una vez más, con el tema capital de toda su producción en el período de mayor madurez de pensamiento, que no es necesariamente el de su mayor plenitud artística. Es el tema de *Angel Guerra*, de *Misericordia*, de *Nazarín* y *Halma*, de *Sor Simona*, de *Electra*.

En todas sus obras, igual que en *La loca de la casa*, su idea de la religión es clara. El misticismo, como cualquier otra forma de idealismo exagerado, sólo se justifica cuando se pone al servicio de la vida. Todo sueño o anhelo de perfección ideal de espaldas a los afanes de la existencia real y concreta es inútil e infecundo y sólo conduce a la esterilidad y, a veces, a la locura. Hay que buscar a Dios en la vida, porque «Dios está en todas partes», como dice la sombra de Eleuteria a Electra; y añade: «Búscale en el mundo por senderos mejores que los míos.» Hay que templar la fe y la voluntad en la lucha: «Soy yo muy guerrera», dice Victoria; y la vida con Pepet le atrae «porque es árida, trabajosa». Ella, que pensaba buscar la santidad en el claustro, ha descubierto que la vía purgativa no es sólo negocio de la intimidad, sino más bien el combate en el mundo contra el mal; su ejercicio principal es el de las obras, el de la caridad. La imaginación ardiente, la loca de la casa, otra de las facultades superiores del místico, no debe huir de la realidad para refugiarse en la contemplación del absoluto. Su máximo valor creador consiste, por el contrario, en aplicarse a la espiritualización de la realidad misma. Victoria saca sus fuerzas de su fe, de sus impulsos místicos, de su imaginación. «Su grande espíritu la salva», comenta su padre. Pero la eficacia de sus facultades, su potencialidad de mejorar el mundo, se logra mediante su sentido práctico y su visión clara de las cosas. Por eso puede adaptarse a las pequeñas o grandes necesidades de cada momento, ya sea dominando la cerrilidad infantil de sus sobrinos, ante los cuales fracasa la mesura y sensatez de su hermana Gabriela [8]; ya sea encargándose de las vulgares tareas de la contabilidad; ya sea en la empresa mayor de la lucha constante contra el egoísmo de su marido.

El misticismo ardiente de Nazarín fracasa porque le falta la visión clara de la realidad; la religiosidad práctica de Victoria triunfa porque posee esa visión y, además, porque ha entendido plenamente la alta doctrina de Santa Teresa: «Que no, hermanas, no; obras quiere el Señor.» Recuérdese que el título de la novela procede directamente de una metáfora teresiana. No es, por tanto, de extrañar que el pensamiento de Galdós recoja en ella la herencia del misticismo activo de los españoles, tan distinto, por ejemplo, del misticismo de los rusos —Tolstoi o Dostoyevski—, para quienes la perfección religiosa sólo se alcanza a través del dolor y de la expiación de nuestros crímenes.

---

[8] Como se ha advertido varias veces, las dos hermanas representan la oposición entre Marta y María, tema que en otras formas encontraríamos en diversas obras de Galdós y en otros novelistas del momento. Recuérdese, por ejemplo, la novela de Palacio Valdés.

La estética galdosiana del contraste, es decir, el propósito de dar realidad artística —al menos en esta fase de su producción— a una visión de la vida proyectada en planos que, en apariencia, son absolutamente opuestos y que, sin embargo, se complementan, aún se manifiesta en *La loca de la casa* en otra forma correlativa con las que hasta aquí hemos examinado. Nos referimos a la oposición entre el hombre y la mujer como encarnación simbólica de opuestas facultades humanas.

Victoria y Cruz no son tan sólo símbolos de ideas abstractas en oposición. Son, además, paradigma de las diferencias entre los sexos. Cruz, el hombre, cuyo atributo primordial es la fuerza; Victoria, la mujer, personifica la gracia y la espiritualidad en sus diferentes formas.

Galdós vio el papel de la mujer en la vida de una manera distinta a la de otros grandes autores europeos de su tiempo. Aunque no falten en su obra los personajes femeninos que se esfuerzan por conseguir su independencia, en lo fundamental a Galdós no le preocupa, como a Ibsen, el problema de la emancipación social de la mujer, y a través de esa emancipación, el de la conquista de su plena libertad. La mujer en Galdós suele aparecer como un ser vital y espiritualmente más equilibrado y sereno que el hombre, más consciente en sus propósitos. Recuérdense doña Perfecta, Gloria, Cruz del Aguila, Fortunata y otras muchas de las heroínas galdosianas. Rara vez, en cambio, se nos presenta a la mujer como a un ser débil y subyugado. Más bien la vemos, con frecuencia, afirmar su personalidad y asumir el papel directivo con una voluntad clara, ante la cual el hombre, inerme y sin rumbo fijo, termina por rendirse. Esta voluntad vigorosa de la mujer se apoya, unas veces, en la intensidad de los instintos, como en el caso de Fortunata; otras, en las honduras de la fe y del espíritu, como en Victoria, hermana ideal de Leré, Benigna o la condesa Halma, que son todo amor, comprensión y generosidad frente a la naturaleza, casi siempre impulsiva, del hombre.

Pero este contraste entre la naturaleza del hombre y la de la mujer se plantea en *La loca de la casa* en otro plano de sumo interés: es el que se refiere a las facultades mismas del alma.

La mujer, Victoria, representa la imaginación y el sentimiento; es «la loca de la casa», una «visionaria». Cuando un «impulso misterioso» se apodera de ella, «la lógica y el sentido común desaparecen. No queda más que una vibración honda del alma...». En oposición a ella encontramos, una vez más, a Cruz, en quien la facultad dominante es la razón. Su poderosa capacidad de razonador, visible en casi toda la obra, se nos revela plenamente después de pasada la crisis de celos ante la sospecha de que su mujer le engaña. Trata entonces, ya dueño de sí mismo, de hacer desistir a Daniel de la idea del duelo y de persuadirle a que se vaya a América. «Soy muy rudo —dice—, pero a manejar bien la lógica no me gana nadie.» Vemos, luego, cómo juega con Daniel, carácter débil, que nada profundo puede oponer a la seducción satánica de la razón: «Temo —confiesa éste— que su horrible lógica me conquiste.» Y al terminar la escena, Galdós subraya el poder seductivo de la razón: «*Cruz le mira. Daniel, temiendo su mirada, que le fascina, se va alejando, hasta que se arranca a la influencia sugestiva de Cruz.*»

Por si ello no bastara a dejar al descubierto el pensamiento del autor, aún hay otro lugar de la novela donde se declara literalmente la identidad de Cruz con la razón:

> ...Porque estoy dispuesto a demostrar que tengo razón, que estoy cargado de razón, que yo soy la razón misma; sí, señor, la razón...
>
> (*Acto* IV, *esc.* XII.)

Y antes el mismo Cruz ha definido exactamente la significación de su mujer, que para él, razonador y lógico, no es sino «una cabeza destornillada», una «imaginación enferma».

¿Cuál es la actitud de Galdós ante esta disociación de las facultades del alma? ¿Cómo conciliar la oposición que entre ellas existe? Buscando el equilibrio y tratando de coordinarlas para los altos fines de la vida. El predominio absoluto de cualquiera de ellas produce la catástrofe. La razón abandonada a sí misma, sin freno, engendra monstruos. «Monstruo», no se olvide, es la palabra con la que insistentemente, a través de toda la obra, caracterizarán a Cruz todos los demás personajes, empezando por su mujer.

La razón no basta para entender los procesos misteriosos de la vida. Al encontrarse con el mundo irracional de los afectos cae en el desvarío. Cruz lo admite ingenuamente: «Así como en los negocios no ha nacido todavía quien me engañe, en cosas de amor fácilmente me alucino, veo lo que no existe..., se me desfiguran y agrandan las cosas.» Perdido el dominio ante fuerzas que no entiende, la razón, si no está moderada por otras facultades, trata de imponerse por la violencia. Por eso Cruz, al verse abandonado de su mujer y sentir, por primera vez en su vida, que existe algo que él no puede vencer, quiere matar a Daniel, amenaza a Victoria y, ya en el límite de su furor, grita: «Arrollaré cuanto se me ponga por delante. No respeto nada.»

Galdós se daba cuenta, sin duda, o quizá adivinaba con su intuición artística, que una de las causas fundamentales del camino de violencia, de guerras y revoluciones ideológicas por el que había entrado la Humanidad, radicaba en la identificación de la razón con el ser, de donde parte toda la filosofía moderna. No desconocía ni trataba de negar el papel primordial de la razón. Lo afirma una y otra vez. Si estudiamos su obra veremos que el desequilibrio de muchos de sus personajes procede casi siempre del predominio absoluto de una de las facultades humanas con desprecio de las otras. Lo que Galdós quiere decir al mostrarnos los desvaríos de su héroe es que la razón, para dar sus frutos, debe conciliarse con el sentimiento y con la imaginación; tiene, hasta cierto punto, que ser dirigida por ellas, por ser facultades superiores en la escala de los valores espirituales. La razón es el instrumento fundamental para el conocimiento de la realidad; pero el sentimiento y la imaginación son las facultades poéticas y, por tanto, las facultades eminentemente creadoras, en las que se revela la esencia del ser humano. Victoria es el «ángel bueno» de Cruz; sus impulsos nacen de una «vibración honda del alma», que ella no vacilará en creer que procede de Dios:

VICTORIA.—(Con cierto desvarío.) La ráfaga..., eso que me da..., lo que llamo la inspiración, el impulso misterioso, no divino, de mis resoluciones... Como siempre me salen bien, creo y afirmo que vienen de Dios.

(Acto III, esc. XII.)

Con esta convicción de obrar por inspiración de la Providencia, o sea del espíritu, se dispone a luchar con el monstruo, con Cruz —el hombre de la razón, de la voluntad de dominio, del egoísmo y la fuerza creadora— y, al fin, lo vencerá, no destruyéndolo, sino haciéndole entrañablemente suyo.

III

EL PENSAMIENTO CONCILIADOR DE GALDÓS

La significación de *La loca de la casa*, que hemos tratado de definir descomponiendo en diversos planos lo que allí se nos presenta bien unido en un todo artístico, ha sido advertida por muchos críticos. Pero al fijarse cada uno de ellos principalmente en algunos de los varios aspectos que nosotros hemos examinado, nos parece que han olvidado otros sin darse cuenta de la amplitud y de la multiplicidad de facetas que la obra presenta.

Recordemos algunos juicios. Para «Clarín», «*La loca de la casa*... es, como *Angel Guerra*, la historia de la fiera amansada por el amor... En la novela y en el drama una joven mística, en el sentido vulgar y corriente de la palabra, emprende la conquista de un alma rebelde y fuerte, como el cristianismo emprendió la conquista de los bárbaros». Yxart resume que Victoria «...es la doctrina de Cristo, opuesta a la doctrina de los modernos filósofos darwinistas y evolucionistas». Pérez de Ayala ve en la obra la expresión máxima del espíritu liberal, que él define como «el respeto a todas las maneras de ser», y dice que en ella «se nos muestra destacado el aspecto económico del liberalismo». El profesor Warshaw, en una edición escolar de la comedia, la considera inspirada en el tema de la fábula *La hermosa y la fiera*, y añade que «the theme of the play is one of self-sacrifice... The obvious moral... seems to be that renunciation..., may have its rewards or compensation even fo rthe victim of the sacrifice». Gregersen, sin pensar especialmente en *La loca*..., afirma que «the call to work... might... be taken as a keynote to the social philosophy which underlies his [Galdós] entire literary production», y, en otro lugar, relaciona la personalidad de Cruz con la idea evolucionista de «the survival of the fittest». Y, por último, Casalduero, en el estudio reciente más detenido y comprensivo sobre Galdós, tomando un punto de mira de mayor amplitud, sitúa *La loca de la casa* en el arranque de la etapa galdosiana que él caracteriza con el título del capítulo correspondiente: «El espiritualismo». Advierte también Casalduero, al hablar de la obra, que el problema social es en ella «completamente secundario» [9].

Todos los juicios que hemos citado son exactos y se han visto confirmados en nuestro análisis. Pero lo que constituye el interés mayor de *La loca de la casa* es el esfuerzo de síntesis que supone. En ese sentido puede ser considerada como una de las obras claves para estudiar la ideología galdosiana en todas sus manifestaciones. En otras obras Galdós aísla un problema, ya sea el social, el económico, el moral o el psicológico, y hace de él un estudio más detallado. En *La loca de la casa* trata más bien, por un esfuerzo de concentración, de mostrar el nexo de unión entre todos los problemas de la sociedad de su tiempo, dotados cada uno de una individualidad inconfundible, son dos criaturas sociales, representantes de los prejuicios de sus respectivas clases; dos criaturas históricas, en quienes se polarizan las fuerzas del pasado, del presente y del porvenir de España; dos criaturas humanas, con pasiones, instintos e ideales de signo opuesto. Al dramatizar su mutua atracción, el proceso de su lucha y su conciliación final, quiso Galdós, en trance siempre de buscar lo que une y no lo que separa a la Humanidad, dar vida artística a un hondo anhelo de integración y armo-

---

[9] Damos a continuación las referencias correspondientes a las citas que van en el texto: L. Alas "Clarín", *Galdós*, Madrid, Renacimiento, 1912, pág. 190. J. Yxart, *op. cit.*, pág. 335. R. Pérez de Ayala, *Las máscaras*, Madrid, Renacimiento, 1924, vol. I, págs. 54 y 63. J. Warshaw, Introducción a *La loca de la casa*, Nueva York, Holt and Company, 1931, págs. XXIV-XXV. H. Gregersen, *Ibsen and Spain*, Cambridge, Harvard University Press, 1935, págs. 41 y 135. J. Casalduero, *Vida y obra de Galdós*, Buenos Aires, Losada, 1943, págs. 108-110. Pudiera también recordarse, aunque no se refiera en particular a la novela que estudiamos, el siguiente juicio de Alfonso Reyes: "Si fuese dable reducir a una fórmula el inmenso espectáculo que capta la hora de Galdós..., una fórmula sería la revolución... Es decir, el ascenso de una nueva clase social que, como su Gabriel Araceli, es en la infancia un desamparado que no sabe leer ni escribir y que en la vejez se codea ya con la nobleza; el descenso de la antigua clase linajuda, que se aplebeya visiblemente..., y, en medio, la elaboración vacilante de una burguesía modesta que no encuentra todavía su equilibrio." Véase "Sobre Galdós", en *Cuadernos Americanos*, 1943, núm. 4, pág. 238.

nía, que es la lección máxima que encontramos constantemente en su obra. Quiso mostrarnos un camino de paz y de concordia, el único que, según él, haría posible el nacimiento de una nueva España y de una nueva Humanidad.

Podía, como Ibsen o como Tolstoi, habernos presentado un pasado y una tradición totalmente muertos, de *espectros* o *cadáveres vivientes*. Podía, como los escritores naturalistas, haber exaltado el poder de las fuerzas de la Naturaleza y de los instintos o, siguiendo el ideario de Nietzsche, del que Cruz parece un discípulo como ya advirtió Pérez de Ayala [10], haber dado el triunfo a la voluntad todopoderosa de dominio. Mas Galdós se da cuenta de que cualquiera de esas actitudes significa la destrucción de algo, y él, en su visión conciliadora, intenta salvar todo lo que pueda salvarse. El profesor Berkowitz define con exactitud esta cualidad esencial en el pensamiento de Galdós cuando dice: «Because he was essentially conservative, in the sense that he strove to preserve all human values not intrinsically harmful (and there are many such in his way of thinking); he interpretes growth of character as a process of gradual and mutual adjustment» [11].

No era nada superficial ni fácil la posición de Galdós. Nacía, por el contrario, de haber meditado muchos años sobre las causas del drama español del siglo XIX y de una espontánea inclinación espiritual y eticista compartida por casi todos los grandes españoles de todos los tiempos. En el suyo, encontramos en las mentes más claras el mismo anhelo de soluciones armónicas. Castelar lo definió quizá mejor que nadie en su pasaje recordado recientemente por Joaquín Xirau: «Nuestra filosofía —dice con el arrebato de su gran retórica— nos enseña a estimar la propia razón y oír la propia conciencia; nos separa del materialismo que suprime el espíritu, del idealismo que niega la razón,

---

[10] "Por la manera de expresarse —dice Pérez de Ayala— se diría que Pepet es un lector asiduo de Nietzsche. Algunas de sus locuciones son casi traducción de otras del filósofo tudesco. Lo peregrino es que, en el momento de estrenarse *La loca de la casa*, Nietzsche era absolutamente desconocido entre nosotros", *op. cit.*, pág. 69. La declaración final es importante, porque en el caso de Nietzsche, como en algún que otro caso de coincidencias de Galdós con escritores europeos de su época, más que de influencia debe hablarse de coincidencia en ideas o formas que están en el ambiente y a las que puede llegarse por caminos diferentes.

[11] H. C. Introducción, *El abuelo*, Nueva York, 1929, pág. XXIV.

del ateísmo que niega a Dios, del eclecticismo que conduce al fraccionamiento de la verdad, una en esencia; une la razón con el cristianismo, o al individuo con la sociedad, el espíritu con la Naturaleza, la vida toda con Dios...; aplica a la sociedad los grandes principios que se hallan en la ciencia, para que todos, como hombres, vivamos unidos en una sola moral; como ciudadanos, en un solo derecho; como criaturas, en un solo Dios» [12].

Describe así Castelar el afán de una síntesis filosófica que preocupaba a varios de sus contemporáneos y que inspiraba más concretamente las enseñanzas de Sanz del Río, basadas en el «racionalismo armónico» de Krause.

Aunque Giner de los Ríos siguió con interés el desarrollo de la obra literaria de Galdós y comentó dos de sus novelas —La Fontana de Oro y La familia de León Roch—, no recuerdo haber visto estudiadas en ninguna parte las relaciones de Galdós con los krausistas españoles. Había entre éstos y Galdós diferencias evidentes de temperamento, actitud o ideología. Pero es indudable que la obsesión galdosiana por encontrar una fórmula de síntesis y armonía, patente en todas sus últimas obras, desde La loca de la casa hasta El caballero encantado, germina y se desenvuelve en un mismo clima intelectual, moral e histórico. El deseo común de modernizar a España sin violencia, de consumar el cambio mediante una revolución pacífica, se explica, en último término —como ya apunta Xirau en el caso del krausismo—, por la peculiaridad del problema histórico español, por la especialísima situación espiritual de España, donde venían a encontrarse frente a frente, con una intensidad que por razones de temperamento e historia quizá no han tenido ni podían tener en ningún otro país de Europa, las fuerzas de la tradición y las fuerzas de la revolución. En ningún pueblo moderno se ha manifestado la oposición entre lo que unas y otras representan en formas tan extremas como carlismo y anarquismo, por ejemplo. Y todavía en nuestros días, al iniciarse en el mundo el tercer o cuarto acto de este drama, que es el drama permanente de la historia moderna, ha sido justamente en España en donde el fondo ideológico de la contienda se ha destacado con perfiles más netos y complejos.

Galdós entendía lo insondable del conflicto; y la significación de una obra como La loca de la casa consiste

[12] Citado por J. Xirau, "Julián Sanz del Río y el krausismo español", en Cuadernos Americanos, 1944, núm. 4, pág. 66.

en haber conseguido mostrar simbólica y artísticamente un camino, acaso sólo posible en el sueño ideal del autor, para resolver esta contienda sin sangre ni destrucción, el de la conciliación a través de la lucha, después de la lucha inevitable, por fundirse espiritualmente con el otro, como hacen Victoria y Cruz. Conciliación, unidad, síntesis, armonía no tan sólo de intereses, sino también de almas, de sentimiento. Conciliación en el terreno moral y espiritual —plano de lo humano, de la personalidad, y al mismo tiempo en el terreno económico y material—, plano de lo político y social.

Lo que este pensamiento conciliador significa, como producto, sobre todo, de su tiempo, se hará todavía más patente si comparamos *La loca de la casa* con una obra de Unamuno, con la que tiene al menos una semejanza de tema: la novela *Nada menos que todo hombre.*

GALDÓS Y UNAMUNO: ARMONÍA Y AGONÍA

Al buscar ese armonismo pragmático, si así puede llamarse, que inspira la obra analizada, Galdós era fiel al pensamiento y a la sensibilidad del siglo XIX, siglo de amplias teorías sociales e históricas que, tanto en el idealismo de Hegel como en el positivismo de Comte, va guiado por el afán de las grandes síntesis. Hasta en el pensamiento y en las instituciones más tradicionales percibimos el mismo afán, ya sea en los intentos de modernización de la escolástica o en las nuevas orientaciones sociales de la Iglesia bajo el Pontificado de León XIII. Fue este anhelo de unidad un sueño generoso cuyo fracaso se hizo patente al dar sus frutos las concepciones materialistas de la historia con sus consecuencias revolucionarias, por un lado; y por otro, de mayor interés para nosotros, las nuevas filosofías de la voluntad, de la vida y de la angustia que trajeron a primer plano el problema de la personalidad e inauguraron, sobre todo en los países latinos, una era de individualismo estético, moral y filosófico, cuyo representante máximo en la literatura española es Unamuno.

Al contrastar *La loca de la casa* con *Nada menos que todo un hombre* veremos con plena evidencia la disparidad entre las dos épocas y sus respectivas actitudes; es decir, la divergencia entre el espíritu de Galdós y el de la generación siguiente, de la que Unamuno fue guía y maestro indiscutible. Resaltará así, de manera más precisa aún, la significación de la obra objeto del presente estudio.

Debe decirse, desde luego, que la relación entre las dos obras es sumamente tenue, pero suficiente para nuestro propósito [13]. La semejanza se encuentra principalmente en los dos personajes masculinos mayores. Cruz y Alejandro Gómez son seres de la misma madera y hasta coinciden en algunos rasgos, a tal punto que es difícil pensar que el recuerdo del héroe galdosiano no estuviera presente en alguna forma al concebir Unamuno al suyo, cosa, por supuesto, que carece de importancia: indianos y hombres del pueblo los dos, son el prototipo del *self-made man*, el hombre que se hace a sí mismo; en su lucha con la Naturaleza han hecho los dos en Méjico una fortuna fabulosa; ambos se enorgullecen de su origen plebeyo y sienten el mismo desprecio por el señorito inútil. Sobre su oscuro pasado americano corren en los dos casos «las más fantásticas leyendas» que producen admiración, temor y desconfianza en el ánimo timorato de otros personajes. Ambos, en fin, son la encarnación viva de la voluntad, del *yo* todo poderoso, y poseen la misma seguridad sobre el valor del dinero: «Con dinero se va a todas partes», solía decir Alejandro Gómez.

Entre Julia Yáñez y Victoria, en cambio, casi no existe paralelo posible. El único rasgo común es el de que la facultad dominante en ambas es la imaginación, que en Victoria conduce a la exaltación religiosa: anhelos de sacrificio y de perfección espiritual; y en Julia toma la forma de un apasionado y romántico sentimentalismo, o más bien «bovarismo», que la lleva, en absoluta rebeldía contra la degradación del padre, a proponerle a todos sus novios el rapto y a uno de ellos el suicidio por amor. En lo más hondo de su ser espera al hombre que la redima, dominándola, o a quien ella pueda redimir: «Este es un hombre —piensa al leer la primera carta de Alejandro—. ¿Será mi redentor? ¿Seré yo su redentora?» Como Vic-

---

[13] Que sepamos sólo a un crítico parece habérsele ocurrido hasta ahora relacionar estas dos obras: a Joaquín de Zuazagoitia en un artículo titulado "Tres entes de ficción: Pepet, Alejandro Gómez y Tigre Juan", en *El Sol*, Madrid, 9 de mayo de 1926. Zuazagoitia se ocupa principalmente del personaje de Pérez de Ayala y lo compara con los otros dos.

toria, siente hacia el hombre tosco y fuerte una aparente repugnancia y una secreta y misteriosa atracción. Aquí termina toda semejanza entre las dos. Victoria es realmente el personaje mayor en la obra de Galdós, como ya indica en el título; termina por subyugar la voluntad poderosa de Cruz. Alejandro Gómez, el hombre, es la figura dominante en la novela de Unamuno; junto a él el papel de Julia es enteramente pasivo, el de ser dominada: «Había en sus ojos —nos advierte Unamuno al presentar a Julia en la primera página— como un agüero de tragedia.» Y más adelante insiste en declarar su destino de víctima: «Una voz muy recóndita, escapada de lo más profundo de su conciencia parecía decirle: 'Tu hermosura te perderá'.»

Señalemos aún alguna otra coincidencia en la trama y en lo que se refiere al ambiente social de las dos obras: Julia se casa con Alejandro —como Victoria con Cruz— porque su familia está arruinada, aunque los motivos en uno y otro caso sean totalmente distintos. El contraste entre el poder y la confianza en sí mismo del hombre del pueblo que ha sabido conquistar la riqueza, y la debilidad de las clases superiores, es idéntico en las dos obras. Pero aquí se ve también con claridad la divergencia de actitud entre Galdós y Unamuno. En *La loca de la casa* advertimos una serena comprensión hacia todos los personajes. En *Nada menos que todo un hombre* sólo encontramos seres débiles y moralmente abyectos, caracterizados muy esquemáticamente y siempre con desprecio. El padre de Julia es un agente de negocios arruinado y tramposo que no vacila en traficar con la hermosura de su hija; don Alberto Menéndez de Cabuérniga, «un riquísimo hacendado, disoluto»; el conde de Bordaviella, supuesto amante de Julia, «un gozquecillo, o michino, o tití», que sólo sirve para divertir a la mujer de Alejandro Gómez.

Basta la comparación que precede para mostrar cómo hay entre *La loca de la casa* y la novela de Unamuno una relación suficiente a nuestro objeto, que es principalmente el de señalar las diferencias, claro ejemplo de dos actitudes espirituales y estéticas diametralmente opuestas. Galdós y Unamuno, fuera de esta semejanza de tema, parten hasta cierto punto de una visión del mundo casi idéntica, la de concebir la vida como un estado permanente de lucha. Los dos perciben, además, la atracción de los contrarios, su identidad esencial. En Galdós, tal concepción está presente en toda su obra de novelista. En Unamuno aparece ya en *Paz en la guerra* y constituye la base de su filosofía. Pero donde Galdós adopta, siguiendo la ideología y la sensibilidad de su tiempo, una actitud objetiva, despersonalizada, que le lleva a concebir al hombre fundamentalmente como criatura social e histórica, Unamuno, meditador de la angustia como Kierkegaard, se desentiende de lo social y objetivo en las relaciones humanas y busca la interpretación del mundo en el misterio profundo de la personalidad humana, en la radical existencialidad del hombre mismo. Su filosofía y su estética dimanan de la trágica relación del *yo* y del *otro*, nacida de la disociación entre hombre y sociedad, entre vida interior y ambiente exterior y, en último término, entre el hombre y Dios. La filosofía del siglo xix intenta, partiendo de la noción de identidad entre el hombre y Dios, reconstruir el mundo dentro de una nueva jerarquía, distinta de la jerarquía medieval en el sentido de que su centro es inmanente y se sitúa en la sociedad misma, en la Humanidad. La filosofía del voluntarismo contemporáneo parte del divorcio absoluto entre el hombre individual —la persona— y todo lo que está fuera de él.

Así, *La loca de la casa* presenta un ejemplo de conciliación en el terreno social y moral; la armonía de dos seres, Victoria y Cruz, se convierte en símbolo de armonía objetiva de fuerzas, intereses, anhelos e ideales contrarios en un plano de valores predominantemente sociales. En *Nada menos que todo un hombre*, la novela de Unamuno, desaparecen los problemas morales, sociales e históricos y se nos presenta, al desnudo, el drama de la personalidad humana. Alejandro Gómez es la encarnación de la voluntad de dominio absoluto, que para afirmar el *yo* tiene que hacer suya a Julia, apoderándose de su ser íntegro, destruyéndola y, máxima tensión de lo agónico, destruyéndose a sí mismo. Por esa capacidad de *querer* sin otro límite que el de la muerte, Alejandro es un *hombre, todo un hombre*. Este conflicto de la personalidad, de la hombreidad, con los demás y esta necesidad de afirmarse posesionándose de los seres que entran dentro de la órbita vital de la persona —es decir, destruyéndolos— es lo que, en una forma u otra, encontramos en casi todas las creaciones literarias de Unamuno. Basta recordar, junto a la obra que nos ocupa, la novela *Abel Sánchez* y el drama *El otro*.

Cuando Alejandro y Julia logran, tras una lucha tremenda, la certeza de su amor; cuando Julia ya no duda y descubre el hondo querer que había en «aquel ciego furor de su marido», que «le estaba llenando de una luz dulcísima el alma», es en el momento mismo de la muerte. Alejandro piensa entonces por primera vez en la religión, en algo que está más allá de su voluntad y de su *yo.* Quiere forzar a Cristo para que salve lo que él, en un lento proceso de dominio de la personalidad de su mujer, ha destruido: «Miró al crucifijo, que estaba a la cabecera de la cama de su mujer, lo cogió y, apretándolo en el puño, le decía: ¡Sálvamela, sálvamela, y pídeme todo, todo, todo; mi fortuna toda, mi sangre toda, yo todo..., todo yo!...»

Quiere rescatar la vida de Julia con la suya propia: «No, mi mujer no puede morirse. Antes me moriré yo. A ver, venga la muerte, que venga. ¡A mí! ¡A mí la muerte! ¡Que venga!»

Y sólo en la frontera de la muerte misma se alcanza la fusión completa de los dos seres: «—Bueno, y al fin, dime: ¿quién eres, Alejandro?— le pregunta al oído Julia. —¿Yo? ¡Nada más que un hombre..., el que tú me has hecho!»

Muerta ya Julia, Alejandro se suicida, desangrándose, abrazado a su mujer.

¿Qué conclusiones se deducen de la comparación de estas dos obras, coincidentes en lo accidental de un tema literario —el viejo tema de *La belle et la bête*, como en el caso de *La loca de la casa*, apuntó Warshaw— y tan absolutamente opuestas en desarrollo y espíritu?

El mundo de Galdós es un mundo de vida y de esperanza en una posible armonía social, histórica y humana, concebida dentro del sueño generoso del progresista siglo XIX, que quizá quiere hoy resucitar en la visión de un futuro mejor. El mundo de Unamuno es el mundo agónico de nuestro tiempo, el de un existencialismo que al meditar sobre las contradicciones del ser humano y de su ansia de absoluto se encuentra sin fe ante las puertas de la nada y de la muerte. En Galdós alienta el idealismo optimista de su siglo; en Unamuno, la fría pasión metafísica del intelectualismo pesimista del nuestro, procedente en gran parte de la desilusión que se apodera del hombre contemporáneo ante el fracaso de aquella ingenua fe ochocentista. Juntos, Galdós y Unamuno, son los testigos mayores, en la literatura española, de dos momentos, singularmente intensos, en el drama histórico y espiritual de la Humanidad moderna. Ambos cumplen una función necesaria, porque para que renazca en nosotros el esperanzado optimismo que llevó a Galdós a escribir *La loca de la casa* y otras obras de idéntica fe en las posibilidades de convivencia espiritual, social y humana hacía falta pasar por el individualismo estético y filosófico que inspira la obra de Unamuno y descubrir las honduras de la personalidad, que, abandonada a sí misma, sin algo externo que la mantenga, termina por aniquilarse. Galdós y Unamuno representan así, en España y para España, las dos experiencias máximas en el mundo del arte y del espíritu por las que ha pasado el hombre en los últimos cien años: la de un ideal de comunión con los otros hombres que torne a dar sentido ultrapersonal a su vida; y la desesperación del individualismo intelectualista, del hombre en soledad, sediento de un absoluto que su propia rebeldía intelectual hace imposible.

(*Cuadernos Americanos*, XXI, 3, 1945.)

ANTONIO SANCHEZ-BARBUDO

TORQUEMADA Y LA MUERTE

Torquemada es uno de los grandes personajes de Galdós. Un avaro que, como él mismo dice, es «un bruto *sui generis*». En los cuatro volúmenes de la serie, vemos al pequeño usurero ascender a gran financiero, senador y marqués. Y hay, claro es, otros numerosos personajes. Pero aquí nos vamos a ocupar especialmente de Torquemada mismo. Y no tanto del avaro como del filósofo: Torquemada ante la muerte.

El primer volumen, *Torquemada en la hoguera*, se publicó en 1889; y la continuación, los otros tres, de 1893 a 1895. Ricardo Gullón, observando que el primer volumen es una novela corta concentrada en un solo incidente, que tiene un *tempo* rápido y fue escrita en pocos días, entre *La incógnita* y *Realidad*, dice muy acertadamente que es como si a Galdós le hubiera urgido «poner por escrito la narración de un episodio cuyos pormenores le impresionaron y temiera que el tiempo los borrase». Y luego agrega que algún «impulso incontenible le obligó a dar plenitud de existencia a esa figura hasta entonces transeúnte por su novelística» [1].

El episodio ese del primer volumen es la enfermedad y muerte de Valentín, un niño prodigioso al cual su padre, el usurero Torquemada, adoraba. Y bien pudiera ser, creo yo, que lo que urgiera a Galdós a escribir a toda prisa *Torquemada en la hoguera*, fuese simplemente la impaciencia por fijar en el papel la estupenda idea que se le había ocurrido, quizá de pronto, basándose en un

---

[1] Véase *Galdós, novelista moderno*, ed. Taurus, Madrid, 1960; págs. 96-99.

hecho real o no, de enfrentar a ese avaro amigo de doña Lupe —tan materialista, tan ajeno a todo lo divino— con la muerte y con esas fuerzas desconocidas que rigen nuestros destinos.

Al acabar la serie toda se ve bien que ese tema del avaro y la muerte es lo verdaderamente sustancial de la obra. Cierto es que en los tomos segundo y tercero el tema es otro; pero, en cambio, en el último, en el magnífico *Torquemada y San Pedro*, no se habla otra vez sino de la muerte. Pero antes de que veamos a Torquemada ante la muerte y ante los dioses, veamos cómo es él ordinariamente.

Es sobre todo un personaje muy gracioso, aunque esto no se lo proponga. Suele ser seco y malhumorado, aunque tiene algunos momentos de ternura. Es leal con los amigos, pero no perdona un céntimo. Le gusta gastar poco, aunque en este punto, comprendiendo la utilidad de mejorar de vida, cede en numerosas ocasiones. Aspira a una posición digna en la vida, pero no es demasiado vanidoso.

Lo más característico de él es su vivo lenguaje, inconfundible. Puede reconocérsele por ciertos gestos, como esa lenta elevación del brazo derecho y ese círculo que forma con los dedos pulgar e índice, a modo de «rosquilla» que cuidadosamente pone ante los ojos de su interlocutor como objeto de veneración. Pero se le reconoce aún más por ciertas expresiones que repite. La palabra «materialismo», que él usa para calificar algo que juzga desdeñable o de importancia muy secundaria, la emplea toda su vida. Por ejemplo, en el primer volumen, de lo que su amigo Bailón, filósofo panteísta, le había dicho, él dedujo que la Humanidad, con mayúscula, era algo así como Dios; pero cuando al ponerse su hijo enfermo busca Torquemada en lo alto alguien a quien dirigirse, alguien que se apiade de él, deduce que, ya que «Humanidad» es nombre femenino, debe de ser, más bien que Dios, la Virgen... «Claro, es hembra, señora...», dice él. Mas confuso luego con estas meditaciones, abandona el asunto y agrega malhumorado: «no nos fijemos en el materialismo de la palabra» (816) [2].

Torquemada tiene un gran deseo de instruirse y aprender palabras finas. Siempre tiene cerca de sí alguien a

---

[2] Los números entre paréntesis, que siguen a las citas de Galdós, corresponden a las páginas en que éstas se encuentran en la edición de *Obras Completas*, Aguilar, tomo V (Madrid, 1961).

quien admira por su cultura. En el primer volumen es ese Bailón, el cura renegado autor de unos folletos, unas «bobadas», dice Galdós, «escritas en estilo bíblico» que deslumbraban al avaro. Pero cuando el filósofo panteísta y estoico, queriendo consolarle en su desgracia, le dice que no somos sino «pedazos de átomos», algo insignificante ante «el sublime Conjunto», Torquemada, que tiene mucho sentido común y sabe que si su hijo muere lo mismo da para el caso, como él dice luego, «el grandísimo todo que la grandísima nada», responde irritado, rechazando el consuelo: «¡Váyase usted al rábano con sus Conjuntos y sus papas!» (923). Y cuando cambiando de tecla, queriendo distraerle el ex cura aquél grandote le habla ahora de un posible lucrativo negocio de moderna lechería, Torquemada corta, tajante y madrileñísimo: «¡Déjeme usted a mí de leches!».

A lo largo de los años se afina mucho y llega a hablar casi tan bien como cualquier senador. Pero, como dice Galdós, en los arrebatos de ira, que eran en él frecuentes, «asomaba la oreja» del villano (1.084). En el último volumen, por ejemplo, muy cerca Torquemada ya de la muerte y teniendo como consejero espiritual al clérigo Gamborena, a quien él llama San Pedro, se ha decidido a dejar una gran parte de su fortuna a la Iglesia. Como después de haber tomado esta grave decisión se siente muy mejorado, cree que ello es premio del cielo; y está, claro es, muy contento. Mas no tarda en empeorar otra vez; vuelven los dolores, se siente morir y entonces, furioso, se vuelve hacia el clérigo y exclama:

«Y, ¿qué me dice usted de esto, señor fraile, señor ministro del altar o de la *Biblia en pasta*?... ¿Qué me cuenta usted ahora?»

Y como el sabio propagador de la fe, apretándole fraternalmente las manos, le aconseja sólo la oración, y pensar en la Santísima Madre, el tacaño, «airado, descompuesto, fuera de sí», replica:

«¡Déjeme, déjeme, señor misionero, y váyase a donde fue el padre Padilla...» (1190).

En el segundo volumen es Donoso, el alto burócrata que le ayudará a contraer matrimonio con una aristócrata

23

arruinada, quien le sirve de modelo. De él aprende expresiones tales como «partiendo del principio» o «admitiendo la hipótesis»; y también «excede a toda ponderación» o «abrigo el proyecto». Y en el volumen siguiente, ya senador, aprende a decir, elevándose a lo clásico y mitológico, «la espada de Damocles» y «la tela de Penélope»; y puede soltar frases tan hermosas como ésta: «blasono de ser el justo medio personificado». Pero muy a menudo mezcla los términos elevados con otros populacheros, sobre todo cuando, como sucede muy frecuentemente en ese tercer volumen, *Torquemada en el purgatorio*, se trata de defender su bolsillo frente a los ataques de su esposa o de su cuñada. Esta última tiene sueños de grandeza, y es quien le guía por las alturas, metiéndole de paso, como él dice, en una «serie no interrumpida» de gastos. En una ocasión, hablando él con las dos, le dice su mujer, Fidela, que sería conveniente llevar a su hermano Rafael, que está algo neurasténico, a París para que lo viera Charcot. «¿Y quién es ese peine?», pregunta Torquemada malhumorado. Le dicen que sería muy conveniente para él mismo ir a París, pues así «ensancharía el círculo de sus ideas». Lo del círculo lo recogió él con «avidez», dice Galdós; pero rechazando la idea del viaje, responde: «*El círculo de mis ideas* no es ninguna manga estrecha para que nadie me la ensanche. Cada uno en su círculo, y Dios en el de todos.» Le habla luego su cuñado Cruz de la imperiosa necesidad, para un hombre de su importancia, de tener coche propio. Y entre airado y festivo contesta Torquemada: «No me engatusa usted a mí con ese jabón que quiere darme. *Seamos justos:* yo soy un hombre humilde, no una *entidad*, como usted dice. Fuera *entidades* y biblias... Con esa mónita, lo que hace usted es *dar pábulo* a los gastos». Y cuando su mujer, en la misma charla de sobremesa, le dice que no habrá más remedio que invitar a ciertas distinguidas personas que ellos conocen, replica:

«No pongo en duda su *distinguiduría;* pero *profeso el principio* de que cada *quisque* debe comer en su casa» (1028-1030).

En otra ocasión Fidela le habla de rescatar el título de Marquesa de San Eloy, que le corresponde a ella, y por lo tanto él sería marqués; mas para esto habría que pagar

cuantiosos derechos, «lo que se llama medias anatas...»
Y el avaro, viendo el golpe que le cae encima, furioso grita:

> «¡Medias verdes, y medias coloradas, y el pindongo calcetín
> de la biblia en verso! ¡Y que yo pague!...» (1071).

Pues bien, con la misma furia que ante los gastos se
enfrenta él a la muerte. Pero en cuanto a la muerte, desde
ahora hay que decir que no está obsedido por ella. Torquemada no es un agonista. Como la mayoría de los mortales, no piensa en la muerte, conscientemente al menos,
sino cuando ésta se acerca o toca a alguno de aquellos a
quienes él realmente ama. Todo en él, a este respecto,
es bastante natural; sólo que sus reacciones por lo exageradas, por la tosca forma que presentan, por ser él
quien es, resultan cómicas. Lo que piensa y siente en esas
ocasiones parece una caricatura de lo que todos pensamos y sentimos en situaciones análogas. Pero esto no quiere decir que esas exageradas reacciones suyas resulten
falsas: están muy de acuerdo con su carácter. Torquemada lo que hace, en suma, es gritar muy claramente lo
que otros sólo dicen de un modo oscuro y a media voz.
Muchos ante la muerte sienten rebeldía, o buscan consuelo o dudan, o quisieran comprar la gloria o la salud;
pero no en forma tan cruda como él lo hace. En la mayoría, por buenas maneras, por temor al ridículo, por pudor, o simplemente por entontecimiento, por incapacidad
de expresar con vigor ciertos sentimientos, la actitud ante
la muerte, aunque análoga a la de Torquemada, resulta
gris, desvaída. Ahora bien, si Galdós hubiera intentado
pintar esta actitud humana corriente, el resultado tal vez
habría sido también gris. Decir que a tal o cual persona,
como a todos, la idea de morirse no le hacía en el fondo
ninguna gracia, no hubiera sido una gran novedad. Claro
es que para mostrar ciertas actitudes humanas ante la
muerte, destacando éstas, hubiera podido también haber
creado no un personaje gris, un cualquiera, sino un personaje grandioso, clamante y literario, agónico y unamu-
nesco. Pero éste no era el método de Galdós, que se es-
pecializaba en crear personajes vivos. Lo que hace, pues
es crear un ser vulgar, vulgarísimo por sus modales, y
muy vivo, pero que ante la muerte tiene reacciones fuertes, violentas. Lo que hace así, con ese personaje, es presentar como *amplificadas* actitudes muy comunes. Lo có-

mico es la gran franqueza y el lenguaje con que Torquemada se expresa. Pero la comicidad no quita la tragedia,
al contrario, la realza. Gracias a lo cómico contemplamos
el problema a cierta distancia, sin sentimentalismo. Y nos
reímos de lo que dice, pero le comprendemos perfectamente; nos identificamos con él y sentimos en medio de
la risa como un leve estremecimiento de horror. Pocas
obras hay como ésta, tan graciosas y que de tal modo nos
enfrenten con la realidad de la muerte. El drama del hombre ante lo inexorable de su destino aparece puesto de
relieve gracias, precisamente, a ese carácter cómico que
es el usurero Torquemada; pero fijándonos ahora en lo
literario y no ya en lo filosófico, podemos también ver
que, a la inversa, ese carácter tan gracioso y vivo se engrandece enormemente, al principio y al final de la obra,
al encontrarse de pronto ante la inminente desaparición
de esos que ama, o ante el gran peligro de su propia inminente desaparición.

Veamos cómo ocurre ese enfrentamiento, empezando
por *Torquemada en la hoguera.*

Bailón le había dicho que es «aquí», en esta tierra,
donde «pagamos tarde o temprano todas las que hemos
hecho» (914). El viudo Torquemada hubiera olvidado quizá esto, pero al ponerse enfermo su hijo comienza a sospechar y temer que el cielo va a castigarle por haber él
apretado demasiado a sus acreedores. Comienza, pues,
para remediar el mal, a hacer obras de caridad, a ser generoso; aunque todo ello con cierta prudencia: al salir
a repartir monedas, se asegura que éstas sean de calde-
rilla, y cuando con un gesto magnánimo se decide a dar
a un pobre su capa, no lo hace sin antes haber ido a su
casa para cambiar la nueva, que es la que llevaba puesta,
por otra vieja que tenía arrinconada. Pero no negaremos
que, alguna vez, tiene rasgos que para él son realmente
extraordinarios. Y que llega a enternecerse cuando, agradecidos, le abrazan Isidora y su amante tísico. Muy sinceramente el avaro gime entonces: «compadézcanme, que
yo también lo necesito» (928).

Cada vez se va convenciendo más de que, como él dice,
«en las obras de misericordia está todo el intríngulis»
(921). Se va sintiendo aliviado: «¡Vaya, que es bueno ser
bueno!...» (930). Y por el hecho mismo de pensar que
la causa del mal debe de estar en sus acciones pasadas, no
cabe duda que tiene algún sentimiento de culpa. Pero no

tiene verdadero remordimiento ni propósito de enmienda. Tiene temor, pero le falta compunción. No se pliega a la voluntad divina, no se pone en las manos de Dios; y mucho menos logra, ni siquiera en esos momentos que ve la muerte de cerca, situándose en lo alto, mirando desde lo eterno, considerar lo terrenal como algo insignificante y pasajero. Esto, aunque difícil, hubiera sido lo realmente cristiano. Pero el sentimiento católico de Torquemada, como dice Galdós, «no había sido nunca muy vivo» (914). En vez de considerar las cosas de la tierra desde el punto de vista de los valores celestiales, lo que él hace, por el contrario, es mirar hacia lo divino con su mentalidad de hombre de negocios. Lo que quiere Torquemada, en suma, es comprar, con pesetas, el favor de Dios. Algo que tal vez también hacen algunas damas de algunas juntas benéficas, aunque no tan descaradamente. Dice a su hija Rufina, al informar a ésta de sus decisiones y de los resultados que espera conseguir:

> «Acciones cristianas habrá, cueste lo que cueste... Bien sabe Dios que ésa es mi voluntad, bien lo sabe... No salgamos después con la peripecia de que no lo sabía...» (921).

Poco antes de decir esto, cuando tras haber repartido algunas monedas volvía a su casa angustiado, miró al cielo, cosa rara en él. «¡Cuantísimas estrellas!» Y dice Galdós, explicando lo que entonces el pobre hombre sintió:

> «Lo que más suspendía el ánimo del tacaño era la idea de que todo aquel cielo estuviera indiferente a su gran dolor, o más bien ignorante de él» (921).

Al morir luego su hijo, quizá él volvió a mirar, o recordó aquel cielo indiferente. En todo caso en algo muy parecido pensaba cuando dijo a los amigos que venían a darle el pésame:

> «Está visto: lo mismo da que usted se vuelva santo, que se vuelva usted Judas, para el caso de que le escuchen y le tengan misericordia» (935).

Y al terminar *Torquemada en la hoguera* dice él a la vieja que le reprocha estar preparándose, al día siguiente del entierro, para continuar con sus negocios de usura:

«Yo me sé cuanto hay que saber de tejas abajo y aun de tejas arriba, ¡puñales! Ya sé que me vas a salir con el materialismo de la misericordia... La misericordia que yo tenga, ¡puñales!, que me la claven en la frente» (936).

Este propósito de no tener piedad, ya que de nada sirve, es bien natural en él; aunque claro es que, moralmente, no esté en modo alguno justificado. El en verdad se propone tan sólo hacer lo que ya antes había estado haciendo. Y es que es duro de corazón con los que no ama, con casi todos, lo cual es su mayor pecado. Bailón u otro filósofo naturalista cualquiera, podría haberle dicho que aunque el cielo no escuche y aunque la piedad no sirva para nada tangible, no por eso hemos de dejar de tener caridad, compasión de los que sufren a nuestro lado.

El volumen siguiente, *Torquemada en la cruz*, escrito cuatro años más tarde, trata de las hermanas Aguila y del hermano ciego, aristócratas arruinados, y del casamiento de Torquemada, al final, con la Aguila menor. Esto ocurre años después de la muerte de Valentín. El tema ése de la unión de las clases aristocrática y plebeya ya lo había tocado Galdós poco antes en *La loca de la casa*. El ciego Rafael, el Aguila varón, tiene quizá un amor algo incestuoso hacia su hermana Fidela, como ya señaló Gullón, y es un personaje muy interesante. Pero en cuanto al asunto de Torquemada y la muerte, sólo hay que señalar esos extraños monólogos que en las noches, a solas en su cuarto, tiene Torquemada frente al retrato de su hijo Valentín. En un estado algo sonambúlico, realizando silenciosos ritos frente a lo que él considera altar, el avaro es a esas horas un ser completamente distinto al que vemos de día. Una noche, con aquel «lenguaje que era rapidísima transmisión de ojos a ojos», el niño le habla y dice que va a volver a nacer. Esto no es del todo sorprendente, ya que por esos días es cuando Torquemada empieza a pensar seriamente en casarse de nuevo. «Estoy tan chiquitín que no me encuentro», dice el niño. «No tengo más que el alma, y abulto menos que un grano de arroz.» Y entonces en una escena algo surrealista, mientras Torquemada, que se ha arrojado de la cama, a oscuras «se arrastraba a gatas» por el suelo, murmura:

«Tu mamá no parece. La traía yo en el bolsillo, y se me ha escapado. Puede que esté dentro de la caja de fósforos» (967-968).

En *Torquemada en el purgatorio* se trata del vertiginoso ascenso del antiguo usurero hacia las altas cumbres del mundo de las finanzas. El personaje adquiere en ocasiones un valor algo simbólico, y como suele ocurrir en tales casos, resulta a veces algo borroso. Representa quizá aquí Torquemada —*representa*, esa palabra tan amada por algunos críticos— el ascenso de la burguesía, el triunfo de los negocios y el eclipse final de la aristocracia. Rafael, aristócrata decadente, se suicida entre otras razones al descubrir que, como dice al final, la monarquía es «una fórmula vana; la aristocracia, una sombra. En su lugar reina y gobierna la dinastía de los Torquemada» (1.110). Pero esto aquí no nos interesa. Hay que decir, sin embargo, que el personaje Torquemada resulta en este volumen simbólico y borroso sólo cuando *se alude,* sin que veamos de cerca la cosa, a operaciones financieras y a entrevistas con altos personajes. En casa, que es donde generalmente le vemos, defendiendo la peseta frente a los embates de su cuñada que le domina, oyéndole hablar, resulta como siempre vivísimo. Y es que entonces Torquemada simplemente *es*, y no representa nada.

En *Torquemada y San Pedro,* años después, vemos a la familia del rico marqués de San Eloy, el viejo Torquemada, muy entristecida en el palacio grandioso en que habita. No hay ya grandes reuniones ni fiestas en la casa. Torquemada y su mujer están algo enfermos. Cruz muy decaída. Y todos tienen la pena de ver que el nuevo Valentín, el heredero, en vez de ser un genio como esperaba el padre, es un pobre anormal, un pequeño monstruo.

Casi de repente, sin causa visible, la mujer de Torquemada, Fidela la marquesa, se encuentra a las puertas de la muerte. El financiero siente temor y pena casi tan grandes como sintió cuando cayó enfermo el prodigioso primer Valentín. Pero esta vez no se siente culpable. Nada puede hacer. Cree que es inútil implorar al Altísimo. Pero no por ello se conforma, ni mucho menos, con la muerte que espera. Mira hacia lo alto con furia. En su cuarto, solo, paseando como una fiera, se pregunta:

«¿Es esto justo? ¿Es esto misericordioso y divino?... ¡Divino! Vaya unas divinidades que se gastan por arriba... Tengamos dignidad. ¿Y qué es el rezo más que una adulación; verbigracia, besar el palo que nos desloma?» Un momento le pasa por la cabeza la idea de rezar, sin embargo, pero la rechaza pronto: "Yo... al fin y al cabo... rezaría si fuese preciso, si supiera que había de encontrar piedad; pero... como si lo viera... ¡piedad!... ¡Anda y que te adulen otros! No es uno un pelagatos, no es uno un cualquiera, no es uno un mariquita..."» (1144).

Esta falta de resignación, esta rebeldía, no es cosa nada nueva en él. Conformarse ya que no hay otro remedio, será lo razonable, pero no es lo que hace Torquemada. Y la verdad es que la mayoría de las personas, en el fondo, quizá no se conforman, aunque otra cosa pretendan. Ante la muerte, como Torquemada dice,

«no es cosa de conformarse así, a lo *bóbilis, bóbilis*» (1140).

Tal inútil y obstinado desafío tiene algo de grandioso. Piensa uno en Prometeo. Y en Prometeo pensó Galdós. Nos dice que habiendo dejado Torquemada la habitación en que estaba, salió hacia la galería, impaciente, angustiado, esperando ver llegar de un momento a otro al clérigo Gamborena anunciándole la muerte de Fidela; y que entonces, en el fondo de esa «dorada cavidad» donde estaban los valiosos cuadros,

«vio una figura enorme... un lienzo de Rubens, que a don Francisco le resultaba la cosa más cargante del mundo, un tío muy feo y muy bruto, amarrado a una peña. Decían que era Prometeo, un punto de la antigüedad mitológica» (1145).

La ironía está, claro es, en que ese «tío muy feo y muy bruto», que tanto desagradaba al marqués, expresaba su propio heroico desafío, su falta de humildad, su rebeldía frente a los dioses.

Muerta ya Fidela, Torquemada se limita a repetir: «No hay consuelo ni puede haberlo... El consuelo es *un mito.*» Y como se le incita a acatar la voluntad divina, él parece ceder. Pero dos veces se equivoca, a propósito o no, muy significativamente, al decir:

«*Ataquemos*, digo, acatemos los designios...» (1149).

Poco después se pone enfermo y se agrava pronto el propio Torquemada. Y entonces empieza la lucha con el clérigo que quiere salvar su alma. Torquemada va cediendo, porque, como él dice: «La duda me pica y, francamente, duda uno sin sospecharlo, sin quererlo. ¿Por qué duda uno? Pues porque existe, ¡ea!» Pero plantea el problema de su salvación, otra vez, como verdadero «negocio». Quiere que ése a quien él llama San Pedro le «garantice» los resultados, porque, razona:

> «Sería muy triste, señor misionero de mis entretelas, que yo diera mi capital y que luego resultara que no había tales puertas ni tal gloria, ni Cristo que lo fundó...» (1157).

Quiere estar seguro de salvar su alma, si llega la ocasión; pero mientras tanto lo que quiere él conseguir es salvarse de la muerte, curarse, vivir. Y cuando Gamborena, viéndole más grave de lo que él cree, le aconseja «ponerse en lo peor» y «prepararse para mejor vida», arrepintiéndose a tiempo, se irrita y entre otras cosas le dice:

> «No me opongo, en principio, se entiende. Pero aún no, aún no, ¡ñales!, y guárdese usted sus responsos para cuando se los pidan» (1162).

Hay momentos cuando empeora en que, abatido, siente miedo, aunque lo disimula; pero cuando se alivia un poco no hace sino pensar en una gigantesca operación financiera que se le ha ocurrido: la conversión de la Deuda Exterior del país.

Un día parece haberse en él realizado ese cambio de actitud, ese «movimiento espontáneo del corazón» que el padre Gamborena esperaba, pues no sólo deja en su testamento mucho dinero para limosnas, sino que declara tener fe y estar «muy contento de ser buen cristiano»; y dice rotundamente: «Sea lo que Él quiera, y cúmplase su voluntad». Ya puede, al fin, respirar el clérigo. Pero pronto se descubre que lo que sucede es que, sintiéndose ese día mucho mejor, está convencido, como pronto declara, que «la voluntad de Dios es ahora que yo viva» (1.186-1.187).

Al empeorar luego de nuevo, se revuelve furioso contra el clérigo, como ya al principio vimos. Y Gamborena, comprendiendo que «mientras tenga esperanza de conservarse en sí, como es, no se conformará con la muerte», decide arrancarle de una vez toda esperanza, para lograr que se arrepienta, y le dice con toda claridad que ha llegado su última hora y que es «urgente prepararse» (1.193). El efecto fue terrible, pero Torquemada no respondió nada. Pronto entró en una especie de delirios y de ahí pasó a la agonía. Pronunció algunas frases incoherentes, pero claramente se entendió que decía, además de «alma», la palabra «Exterior», referente sin duda a la Deuda. Y así cuando minutos antes de expirar pronunció su última palabra, «Conversión», nadie supo con seguridad a qué carta quedarse. «¿Es la de su alma o la de la Deuda?», pregunta finalmente el sacerdote San Pedro. Un chiste éste de Galdós, cierto es; pero que se justifica por todo lo que precede.

Vemos, pues, que por raro que parezca, este personaje Torquemada tiene más de un punto de contacto con el sabio y famoso doctor de Salamanca. Se parece a él en lo que, en mi opinión al menos, es lo verdaderamente grande en Unamuno: «su descaro al proclamar que no quería morirse, su completa falta de resignación. «¿Qué entiende usted por salvarse?», le pregunta hacia el final de la obra Gamborena a Torquemada. Y éste, sin dudarlo un momento, responde, como lo hubiera hecho Unamuno: «Vivir» (1.193).

Pero si Torquemada recuerda a Unamuno, a quien recuerda Galdós con su estupenda obra, como otras veces, es a Cervantes. Es cervantesco, por ejemplo, el comienzo de *Torquemada en el purgatorio*, donde se habla de «cronistas» que historiaron la vida del financiero, y de lo que éstos no dijeron. Más importante y más cervantesco aún, como ocurre en muchas de las mejores novelas de Galdós, es el modo de contar, el punto de vista del narrador, que habla como si estuviera entre sus personajes y con el lenguaje de ellos; describiendo con exactitud, pero permitiéndose burlones juicios y comentarios. A menudo Galdós califica de «bestia» o «animal» a Torquemada. Una dureza aparente ésta que queda, como en Cervantes, ampliamente compensada por una mirada llena de ternura, comprensiva y amorosa, hacia el carácter que está creando. Pero lo más cervantino en esta obra es desde luego el humor, y sobre todo esa fina mezcla de lo cómico y lo trágico. Incluso al final, la dudosa conversión de Torquemada recuerda la dudosa vuelta a la razón de Don Quijote.

Lo que yo no puedo ver en esta obra, aunque sea del período «espiritualista», es ascensión alguna de la *Materia* hacia el *Espíritu*, con mayúsculas. Galdós pinta una realidad; un hombre que está en la tierra, y muy apegado a ella, y que no asciende a ninguna parte. Lo que sucede es que una parte de la realidad, de la total realidad del hombre, es su espíritu. En este caso, una parte de la realidad de ese avaro, tan materialista, es darse cuenta, en ocasiones, de lo que la muerte significa —la muerte de aquellos a quienes él ama, y la suya propia—: darse cuenta de la situación trágica del hombre, y no conformarse con ello.

(Anales galdosianos, II, 1967.)

V

EPISODIOS NACIONALES

RAFAEL ALBERTI

UN EPISODIO NACIONAL: *GERONA*

DOS HEROES VAN DE RETIRADA

Dígasme tú, Girona,
si te n'arrendirás...
   Lirom lireta.
¿Com vols que m'rendesca
si España non vol pas?
   Lirom fa lá garideta,
   Lirom fa lireta lá.

Dime, Gerona, dime,
si tú te rendirás.

¿Cómo rendirme, cómo,
si España no lo quiere?

Con el constante moscardoneo de esta canción, Andresillo Marijuan, un héroe, adolescente aún, del tercer sitio de Gerona, escapado luego de su prisión de Francia, «aporreaba los oídos» a su amigo Gabriel Araceli, otro héroe juvenil, ambos en retirada forzosa por los campos de Andalucía.

Nos hallamos a últimos de enero del año 1810.

Quienes conozcan por lo menos los siete primeros episodios nacionales de Galdós, al oír los nombres de estos dos voluntarios, tan reales como novelísticos, de nuestra guerra de independencia, habrán sentido como un rumor de fresca gracia popular, un estampido de alegría, un portear de balconajes abiertos a una mar y un campo verdeantes de luz, a un río de braveza, de candor, de picardía, de aventura.

Dígasme tú, Girona...

A fines de 1809, los ejércitos invasores de Napoleón subían a 300.000 hombres en la Península. Lo que en ella existía de Gobierno español, la Junta Central, formada por representantes de las que ya funcionaban en provincias, había tenido que refugiarse en Sevilla, después que el Emperador coronara en Madrid a su hermano José, el vilipendiado Pepe Botella de las cuchufletas populares:

> Pepe Botella,
> baja al despacho.
> —No puedo ahora,
> que estoy borracho.

Pero la Junta también se vio obligada a escapar de la capital andaluza al ser ocupado casi todo el Mediodía por las tropas francesas. Retirados sus componentes a Cádiz, el único pedazo de España libre de gabachos, acordaron disolverla el 29 de enero de 1810, no sin crear antes el Consejo de Regencia, encargado de la tarea de reunir Cortes.

Al par que aquellos refugiados, entre los que se mezclaban turbios politicastros, «generales pigmeos, que no supieron nunca ganar una batalla», mandones e intrigantes de toda especie, hace marchar Galdós, con los restos de los ejércitos, gloriosos no hacía mucho en Madrid, Bailén, Zaragoza, el Bruch y otras acciones, a esos dos patriotas, dos muchachos del pueblo, ya verdaderos veteranos de aquella guerra toda majeza y gallardía, espontánea arrancada y corazón.

> Dígasme tú, Girona,
> si te n'arrendirás...

El paisaje es de olivares y dehesas, de cal dispersa en los cortijos o apiñada en los pueblos; de marismas y toros bravos, de cielos tensos, transparentes. ¿Habéis oído, o visto, a Rinconete y a Cortado, maestros de travesuras, burlas, juegos y otras arrogancias? Aunque los tiempos son distintos y diferentes también los quehaceres, pues ahora el enemigo está en la casa del español, y no como antes el español en casa ajena, Andresillo y Gabriel, con la misma chispa y el ángel de la más pura tradición picaresca española, van dialogando ya por ventorros y sendejas, cuando no a campo traviesa, siempre en retirada. Oigámosles.

—¡Quién hubiera creído —dice Gabriel a Marijuan—

que habíamos de desandar tan pronto este camino! Ahora me parece que no paramos hasta Cádiz.

—Con paciencia se gana el cielo —le contesta Andresillo—. Yo tengo toda la que pueden dar ocho meses de bloqueo como el de Gerona. Todavía estoy admirado de encontrarte vivo, Gabriel. Pero dime: ¿dónde has ganado esa charratera? ¿Creerás que yo no soy nada? Digo mal, porque dentro de la plaza me hicieron a modo de sargento, y a estas horas nadie me ha reconocido mi grado. Haré una reclamación a la Junta.

—Yo gané mis grados en Zaragoza —responde Gabriel con orgullo—, y también te aseguro que al cabo de un año conservo cierta duda de si seré yo mismo el que en aquellos fieros instantes se halló, o si después de muerto me habré trocado en otro sujeto.

—Bien dicen que en Zaragoza y en el ejército del Centro se dieron los grados como quien echa almorzadas de trigo a gallinas. Amigo Gabriel: en España no se premia más que a los tontos y a los que meten bulla sin hacer nada. Dime, teniente de almíbar, ¿en Zaragoza comiste ratones flacos y pedazos de estera fritos con grasa de asno viejo?

Y así, por este tenor, continúan ambos héroes galdosianos, emitiendo por obra y gracias del novelista juicios y comentarios, ni más ni menos servibles o aplicables no sólo a la España que vivía don Benito cuando escribió estos episodios, sino incluso a la que nosotros presenciamos y no digamos a la que ahora, desde aquí, no podemos presenciar.

Dígasme tú, Girona...

Entre canción y charla, llegan al fin los dos muchachos hasta el límite máximo de donde podían retroceder, pues ya se hallan nada menos que al filo de la mar, en el fino y salado Puerto de Santa María. Y aquí va a ser donde Gabriel Araceli, héroe ya, con apenas dieciocho años, de Trafalgar, de Madrid, de Bailén y Zaragoza, enamorado novelescamente de casi un imposible, ansioso por llegar a Cádiz, su cuna, escuchará durante dos noches, de boca de Andresillo Marijuan, aposentado en un viejo caserón con otros compañeros de retirada, el inmortal relato del tercer sitio de Gerona.

Una vez más Galdós, en la primera serie de sus *Episo-*

dios Nacionales, va a enhebrar en su su aguja el hilo de
Araceli, haciéndole extraer de su memoria, muy vieja ya,
de más de ochenta años, el hilván de la relación de su
amigo, «respetando —como graciosamente el héroe dice—
todo lo esencial de la historia de Andresillo, pero limando
cierta rudeza de lenguaje, propia entonces de un muchacho rústico», metido además en las faenas de la guerra.

«GERONA»

Para los que por desgracia y fortuna hemos vivido el
sitio de una ciudad, durante todas sus fases, en medio
de una guerra profundamente popular y de independencia
como lo fue también la que sostuvimos los republicanos
de España desde julio de 1936 hasta marzo del 39, los
Episodios Nacionales de Galdós —sobre todo los diez primeros, y de ellos *El 2 de Mayo, Zaragoza,* y más aún este
de *Gerona* que nos ocupa— tenían que volver con ímpetu
a nosotros, después de ciertos años de descenso de la obra
galdosiana, como alimento necesario, como espejo donde
reconocernos y sacar fuerza de nuestra propia imagen.
Por eso me enorgullece recordar y contarles ahora a los
que aún no lo supieren, que algunos de estos episodios,
reeditados por el Gobierno español en miles y miles de
ejemplares durante aquellos años de lucha, fueron recibidos al lado del fusil de nuestros soldados con ansia parecida a la del pan en la trinchera, a la del anhelado refuerzo en una agotadora batalla. Y es que Galdós, por
una de esas raras y difíciles inspiraciones, hizo obra popular, permanente, viva, en la que tanto aquel patriota
del año 36, campesino, obrero, artesano, estudiante, hombre cualquiera de la calle, podría mirarse aún, sentirse
todavía héroe del 2 de mayo, sino que ahora manejando
un cañón contra el Cuartel de la Montaña; soldado de
Bailén, sino que ahora guerrillero por las sierras y campos andaluces; miliicano de la Libertad corriendo España
toda para limpiarla de enemigos —¡ay!, como entonces,
de dentro y de fuera—. Y así recuerdo que en una tarde
bombardeada de Madrid, releyendo «Gerona», yo me encontré de súbito en Madrid, yo me vi en la defensa de
nuestra capital, adquiriendo conciencia de su grandeza
simple, de sus fatigas, de su bravura, de su gracia tocada
de desdén hacia los que nunca pudieron conquistarla, de

su largo, sostenido martirio. ¿No he conocido acaso yo entre nuestros antitanquistas, chicos a veces de diecisiete años, a este Andresillo Marijuan, derribando franceses con las piedras enormes de las murallas de Gerona? ¿No he visto yo quizás por nuestras calles y plazuelas levantadas a cañonazos y bombas llovidas de las nubes, a Badoret y Manalet, los valerosos niños huérfanos del cerrajero Mongat, tirados en la tierra construyendo minúsculas ciudades con adoquines de las barricadas y cascos de metralla aún calientes, o contemplando desde las esquinas y azoteas, con el mismo entusiasmo que un partido de fútbol, un furioso combate aéreo? ¿No he presenciado también la llegada, la obra lenta del hambre —pues el hambre no mina a un pueblo heroico sino muy despacio—; los ojos agrandados en el desvelo de la noche; las mujeres, las jóvenes y ancianas del barrio de Toledo —allí, en Gerona, acudiendo a la brecha para tapar los claros de los hombres caídos— aquí subiendo los pedruzcos de la calle y preparando el agua hirviendo y el aceite para arrojarlo de los pisos contra la tropa del francés, digo, del moro, del tudesco o el ítalo? Todo eso, como fundido en un solo relato, la lejana defensa de Gerona y la por mí vivida de Madrid, todo eso cruje, humea, sangra, sufre, vive, grita, llora, se derrumba, desaparece, de modo magistral, en este palpitante episodio patrio de Galdós.

La trama novelística, el cañamazo sobre el que está tejido el gran suceso histórico, es romántica, humana, teñida de la tragedia que toda ciudad padece, pero amainada de gracia, de sales picarescas, infantiles, que echan siempre al horror, al espanto real como un tamiz de fantasía que los aplaca y hace soportables.

Cuando Gerona fue sitiada por tercera vez, y ésta al principio con veinte mil franceses al mando del general Verdier, ya se encontraba dentro de la plaza Andresillo Marijuan y a cargo nada menos —su corazón de pueblo era así de grande— de los huérfanos del cerrajero señor Mongat, y en cuya casa desde que llegó a Gerona se alojaba. A tres subían los protegidos del heroico muchacho, que él ya consideraba tanto hijos como hermanos: Badoret, diez años; Manalet, seis, y Gasparó, cuatro: edades, ¡ay!, como para aguantar un cerco de ocho meses. Un protegido más había entre aquellos deheredados, es decir, una. Pero a esa, a Siseta, no la podía considerar tan sólo como hija o hermana, porque para ella —confiesa, pícaro, Andresillo— «tenía yo un sentimiento extraño, de piedad y admiración compuesto, que me hacía olvidar las demás mujeres, y principalmente a la que había sido mi novia en la Almunia de Doña Godina», su pueblo, allá por tierras de Aragón.

El personaje del piso superior de la casa de los huérfanos de Mongat, era el señor don Pablo Nomdedeu, médico, hombre extraño, genial, enloquecido por el amor y cuidado de una pobre hija, sorda a consecuencia de las explosiones, postrada en un sillón, sostenida tan sólo por los desvelos de aquel padre, capaz hasta de rebanarle el cuello a Badoret y a Siseta para aplacar el hambre de su enferma en los días más insufribles del cerco.

La vida de estas personas, de estas dos familias, los seres más salientes sobre el conjunto del episodio, cuyo protagonista verdadero es la defensa de la ciudad y su alma el Gobernador don Mariano Alvarez de Castro, se reduce ya luego, según el asedio se va prolongando, a protegerse mutuamente, a defenderse del hambre por mil medios, pintorescos, graciosos, ingeniosos unos, trágicos, terribles, feroces los demás.

El día 13 de junio de 1809 comenzaron los franceses el ataque, que ya repitieron sin éxito, varias veces, hasta finales de septiembre, en que decidieron rendir por hambre a Gerona. El número de sitiadores llegó al de 50.000, pues los 20.000 soldados que empezaron el sitio no bastaron para intimidar ni quebrantar la resistencia de los 6.000 españoles encerrados en la plaza con su Gobernador, hombre más tenaz y fuerte que los murallones que la defendían.

A través de dos planos fundidos lleva Galdós hasta el final el torrente de vida y heroismo de este gran episodio. Romántico y realista. Imaginación y verdad. Romántico, sí, dijimos, en lo que se refiere a la atmósfera —al aire de aventura, de amor en medio de la guerra, de sacrificio, de locura tocando lo poético— que envuelve las peripecias y trances porque pasan los personajes —trances no tan artificiosos, tan arreglados, hay que aclarar, como conviene en otros episodios para enhebrarlos con el siguiente—; y realismo, preciso, hasta frío si se quiere en lo que respecta a la verdad del suceso.

Cuando Galdós se dispone a manejar la Historia es casi siempre fiel, tratando la verdad tal cual le viene en cada caso: con su grandeza o pequeñez, con su brutalidad o dulzura. Poco escape entonces hacia la imaginación, hacia la deformación lírica —lo contrario que pasa a casi todos los grandes escritores del siglo XIX que han intentado la novela o el teatro históricos—. En él, en los cuarenta y seis volúmenes que forman sus *Episodios Nacionales*, historia verdadera, pero de tal modo mezclada a la vida, metida en los tuétanos de ella, que todo fluye tan bien armonizado, tan magistralmente entramado, que el total es un soberbio edificio, un raro y claro monumento de proporciones perfectas.

Una sola ayuda, en víveres y hombres, consiguen los sitiados durante el mes de agosto, pero a partir de entonces el hambre y el desvelo heroico se convierten en los verdaderos dueños de Gerona. La obsesión de toda la ciudad, su martirio y su gloria, van a sintetizarse, a condensarse de modo prodigioso en este Marijuan, que va, enamorado, siempre optimista, pero fiero, de las murallas humeantes a la casa de los muchachos, y en el delirio del Doctor Nomdedeu, resquebrajándose la imaginación para convencer a su hija de que no hay guerra y proporcionarle diariamente algún alimento. Y de este conflicto surgen las páginas más extrañas del libro, más intensas de penetración psicológica, contrastadas de la trágica gracia que se desprende de los chicos cazando gatos y ratones en la viivenda abandonada y destruida de don Juan Ferragut, numismático y canónigo de la catedral, y del creciente frenesí del pobre Nomdedeu en arrebatárselos para socorro de su enferma. Los que quisieren conocer, y muy a fondo, todas las virtudes, todas las cualidades bélicas, todo el espíritu aventurero, de exploración, de organización, de astucia, de destrucción y ruina de los ratones, acudan a presenciar, en medio de las explosiones y los derrumbos de Gerona, el singular combate, la batalla real y verdadera, que Badoret y Manalet sostienen contra ellos, perdidos en las oscuridades del inmueble bombardeado del canónigo. Y por si no pudieren, Andresillo Marijuan les contará algo de lo que vio, mientras buscaba a los muchachos, refugiado en el hueco de la escalera.

«—Grité con toda la fuerza de mis pulmones: ¡Badoret, Manalet!, pero nadie me respondía. Recorrí todo lo bajo, explorando lo más escondido y lo más peligroso de los escombros, y sólo encontré la berretina de uno de los chicos; pero esto no era suficiente razón para suponer que ellos existiesen bajo las ruinas. Por último, regresando al hueco, oí un

agudo silbido, que resonaba en lo más alto del tejado. Espe-
ré un rato, y en breve oyéronse de nuevo los mismos agudos
sones, y apareció una figura que desde arriba, con evidente
peligro, se inclinaba para mirar hacia el fondo. Era Badoret.

El muchacho, poniéndose ambas manos en la boca, gritó:

—¡Manalet, alerta!

Y luego, forzando la voz, añadió:

—¡Allá van! ¡Allá va Napoleón, con toda la guardia imperial y la tropa menuda!

Dicho esto desapareció, y yo me quedé absorto esperando
ver a Napoleón con toda la guardia imperial. En efecto: por
la rota escalera descendía a escape tendido un numeroso
ejército cuyos precipitados pasos metían bastante ruido...
Delante iba el mayor de todos, que era grandísimo, como ser
de privilegiada magnitud y belleza entre los de su clase, y
seguíanle otros de menor talla, y muchos pequeños, entre
los cuales los había jovenzuelos, juguetones y muchos graciosos niños. No eran docenas, sino cientos, miles, ¡qué sé
yo!, un verdadero ejército, una nación entera, masa imponente que en otras circunstancias me habría hecho retroceder con espanto... Venían hostigados, y la inmunda caterva pasó junto a mí y en derredor mío con rapidez inapre-
ciable, escurriéndose por entre los escombros hacia el patio.
Seguíalos yo con la vista, y por una oscura puertecilla que
vi en la pared, sumergiéronse todos en un segundo, como
chorro que cae al abismo...»

Véase cómo en medio de lo trágico, pues esta contienda entre hombres y ratones es en suma la batalla del
hambre, Galdós pone un acento de pícaro humor, presentando con verdadero realismo a estos niños, que las
privaciones y locura del sitio han vuelto terribles, jugando a la guerra — ¡oh niños de las calles de Madrid! — dentro de la guerra e identificando graciosamente a Napoleón, al jefe — ¡dardo infantil que siempre da en el blanco! — con la rata más grande y espantosa de todo aquel
ejército.

¡Impresionante identificación, ya imposible de mirar
separadas cada una de las imágenes! A mí me viene su-
cediendo —cosa rara, explicable, por otra parte si pienso
bien de ella—, cada vez que releo o simplemente hojeo
este episodio de Galdós, que cuando cierro sus páginas,
cuando me olvido de sus detalles, de sus personajes principales y secundarios, de sus muertos y sus sobrevivien-
tes, de sus escombros humeantes, del propio suceso, en
fin, que relata, siempre persiste en mí, agrandada, hasta
empinar su lomo como un monte, desafiantes los ojos

relampagueadores, zig-zagueante el rabo como un látigo, ese Napoleón, esta colosal rata, ya solitaria, sin mando, ante la sombra luminosa del Gobernador Alvarez de Castro, que se sonríe, muda, desde las piedras amontonadas de Gerona.

Y es que, en definitiva, el vendedor de esta ciudad es el Gobernador —el vencido—, cuya presencia durante todo el sitio hace Galdós que la sintamos más que la veamos, tendiendo como un terrible resplandor sobre los defensores, cegándolos y enfebreciéndolos hasta el más sobrehumano heroismo.

Hombre de pocas palabras, la sombra viviente de este gran general; de pocas, y esas, siempre cortantes, descorazonadoras: «Sepan los que ocupan los primeros puestos, que los que están detrás tienen orden de hacer fuego contra todo el que retroceda.» Y a un oficial, que al ordenarle una salida le preguntaba adónde retirarse, en caso necesario: ¡Al cementerio!, contestó. Hablándole alguien, ya en los días más graves, de la escasez de víveres, dijo don Mariano: Señor, cuando no haya otra cosa, comeremos madera.

Y no sólo madera, sino gatos y ratones como ya hemos visto, rehogados en grasa de asno viejo; corcho ahumado, pedazos de correas y otras suculencias fueron los platos exquisitos que dieron fuerza para resistir de mayo a diciembre a aquellos gerundenses, hasta que el gran gobernador cayó enfermo, agotado, exhausto y tuvo que capitular la plaza.

> Dígasme tú, Girona,
> si te n'arrendirás...

—Adiós, señores, me voy a Francia, me llevan...

Cuando Andresillo Marijuan comienza así el relato de la marcha al destierro y las cárceles de los héroes supervivientes de Gerona, Galdós se olvida un poco, a lo largo de esos capítulos, del lenguaje habitual del muchacho, y en una prosa grave, sobria, puntual, contenida de una profunda tristeza —así de hermosamente debiera siempre escribirse la Historia—, prolonga en lentas páginas aquel camino doloroso y sin fin, hacia la frontera pirenaica, de don Mariano Alvarez de Castro, con los 1.500 prisioneros de guerra. ¡Ay, cielos románticos de nieve, ay, heridas abiertas todavía, camino igual demasiado vivo en nuestra sangre para ser recordado sin estremecimiento!

«—Salimos, pues, en la noche del 21 de diciembre. Delante iba, rodeado de gendarmes a caballo, el coche en que llevaban a D. Mariano Alvarez; seguían los oficiales, entre los que estaba mi amo; dos o tres asistentes contemplábamos el primer grupo de la comitiva. Más atrás marchaba toda la clase de tropa, soldados convalecientes de heridas o de epidemia en su mayor parte. La procesión no podía ser más lúgubre, y el coche del gobernador rodaba despaciosamente. No se oía más que lengua francesa, que hablaban en voz alta y alegre los carceleros. Los españoles íbamos mudos y tristes... De este modo llegamos a Figueras a las tres de la tarde del 22, y sin permitirle descanso alguno, fue el gobernador enviado al castillo de San Fernando. Frailes —pues también los había entre los prisioneros— y soldados quedaron en el pueblo, y solamente subimos con aquél los del servicio del propio general o de sus ayudantes. Marchamos todos tras el coche, y al entrar en la fortaleza, la debilidad de D. Mariano era tal, que tuvimos que sacarle en brazos para transportarle de la misma manera al pabellón que le habían destinado, el cual era un desnudo y destartalado cuartucho sin muebles. Entró el héroe con resignación en aquella pieza, y echóse sin pronunciar queja alguna sobre las tablas, que a manera de cama le destinaron. Los que tal veíamos estábamos indignados, no comprendiendo tan baja e innoble crueldad en militares hechos ya de antiguo a tratar enemigos vencidos y rivales poderosos; pero callábamos por no irritar más a los verdugos, que parecían disputarse cuál trataba peor a la víctima. Luego que se instaló, trajeron al enfermo una repugnante comida, igual al rancho de los soldados de la guarnición; pero Alvarez, calenturiento, extenuado, moribundo, no quiso ni aun probarla. De nada nos valió pedir para él alimento de enfermo, pues nos contestaron bruscamente que allí no había nada mejor, y que si durante el cerco habíamos sido tan sobrios, comiésemos entonces lo que había.»

¡Ay, amigos míos! ¿Habéis oído? ¿Habéis algunos escuchado bien? ¿Habéis algunos comprendido? Yo no tengo la culpa de que este don Benito —nacido hace ya cien años— sea el autor de una obra que a tantos españoles venga ahora a clavarnos con sus agujas vivas el corazón y las entrañas. Y si continuáramos leyendo, siguiendo esta arreada marcha inmerecida hacia los Pirineos, ¡qué nombres os sonarían, qué palabras de aquella geografía, que comprobamos, y que entonces nos las hicieron entrar —como así dicen de la letra— con nuestra propia sangre!... El Pertus, La Junquera, Port-Vendres, Perpiñán... ¡Ah! Pero yo no he venido a torturaros, a poneros al rojo vivo la memoria. Carguen, los que quisieren, la responsabilidad, pídanle cuentas al que así hizo removeros el alma, a quien creyendo hacer historia del pasado español, la hizo tan de ahora, tan de hoy, que ha venido a mostrarnos cuán invencible y hermosa puede ser una patria— aun derrotada, maltrecha, desposeída— cuando es el pueblo quien sube en pleamar a defenderla y en pleamar también a rescatarla con su vida.

Rumbo a Cádiz

¡Salinas de Santi Petri!
¡Esteros de San Fernando!
¡Agua parada y dormida
donde se mecen los barcos!

Es un orgullo para mí, ciudadano del Puerto de Santa María, saber que en uno de sus inmensos caserones Andresillo Marijuan contará de cabo a rabo a su amigo Gabriel Araceli el episodio de Gerona, que yo he intentado evocar para vosotros en tan corto espacio.

No quisiera antes de que los dos soldados se nos escapen hacia la Isla, rumbo a Cádiz, no quisiera privaros de una luminosa digresión que le pasó a Araceli por la cabeza, luego de discutir la forma bárbara de muerte que parece se dio a Alvarez de Castro, vuelto por los franceses al castillo de Figueras. Oídla, y culpen nuevamente a Galdós, o a la clarividencia de Gabrielillo, si las palabras que juntó al formar estos párrafos no apuntaban también al blanco del futuro, ese futuro que es ahora, y cuyas causas de padecimiento creyérase, poco menos, al oírlas, que son las mismas. Se refiere Araceli al Poder que impulsó el asesinato del ilustre defensor de Gerona. He aquí sus palabras:

«—Los malvados en gran escala que han tenido la suerte o la desgracia de que todo un continente se envilezca arrojándose a sus pies, llegan a creer que están por encima de las leyes, reguladoras, según su criterio, tan sólo de las menudencias de la vida. Por esta causa se atreven tranquilamente, y sin que su empedernido corazón palpite con zozobra, a violar leyes morales, ateniéndose para ello a mil fútiles y movedizas reglas que ellos mismos dictaron llamándolas razones de Estado, intereses de ésta o de la otra nación;

y a veces, si se les deja, sobre el vano eje de su capricho o de sus pasiones hacen mover y voltear a pueblos inocentes, a millares de individuos que sólo quieren el bien. Verdad es que parte de la responsabilidad corresponde al mundo, por permitir que media docena de hombres o uno sólo jueguen con él a la pelota.»

Esto se permitió decir el soldado Araceli, ya a buen seguro, frente a Cádiz. Y esto me atrevo yo a reproducir aquí, recalcando, por si alguno padeciere confusión, que aunque estas palabras parecen dirigidas contra cierto alguien de hoy, no se olvide que disparan contra otro alguien del pasado, a quien se consintieron las mismas fechorías, y a quien Badoret y Manalet, los niños héroes de Gerona, reconocían como la rata máxima, llamándola Napoleón.

¡Salinas de Santi Petri!
¡Esteros de San Fernado!

Ya la barca avanzaba proa a Cádiz. Noche de luna en la bahía, vigilada por los barcos de guerra ingleses y españoles. Al veterano de Trafalgar, le salta el corazón de héroe romántico, sabiéndose camino de su cuna, del imposible amor de su alma, contento de llevar archivado en su memoria un episodio más de aquellas guerras y sintiéndose ya protagonista de otro, donde presenciaría el ensueño constitucional de las Cortes de Cádiz. Lo que seguramente no se le pasó por el pensamiento a Gabriel Araceli fue que años más tarde, sobre aquella pena gloriosa, gaditana,

«inundada de luz y ceñida por coronas de blancas olas, los pobres pensadores desesperados, los utopistas sin ilusiones, los desengañados patriotas llorarían sus errores, y buscando hospitalidad en naves extranjeras se dispondrían a huir siempre de la patria a quien no habían podido convencer».

Una vez más, Galdós historiaba el futuro.

LOS *EPISODIOS:* LA PRIMERA SERIE

Al dar forma autobiográfica a la primera serie de *Episodios nacionales* y hacer de Gabriel Araceli el personaje principal (en nueve de los diez volúmenes), Galdós comienza el gran proyecto de escribir la historia a su manera —novelándola— con un golpe maestro. La materia novelesca, ostensiblemente declarada, es la vida de Araceli mismo, a la vez voz que habla y agonista de la crónica. Llamarle protagonista puede parecer excesivo, pues siendo un muchacho gris, un personaje sin relieve, situado en posición harto subalterna respecto a las circunstancias en que se mueve, éstas pueden pasar a través de él y constituirse en el verdadero objeto de la narración. Pero al hacerlo, lejos de dañarle en lo más mínimo, le realzan, su participación en hechos tan altos va poco a poco elevándole y dándole conciencia de su adscripción a la Historia.

Si Gabriel cuenta sus andanzas por la patria invadida, claro está que habrá de referir los sucesos bélicos y políticos que acontecen en ella, sucesos que le educan y le forman. La desproporción entre la insignificancia de su persona y los acontecimientos en que va creciendo y desarrollándose es enorme; por eso resulta natural que la relación inicial sujeto-objeto (Araceli y su vida) se convierta insensiblemente en la relación Araceli-guerra, y no porque cambie el propósito, sino porque el hecho de contar lo que el narrador había vivido implicaba necesariamente operar sobre lo personal y sobre lo social, sobre hechos que sin duda atraerían el interés del lector. Y más aún: cuando la guerra se desplaza al primer plano narrativo, quien se instala en él como protagonista, quien de veras hace la guerra y la sostiene e impulsa con el vigor contagioso del heroísmo colectivo a los héroes particulares, es el pueblo español.

¿Significa esto la anulación de Gabriel como protagonista de la novela? Por supuesto que no; y ello por dos razones. Acabo de escribir la palabra novela para recordar al lector que de eso se trata, y que en cuanto novela (muy decimonónica en su traza: la ascensión social de un joven de humilde cuna que por su integridad e inteligencia llega a situarse en el empíreo donde la burguesía se autocongratula por ser tan meritoria e industriosa como es), Araceli es y sigue siendo hasta el final personaje primero y materia prima de ella. Además, y esto es igualmente claro e igualmente visible: en cuanto pueblo, con el pueblo se funde, y lo que a éste le ocurre, él lo siente; sus luchas y afanes se identifican. No queda anulado Gabriel, sino integrado a un protagonista colectivo que consiente actuaciones múltiples y libérrimas dentro de la persistente unidad de propósito: expulsar de España a los invasores.

A lo largo de esa lucha Araceli se descubre y se transforma; no sólo madura, sino que en esa madurez llega a conocerse y a conocer el mundo en donde vive y quiere vivir. En el tiempo relativamente breve de la novela: desde *Trafalgar* a *La batalla de los Arapiles*, el «héroe» individual pasa de jovenzuelo inexperto a hombre hábil y experimentado. Nunca se podrá decir con mejor verdad que el hombre es hijo de las circunstancias, pues ellas —la guerra y sus incidencias— engendran al nuevo Araceli que al final de la serie habla, al memorialista que escribe la historia recordando su vida, o los episodios novelescos de ella. En cuanto objeto de su propia crónica, el narrador es una página que va siendo escrita según fluye la crónica misma: ésta le constituye en el ser que llega a ser, fiel a las circunstancias y por lo tanto auténtico, con la pura autenticidad postulada por Ortega. Lo que se es, queda acreditado por el cómo se ha llegado a serlo, y tal ser no es «otro» distinto del Yo narrativo inicial sino ese mismo yo, ese «uno» incipiente, después que alcanzó su previsible madurez.

La Historia es instrumento formativo de la persona y espacio configurante. En esto no es excepción el caso de Araceli. Si lo es en cuanto a momentos insólitos de grandeza colectiva que pueden colorear y hasta de veras engrandecer a quien se siente partícipe en ellos y honrado por esa participación, como Cervantes se sintió por la suya en la batalla de Lepanto.

Instituido en narrador, dirá las cosas a su manera, en el lenguaje y con el tono que le es propio. La persona se manifiesta en la palabra sencilla, en una palabra que no quiere embellecer sino decir la verdad desnuda, y que por ser sencilla parece natural y, por natural, sincera. El lenguaje testifica la verdad de lo contado, o al menos sugiere que el narrador está diciendo lo que sabe y cómo lo sabe. El tono es, en este punto, uniforme, pero cambiará según las reacciones que lo contado produzca en quien lo cuenta. La voz del hablante se enardece, se apacigua, se adelgaza en la rememoración, y el tono de lo que dice casi siempre es calmo y apacible, con ciertas incursiones en lo sentimental; arrebatado, airado rara vez lo es. Los cambios tonales se deben a la exigencia de expresar con fidelidad el sentimiento.

Convendría plantearse ya una cuestión que, aun siendo retórica, o acaso por eso mismo, puede servir para dejar aclarado algo que a veces parece apuntarse como reproche a Galdós: el tono, siendo como es propio de quien habla, no deja de incurrir en manierismos de época. La obvia pregunta es ésta: ¿podría ocurrir de otro modo? Araceli no está en la novela representando a nadie, sino por propio derecho. ¡Qué caramba!, ¿no es *suya*, después de todo, la novela? Pero ni él como narrador, ni el padre que lo engendró y creó, podían saltar sobre su propia sombra y rehuir los condicionamientos de la época y del género, que imponían una adaptación de la novela autobiográfica e itinerante no sólo a la materia, pero a la época, que es parte de la materia y del ambiente en que se mueven el narrador y su cómplice inevitable, el lector.

El tono de Araceli hace la novela como es, incorporando y asimilando lo público a lo privado: desde muy pronto se impone como el adecuado para facilitar la rápida transición de lo uno a lo otro. Siendo quien es quien cuenta la historia, la sencillez del modo atrae suavemente al lector y le coloca en la perspectiva del narrador, a la distancia justa para abarcar bien el mundo novelesco y las peripecias del joven héroe, de suerte que pueda ver el conjunto como éste lo ve. Araceli, socialmente comienza en un travesaño muy bajo de la escala, pero sin «complejos de inferioridad»: no ve a los grandes de este mundo como seres superiores, sino como gente que nació o llegó más arriba, por azar o por fortuna. No los mira de rodillas, ni mucho menos, pues se considera semejante a ellos en condición y destino.

La conciencia del narrador tiene una significación ligada a su insignificancia. Por ser en su pequeñez tan semejante a muchas otras, es fácil reconocer en ella las acumulaciones de la conciencia colectiva. Sólo los empeñados en escuchar la voz de Galdós, sonando como la del ventrílocuo en la boca del narrador, han podido ignorar el hecho de que lo gris del personaje no es capricho, sino exigencia del episodio mismo, que imponía un sujeto sin brillantez para que de sus manos surgiera la sustancia novelesca con la sencilla consistencia que tiene. El objeto artístico llamado por Galdós «episodio nacional» funciona como estimulante de distinto «género» que el objeto artístico llamado «novela contemporánea». Y la causa de la diferencia es que mientras en ésta el lector se halla presente y de modo vicario participa en la fábula y conoce a los personajes en vivo, en el episodio, y especialmente en los de la primera serie, está situado en otro tiempo, en otra «historia», y al alterarse la relación temporal y la espacial y variar la distancia, nada es lo mismo. El narrador de los episodios incita a la rememoración, y propone como ejemplo hechos de los que le fue dado ser testigo, pero la eficacia de sus páginas depende sobre todo de que el lector los reciba como aleccionadores elementos de comparación y como estímulos incitantes respecto a lo presente. Más de una vez se olvida el hecho obvio de que la obra de arte es un sistema de signos, y que en entenderlos consiste la operación intelectual encomendada al lector. La calidad del descifrado —y aun la variación cuantitativa representada por los diferentes niveles de penetración a que cada lector alcance— dependerá de la aptitud de éste para captar esos signos y para comprender su significado. Capacidad de lectura, no de interpretación. Aptitud para relacionar y establecer visiblemente asociaciones que en estado latente ya están en la obra. Al lector se le pide que entienda la novela con entendimiento complementario (la complementa cuando hace patente algo que estaba en ella, postulándole), no que invente otra novela, la *suya*, acto lícito, pero independiente del anterior. En la lectura, tratamos la novela o la historia incorporada a ella como sustancia artística; en la eventual creación imaginativa en que cada quien puede entretenerse, la tratamos como materia que también ha de ser convertida en sustancia, artística, claro, pero *otra*.

La estructura de *Trafalgar* está determinada inicialmente por el arquetipo picaresco que en el texto se declara, por la distancia desde la cual el héroe contempla los hechos y por el dual y tradicional carácter del mismo: narrador y protagonista. Siendo el episodio eso, un episodio, el primero de los que Araceli va a contar, su organización había de ser establecida en función de los siguientes, como principio y base de ellos. La narración empieza siguiendo el modelo del Buscón; no tardando, el esquema se desvanece. Araceli, superada la tentación de lo pícaro, se deja llevar a lo quijotesco de una salida y de una aventura de la que no podía esperar provecho material, aunque sí gloria. Si miramos de cerca, veremos que la novela caballeresca, y no su caricatura, sirve de pauta para lo que sigue, donde no faltará ni siquiera un amor «cortés», el de Gabriel por Rosita, aderezado con el ligerísimo picante de unos juegos semieróticos descritos con extremada atenuación verbal.

El cambio estructural de lo picaresco a lo caballeresco se acompasa con el desplazamiento del héroe de un ámbito a otro: del espacio de la incertidumbre (y de la pobreza) al de la seguridad hogareña (y de la holgura económica) desde el cual escapará, con su noble amo, al de la aventura heroica. Desplazamiento espacial que impone, y no podría ser de otra manera, una perspectiva diferente. Y el nuevo punto de vista facilita —si no impone— la contemplación de un mundo «otro», con gentes que, una vez moviéndose en su círculo y clase, parecen al narrador más accesibles, más semejantes a él que anteriormente. Lo cambiante del mundo irá insinuándose según se modifique su situación en el espacio novelesco. Entre el punto de vista del niño azotacalles, partícipe en peleas de barrio, y la del muchacho que presencia la batalla de Trafalgar, la diferencia es grande y determina la transformación que le altera. Y las relaciones con los demás varían sustancialmente, gracias a la toma de conciencia facilitada por el cambio de perspectiva.

El cambio es gradual y queda registrado en la novela por la percepción de ciertas posibilidades que al abrirse al protagonista le permiten descubrir un futuro muy distinto del que le auguraban su pasado y sus antecedentes. La burguesía arrumbó el determinismo y lo sustituyó por la creencia en el ascenso social mediante el esfuerzo individual y la acomodación a las circunstancias. En casa de don Alonso descubre el bienestar de un hogar acaudalado; en la de doña Flora, poco antes de embarcarse en la escuadra, entiende los caminos oblícuos de la ascensión— en este caso, ceder al capricho de una vieja adinerada— y la posibilidad de seguir un oficio, el de peluquero, con el que podría ganarse la vida y eventualmente convertirse en «un verdadero personaje».

Si en esa coyuntura no cede Gabriel a lo que no sé si puede llamarse tentación, es porque ya es «otro», y él lo sabe: habla en tono enfático, apenas le reconocen sus antiguos camaradas, se las echa «de hombre de pro» y, tiene «conciencia de [su] formalidad», revelada en el «nuevo empaque y la gravedad» de lo que él mismo llama persona, es decir, máscara: el ser social que ofrece a los demás testimonio del cambio.

El momento en que la mudanza de Araceli se manifiesta decisivamente es cuando la variación estructural culmina en las horas heroicas que constituyen el cogollo de la novela: la batalla de Trafalgar. El pícaro, rescatado por persuasión y ejemplo, en los preparativos del combate siente como sienten los guerreros (o, más bien, como él cree que sienten, lo cual para el caso es lo mismo) y se identifica con ellos en lo caracterizador: la fe religiosa y el patriotismo: «por primera vez... altas concepciones, elevadas imágenes y generosos pensamientos ocupaban mi mente... Por primera vez entonces percibí la idea de la patria... comprendí lo que aquella decisiva palabra significaba, y la idea de nacionalidad se abrió paso en mi espíritu, iluminándolo y descubriendo infinitas maravillas.» Esta iluminación, que implica cómo es lógico cambio de luz en el espacio novelesco, es la determinante del hombre nuevo, que seguirá viviendo y haciéndose en los sucesivos episodios, pero, ya sin alteración sustancial, fiel a una mitología que sienta bien a los tiempos y a las gentes entre quienes ha de vivir. La idea de patria determinará sus sentimientos, y le justificará en la guerra y en la paz, como justificará la guerra misma, vista como defensa colectiva contra una invasión traicionera. Y apenas será necesario recordar que en Araceli la buena fe es absoluta: cree en lo que dice y vive su creencia, sin advertir hasta qué punto creencia y conveniencia son una y la misma cosa, en él y en quienes lo rodean. Cuando en el fragor de la batalla se convierte de espectador en actor, su condición y carácter quedan definitivamente fijados y consumada la transfiguración del pilluelo en héroe.

La evolución estructural puede sintetizarse en un diagrama de la novela más o menos como éste:

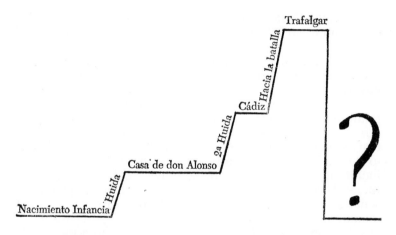

Estructura lineal, con altibajos y momentos de aparente estabilización; el momento culminante de la novela, en sus dos vertientes, colectiva e individual, es aquel en que, en el fragor del combate, Gabriel se identifica con los combatientes, toma conciencia de su ser de español y de la comunidad nacional a que pertenece, y de testigo pasa a participante. La caída marca el anti-clímax subsiguiente, el retorno al hogar y a la paz, y las tentativas de quienes le rodean por someter su vida al marco de servidumbre honorable que ya no puedo aceptar. Tras breve período de calma, la aventura le tienta de nuevo, y la línea estructural al descender toma la forma de una interrogación. En *La corte de Carlos IV* la estructura cambiará otra vez y adoptará un esquema que desde Stendhal y *Le rouge et le noir* estaba muy acreditado: la novela del joven provinciano llegado a la capital en busca de fortuna.

Gabriel Araceli comienza su autobiografía como los protagonistas de las novelas picarescas las suyas: declarando sus circunstancias personales y exponiendo los antecedentes familiares y el medio en que se desarrolló su infancia. Tan consciente está de la semejanza entre el modo de su narración y el del pícaro que en el segundo párrafo de *Trafalgar* advierte:

«Doy principio, pues, a mi historia como Pablos, el buscón de Segovia: afortunadamente, Dios ha querido que en esto sólo nos parezcamos.»

En estas líneas, además de registrarse el hecho de que va a contar su historia *como* Pablos, se deja ver que lo contado es algo propio de quien lo cuenta («mi historia»), y, si no me equivoco, una historia que no es pasado sino presente y aun futuro. Al hablar así no sugiero que no hayan ocurrido ya los acontecimientos que han de ser contados, sino que lo esencial será su ordenación en el relato, su integración a una experiencia de que el narrador tiene conciencia, pero que sólo se constituirá y existirá como creación personal cuando la escriba. De ahí que lo de dar comienzo a «mi» historia (a la suya, que iba a incluir la colectiva, el «episodio nacional») y la equiparación formal con la novela de Pablos sean las primeras señales de que el narrador, distinto del autor, estaba tomando el mando y, para escribir la Historia, escribía «su» novela, con la libertad que el novelista no podía menos de concederle una vez embarcado en la tarea creadora, forzado por las leyes de la novela misma, que exigen un narrador autónomo de quien lo inventa, y, en cierto modo, intermediario entre éste y el lector.

El error, tan reiterado, de olvidarse del narrador para poner en su lugar al autor, se debe en el caso de los *Episodios* a que hasta ahora han interesado más a sociólogos e historiadores de las ideas que a críticos literarios. Ensayos y libros insisten en esbozar un ideario galdosiano a base de las ideas de los personajes, extrayendo de las novelas párrafos que en contexto pueden tener sentido muy distinto al que fuera de ellas se les atribuye, cuando se carga en la cuenta de Galdós lo afirmado por Araceli, Monsalud, Santiago Ibero o Tito Liviano, entes de ficción harto diferentes y, por fortuna, bien caracterizados.

Esa tendencia ha de corregirse, y es fácil lograrlo estudiando las novelas como lo que son, obras ante y sobre todo imaginativas, sin confundir materia y sustancia, ni autor y personajes. Confusión que, en lo que a éstos se refiere, equivale a destruirlos como tales personajes, convirtiéndolos en «portavoz» del primero, Maese Pedro de un retablo cuyas figuras no son sino marionetas a quienes, tirando de los hilos, se les hace gesticular mientras se les presta voces fingidas. Si los historiadores de las ideas siguen utilizando al personaje como portavoz de Galdós, háganlo por su cuenta y riesgo. El crítico literario, ateniéndose al mundo imaginario en su realidad y en su verdad, pisará terreno más seguro. Y no desdeñará, por supuesto, el estudio de las ideologías que se den de alta en la novela, pero las estudiará en contexto, según la función que desempeñen y encarnadas en los personajes que las declaran. La interposición del narrador (de los diferentes tipos de narrador) entre la materia novelada y el lector, sirve para eliminar de la novela al autor. La eliminación está bien calculada, pues así la invención parece conseguida por el narrador, quien a diferencia del autor, es ya ente de ficción, tejido de la misma fibra y viviente en el mismo espacio que las restantes figuras novelescas.

Dos problemas engranados (o dos aspectos sucesivos del mismo problema) quedan así planteados, y bien planteados. En *Trafalgar*, afirmada como «mi» [su] novela, el narrador es centro de conciencia y testigo. Como narrador, tiene a su cargo las funciones de nombrar y describir: ellas le instituyen en creador de la experiencia e imponen a ésta su forma. La narración, según avanza, va constituyendo esa experiencia que a su vez ilumina lo aún no dicho, zonas en sombra. Lo ya escrito sirve para reforzar la energía creadora, estimulándola hacia nuevos derroteros y facilitando esa incesante cadena de elección y selección —ante todo de palabras— implícita en el acto creador: lo que se debe decir viene indicado por lo ya dicho. En la novela escrita en forma autobiográfica, el recuerdo ya cristalizado y novelado tira de la sombra para sacar del olvido el detalle, la puntualización que lo continúa.

El Gabriel que cuenta y el Gabriel novelado es uno y son dos. El viviente en la narración es un muchacho que al dar sus primeros pasos en la vida se enfrenta, como Guzmán, con una sociedad hostil. Su madre es lavandera, como la de Lázaro; trabajaba «lavando y componiendo la ropa de algunos marineros»; un tío materno le maltrata hasta el punto de que, por huir de él, escapa de casa, «deseoso de buscar fortuna.» El narrador es un viejo: «cercano a mi fin —dice—, después de una larga vida, siento que el hielo de la senectud entorpece mi mano al manejar la pluma, mientras el entendimiento aterido intenta engañarse, buscando en el regalo de dulces o ardientes memorias un pasajero rejuvenecimiento». Y después de tan terminante declaración, describe de modo vivo, imaginativo, el cumplimiento de su deseo: volver a ser joven; no sentirse joven, sino serlo otra vez en realidad, anulando el tiempo en el escribir rememorante y devolviendo al ayer su vitalidad y su energía: «Soy joven; el tiempo no ha pasado.»

Es, literalmente, una resurrección, que determinará el tono de la novela y su fijación temporal. Ha de decirse la verdad y las cosas han de contarse según ocurrieron: quien cuenta está cronológicamente lejos de lo contado, mientras psicológicamente sigue, no ya cerca, sino dentro de ello. El tono será nostálgico, porque se habla de un ayer excelso, incomparable a lo presente, y será vivo y apasionado para ajustarse a la vivacidad del sentimiento, que surge intacto, acaso acrecido y potenciado por la nostalgia. El pasado sigue siendo lo que es, y a la vez arrinconando al presente anodino, desde el cual se escribe. En el tono se declaran el Gabriel joven y el caduco (que se interfiere en la narración con reflexiones y digresiones nada intempestivas, pues que sirven para traer su presencia —y su tiempo— al relato); los dos vuelven a hacerse uno en la voz del narrador, oscilante entre el ayer y el hoy.

La dualidad en la unidad del sujeto impone la dualidad en la relación lector y narrador: una se establece entre aquél y el anciano que cuenta: relación de contemporáneos y de gente situada en la misma perspectiva —la del espectador— frente a los acontecimientos; otra se impone al lector por el hecho del desdoblamiento: el niño que vivió con el corazón del narrador es el héroe minúsculo de la crónica.

Resulta, pues, que el joven, antepasado del anciano, se convierte en su criatura, en hechura suya. Como es de rigor en la novela autobiográfica, lo que se crea es una imagen ambigua que en parte puede ser verdad y en parte invención, y ello sucede por el juego de la imaginación en marcha: la materia puede haber sido extraída de la Historia, es decir, los hechos pueden o no haber ocurrido, pero, una vez contados entran a formar parte de un conjunto cuya validez depende de la forma. La relación entre personaje y fábula y la energía creadora del lenguaje no consienten otra cosa.

En *Trafalgar* se cuenta lo vivido por Araceli cuando joven, *de joven*, pero lo cuenta *de viejo*, cuando la distancia empujó entre nieblas lo que aconteció o soñó. ¿Quién podría distinguir entre lo ocurrido y lo que se hubiera querido que ocurriera, si los años fueron borrando las movedizas fronteras entre recuerdo y sueño? Si lo vivido —la materia— es del joven, lo contado —la sustancia— es del anciano: suyos los sustantivos que nombran, los adjetivos que matizan, insinúan y delimitan, los verbos que indican movimientos y afanes, las exclamaciones, interrogaciones, metáforas, metonimias y símbolos que abren nuevas percepciones de personas, cosas y situaciones, además de imprimir a la prosa un carácter que no es el del mozalbete que embarcó con don Alonso en el *Santísima Trinidad* sino el del viejo que al final de su vida, y desde un conservadurismo tolerante (tolerante salvo para quienes quieren cambiar de veras y a fondo un orden en el que llegó a situarse de modo muy confortable), escribe. En resumen, el punto de vista es el del narrador anciano, no el del héroe joven; aquél y no éste es el centro de conciencia. Cuando se ingiera en la novela, no hará sino explicitar con sus comentarios lo implícito en la narración. Quién sea el narrado y cuyas sus opiniones no ofrecerá duda a quien lea lo escrito sin proyectarse en el texto, manteniéndose fiel a su letra, donde se manifiesta sin equívocos una ideología, la del Araceli conformista, instalado en el baluarte seguro de la inmovilidad burguesa.

Que Galdós se documentó para escribir los *Episodios*, es punto que no se discute: está probado. Pero sí conviene atajar la inclinación creciente a suponer que se documentó para escribir libros de historia, porque esto no es exacto. El artesano concienzudo y escrupuloso puesto a escribir relatos cuya materia es en parte histórica, exploró esa materia hasta donde lo exigían sus fines noveladores y la utilizó con la libertad de quien, en definitiva, está escribiendo ficciones.

Entre los documentos conservados en la Casa-Museo de Galdós, en Canarias, hay por lo menos dos prospectos de propaganda [1] de los *Episodios:* en uno se los llama «Colección de relaciones histórico-novelescas referentes a los grandes sucesos del presente siglo»; en el otro, el anuncio es más explícito: «*Las diez novelas* que con el título de *Episodios nacionales* ha empezado a publicar el señor Pérez Galdós, tienen los siguientes títulos, cuya sola enunciación indica que la obra completa será un cuadro entero del más grandioso período de la historia de España en el presente siglo» (subrayado mío). No parece que estos prospectos los redactara Galdós, pero es improbable que se imprimieran sin su autorización. En cualquier caso, la obra en curso de publicación fue calificada de novelesca, remachando un clavo que el lector dará por bien clavado con sólo leer el primer capítulo de *Trafalgar.*

La insistencia en recordar cosas tan sabidas quizá resulte impertinente; por desgracia, responde a la necesidad de contrarrestar una inclinación creciente a utilizar la obra galdosiana como documento, tendencia que produjo grave desproporción entre los estudios sociológicos e históricos dedicados a los *Episodios* y los de crítica literaria. El riesgo de sepultar las novelas de Galdós bajo el Galdós sociólogo, el Galdós historiador, el Galdós liberal, el Galdós burgués, el Galdós... es realmente grande. Como Cervantes, y por idénticas razones, está siendo explotado en todas direcciones, lo que no importaría mucho si los críticos de la literatura se mantuvieran en lo suyo, inmunes al contagio.

Si volvemos a la cuestión inicial, tratando de entender la contradicción de que, siendo novelas, los *Episodios* fueran recibidos como historia, será útil recordar que hay una similitud formal entre novela e historia; las dos son, ante todo, narración de sucesos, e implican un orden expositivo basado en la necesidad de hacer el relato inteligible y convincente. En ambos casos, relaciones articuladas desde una perspectiva particular, pues aunque el historiador se empeñe en ser objetivo, la imposibilidad de saltar sobre la propia sombra le confina en limitaciones no menos rigurosas que las del novelista.

Si lo que se cuenta depende de cómo se cuenta, el *cómo* no deja de ser en alguna medida consecuencia del

---

[1] Publicados por Rodolfo Cardona en "Apostillas a los *Episodios nacionales de B. P. G.*, de Hans Hinterthäuser", *Anales galdosianos,* 3 (1968), pág. 120.

qué. Lo narrado se altera según el modo narrativo; hasta constituirse en la narración los hechos son fragmentos dispersos, datos sueltos, informes, que sólo tendrán cabal sentido cuando se integren en el complejo de relaciones que es la forma. Selección y descripción, jerarquización y valoración son etapas de un proceso común a la historia y a la novela.

En cuanto a la influencia del *qué* sobre el *cómo*, sólo recordaré que lo contado puede sugerir un acento, un tono, un ritmo, acordes con cierta exigencia emanante de la materia misma. Cabe forzar un tono, y un ritmo «impropios», pero el resultado será alterar sustancialmente esa materia, como se hace en la sátira y como hizo Valle-Inclán sistemáticamente. Insólitas percepciones de la realidad, transforman su significación y ofrecen lo que llaman «deformaciones» de ella, cuando no son sino variaciones en el *cómo*. La narración histórica es sistemáticamente alterada porque quien describe los acontecimientos a la vez los explica, o, como suele decirse, los interpreta, de acuerdo con su ideología y posición social, para extraer de ellos un testimonio y a la vez una lección.

La historia incorporada a la novela sigue queriendo ser historia o al menos parecerlo; para que el lector la reciba como tal, bien está presentarla en forma de testimonio escrito por alguien de fiar: el personaje novelesco. Primero se hace ver que éste, Gabriel Araceli o Andresillo Marijuán, son gente sincera, sencilla, que quieren contar lo que han visto, según lo han visto, sin aliñarlo ni desfigurarlo, dejándolo registrado para la posteridad; después, los sucesos históricos y los personales se entretejen de tal modo que el deslizamiento de un plano a otro ocurre insensiblemente; lo general es prolongación de lo individual, por eso es personalizable en agonistas novelescos que por su inexperiencia y su relativa ingenuidad inspiran más confianza y parecen más incapaces de deformar los sucesos que el historiador apegado a una ideología y a un sistema.

Todo *parti pris* queda eliminado si el narrador se propone contar lo que ha visto y conforme lo ha visto. Al facilitar y aun imponer el tránsito de lo privado a lo público, esta zona se colorea con la autenticidad de aquello; tal autenticidad es indudable, pues lo contado es, en suma, vida de quien lo cuenta, y hemos de suponer que él la conoce bien: por otra parte, el personaje se encuentra, de golpe, autentificado y garantizado en su realidad por haber intervenido más o menos activamente en sucesos de que el lector ya tenía noticia, de que ya sabía. Por eso, historizar el personaje es modo de hacerle plausible, y tal plausibilidad repercute favorablemente sobre la veracidad del testimonio.

La «inocencia» de Araceli no es tan sólida como a primera vista parece; su deseo de informar está ligado al de exponer una visión y una creencia. Historiar es, para él, como para el profesional, ocasión de convertir su visión en verdad, en verdad que por su carácter testimonial será admitida como la verdad a secas por el lector «amigo» que acepta la narración como revelación de lo visto y lo vivido sin meterse en honduras y sin pensar si los acontecimientos y la ideología impusieron al narrador, inconscientemente tal vez, una versión de cuya autenticidad no cabe duda, pero cuya exactitud pudiera ser discutible. La historia como materia novelable tiene una consistencia particular que la distingue de lo totalmente inventado: está compuesta por episodios, ni inertes ni dóciles, configurados ya en otro ámbito, el de la historia misma, que se ofrece al novelista como un contexto con figura y movimiento propios. Es materia ya sustanciada, articulada en una forma que gravitará, quiérase o no, sobre quien, aun cuando con finalidad diferente, eche mano de ella. La utilización de la historia impondrá en ella cambios sustanciales, pero la forma y la figura precedentes no dejarán de influir, hasta cierto punto, en el novelador que la novelice.

En los *Episodios*, y en la primera serie muy acentuadamente, el narrador cuenta lo ocurrido y a la vez de alguna manera lo inventa. La exaltación del imaginar la confiesa Araceli en las páginas de *Trafalgar*, pero ahora no estoy aludiendo a eso sino a algo más sutil y recatado: el acto de escribir es en la novela histórica un tácito compromiso entre la libertad imaginativa y el hecho de que el lector sabe que algunos de los elementos utilizados fueron ya sustanciados en forma de relato. No se trata de enfrentarse con ese relato ya actual, sino de proyectar sobre él luz que precise su sentido y su significado en un marco de referencia —la novela— donde puede parecer que es lo mismo, pero no lo es. La novelización de la historia no impone falsificación y ni siquiera alteración de los datos. Al contrario: el cambio será más eficaz si se reduce, nada más y nada menos, a lo que Leopoldo Alas llamó «cambio de luz».

Gabriel escribe tardíamente, cuando el relato de la lucha del pueblo español contra los invasores está escrito y difundido. Testigo ha sido de los hechos: los vivió y los sintió, pero la percepción revelada en la novela va más allá de su vivencia y de su sentimiento. El relato histórico o legendario (que para el caso es lo mismo) no sólo puntualiza y rectifica lo vivido, sino que deja ver su alcance y cómo al integrarse esas acciones vividas con otras dieron lugar a una gesta que el narrador imagina sin precedentes. La historia o la leyenda, ya hechas, revierten sobre los recuerdos y permiten una toma de conciencia en profundidad que le estimulará a rehacer en la imaginación lo que vivió como vida, inventándolo como historia. Pues la pura verdad es que al embarcarse en el *Santísima Trinidad* no se había embarcado Gabrielillo para la guerra de los treinta años —o de la Independencia— sino para acompañar y cuidar a don Alonso, su señor, en el paso honroso que le imponían las circunstancias.

La transformación de las circunstancias en historia y la novelización del todo componen la invención, y lo inventado tiene el carácter mítico que podía esperarse. Al decir que el narrador inventa la ocurrencia, pensaba en cómo el resultado de sus manipulaciones fue la creación del mito. Trafalgar, batalla perdida, es el símbolo de la derrota que la leyenda convierte en victoria (moral, claro está), el gran mito del heroísmo vencido por la fatalidad, el destino, y no por errores de cálculo, ineficiencia o torpeza. Mito del español derrotado por los elementos y por los errores de otros; nunca por falta de bravura o por incompetencia propia. ¡Y cuánto derroche de heroísmo presencia Gabriel! (También de incompetencia, pero en eso repara menos).

La batalla marítima podía servir de «escenario» para los grandes gestos, para el despliegue de una conducta ejemplar, acaso mejor que la batalla terrestre. (Digo servir de «escenario», y me refiero a aquellos tiempos). El combate naval ofrecía, en cuanto «espectáculo» —para el combatiente individual— posibilidades de visualización superiores a las de la lucha en tierra firme, como puede constatarse comparando las páginas de *Trafalgar* en donde aquél se describe, con las que en *La cartuja de Parma* dedica Stendhal a la batalla de Waterloo, que Fabricio del Dongo, extraviado y rodeado por ella no puede ver. Gabriel logra ver a los navíos en línea de combate, espectáculo describible y hasta cierto punto contemplable, en tanto que a Fabricio el conjunto se le escapa, disgregándose en acciones particulares que no parece puedan decidir nada. La batalla que a Fabricio se le esquiva, a Gabriel inicialmente se le ofrece; el *Trinidad* es a la vez navío y palco: fuerza combativa y punto desde donde contemplar las vicisitudes de la lucha. La insuficiencia en la información es natural, porque un hombre no puede verlo todo, pero al comienzo sí consigue darse cuenta de la situación de las escuadras y de cómo se lanzan al combate. Daremos un rodeo para ver de qué modo las naturales limitaciones de Araceli irán siendo subsanadas.

El perpectivismo impone dos modos tradicionales de construcción novelesca: el desplazamiento tiempo-espacial del narrador de un momento a otro, de una posición —o situación— a otra, y la comunicación con personajes, situados en otros puntos de vista, que aportan datos necesarios para colmar las lagunas narrativas ocasionadas por información insuficiente de aquél. Esos datos y noticias entran en el relato como parte de la experiencia y la sabiduría de quienes los recuerdan, que ostentan la doble cualidad de testigos e informadores. Filtrados por la voz narrativa, tales elementos no pierden en la unidad tonal la consistencia autónoma que la diferencia de punto de vista les asegura, y dosificados en proporción razonable enriquecen la textura novelesca.

En el ejemplo de *Trafalgar*, cuando la batalla comienza, siendo el cogollo del episodio la descripción de un combate naval en que el espacio queda limitado a la nave en que el narrador se encuentra y a lo desde ella visible, si lo sabido por el lector fuera sólo lo visto por Araceli, las posibilidades del relato serían pocas. Para obviar esta dificultad, y dar idea más completa de la peripecia, hubieron de sumarse al cuento las vivencias de la lucha de otros personajes, en otros barcos, y hacer que las vicisitudes del combate llevaran al narrador a otros barcos, desde los cuales presenciará nuevas acciones bélicas y entrará en contacto con quienes asistieron a otras fases de la batalla. La intervención del *Nepomuceno*, mandado por Churruca, con lo relativo a este navío y la muerte de su comandante, las conocerá el lector por interpolación en la narrativa del extenso relato que hace Rafael Malespina en la cámara del *Santa Ana*, donde Gabriel se ha refugiado después de abandonar el *Trinidad*. El marinero que le acompaña a Cádiz, cuando el naufragio del *Santa Ana* arroja a Araceli a la costa, le contará a su vez lo sucedido en el *Bahama*, y la muerte de su capitán, Alcalá Galiano. Al final, de modo precipitado y algo chapucero, las noticias se acumulan en rápido resumen.

Las interpolaciones, además de informar sobre sucesos, aportan noticia de quienes son a la vez figuras históricas y entes de ficción. Y con la noticia, valoraciones que dependen, claro está, de la perspectiva; lo que no disminuye el interés novelesco, ni el crédito que merecen. Es manera, muy convincente en su simplicidad, de «documentar» la narración. Y no parece dudoso que lo dicho por los personajes del primer Episodio galdosiano ha contribuido más que lo escrito por los historiadores a crear la aureola de gloria con que en la mitología patria aparecen las figuras de los marinos españoles vencidos por Nelson.

La superposición de testimonios y la acumulación de vista completan la imagen de la batalla, pues en definitiva todos coinciden en condenar la torpe maniobra ordenada por el almirante francés al enfrentarse con la escuadra inglesa, como causa determinante de una derrota que el heroísmo individual no pudo evitar. Descritas las acciones particulares como errores fatales derivados de la impericia de Villeneuve, y censurada ésta por testigos tan diversos, el lector queda empapado por las convicciones acumuladas y persuadido de que, sin el error táctico del jefe de la escuadra, la victoria habría visitado a quienes por corazón y talento más la merecían.

Un personaje, don José María Malespina, mentirosísimo viejo, contrasta en figura y acento con los restantes del episodio, y no tanto por su espíritu, como por su lenguaje. La introducción de una tonalidad grotesca distiende y alivia la tensión dramática y nos introduce a la visión caricaturesca de la realidad que son los embustes en cadena del curioso sujeto. Que éste sea figura de repertorio es cosa que vio certeramente Mariano Baquero Goyanes al asociarlo al tipo tradicional del Barón de la Castaña [2]. Las fantasías del empecinado hablador no ponen

_____
[2] En *Perspectivismo y contraste*, Madrid, Gredos, 1963, pág. 77.

en cuestión el heroísmo; empeño tal queda reservado para quien en la novela representa el buen sentido y la negación a la aventura: la doña Francisca, esposa de don Alonso Gutiérrez de Cisniega, que antes y después de la batalla insiste con destemplanza en la conveniencia de no meterse en honduras. Y el punto de vista de la dama cuando culpa a Gravina de falta de energía para oponerse a la temeraria decisión de Villeneuve que ocasionó la catástrofe— es al fin aceptado por el narrador. Gabrielillo, al oírla hablar, considera aquella opinión como «desacato a la honra nacional», pero, en el momento de escribir, el viejo Araceli entiende bien hasta qué punto la irritable señora estaba en lo cierto. La perspectiva anti-heroica se introduce así inesperadamente en la novela, y queda de algún modo justificada y actuante como lo que es, hogareña oposición al mito, y no por el mito mismo, sino por sus consecuencias. ¡Singular dialéctica en que alternan lo mitologizante y lo desmitificador!

Eso que ve Araceli, cuando lo vio era de por sí tan extraordinario que no podía por menos de afectarle como suceso único, que por notable azar le fuera permitido presenciar. Cuando muchos años después decide contarlo, un doble cambio ha ocurrido, dentro y fuera del narrador. En su conciencia lo pasado fue revistiendo figura de algo grandioso y medio olvidado, que el recuerdo escrito (es decir, la narración) reconstruye en su inicial maravilla:

> «Como quien repasa hojas hace tiempo dobladas de un libro que se leyó, así miro con curiosidad y asombro los años.»

El ayer se rehace en el olvido como algo portentoso, y cuando vuelve a hacerse presente, rejuvenece a quien lo piensa o rememora. En la otra vertiente (fuera del personaje) el cambio contribuye a reforzar esa impresión: los hechos acaecidos entre 1805 y 1812, cuyo recuerdo conmueve a Gabriel, han seguido creciendo, dando de sí con vida independiente, y cuando él empieza a escribirlos, son ya como un árbol inmenso cuya sombra se proyecta sobre lo escrito.

Todo ello, lo sepultado en la memoria y lo resplandeciente de luz histórica (o legendaria), postulaba una narración de tipo muy especial si había de cristalizar en la invulnerable consistencia del mito. Hasta qué punto las crónicas noveladas de Araceli contribuyeron a difundir la idea del español heroico y, cuando necesario, sublime, en épocas harto necesitadas de esa confortación, es problema que no puedo desarrollar aquí[3]. Sí me atrevo a opinar que la obra de Galdós fue decisiva para la difusión del mito y para su aceptación por la casi totalidad de la hispánica gente.

El tono de la narración autobiográfica es —y no podría ser otro sin perder autenticidad— el de la confidencia. En ejemplo tan arquetípico como el de *Lazarillo de Tormes*, la cosa está clara: el héroe empieza a escribir para contar su vida a un lector preciso, concreto: «Vuesa Merced», deseoso de saber la vida y andanzas del pícaro a quien ha pedido «escriba y relate el caso muy por extenso». La narración se dirige a un sujeto que se halla a la vez dentro y fuera de la novela: dentro, pues Lázaro lo trae a ella, y fuera, determinando con su curiosidad el nacimiento de la narración, y a la expectativa de su conclusión. Lázaro escribe para satisfacer el interés de alguien a quien desea complacer, y escribe en estilo llano y familiar, como si en una larga carta narrara las circunstancias que le han llevado a la situación en que se encuentra. Produciéndose el relato como nexo directo entre Lázaro y Vuesa Merced, el tono confidencial y familiar era obligado: revelador del carácter de ese nexo y hasta de cómo pudiera ser la persona a quien se pretende informar y distraer.

En los *Episodios*, el destinatario de la obra es el ente, colectivo pero no indefinido, llamado público. A ese lector múltiple, desconocido pero sin duda amigo, se dirige Gabriel —«un servidor de ustedes»— trasluciendo que sa-

---

[3] El mito del heroísmo nacional apunta desde el comienzo de los *Episodios*. Aun antes de embarcarse para el combate dice Marcial: "Tenemos quince navíos, y los franceses veinticinco barcos. Si todos fueran nuestros, no era preciso tanto... ¡Cuarenta buques y mucho corazón embarcado!" (*Trafalgar*, in *Obras completas* [7a, Madrid, Aguilar, 1963], I, 212). Y poco después el motivo —otro mito— de la nobleza del español frente a la doblez del inglés, en boca igualmente del mismo personaje-pueblo: "¡Si no fuera por sus muchas astucias y picardías!... Nosotros vamos siempre contra ellos con el alma a un largo, pues, con nobleza, bandera izada y manos limpias. El inglés no se *larguea*, y siempre ataca por sorpresa..." Es entonces cuando describe cierta acción de guerra y el ardid de los ingleses que doña Francisca reconoce por bueno, aunque indigno "de gente noble" (I, 213, 214).

be muy bien lo que los lectores esperan, y que los tiene presentes cuando decide que debe contar de acuerdo con el interés que lo contado pueda suscitar en ellos:

«Cortemos que el lector se cansa de reflexiones enojosas...» (*Trafalgar*, I, 218).

En otro episodio, al hablar de sus trabajos al servicio de la actriz Pepita González, tras de exponer los principales, abreviará:

«Y por este estilo otras mil tareas, ejercicios y empleos que no cito, porque acabaría tarde, molestando a mis lectores más de lo conveniente» (*La Corte de Carlos IV*, in *Obras completas*, I, 278).

Y aun callará cosas que quisiera decir, pensando en la reacción del interlocutor implícito:

«De buena gana me extendiera aquí...; pero temo ser pesado...» (I, 280).

A esos lectores y a ese lector se les proponen los *Episodios* como historia personal entrañada en circunstancias excepcionales, y esas circunstancias, en lo histórico, son tales que, según vimos, al evocarlas sentía el anciano, la exaltación del rejuvenecimiento. La sensación exaltada de lo pasado es lo que quisiera transmitir al lector, a los españoles y a España, que tanto y tan a prisa fueron, no ya envejeciendo, sino decayendo. La creación novelesca tiene aquí como finalidad declarada la algo insólita de enardecer la sangre, acelerar el pulso, rejuvenecer (sin perder de vista que, una vez en marcha, lo que ante todo hará es informar sobre el narrador mismo). Lo que se diga y lo que se calle se dirá o se callará en función del lector, y las indicaciones de que esto es así aparecen en el texto con frecuencia y regularidad.

La relación narrador-lector conserva el tono familiar —aunque no el confidencial— de quien habla de lo suyo a alguien de cuya simpatía y comprensión no duda. Araceli quiere contar las cosas según ocurrieron: no es un profesional que aspire a embellecer su crónica, convirtiéndola en objeto de arte. Consciente de sus limitaciones, advierte que el relato «no será tan bello como debiera, pero haré todo lo posible porque sea verdadero» *(Trafalgar, pág. 208).*

Esa sinceridad y falta de artificio son parte del tono, que revierte sobre lo narrado con tanta mayor facilidad cuanto los desplazamientos narrativos son extremadamente rápidos. Y no sólo porque lo histórico vaya ligado sin transición a lo personal sino porque el personaje novelesco es inevitablemente personaje histórico. El viejo Marcial participa en la batalla y de ella muere, como Churruca, con la muerte del héroe, y precisamente del héroe anónimo (aunque tenga el nombre con que el narrador lo presenta), del soldado desconocido que la sórdida y absurda «guerra europea» sacó a flote como figura útil para que los supervivientes pudieran identificarse con la muchedumbre de sacrificados presentes, pasados y futuros, de donde se había extraído al héroe-víctima.

Quizá el recuerdo de esta curiosa invención de los empresarios de la guerra ilumine con luz indirecta la vinculación narrativa con el lector, en los *Episodios.* El narrador no se presenta como «héroe» de la narración; no: los héroes son los otros, y si en aquél hay gloria, es vicaria y refleja: la de haber participado en acontecimientos que fueron gloriosos porque así los hizo la conducta general. Por implicación se sugiere que en un ambiente como el de entonces, lo heroico era cotidiano. Los personajes inventados son en casi todos los casos (hay excepciones notables, como Lesbia y Amaranta, presentadas con un alias para sustituir el nombre histórico —duquesa de X, condesa de X— que no se quiere decir), personas corrientes, vulgares, como tú y yo, lector, y como nuestro vecino. Al hacerlo así se facilita la identificación (el *como tú,* nos los hará próximos) y su trivialización —que no lo es de sustancia sino de apariencia; un efecto tonal— los deja a nivel de nuestra insatisfactoria pero incorregible pequeñez.

La aventura pudiera ser nuestra y, en cuanto historia, de algún modo lo es. Historia pasada que se consolida en el mito que el narrador contribuye a crear. Los héroes individuales, aun los más conocidos, quedan oscurecidos por los sin nombre que las crónicas exaltarán (mi propio padre escribió en 1912 un curioso folleto titulado *Los héroes anónimos en los Sitios de Astorga)* y en quienes se reconocerá quien leyere.

El narrador acumula las virtudes que mejor podían complacer al lector potencial: es sincero y virtuoso, sin comillas, y no tarda en expresar el «legítimo» deseo de ascender y de situarse, menos por impulso de figurar que para adquirir una posición social y con ella la seguridad. Desde niño es adaptable,

> «hasta el punto de que algunos años después [de escapar del tío] hallábame —dice— en disposición de poder pasar por persona bien nacida» *(Trafalgar*, pág. 207).

Esto de importarle «pasar», aparentar, es rasgo característico del espíritu pequeño burgués. En el mundo galdosiano, Rosalía Bringas lo acredita mejor que nadie. El que Araceli tenga o no tenga conciencia de su poder mitificante puede ser punto debatible; no lo es, en mi opinión, la tendencia a proponerse un poco de soslayo como ejemplo de hombre que ha vivido una vida y seguido una carrera «honradas». No me atrevo a prescindir de las comillas; son necesarias para subrayar que la configuración positiva de esa carrera es consecuencia de ser quien escribe un burgués que hizo la guerra con el pueblo y quiere a la vez repicar y estar en la procesión, es decir, pertenecer a la clase media, entrar a la parte en los dividendos, y recabar su condición popular, como si la coincidencia en el esfuerzo bélico hubiera borrado las barreras entre las clases. Y de hecho Araceli las borró o las superó en su conciencia, o dicho con más exactitud, transformó la barrera en escala y los palos en travesaños. Ocurrencia novelesca y que sólo en la novela tiene sentido, pero utilizable por el lector fuera de contexto, y no sin razón, dado que el historicismo y la ejemplaridad de la novela le incitan a esa transposición utilitaria. Los signos verbales son acogidos como verdades, y la estructura en que tienen sentido es recibida como un marco en donde podemos insertarnos sin esfuerzo, convocados e incitados por el narrador.

El abandono del héroe de su estado primitivo cuando embrión de pícaro jugaba a las batallas con los pilletes del muelle gaditano, queda marcado por un suceso minúsculo, pero importante, porque tiene el carácter de una iniciación. Es el momento en que el capitán de navío don Alonso Gutiérrez de Cisniega, a quien está sirviendo de paje, le llama a su cuarto y le pregunta si es «hombre de valor». La súbita irrupción en la estancia de la señora de la casa, opuesta a que el marido inválido se meta en aventuras bélicas, carga la escena de patética ironía, pero no desvirtúa su carácter iniciático, siquiera la pregunta ritual se disimule tras una indicación del señor a la que el jovenzuelo, ocultándose de la airada esposa, responde con el gesto de aceptación, de conformidad con el «heroico proyecto». Entonces se advierte que los juegos del muelle (la «escuela ateniense» a que asistió Gabriel) eran duplicación anticipada de las pruebas a que habría de someterse, ensayo y preparación para ellas.

Esa escena, y más aún alguna de las siguientes, tienen el sabor de lo que luego se ha llamado esperpéntico (y de hecho doña Francisca llama «esperpentos» a los dos héroes jubilados), mezcla en este caso de la pretensión heroica de dos viejos mutilados e inútiles —don Alonso y Marcial— y un muchacho inexperto, con lo grotesco de su incapacidad para otro heroísmo que no sea —en el primero— el de soportar la vida conyugal. La iracundia de doña Francisca funciona como disolvente de ilusiones a la vez admirables y ridículas; siendo cómica en su presentación y movimientos, establece en el relato el equilibrio del buen sentido irritado al comprobar cómo sus razones resbalan sin ser ni atendidas ni escuchadas. Cuando más adelante sorprenda a Gabriel imitando en sus juegos los movimientos y ruidos del combate, no dejará de reconocer en ellos las enseñanzas del anciano a quien el mozuelo sirve.

Tales escenas son estructuralmente significativas porque constituyen el germen del cambio: quien, dados sus comienzos, pudo parecer en riesgo de caer en lo pícaro, encuentra la posibilidad de remontarse a caballero. Es una opción deparada por las circunstancias, y lo que Gabriel decide es consecuencia de haberse arrimado a los buenos, de servir a un caballero cuyo ardor patriótico se le contagia. La incitación al heroísmo se le propone como estímulo para llegar a ser quien no es; abre a su sentimiento de inferioridad social una vía esperanzada,

«un grande y constante esfuerzo mío me daría quizá todo aquello que no poseía» (*Trafalgar*, pág. 221.)

La ceremonia de pasaje será la gran batalla en que el

quijotismo de su amo le hace participar[4], y esa ceremonia y prueba le marcan para el futuro. La decisión ulterior de separarse de los Malespina y de marchar a la Corte, no responde ya al esquema tradicional de la novela picaresca. En ese esquema se ha infiltrado un elemento nuevo, el amor, y éste le inclina a seguir su «destino» y a emprender el viaje. Un viaje que durará 2.000 páginas y acabará con la subida de Gabriel a los sólidos empíreos de la mesocracia. Al final de *Trafalgar*, Gabriel sale para Madrid; al comienzo de *La corte de Carlos IV* ya está en la capital. No tiene «oficio ni beneficio», pero el lector atento constata que lejos de aspirar a la busca y a la trampa el héroe desea «una ocupación honrosa», y —lo que es más notable y revelador de nuevos tiempos y nuevos modos— la consigue mediante inserción de un anuncio en el Diario. Lejos de enfrentarse con la sociedad, como el pícaro hacía, se ajusta a ella sin dificultades. El mundo se abre ante él, y la vida con su segundo amo —o ama, pues se trata de una cómica— le permitirá observarlo desde punto muy distinto al ocupado anteriormente. El perspectivismo vuelve a operar en esta parte, y el mundo novelesco se ofrecerá al lector con una riqueza de planos superior a la del episodio anterior.

(Philological Quarterly, LI, 1, 1972.)

---

[4] Quijotismo apuntado, sobria pero suficientemente, en el capítulo VII, al describir la furtiva salida de casa de don Alonso y su paje-escudero, para embarcarse en la Armada española *(Trafalgar*, pág. 225).

RICARDO GULLON

LA HISTORIA COMO MATERIA NOVELABLE

La última serie

Que los *Episodios nacionales* no son historia, sino novela, es una verdad incuestionable, sólo controvertible desde otra certeza, muy difundida y aceptada, que pudiera enunciarse así: en ninguna obra puede aprenderse mejor la historia de España que en los *Episodios*. ¿Afirmaciones contradictorias? No lo creo, y trataré de justificar brevemente su compatibilidad recordando algo tan obvio como lo es el hecho de que la obra literaria se presta a ser utilizada (o a servir, si así se prefiere) para una variedad de usos documentales y utilitarios que no son los determinantes de su creación; esa utilización oscurece con frecuencia el hecho harto sabido y decisivo de que lo esencial es la invención, y lo accidental, si no lo corrosivo, los usos a que el lector la somete.

Si ese fenómeno de relegación a un plano secundario de lo propiamente inventivo y original se produce al comentar cualquier tipo de novelas, su frecuencia e intensidad son, claro está, mucho mayores cuando se trata de novelas históricas o de narraciones, como las de Galdós, en donde fantasía e historia concurren a producir un producto en apariencia híbrido de lo uno y de lo otro, cruce singular de lo imaginativo y de lo histórico. Digo en apariencia, pues mirando con atención la textura narrativa se descubren en ella ambos elementos: lo histórico como materia integrante de la novela; lo imaginativo, como agente transformador de esa materia en sustancia novelesca. Espero se me disculpe si no entro ahora en la explicación de estos conceptos, y no tanto por apremios de tiempo como por haberlo hecho ya con relativa extensión en otra parte.

Lo histórico y lo ficticio están tejidos en la novela con la misma clase de fibra: cambia el color, no la calidad del hilo. Los personajes históricos actúan en la obra imaginaria como estímulos y representaciones de la invención y no como extraídos de otro mundo e interpolados en el novelesco; no son incrustaciones en una taracea, sino partes vivas de un conjunto orgánico cuya creación presupone y postula su presencia. La historia siempre se da de alta en la novela: oblicuamente unas veces, insinuándose como incesante susurro, otras —y así ocurre en los *Episodios nacionales*— como parte de la acción y de la fábula, como serie de acontecimientos influyentes en el quehacer y al hacerse de los personajes. El Empecinado, Zumalacárregui, Prim, Isabel II, desempeñan en los *Episodios* una función ambigua: dan a la novela consistencia peculiar, historizándola, y a la vez se alteran al convertirse en figuras de ficción, moviéndose en un espacio que por muy impregnado que esté de historia no es ya histórico sino novelesco.

Si escogemos uno de los cuarenta y seis *Episodios* y nos concentramos en su estudio será más fácil entender este tipo de obras y hacer asequible al lector la peculiaridad de su creación. Pensé inicialmente escoger alguno de los mejor conocidos, de la primera o la segunda serie, pues, según lo atestiguan constantes reediciones, siguen siendo los favoritos de los lectores; rectifiqué luego, por parecerme que esa preferencia mayoritaria se debía a razones extraestéticas y que el olvido relativo en que permanecen los episodios de la última serie es injusto y quizá ocasionado por la aceptación sin examen de un parecer ofrecido con perfil axiomático: el de que las obras tardías de Galdós son testimonio de un cierto extravío espiritualista y síntomas de decadencia intelectual. Se sugiere o se da por supuesto que el escritor no tenía ya la garra realizadora, creadora, de los años de madurez, cuando escribió *Fortunata y Jacinta* o *Miau* (1886-1888) o *Zumalacárregui* y *Mendizábal* (1898). Esa hipótesis ha venido aceptándose, sin las obligadas cautelas, y es hora de contrastarla con los hechos, es decir, con las obras.

Decidido a estudiar un episodio de la serie final, me pareció que sería interesante escoger el sexto y último de ella, por ser el punto donde el proyecto quedó trunco y porque en él la historia tenuamente se adelgaza, acercándose al presente y revelando con dibujo preciso el contorno del futuro. *Cánovas* (1912), es algo así como la réplica, en los *Episodios*, de lo que en las «novelas contemporáneas» había sido *El caballero encantado* (1909), y fuera de Azorín, que acogió su publicación con entusiasmo y le dedicó dos artículos (uno en *ABC* y otro en *La Vanguardia*, de Barcelona), no recuerdo que la crítica haya declarado con la energía necesaria la excelencia de este episodio, y menos que lo haya estudiado [1].

«El libro —dijo Azorín— está escrito de un modo admirable, sencillamente maravilloso. Pocos libros habrá escrito don Benito Pérez Galdós de tan soberbio modo. Los que gusten de un estilo brillante, aparatoso, no podrán comprender el encanto de esta prosa llana, sencilla, que se desliza como un límpido manantial y que está repleta de giros y voces vernáculos y populares.» [2] Esto, que a muchos de nosotros nos suena a lugar común, distaba de ser moneda corriente cuando Azorín escribió su primer artículo sobre *Cánovas*. El elogio de la sencillez y el casticismo de la lengua galdosiana, con ser inexcusable, no basta para dar idea de la riqueza de su lenguaje novelesco y de su estilo, cuya transparencia puede ser modo paradójico de disimular la complejidad.

Antes de entrar en el análisis de *Cánovas* será conveniente decir algo de los que en la misma serie le preceden. Los dos primeros episodios de la quinta *(España sin rey* y *España trágica*, 1907-1909) son, como observó Antonio Regalado, continuación de la cuarta, y «forman... un grupo aparte, con su propia razón de ser literaria e ideológica, y sirven, además, como eslabones cronológicos con los cuatro... siguientes.» [3] Con ellos se cierra una

---

[1] Una excepción al olvido casi general es el artículo de Miguel Enguídanos: "Mariclío, musa galdosiana" *(Papeles de Son Armadans,* LXIII, junio de 1961). Este artículo señala, entre otras cosas, lo espectral de la época novelada en la quinta serie de *Episodios nacionales,* y la verdad esencial revelada en ella. Posteriormente Antonio Regalado, en obra que citaré más adelante, hizo sagaces observaciones sobre los últimos episodios. El profesor alemán Hans Hinterhäuser, autor de un libro dedicado a los *Episodios* no parece interesarse gran cosa por los que aquí comentamos.

[2] "Los cinco Cánovas", *ABC,* Madrid, 5 de octubre de 1912; en *Escritores,* Madrid, 1956, pág. 54.

[3] Antonio Regalado: *B. P. G. y la novela histórica española,* Ediciones Insula, Madrid, 1966, pág. 442.

época histórica, y lo que es más importante para nuestros fines, un modo de novelar. El cambio de técnica se había registrado en las «novelas contemporáneas» con la publicación de *El caballero encantado* (1909), donde ya aparece la Madre, personaje mítico que con diferente atuendo participará, si no dictará, la acción de los episodios, a partir de *Amadeo I* (1910).

El narrador

En el cambio de técnica pudo influir el deseo de esquivar presiones personales y políticas, pero como cualquier hipótesis biográfica es aventurada y no susceptible de prueba, describiré el cambio sin especular acerca de sus causas. El protagonista de los últimos cuatro episodios tienen nombre simbólico; se llama Proteo Liviano y es, como había de esperarse, cambiante, ligero (en el periodismo político, en conducta y hasta en peso: es gran conquistador y de poca estatura) e historiador: un Tito Livio en miniatura. Tito es uno de los seudónimos que usa en su labor periodística y el diminutivo afectuoso con que le conocen sus enamoradas y otras personas. Es, además, amigo del autor, a quien se refiere en el primer capítulo de *Amadeo I*, llamándole indistintamente «el guanche», «el canario», «el isleño»; de él recibe el encargo de escribir la crónica de los años en que ambos fueron jóvenes y testigos de los acontecimientos que debe narrar.

El proteísmo de Tito le hace escurridizo, difícil de clasificar ideológicamente; su imaginación excitable favorece las alucinaciones que alteran momentáneamente su percepción de las cosas y de las situaciones. Tal propensión contribuye a la atmósfera de ambigüedad y de maravilla que impregna la serie; por eso ésta tiene un aire de juego sutil en que el novelista se complace, acaso porque el jugueteo y la gracia ligera sirven de contrapunto a los sucesos dramáticos de que da testimonio. Así hace ver al lector el contraste entre lo trágico de la ocurrencia y la frivolidad del testigo, señalando por implicación el desinterés del español común por el drama «nacional» que a su alrededor se representa.

Más allá, o más acá de esa posible implicación, y de la eventual representatividad de Tito, está la realidad del personaje imaginario que se relaciona con la misma familiaridad con el autor, convertido en personaje, que con Clío, la musa de la Historia (de quien consigue una pensioncilla que cobrará puntualmente en la Academia de la Historia) o con las figuras históricas de la época, Amadeo I, Sagasta... Novelista, musa, rey y presidente conviven en un mundo y en un plano que, siendo imaginario, incluye o integra lo real, lo histórico y lo simbólico. Es posible, y pudiera ser conveniente distinguir, a efectos expositivos, entre los diferentes niveles de significación, pero teniendo siempre presente el hecho, con frecuencia olvidado, de que el lector se enfrenta con una unidad bien trabada. La división en planos la realiza el crítico para facilitar una tarea que por fundarse sobre el análisis tiende a separar lo que en la obra está unido y perfectamente unido.

Al comenzar *Amadeo I*, episodio que, como dije, es en realidad el primero de la nueva serie, corre el año 1910; Tito y su amigo isleño se encuentran a los «treinta y siete años justos del día en que tomó el portante don Amadeo de Saboya» (el 12 de febrero de 1873), y es en tal aniversario cuando «el guanche» propone a su antiguo compañero de pupilaje que se ocupe de cumplir un encargo que —sin ganas— se ha comprometido a realizar: escribir una crónica del «reinadillo de don Amadeo». El autor (desmemoriado, como declaró en sus *Memorias)* queda en la penumbra, como declarado impulso del narrador. Este no es su doble, si su semejante, y por contraste, sujeto de excelente retentiva, coincidente con él en vocación literaria y en afición a las faldas, distinto en otras cosas. Incluyéndose en la novela, como hizo tantas veces, el autor se noveliza e iguala con los personajes, presentándolos como seres de su misma especie (semejantes, digo otra vez, y no criaturas), con libertad de acción y decisión.

Y el personaje, instituido en historiador-novelador por comisión del «isleño», no tardará en prevenirnos de que, con autorización de éste, no solamente contará la Historia como testigo sino como héroe o protagonista —es decir, personalizándola—, con la variedad de «posturas o disfraces» que crea conveniente introducir, puesto que así tendrá la obra mayor encanto. La intención de adornar o novelar es, pues, un supuesto aceptable; más aún, recomendable. Por eso la narración, lejos de atenerse a la cronología y al rigor profesional del historiador, expondrá los hechos según los dictados de la imaginación y en el desorden adecuado al temperamento de quien escribe. La intuición de Galdós le llevó a idear una estructura narrativa que, siendo sencilla, permitiera insertar la vida en su contexto natural, la Historia, y la creación imaginaria en una corriente nutricia de acontecimientos político-sociales, estableciendo entre ambas una relación fecundante que fortalece la invención y da sentido a la materia por el solo hecho de darle forma.

La novela del «cómo se...»

No hay que dejarse prender en el señuelo manejado por el autor. Algún episodio de esta última serie novelará la historia, pero su propósito más transparente y lo que compone el asunto harto visible de la novela no es referir la historia sino contar cómo se escribe. *Amadeo I* podría haberse titulado, anticipando a Unamuno, *Cómo se escribe una historia*, pues lo novelado no es tanto la historia como el momento en que pasa de suceso a página, imaginándola según fue o según se la desea. Por eso, como Jugo de la Raza (el protagonista de la novela o nivola o nívola unamuniana; que de todas estas maneras puede llamarse, dependiendo de dónde pongamos el acento, y no sólo el ortográfico sino el caracterizador del propósito), Tito es a la vez narrador y protagonista, y buena parte de lo que cuenta está tan mezclado no solamente a sus peripecias personales sino a sus pensamientos, reflexiones e inquietudes, que ellos son lo que acaba interesándonos más, adobado como se halla, y bien adobado, por el picantillo de los sucesos políticos.

Antes y después de aceptar el encargo de escribir la crónica del «reinadillo», el narrador está en el primer plano de la narración, instituido en centro de conciencia, o, como se diría muchos años después, en ojos y oídos del mundo, viendo sucesos o conversando con personajes y mini-personajes. Salta a la vista el hecho de que la novela relega a don Amadeo, a los generales, a los políticos, incluso a los más notorios, a un plano secundario, desde el cual proyectan sobre la narración sombras que paradójicamente iluminan la figura y el ser del héroe, gris y vulgar si lo pensamos (como con pésima costumbre todavía hacen algunos críticos cuando tratan de los entes ficticios) fuera de la novela, pero clave de ella si es visto en contexto. Desde el instante en que acepta la encomienda de su amigo «el guanche» y comienza a historiar los sucesos pretéritos, el foco narrativo se dirige más al acto de contar que a lo contado, y ese acto se presentará como algo singular y hasta fantástico.

Hay un momento *(Amadeo I)* en que el narrador duda de su narración, vacila en afirmarla como realidad y sospechando de su proteísmo duda de sí y se dirige al lector, solicitándole y preguntándole si lo que está escribiendo es real o si «los sueños se [le] escapan del cerebro a la pluma y de la pluma al papel». Sorprendido en el acto de escribir, su inseguridad es indicio de su falibilidad, referida también a lo personal, pues ni siquiera está seguro de si son reales las aventuras amorosas que le «sirven de trama para la urdimbre histórica». Esta urdimbre y aquellas aventuras quedan en segundo plano para dejar frente al lector y dirigiéndose directamente a él, al historiador novelero, dudando de si la Historia es realidad o ficción y perdido en el acto de historiar, es decir, esforzándose por dar sentido y organizar lo que es de suyo disperso e informe, pensando en cómo se han de ordenar acontecimientos y problemas para que lleguen a ser historia.

Se escribe la historia entre vacilaciones e inseguridades y causa de ellas lo es, al menos en parte, la posición del historiador, que a la vez está dentro y fuera de su crónica, tomando partido y pensando por cuenta propia los acontecimientos que refiere. Como a Jugo de la Raza la novela, a Tito la historia se le convierte en autobiografía y en reflexión personal; con esta variante: en la narración del segundo los elementos fantásticos se le escapan de la mano y actúan de modo libérrimo, imponiéndose a quien los cuenta y revelando una aptitud creadora paralela a la suya. Personajes imaginarios serán quienes por diferentes medios (presentados como acontecimientos normales, nada extraordinarios) le pondrán en comunicación con la Musa. Lo fantástico entra en un marco realista y se nos ofrece como derivación natural de lo prosaico y cotidiano. Que el narrador experimente síntomas de leves trastornos mentales, y a veces fisiológicos (alucinaciones, hormiguillo, mareos…) coincidentes con la aparición de lo maravilloso es una coartada propuesta por el autor al lector para hacer admisible, dentro del racionalismo más riguroso, lo fantástico en su ambivalencia de invención que pudo ser realidad, como en definitiva lo es toda la novela.

Tito Liviano acepta de la Musa, como antes del autor, la encomienda de observar, ir y venir, contar cuanto valga la pena de ser contado, documentándose en vivo, convertido en duendecillo invisible que puede deslizarse en todas partes, curiosearlo todo y enterarse de cuanto le conviene saber. Aceptada la fantástica transmutación (y no es difícil hacerlo, pues se la relaciona con los indicados trastornos cerebrales, productores de sueño o sopor), puede Tito aportar a la historia lo averiguado en sus duenderiles incursiones y dar cierta verosimilitud a lo inverosímil de las correrías que le permiten averiguar los entresijos y recovecos de la historia privada, deteniéndose en puntos críticos, o, mejor dicho, empleando al llegar a ellos los «signos simbólicos» de la discreción: puntos suspensivos. El novelero historiante atraviesa extrañas crisis, manifestando poderes «metafísicos» o facultades intuitivas que proyectan sobre la materia el aura que conviene a su transmutación en sustancia novelesca. Por eso resultan tan eficaces esos momentos de desequilibrio durante los cuales la imaginación parece ejercitar facultades adivinatorias.

La historia no lleva siempre mayúscula; no la lleva cuando se trata de lo que el narrador llama «historia interna», o sea la pequeña historia, intimidades y entresijos de la pública, sucesos acontecidos detrás del gran telón de retórica política o guerrera, hechos que a menudo pasan inadvertidos, aun siendo decisivos para trazar el curso de la historia externa o para explicarla. La insistencia en contar lo interno viene impuesta, entre otras razones, por su interés novelesco, pero también porque la historia externa en este período es tan pobre y lamentable que con facilidad puede ser suplantada por aquélla.

El narrador pasa insensiblemente de lo histórico a lo personal, y las transiciones casi ni se notan porque entes ficticios y figuras históricas conviven de mil maneras: alternan en el café, colaboran en los diarios, se enamoran, amistan y enemistan, y participan de una atmósfera en que lo social y lo político se funden con lo personal a la altura del chisme y la comidilla, eficientes niveladores. La pequeñez de los sucesos históricos consiente esa nivelación y autoriza a Tito para interrumpir la crónica general y adentrarse en la íntima, que a ratos le parece más sabrosa y atrayente. Los sucesos políticos le sirven alguna vez de pantalla para engañar a una celosa.

Y el gran instrumento de la nivelación es el lenguaje, nada profesional y sí popular; el lenguaje de cada día en calles, casas, redacciones... Lo popular no quita lo imaginativo. Cuando, por ejemplo, se quiere sugerir de pasada la condición del personaje, basta incluir una carta dirigida al narrador por cierta mujer a quien le gusta por valiente y por chiquito: «de niña —le escribe— jugué con muñecas más tiempo del que mi crecimiento permitía [...] de mujer me agradan todas las variedades de *muñecos*». La palabra subrayada (por mí), puesta como por azar al final de la oración apunta a una verdad que todo lo demás tiende a negar. Las imágenes son de una expresividad reveladora, si no del carácter, sí de la percepción de quien las utiliza: «un anchuroso bulto de vieja, o una elefanta en dos pies cubierta de refajos», se dice de la mismísima musa de la Historia en su avatar decimonónico.

LA MUSA: CRIATURA, CREADORA Y CREACIÓN

Las referencias a Clío son importantes; por presentarla el narrador como la presenta y por verla como la ve, la forma de la obra es la que es, y de ella se deriva una revelación sobre la Historia misma, no sólo importante sino exacta. Galdós advertía el cambio en la materia que tenía entre manos al escribir los últimos episodios. Sin negar la posible influencia de la vejez y luego de la ceguera en el cambio de perspectiva, lo decisivo no es eso, sino la desilusión con el país mismo [4], con la His-

---

[4] Javier Bueno que acompañó a Rubén Darío como cronista del viaje organizado por *Mundial Magazine,* hallándose en Madrid entrevistó a algunos escritores españoles, entre ellos a Galdós, cuando éste estaba escribiendo *Cánovas.* Le halló casi ciego, pesimista: "Aquí —dijo el novelista— está todo muerto, aquí tiene que haber una gran catástrofe o esto desaparece por putrefacción. Esto está muerto, muerto, muerto —repite con amargura el patriarca de las letras españolas." Y al despedirse aún reiteró: "Buen viaje a esos países jóvenes y fuertes [Argentina, Brasil, Chile, Uruguay] que tienen vida y salud... Esto está muerto." Se quejaba de no poder escribir, del lento ritmo de trabajo que le imponía la seguera. *(Mundial Magazine,* vol. III, núm. 1912.)
Palabras que proyectan, acaso, el pesimismo de lo personal en la desde luego mortecina y desesperanzada situación de la España de entonces. Lo extraordinario es que, pese a todo, el novelista an-

toria real y la Historia posible de un país condenado a
existencia vana, espectral acaso, donde nadie ni nada pasaba de ser sombra de sí mismo y donde lo presente au-
guraba para lo futuro vaciedades o desdichas, o ambas
cosas. Los hombres y los sucesos le parecían intrascen-
dentes, y cuando Tito los reseñe, así resultarán, aun cuando él, o su musa, pierdan la serenidad al hablar de los
«politicajos de menguada ambición» a quien Clío quisiera barrer y hundir «en su más adecuado sumidero, que
es el eterno olvido», o mandar «al limbo de las eternas va-
caciones». ¡Con cuánta razón! ¿Qué birria de Historia
podría escribirse con los generalitos, más o menos serra-
nos, y los civiles, aristocratillos o burgueses del exangüe
siglo XIX español?

Cuando Tito Liviano escribe directamente inspirado
por su musa-madre, se supone haciéndolo al dictado «de
los mismos demonios», pero su fórmula no se aleja en
nada de la conocida cantinela providencialista, siempre
grata a los oídos españoles: «aquí jase farta un hombre»,
que traducida al lenguaje del novelador-historiador dice
así: «Venga un hombre, un tiazo que hable poco y sepa
sacar la voluntad nacional de las teorías pedantescas a la
realidad viva...» De si ese «tiazo» fue o no fue Cánovas,
trata, entre otras cosas, el episodio titulado con el apellido
de aquél a quien los contemporáneos llamaron, no sin su
poquito de guasa, el monstruo.

La degradación de la Historia, realizada con intención
«realista», contrasta con el exaltado fantasear del acto de
redactarla en la gruta de Circe, recinto que en la narración se aburguesa (como su dueña) al convertirse en el
pisito de cierta mujer de costumbres poco convencionales, entretenida de un clérigo anciano, a la que se llama
alternativamente «ninfa», «diablesa», «ninfa endemonia-
da» y «hechicera». Allí, cautivo de la tal y por imposición
suya, escribe Tito una página profética, un programa político, al dictado de los diablos de turno, y mientras plu-
mea tiene ocasionalmente frente a él a la Musa. Cuando
días más tarde busque casa y «ninfa», no las hallará. La
casa habrá desaparecido «por arte de magia».

ciano y sin vista fuera capaz de escribir novela tan viva y bien
humorada como en muchas partes lo es Cánovas.

[*Nota del Director:* Para leer el texto completo de la entrevista
aquí mencionada y para documentar el estado de ánimo del Galdós de
1912, ver Josette Blanquat, "Documentos galdosianos: 1912", *Anales
galdosianos*, III, 1968, págs. 143-150.]

Degradación y fantasía acaban anulándose mutuamente o, acaso mejor dicho, sometiéndose a integración en una entidad imaginativa singular donde resultan perfectamente compatibles: el lector acepta, como Tito, o como Obdulia y más tarde Casianilla, la «doble calidad real y quimérica» de la Historia, o, si se prefiere, de la Musa, de la mismísima Clío, que convertida en Mariclío, tía Clío o Madre Mariana (transparente alusión al gran historiador y padre jesuita) ha sustituido en estos episodios el alto coturno apropiado para narrar lo acontecido en *Trafalgar* o en *Gerona*, por zapatillas, alpargatas o —cuando más— borceguíes. Cambios simbólicos que corresponden al de la musa misma, descendida de las alturas donde solía vivir, para aparecer como una vieja medio loca, que «charlotea de trifulcas que pasaron y de las que están pasando y es una criticona que no hace más que gruñir». Otras veces la hallaremos como anticuaria venida a menos o como la doña Mariana que vive en la portería de la Academia de la Historia, amistada anacrónicamente con don Marcelino Menéndez y Pelayo, sosteniéndose con una pensioncilla harto parva de la misma Academia.

Esta buena señora, ayer Musa, corre y vuela y se transforma cuando quiere, pero sólo en rarísimas ocasiones vuelve a su ser antiguo; a lo sumo, calza coturno en un pie, zapatilla en el otro, y sus artes mágicas más incitan a novelar que a historiar. Su lenguaje es a veces tan sutil que sólo el viento y Tito lo comprenden, y su amanuense inspirado acabará convirtiéndola en personaje de la novela que por su dictado escribe. La Historia personificada por Mariclío es a la vez fuerza creadora, tema, materia y personaje de la novela.

Cuando Tito está emborronando la vida de Elena Sanz, amor no tan secreto del rey Alfonso XII [5], su amante y discípula Casianilla, mirando por encima del hombro lo que escribe le pregunta si «eso... ¿es Historia o qué demonios es?» y él contesta: «Novela, chiquilla, novela [...]. Ahora me da por ahí. Pero esta invención supera en verdad a la misma Historia». Pregunta y respuesta, situadas en la última parte de *Cánovas*, dicen sin rodeos cuál es la pretensión del narrador, y bueno es recordarlas aquí. Y permítaseme que desde ahora establezca la explicación

---

[5] Sobre los amores entre Elena Sanz y Alfonso XII, véase Fernández Almagro: *Historia de la España contemporánea*, vol. I, Madrid, 1968, pág. 290.

que él mismo ofrece en distintos puntos para justificar
la novelización de la Historia y hasta la confusión (y no
solamente fusión) de los distintos materiales empleados
en la obra.

LA MATERIA-HISTORIA

La materia «Historia» que en la casi totalidad de los
Episodios tenía consistencia eminentemente trágica, como
referida que era a décadas tremendas padecidas por el
pueblo español con estoicismo y resolución desesperada
(guerra de Independencia contra Napoleón; tiranía ab-
yecta de Fernando VII; contiendas fratricidas entre carlistas y liberales, sórdidas conspiraciones y repulsivas dic-
taduras de los espadones isabelinos y, al fin, revolución)
en los *Episodios* finales es de otro carácter. En *Cánovas*,
se ha producido la restauración, y Cánovas del Castillo,
jefe del partido conservador, ha impuesto al país calma
y paz, no como medios de incitar a los españoles a emprender alguna grande empresa común, sino como quien
administra al enfermo una droga para mantenerle dormido. Son «los años bobos»: tingladillo político en que se
mueven «hombres de humo» (según Mariclío), y en el
que se representa la «fantasmagoría» organizada por Cánovas. Cuando años después Ortega comente este período
de la historia española (que acabará en desastre, en el
Desastre) no se alejará un punto, ni en idea ni en imagen,
de lo sugerido por Galdós [6].
El adelgazamiento de la materia-historia que desvió
los *Episodios* de la serie final por el lado de la fantasía,
en *Cánovas* es más acentuado. Si en *Amadeo I* todavía
pudo Mariclío requerir el coturno para presenciar la salida de los ex-reyes del Palacio de Oriente, en este último
libro nada semejante ocurre y la Madre puede delegar
en las Efémeras para comunicar con el proteico Tito, al
fin amansado en su volubilidad amatoria. El protagonista no es Cánovas, sino el narrador mismo, que por coincidir con él en gustos y en oficio puede hasta identificar-

---

[6] La anticipación en *Cánovas* de las ideas orteguianas la observó
Vicente Llorens, recordando que "si Unamuno se había referido al «marasmo» nacional, Galdós habla de la «vacuidad histórica que carac-
terizó aquellas décadas» y que en 1914 Ortega escribía: "Este vivir el
hueco de la propia vida fue la Restauración" ("Galdós y la burguesía", en *Anales galdosianos*, III, pág. 55).

se ocasionalmente con él. Cánovas hace la historia, buena o mala, de lo presente, escribe la del pasado y colecciona libros y papeles que tratan de ella. La comunidad de gustos explica la relación entre los dos personajes, y la de ambos con Mariclío, a quien Tito descubre trajinando en la biblioteca del ilustre político; no explica, en cambio, la identificación entre aquéllos, especie de telepatía adivinatoria que el historiador ejercita por privilegio de la Musa.

La novelización de la historia es completa y depende, entre otros factores, de cómo se establecen las coincidencias entre personaje real y personaje inventado, de la solidez, es decir, del grado de aceptabilidad de esas coincidencias, y de que el narrador consiga borrar la línea de separación entre verdad y mentira, entre lo cierto y lo dudoso. La verdad de ciertos hechos históricos servirá para hacer pasar como moneda legítima los dictados por la fantasía, y no será preciso forzar las cosas, pues en el mundo de la novela, tan legítima resulta esa moneda como cualquier otra.

El historiador, sin grandes hechos que historiar, se entromete más y más en lo que historia: comenta los sucesos pasados y acaso compensa con su elogio (como en el caso de Isabel II) censuras emitidas por otros. Quisiera resistirse a la chismografía, pero no siempre lo consigue; sin ella habría de renunciar a la historia interna, ámbito en donde se cruzan dulces novelerías. ¿Cómo renunciar, por ejemplo, a contar las relaciones amorosas entre Alfonso XII y Elena Sanz, y cómo siendo quien son narrador y personaje, omitir el paralelo entre Elena y doña Leonor de Guzmán, amante de Alfonso XI, cinco siglos atrás? Al historiador se le imponía la asociación de situaciones y por la semejanza entre ellas una idea (flotante en el ambiente donde se movía el escritor), una insinuación más bien, que trece años después de escrito este Episodio cristalizaría en *Doña Inés*, de Azorín; la insinuación de que «vivir es ver volver», y no solamente en lo individual sino en lo histórico.

Nada tiene que ver esto con la manida afirmación de que la historia se repite, aunque ello, sin decirlo, lo haga visible el narrador cuando relata cómo las percalinas, la iluminación pública, la curiosidad y el gentío asistente a la entrada en Madrid de Alfonso XII eran en puridad los mismos de 1814, de 1860 y de 1868. Cambiaba el pretexto no la circunstancia, ni el modo. En lo externo y en lo eterno, como en el verso de Juan Ramón, «todo es lo mismo y no es lo mismo.»

El narrador-testigo cae enfermo y durante algún tiempo está ciego (como lo estaba Galdós mientras dictaba *Cánovas)*. Tito Liviano fantasea o sueña parte de la novela en la sombra de su temporal ceguera; lo soñado suple las lagunas de su vacilante testimonio, y la situación justifica racionalmente (y esto en Galdós siempre importa) delirios y visiones, exponiéndolos como secuela de la enfermedad, y para sugerir por implicación aquella sabida creencia galdosiana de que quien no puede ver lo de fuera es quien mejor verá lo de dentro. No es casualidad que en algún pasaje el héroe descubra la presencia de Clío por el perfume que la acompaña, «el aroma exquisito de los tomillos del monte Hymeto», ni lo es el que las inseguridades de la historia nos dejen perplejos en cuanto a cómo ocurrieron y de qué modo se resolvieron tales o cuales acontecimientos, ya sean batallas en campo abierto o intrigas entre bastidores. Hablar del punto de vista de un ciego parece paradoja, si no chascarrillo, pero aquí es metáfora acorde con la situación. Tito ve mejor lo no visible, y en las alucinaciones de la temporal ceguera va decantándose su juicio, y agudizándose reflexión y presentimientos.

La narración fluye con «bello desorden», por creer el narrador que esta manera de contar da «colorido y sabor picante a las minucias históricas». El orden a rajatabla, como la estricta cronología, serían aconsejables para quien tratara la historia como materia histórica, no como materia novelable; Tito tiene un «modo» peculiar de hacerlo y de cumplir los encargos del amigo isleño y de la Madre. Cuando interrumpe la crónica de lo ocurrido al general carlista Cabrera para hablar de Casianilla, no solamente mezcla «lo útil con lo agradable», como él mismo dice, sino declara la equivalencia entre el general famoso y la muchachita analfabeta.

La Historia en hueco, la historia sin relieve de la restauración canovista, es aburrida, y para escapar del aburrimiento el narrador se refugia en amenidades novelescas. Forcejea con la materia, y cuando considera imposible transformarla en sustancia, la abandona, condenándola al olvido o sustituyéndola por el recuerdo de sucesos que, sobre conservar el valor de entretenimiento propio de la anécdota, dan testimonio de algún aspecto de la condición humana. Pienso, por ejemplo, en cómo resalta la credulidad del pueblo en el episodio de la estafa del llamado Banco Popular, instalado en el corazón de Madrid por la famosa doña Baldomera Larra, hija de *Fígaro*, y en cómo este episodio, lejos de aislado e históricamente in-significante, actualiza la figura tradicional del pícaro, poniéndola al día: actuando a lo grande y perfeccionando su modo de operar —su estilo— pasará de la picardía a las finanzas y pronto le hallaremos convertido en un pilar de la sociedad.

ESPACIO Y TIEMPO

La imperiosa urgencia de esquivar lo aburrido, cuando coincide, como en Tito, con la necesidad de utilizar determinado tipo de materia novelable, puede hacer que la narración se nutra en buena parte de lo que esa materia (aquí, la historia) tiene de más significativo. Pues si la Historia nacional se halla en estado de catalepsia, síntomas de movimiento y vida pueden encontrarse en lo referente al espacio histórico-novelesco y a la historia social, de interés más duradero. En cuanto a lo primero, el espacio novelesco de *Cánovas* está impregnado por las tonalidades características de la época, y en primer término por la cursilería («la llamada *gente cursi* es el verdadero estado llano de los tiempos modernos, por la extensión que ocupa en el Censo y la mansedumbre pecuniaria con que contribuye a las cargas del Estado»), por la importancia atribuida al parecer sobre el ser, a la fachenda sobre el espíritu, a la elegancia o seudo elegancia —«elegancia barata»— sobre la discreción, a la mentira sobre la verdad desnuda. La atmósfera cargada de artificios y trampantojos, es la adecuada para la huera representación de los fantasmones históricos, que se mueven en la macana como el pez en el agua, respirando con delicia miasmas que resultan ser su elemento natural, pues gracias a la difusión de esa general mentira puede falsearse la voluntad general, convertir la Constitución del país en las coplas de Calaínos y reducir los parlamentarios a la condición rebañega con que la metáfora los presenta.

La descripción puntual del ambiente es decisiva para dar a la materia novelable la densidad que debe tener si la ficción ha de parecer verdad. Dispersos en el texto se hallan signos indicadores de la situación y de cómo lo social, determinante de lo político, suplanta el poder oficial con el de fuerzas no muy ocultas, pues aunque disimuladas y falaces como el resto del tinglado, operan a la vista de todos. El baldomerismo, palabra asociada en construcción y sonido a bandolerismo, robustece la oligarquía y se incorpora a ella con títulos del Reino y caudales de refresco. Las contiendas políticas y seudo-políticas no son sino competencias de vanidad entre generales, arzobispos o consejeros de Estado, para quienes una cuestión de precedencia es más importante que la salud del país. «Chabacanas» llama Tito a estas querellas y la chabacanería predomina en la vida pública y en la privada.

A un espacio cargado de falsedad y mentira corresponde un tiempo caótico que autoriza, si no impone, el desorden de la narración. Años, meses y días pierden interés para el narrador, y si el lector tiene empeño en precisar una fecha, averígüela por su cuenta. Así se lo dice Tito, instalado a gusto en una vaguedad que conviene a sus propósitos, y recordando mal o no queriendo recordar las fechas. Estructuralmente el espacio cargado de verdad-mentira y el tiempo incierto se corresponden. Donde nada es como parece y la pretensión se confunde con la esencia, ¿por qué exigir la regularidad del reló en el ajuste de los sucesos? El tiempo histórico se supedita al tiempo psicológico del narrador que dilata o achica el transcurrido en la ocurrencia de que trata. El único que recuerda con precisión el tiempo histórico es, contra lo previsible, el viejo novelador don José Ido del Sagrario.

Y por supuesto, lo personal es casi siempre narrado con ritmo más lento, dando la sensación de que dura más y de que es más importante que lo histórico, subordinado a lo otro como la parte al todo, en relación inversa a la que muchos considerarían natural.

Un ejemplo de imprecisión en lo temporal que en mi opinión contribuye a dar del suceso la impresión calculada por el narrador son las páginas en donde se cuenta la entrada en España de los religiosos expulsados de Francia. Estas incidencias las refiere Tito desde su punto de vista de periodista radical y partidario de la revolución, presentándolas como invasión del país por una tropa hostil, compuesta por variados contingentes que por tierra y por mar caen sobre la península como una plaga[7]. La concentración temporal se logra recurriendo a los servicios de las «efémeras», de quien hablaré en seguida; por ahora baste indicar que tales vaporosas cria-

[7] La reacción de Tito Liviano a la entrada en España de las órdenes religiosas expulsadas de Francia es recia y vigorosa, acorde en lenguaje e imagen con la información transmitida por las Efémeras. Las imágenes de la invasión aparecen en las palabras de las mensajeras de Clío: "En Coruña vi entrar una partida de hombracos vestido de estameña [...] Al día siguiente desembarcó otra caterva de frailes [...] Mi hermana ... presenció el desembarco de un porción de gandules [...] en la frontera de Irún he visto entrar una patulea sin fin de frailucos [...] Luego entran otros vestidos de blanco y canela, lucidos y fornidos como mozos de cuerda [...] Mis hermanas y yo presenciamos en Barcelona la llegada de una banda de capuchinos procerosos, bien cebados y con unas barbas hasta la cintura. [...] Otra de las mensajeritas aéreas nos contó que en Tortosa dieron fondo unos benedictinos jacarandosos [...] en Cartagena habían penetrado mesnadas de agustinos-recoletos.»

Después de cuatro páginas de descripciones como éstas, la Efémera más bella se despide de Tito diciéndole: "Vamos a llevar por todo el mundo las nuevas de esta plaga de insectos voraces que devastará tu tierra." En los capítulos siguientes, finales de la novela, resuena el eco de estas palabras en los pensamientos y en la preocupación del narrador, aterrado ante la insensibilidad y la imprevisión de gobernantes y gobernados, que no advertían el alcance y las consecuencias próximas y remotas de "la invasión" y "la plaga".

Don Francisco Pi y Margall, en un artículo del *Nuevo Régimen* (julio de 1892), había explicado las razones de los liberales para contemplar con temor esos acontecimientos. Parece conveniente reproducir aquí ese texto para mostrar cómo el sentir del personaje ficticio no distaba gran cosa del de los políticos liberales que le servían de materia cuando oficiaba de historiador-novelador.

El artículo mencionado dice así:

"El año 1824, después del restablecimiento del absolutismo por las tropas del duque de Angulema, el clero se desencadenó furiosamente contra los liberales. No es posible leer con calma las pastorales que entonces escribieron los obispos. Venían cuajadas de ultrajes contra los vencidos, encendían las más violentas pasiones, inducían al crimen a las muchedumbres. Desgraciadamente no dejaron de surtir efecto tan impías excitaciones. Los constitucionales eran en España objeto de insultos, de delaciones, de violencias, de ruines venganzas. Perseguíales y castigábales el rey con implacable saña, y cuando quiso suavizar su política, harto ya de sangre y lágrimas, halló viva resistencia en ese mismo clero, que no tardó en combatirle osadamente, levantando en Cataluña hasta 30.000 rebeldes.

Los liberales vieron desde entonces en el clero su mortal enemigo. Viéronle principalmente en las comunidades religiosas, que atizaban aquella inclemente persecución, temerosas de perder los inmensos bienes que a fuerza de captaciones habían atesorado. Numerosas y potentes eran en realidad aquellas Asociaciones, la principal rémora del progreso. A la muerte del rey

turas (el cauto narrador sugiere que pudieran ser «proyección de [sus] alborotados pensamientos») le traen simultáneamente noticia de lo acontecido en momentos su-

estaban casi todas, bien que ocultándolo, por la causa de don Carlos.

Esto explica, a nuestro juicio, los sangrientos tumultos que contra los frailes ocurrieron en los años 1834 y 1835. En Madrid el 17 de julio de 1834 alzóse airado el pueblo y tiñó de sangre los principales conventos; en Barcelona el 25 de julio de 1835 entregó a las llamas cuanto pudo, y llevó su espíritu de destrucción a muchos otros pueblos.

Se ha querido explicar las matanzas de Madrid recordando que estaba entonces invadido por el cólera; se atribuía la peste a la infección de las aguas y se hizo creer que las habían envenenado los frailes. Mas aún habiendo sido así, forzoso sería reconocer que obedeció la plebe a extrañas sugestiones. En Madrid, como en Cataluña, la verdadera causa de los acontecimientos fue el odio a tan inútiles comunidades, que sobre ser hostiles al elemento liberal, eran sentina de vicios y, más que abrigo de gente devota, albergue de mozos que huían el cuerpo al trabajo. Se aborrecía al clero regular y en no pocas ciudades al secular, para el que, si no había atropellos, había falta de consideración y respeto.

Los incendios del año 1835 fueron el principio de una revolución que cundió por toda España y dio origen a grandes reformas. No tardó entonces en decretarse la disolución de esas comunidades y la venta por el Estado de la hacienda que habían poseído. Desaparecieron con general aplauso de la gente culta; y no se creía fácil que retoñaran. Han renacido, sin embargo, con la vuelta de los Borbones al trono; han crecido desde que se las expulsó de Francia, y bien que de ladrillo, han edificado en años conventos como no lo habían hecho en siglos, y hoy siguen tranquilamente captando y recogiendo bienes de todo género. Dentro del mismo Madrid han construido en menos de veinte años vastos y numerosos conventos que han costado millones de pesetas.

Se dice que hoy, protegidas por las leyes de libertad de asociación, no cabe impedir su desarrollo. Esto es inexacto. Son libres las Asociaciones para todos los fines de nuestra vida; no es posible que lo sean las que, si se generalizasen, llevarían consigo la extinción de nuestro linaje. Los individuos de esas comunidades, por un voto de castidad se castran moralmente y se inutilizan para la propagación de la especie; contrarían el primer fin de la vida humana, y sus Asociaciones son, por tanto, ilícitas.

Ley de la vida humana es además el trabajo, y esas comunidades tienden todas a vivir en el ocio. Ni ahora ni nunca han buscado por el propio trabajo la satisfacción de sus necesidades. Son elemento negativo para la sociedad y aun para la familia. Rompen, al entrar en sus conventos, los lazos con que les unió la Naturaleza a sus padres, sus hermanos y sus deudos. Buscan sólo su propio bien; son el supremo egoísmo.

No, no miran hoy los pueblos con mejores ojos que los años

cesivos. La imagen continuada —o las imágenes, pues la imagen (nueva percepción de algo, no se olvide), la imagen invasión y la imagen plaga, se alternan y complementan— condensa el suceso y lo caracteriza desde la conciencia del narrador, que quiere manifestarse profética, como sin duda lo fue si pensamos en el desarrollo ulterior de la Historia de España y en cómo se cumplieron las predicciones de aquél.

ESTRUCTURA

La estructura de *Cánovas* trasluce la intuición determinante de la novela: la materia histórica llamada Restauración es una fantasmagoría; para expresar artísticamente esa intuición nada tan indicado como una obra en donde la Historia con mayúscula se integre y a la vez se desintegre en la forma «comedia de magia» [8]. Integración

---

34 y 35 las comunidades religiosas, abiertamente contrarias al espíritu de los tiempos. A las razones que antes tuvieron para aborrecerlas unen hoy la conciencia que han adquirido del ineludible deber de todo hombre de contribuir al bienestar y al progreso de sus semejantes. Es de temer otra catástrofe como la del año 35, si se permite que sigan invadiendo el territorio de la Península."

(Reproducido en Josep Benet: *Maragall y la semana trágica*, Ediciones Península, Madrid, 1966, págs. 249-261.)

[8] En el núm. 19 de la *Revista del movimiento intelectual de Europa* (14 de mayo de 1866), publicación en que Galdós colaboró con frecuencia, hay un artículo sin firma (y así aparecieron allí muchos de los suyos) titulado "La ciencia y las comedias de magia". Se comenta en él la relación entre aquélla y éstas: "Ha habido momentos de entusiasmo —diré—, como hace pocos años, cuando se empezó a *combinar la fantasmagoría con el drama...*" Después de hacer constar que no cree que las aplicaciones científicas puedan destruir la literatura dramática, y de afirmar que esas aplicaciones no deben ser sino un recurso más al alcance del autor, se pregunta: "¿Dado el caso de existir *la comedia de magia, que tiene un objeto especial, ¿por qué no se ha de reformar* con arreglo a los progresos de la ciencia?" (Subrayados míos.) Aun no siendo de Galdós, estas líneas que debieron serle conocidas, reflejan con exactitud, lo que él hizo en *Cánovas*: "combinar la fantasmagoría con el drama" y reformar la comedia de magia, no con arreglo a los progresos de la ciencia, sino según las exigencias de la obra misma.

Debo el conocimiento del artículo comentado a mi amigo y colega, el profesor Lee Fontanella, a quien agradezco tan curiosa información.

Después que el golpe de Estado del general Primo de Rivera destruyera la fantasmagoría constitucional de la Restauración, y eliminara del escenario político a los hombres del Antiguo Régimen, Ramón

y desintegración, fases complementarias del mismo proceso.

En una comedia de magia todo ha de ser fantasmagórico, cosa fugaz y de ilusionismo. Esta historia no es sólo chabacana y pobretona, historia «en zapatillas», sino suplantación de la Historia real, hueco disimulado con la percalina de fiestas y solemnidades, con la oratoria pomposa, con reuniones y discusiones que no llevan a ninguna parte, con el ir y venir sin más norte que el señalado por la vanidad o la ambición. La Historia no tiene ya materia, es toda «figuración y embuste»; por eso se escribe con saliva, con cierta saliva especial que según Mariclío «tiene una virtud preciosa. Lo que con ella escribo —dice— se lee hoy, se lee mañana; pero luego se borra y no llega a la posteridad». O llega en forma tan ambigua y turbia que lo real se confunde con lo soñado y quien lo cuenta no puede dar fe de cuál sea su consistencia.

Y recuérdese que el narrador-novelador no sólo insiste en la equiparación entre lo histórico y lo inventado, sino en que la realidad no es menos ficticia que la ficción: la religión misma, reducida a fórmulas y liturgias, aparece como «una farándula más», cobertura del vacío. En *Amadeo I* el país está enfermo y una cadena de imágenes continuadas así lo hacen ver; en *Cánovas*, al enfermo se le da por moribundo y de ahí las referencias a la vacuidad histórica: la historia que se novela es una historia sonámbula, la de «años y lustros de atonía, de lenta parálisis, que os llevará a la consunción y a la muerte», según profetiza la Madre al final de la novela.

Pérez de Ayala, en carta a Unamuno del 17 de diciembre de 1925, corroboraba lo sugerido por Galdós al utilizar la forma "comedia de magia" para declarar la sustancia de *Cánovas:* "Me dice usted en su carta —escribe Ayala— que los de ahora han inventado el fantasma del viejo régimen. Desde Costa, todos nosotros (incluyéndole a usted) hemos colaborado en henchir las dimensiones aparentes de ese fantasma. Lo que éstos han hecho han sido comprobar su naturaleza de fantasma. ¿Es que se puede con una espada y sin provocar un grito de dolor cercenar una cabeza, como no sea la cabeza de un fantasma? O bien que la decapitación haya sido fantasmagórica; que un nuevo fantasma ha destruido al anterior fantasma. Esto es lo probable." Y añadía: "Hay que barrer estos fantasmas mellizos, criaturas y creadores del caos espiritual en que nacimos, más como sombras de hombres (hombres disminuidos de universalidad y de eternidad) que como hombres realizados e idealizados." (Andrés Amorós: "Veinte cartas de Pérez de Ayala a Unamuno", *Revista de la Universidad de Madrid*, vol. XVIII, núms. 70 y 71, pág. 28.)
Tenía razón el novelista: la fantasmagoría siguió, y harto sabido es de qué terrible manera se cumplieron las predicciones de Mariclío.

La Mariclío de episodios anteriores conserva en *Cánovas* su condición ubicua y proteica; desdeñosa de la materia que los tiempos le ofrecen para labrar la hermosa arquitectura digna de su grandeza, reaparece de cuando en cuando, dejando a las Efémeras la misión de comunicarse con el narrador y de informarle de lo que está pasando. Al comienzo asiste Clío a la proclamación de Alfonso XII, en Sagunto y vuela a Castellón para presenciar la reacción del general Jovellar, uno de los jefes del ejército del Centro, pero conforme adelanta la narración se deja ver menos y son sus mensajeras y delegadas quienes registran lo acontecido.

Las Efémeras son seres dotados de fabulosos poderes: pueden atravesar los muros, hacerse invisibles, borrar las distancias...; su nombre «quiere decir la historia de cada día, el suceso diario, algo así como el periódico que nos cuenta el hecho de actualidad», según aclara Tito a Casianilla. Su memoria sólo dura un día, pero sus alas son eternas; hechiceras, sí, pero no han de ser confundidas con las brujas. Aunque al final de la novela den vueltas «trazando círculos con aleteo y greguería infernal», su condición nada maligna ha quedado patente. Una de ellas, la más atractiva, transmite al historiador órdenes de la Musa, o, si se quiere, la inspiración configurante de sus escritos. La voz de tales criaturas es «tenue», su vuelo «fugaz», su consistencia «incorpórea»; aparecen y desaparecen «en forma semejante a las magias de teatro», y volando ingrávidas llevan de un lado a otro «la verdad del mundo». Su presencia transforma el espacio novelesco, pues al atravesarlo en incesantes vuelos lo convierten en lo que Juan Ramón Jiménez llamó «los espacios del tiempo», espacios de movimiento puro en los cuales todo se halla en incesante trance de mutación y cambio; el narrador habla de «átomos aglomerados por el Tiempo», con los cuales «se forma la verdad histórica», otra gran sombra.

En ese espacio todo flota en una atmósfera de ambigüedad; la verdad y la mentira se deshilachan, como nubes arrastradas por el viento, y van poco a poco evaporándose. El narrador pasa sin transición de lo inmediato a lo trascendente, de la charla en la calle o la casa madrileña a la comunicación con sus gráciles amigas. Espacio adecuado a la comedia de magia y a las ficciones de la restauración, reveladas con cabal fidelidad por la estructura novelesca. Y aún más: las etéreas, como su madre Clío, subrayarán la chabacanería de la situación y los efectos de la comedia dejándose ver, alguna vez, con atuendos excéntricos, pasando de «ninfas» o «sílfides» a «niñas grandullonas» que juegan al corro en el paseo del Prado, o «manducan tortilla de jamón» en un restorán de la calle de Fuencarral. Estas mutaciones de las «hijas del aire» —y su lenguaje, que puede ser desgarrado y hasta chulesco— las humanizan y acercan al héroe, informado, sí, pero también desamparado y burlado por ellas.

«Luz vivísima, sulfúrea, violácea» las acompaña, y su canto puede evocar el paso lejano del ciclón; pero no fueron convocadas para el drama, sino para la comedia, y si ninfas parecen, como chiquillas traviesas pueden comportarse, bromeando y zamarreando al pobre Tito, como a un juguete, y recordándole que no es más que un instrumento manejado por la Madre, un muñeco en quien pueden insinuar ideas que le trastornan, haciéndole sospechar, por ejemplo, que su amante le engaña con un amigo. El drama no se ve; no es personal sino nacional, y la estructura lo disfraza en la comedia; la relegación y degradación de la Historia, y el hecho de que ésta calle y sólo se oigan los susurros de las Efémeras revela la futilidad de lo representado en un espacio de fantasía y en un tiempo hueco, sin acontecer digno de ser recordado más allá del día en que sucede.

La teatralidad estructural, se acentúa diestramente, y sin insistencia, en momentos dispersos y con recursos coincidentes en sugerirla: el narrador es calificado por la Madre y por las Efémeras de «muñeco», y tanto Mariclío como Leonarda le recomiendan «ponerse a tono con la situación», cosa que puede hacerse mudando lo de fuera: la ropa, e incluso el nombre. Así se hará con Casianilla, cuyo apellido —Conejo— se convierte en Vargas Machuca y Coelho de Portugal, más acorde con el ambiente de la representación; gracias a ese cambio la chica es nombrada (por arte de magia, claro) inspectora de Escuelas, sin apenas saber leer. Anticipándose a un recurso utilizado por Valle-Inclán en *Tirano Banderas*, cuando se trata de incorporar a Sagasta a la convivencia alfonsina, Tito lo describe perorando en el Circo y celebrando «con endechas tribunicias» la fantasmagoría en que desde ese momento va a desempeñar papel principal. Y si se trata de las sesiones de Cortes en que Cánovas,

Castelar y otros prohombres representan los que les corresponden, al narrador no se le ocurre modo más exacto de referirse a ellas que calificarlas de «memorables sesiones de indudable interés teatral». No parece casualidad tampoco que Adelardo López de Ayala, el figurón a quien más tarde reconoceremos como tal en episodios que Galdós no alcanzó a escribir (los de *El ruedo ibérico*), asome en la novela como Presidente de las Cortes y, a la vez, en el Teatro Español, adelantándose al proscenio para recibir los aplausos del público la noche del estreno de *Consuelo*. Elena Sanz, amante de Alfonso XII, es cantante famosa y «además de sus papeles de teatro [trae] otro muy importante en la Historia». Los llamados próceres se afanan por conseguir distinciones que con justicia pueden ser llamadas «farandulescas».

Los elementos de la comedia de magia y los del episodio nacional están tan reciamente trabados que sería imposible separarlos. La comedia es el episodio. Celestina Tirado, además de desempeñar el papel que anuncia su nombre, actúa como augur siniestro que profetiza la muerte de la Reina Mercedes. Con menos truculencia, Segis prevé cómo ha de ser violada la Constitución. La primera visita de Tito a Cánovas y el nombramiento de Casiana (convertida en señorita Coelho de Portugal) para la Inspección de Escuelas, son tan fantásticos en descripción y ocurrencia que resultarían inverosímiles fuera del marco en que acontecen: el espacio «mágico» de la comedia y en la España del canovismo, donde cualquier trampa era posible. Don José Ido del Sagrario, el folletinista de las novelas contemporáneas, en el plano «real» del episodio es maestro de Casianilla, huésped del narrador y a ratos novelador omnisciente que, en funciones de tal, vislumbra lo invisible, se introduce en las conciencias y averigua el pensar y el sentir de las figuras históricas. La intuición del delirante profesional no disuena en esta obra.

Las comunicaciones entre Clío y Tito corresponden al ámbito de lo maravilloso, mas los extraños indumentos de aquélla (extraños por la desmitificación que suponen) y el modo de sus apariciones nos retienen en el plano real. Las Efémeras al ser llamadas «recadistas», equiparándolas a la recovera que trae encargos del pueblo, pueden circular con idéntico desembarazo en lo cotidiano y en lo etéreo. El lenguaje familiar facilita la admisión y asimilación de lo fantástico; Mariclío y sus aladas criaturas no hablan con la retórica del académico sino al modo llano de su portavoz, el periodista Liviano.

La verdad de la fantasía, verdad estremecedora y en sustancia trágica, se debe a la pluma con que éste escribe. Regalo de la Madre, la tal péñola tiene virtudes mágicas: «Todo lo que con ella se escribe es verdad, aunque otra cosa quiera el que la coge en su mano para llenar de letra un blanco papel.» «Si te propusieras escribir con esta pluma una mentira —le dice a Tito la Efémera que se la entrega— ella no obedecería y pondría la verdad». Maravillosa virtud, susceptible —creo yo— de ser entendida en términos metafóricos o simbólico-metafóricos. La péñola mágica puede simbolizar la inspiración, soplo iluminador de la Musa: esa pluma puede ser cualquier pluma, si la mueve la fuerza determinante de la creación. La forzosidad de escribir la verdad es inherente al empeño novelador: si cada uno de los elementos del mundo novelesco ha de servir a los fines para que fue pensado, tiene que funcionar libremente, sin que el narrador se interfiera y menos lo desvíe (destruyéndolo) arbitrariamente. La «péñola mágica» cuenta cómo fluyen pasiones y sentimientos por los oscuros laberintos del ser. Y sus verdades se integran en la ambigua textura estructural de los problemas y el vivir de apariencias y relumbrón con que se satisfacen los hombrecillos que van y vienen por el escenario, muy poseídos de su papel de personajes históricos. Después de *Cánovas*, la continuación no se haría esperar, pero la escribiría otro escritor, y para calificarla se utilizaría otra palabra: a la materia histórica del siglo XIX español, cuando volviera a ser novelada, se la designaría con la carnavalesca palabreja de esperpento.

The University of Texas
Austin

MIGUEL ENGUIDANOS

MARICLIO, MUSA GALDOSIANA

La serie final de los *Episodios Nacionales* de Galdós retrata a una España de pesadilla. A veces el lector no sabría decir si se encuentra frente a la obra de un Quevedo resucitado, o de un Valle-Inclán nacido antes de tiempo, o de un escritor tremendista de la España esperpéntica de nuestros días. Galdós nos da en ella su visión definitiva de la historia de España; se atreve, además, a profetizar el porvenir. La imagen fantasmal de la época de Prim, el rey Amadeo, la primera república, el cantón de Cartagena, y la Restauración —presentada en su mayor parte por voz del pícaro Tito [1]— aparece conjurada por la magia del mejor Galdós. Es esta serie la expresión del pesimismo profundo a que llega su autor después de su largo viaje por la historia española del siglo XIX. Emana de ella el intenso olor de la experiencia creadora de primera clase. Es, también, el legado de su autor a la posteridad política española: una especie de criptograma en el que aún se pueden leer respuestas válidas para las angustias del presente. Al que se tome la paciencia, y el esfuerzo, de llegar hasta estos pisos cuarenta y tantos del rascacielos galdosiano le sorprenderán la actualidad y el vigor de las cláusulas del testamento [2].

Joaquín Casalduero vio con mucho acierto que lo que

---

[1] Proteo Liviano, alias *Tito;* caricatura de Tito Livio.

[2] Libros tan estimables como el de Berkowitz atribuyen a la serie final de los *Episodios Nacionales* un carácter predominantemente político y de circunstancias. Creo poder demostrar que hay mucho más: en el sentido histórico se trata del balance final de la aventura galdosiana, en el político un vaticinio, o profecía, de largos alcances.

Galdós intentaba en sus *Episodios* era «abarcar toda la historia de España, no en lo que tiene de episódico, no en el detalle, sino en lo que tiene de esencial». Muchos son los escritores y críticos [3] que han advertido, con distintos grados de penetración, la importancia de la *esencialidad* de la aventura histórica galdosiana. Pocos lo han expresado mejor que Azorín, que quizá sea el único escritor del 98 que no renegó de la paternidad literaria de Galdós: «Galdós ha realizado la obra de revelar España a los españoles». Al usar el verbo «revelar», Azorín intuía todo lo que hay en Galdós de taumaturgo, de creador de maravillas, pero de maravillas que nos impresionan por llevar la marca indeleble del que ha entendido la verdad histórica, profunda, de un pueblo. No es, pues, la revelación galdosiana, *historia* en la acepción hoy vulgarizada —y vulgar— de la palabra. Cierto es que en los *Episodios* se acumulan, en forma de narración más o menos cronológica, toda clase de hechos históricos. Sin embargo Galdós no revive la anécdota, ni la anecdotilla, porque sí; ni nos sirve su cocido novelesco —en el que hierven juntas historias y ficción— con propósitos pedagógicos; tampoco es un escritor de folletín que trata de aturdirnos con el enredo de su kilométrica trama [4]. Lo que Galdós escribe es *historia de verdad*. Porque su propósito no es sólo relatarnos en forma amena lo sucedido en el pasado,

---

[3] Clarín, *Galdós*, Madrid, 1912.

Azorín, *Lecturas españolas*, Madrid, 1920. (Galdós, dice Azorín, "ha hecho que la palabra *España* no sea una abstracción, algo seco y sin vida, sino una realidad".)

Berkowitz, H. C., *Pérez Galdós, Spanish Liberal Crusader*, Madison, 1948.

Casalduero, Joaquín, *Vida y obra de Galdós*, Buenos Aires, 1943.

Gómez de la Serna, Ramón, *España en sus Episodios Nacionales*, Madrid, 1954.

Gullón, Ricardo, *Galdós, novelista moderno*, Madrid, 1960.

Marañón, Gregorio, "El mundo por la claraboya", Madrid, *Insula*, núm. 82, 1952.

Onís, Federico de, *Valor de Galdós*, y *Españolismo de Galdós*, Universidad de Puerto Rico, 1955.

Del Río, Angel, *Estudios Galdosianos*, Zaragoza, 1953.

[4] No importa que Galdós haya seguido de modo bien manifiesto la moda impuesta por escritores como Manuel Fernández y González. El hecho de que en la idea original de los *Episodios* haya cierto parentesco con las series folletinescas, tan en boga, y de que su autor incluyera el lucro entre los propósitos de tan extensa tarea, nada tiene que ver con el resultado final, que fue, como ya podemos ver bien claro, de una calidad artística superior.

sino revivir —por motivos muy vitales— lo digno de ser revivido.

Galdós quiere revelar en sus anales «el *ser interno* de la Nación». Bien claro lo dice, en diferentes ocasiones, la ninfa *Efémera* —mensajera de Mariclío, que es la galdosización de Clío musa de la historia— con palabras que parecen dirigidas a más de un empecinado historiador positivista. Así una vez al transmitir el más delicado mensaje de la madre Clío al historiador le dice:

> «Desea *Mariclío* que te apliques a la historia interna, arte y ciencia de la vida, norma y dechado de las pasiones humanas. Estas son la matriz de que se derivan las menudas acciones de eso que llaman *cosa pública,* y que deberían llamarse *superficie de las cosas*» [5].

Otra, al darnos esta extraordinaria definición de la tarea de historiador:

> «Lo que a mí me concierne es el contacto de las inteligencias en las anchas regiones del espíritu. Del uno al otro cerebro saltan las ideas como chispas de un fuego que es el generador de la concomitancia y simpatía. Recojo yo estas chispas y las comunico entre los seres, hállense próximos o distantes...» [6].

No sé si cabrá alguna duda sobre el sentido de estas últimas palabras, que Galdós pone en boca de la ninfa *Efémera*. Por si la hubiera recuérdese que ésta las pronuncia en un memorable diálogo con el Tito Livio galdosiano, que no sabe a ciencia cierta si una conversación que ha sostenido poco antes con Cánovas del Castillo ha sido sueño o realidad. ¿Qué valor tiene el sucedido —el hecho histórico— en sí mismo?, se pregunta Galdós en este momento meridiano de su obra. Ninguno, se responde por voz de *Efémera*, a menos, claro está, que despierte en nosotros las chispas del fuego generador de la concomitancia y simpatía con el pasado en que esos hechos sucedieron. *Concomitancia y simpatía.* Son las dos palabras que definen de manera inequívoca la concepción galdosiana de la historia, su actitud ante el problema del conocimiento del pasado.

La musa inspiradora de Galdós no es la fría, formal,

---

5 *Cánovas*, Madrid, 1912, pág. 209.
6 *Cánovas*, Madrid, 1912, pág. 74.

y académica, Clío; sino la humana y callejera *Mariclío*, que calza en ocasiones el coturno, pero que casi siempre prefiere andar en chancletas. Le ha bastado a nuestro novelista con descalzarlas, y con achularle el nombre, para humanizar a la abstracta criatura mitológica, y para hacer así de ella el mejor símbolo de su visión estética del pasado. Veamos cómo él mismo describe a su musa:

> «Es la tía *Mariclío*, comercianta de antigüedades y papeles viejos, que ha venido a menos. Yo le doy albergue, y me hace servicios menudos y recados... No se ha podido averiguar la edad que tiene. Hay quien asegura que nació un poquito después del principio del mundo. No siempre está en el mal pergenio en que ahora la ves. Si en tales o cuales días viene a menos, en otros sube a más, y se pone unas botas al modo de borceguíes de cuero carmesí, con tacones dorados, y de gordinflona y ordinaria se te vuelve esbelta y elegante... Sabe más de lo que parece, y cuando escribe lo hace con primor»[7].

A Tito se le aparece en cierta ocasión con aspecto de «vieja elefanta» —según él mismo nos cuenta— que devora una cena suculenta en compañía de Graziella, una de las amantes de nuestro historiador. Después de una noche de orgía, en la que Tito se emborracha con el más vulgar de los vinazos, se la ve entrar con un montón de periódicos de la mañana. Graziella, que ha retenido a su amante durante una noche, le dice a éste:

> «Llámala para que te ayude, y te dará buena cuenta de lo mucho que ha visto, y te alumbrará las entendederas para que sepas ver lo que ahora pasa.»

Tan fantasmal, aunque amadrileñada, aparición de la musa de la historia se convierte en la inspiración de Galdós[8]. La metamorfosis del viejo símbolo no obedece ni al capricho, ni al impulso de empequeñecer, o achabacanar, la historia que muchos han creído ver en el novelista. Basta con leer lo que éste dice al final del capítulo IV del episodio *Amadeo I*:

> «De asuntos privados, confundidos con los públicos, hablaré para que resulte la verdadera historia, la cual nos abu-

---

[7] *Amadeo I*, Madrid, Ed. Aguilar, *Obras Completas*, vol. III, pág. 1008.
[8] En la novela *El caballero encantado* crea el autor un personaje semejante: es también el espíritu de la historia, y se llama *La Madre*.

rriría si a ratos no la descalzáramos del coturno para ponerle las zapatillas. ¡Cuántas veces nos ha dado la explicación de los sucesos más trascendentales en paños menores y arrastrando las chancletas!»

No se puede, por tanto, decir que Galdós entiende la historia como chismografía, o personal «petite histoire», sino como arte, en el cual los términos *vida* e *historia* son inseparables. No se trata aquí de que nuestro autor desprecie el coturno, por preferir las zapatillas; sino de que se siente perfectamente seguro de que la «verdadera historia» la viven los hombres yendo y viniendo de uno a otro de los dos polos, que ambas modalidades de calzado simbolizan. Ver la historia en paños menores significa, pues, verla en toda su humanidad, en el sentido último —y sin chiste— de la palabra.

Se podrá preguntar, sin embargo, qué tiene que ver con la vida el repetido uso de figuras de la mitología clásica, así como de personajes que son contrafiguras de los grandes mitos de la literatura española. (Así don Wifredo de Romarate: Don Quijote. Don Juan de Urríes: Don Juan. Celestina Tirado: Celestina.) No es difícil deducir de esta sobreabundancia de fantasmas literarios que Galdós se haya propuesto expresar en abstracto la realidad histórica española, y darnos su idea de España en forma de símbolos, o mitos. Aceptaría yo esta opinión, hoy casi generalizada, si no fuera porque me parece ver en los últimos tomos de los *Episodios* una tensión en el ánimo del escritor que sólo se compara con la alcanzada en los momentos culminantes de su arte: en *Fortunata y Jacinta*, en *Miau*, en *Misericordia*. Dicha tensión se expresa en forma de diálogo íntimo entre la realidad española y su historiador. Y refleja un extraño sentimiento que el lector atento, y *simpatizante,* advierte a las pocas páginas: Galdós ama y rechaza, con la misma intensidad, la realidad histórica que describe. Se trata, nada menos, que del «querer a la España que no nos gusta», tan noventaiochista, con tantos ecos que llegan hasta el hoy de nuestras conciencias.

La serie quinta de los *Episodios* es, pues, la expresión de la tragedia que desgarra por dentro a su autor. Próxima ya la noche oscura de su alma, siente amargura intensa y pesimismo profundo al contemplar el mundo que le ha tocado vivir, pero también ternura y amor infinitos. España no tiene remedio. Hay —queda— una lejana esperanza: una verdadera y radical revolución; pero ésta, en el sentir de Galdós, no pasa de ser utopía o ensueño. Del pasado, como del presente, sólo se salvan —tras el balance y liquidación finales— unas cuantas prostitutas y mozas del pueblo más pueblo, y los locos, y locas, insignes que el novelista agregó al cortejo de Don Quijote. Todo lo demás es pompa y vanagloria pasajeras, hinchazón, falsedad, hipocresía, superficialidad; o si no, de ser algo, son esquirlas del inagotable filón hispánico de la picaresca. En el saldo final de su obra, que es esta serie, Galdós no salva ni al estado, ni a la dinastía, ni a las personas que la componen, ni a las instituciones políticas y sociales del país, ni a la aristocracia, ni a la burguesía, ni a los políticos —una parodia del castelariano discurso del Sinaí [9] sucede en una casa de prostitución—, ni a los profesionales, ni a los militares, ni a los sacerdotes. Todos perecen. El autor los condena implacablemente cuando se detiene ante la perspectiva de los nuevos tiempos que se avecinan, los «tiempos bobos», como los llama en repetidas ocasiones.

Prostitutas y locos [10]: sólo ellos pueden reclamar ante el futuro el derecho a la herencia de lo que queda de la gran alma hispana. Gracias a ellos se salva el corazón de España, lo mejor del patrimonio. Los que se empeñaron en añadir al legado un poco de buen sentido, de racionalidad, de eficacia política, de pragmatismo, o mu-

---

[9] Don Wifredo de Romarate, caballero carlista, personaje de *España sin rey*, Madrid, 1908, págs. 113-114, cena una noche en compañía de unas prostitutas. En tan histórica ocasión pronuncia la siguiente arenga: "Grande, grandísimo es Dios en el Sinaí... el trueno le precede, la chispa le acompaña... la tierra se echa a temblar, los montes se ríen a carcajadas... Pero en mí tenéis un dios más grande, más bonito... ¿No me declaráis el más bonito de los dioses? Yo soy el amador de Paquita; yo bebo en sus ojos la idea espiritual de Chinchón, y vengo a predicaros la libertad de aquellos cultos que practicaron caldeos y macabeos, fenicios, egipcios y estropipcios... Por esa idea muero perdonando a mis verdugos. Y por eso soy más grande que aquel Dios del Sinaí, mi particular amigo... Me río yo del Dios del poder y de la justicia implacable... Yo soy el dios del amor... dígalo la celestial Paca... Yo soy el dios del perdón misericordioso de la Magdalena y la *Meneos*... y por eso os digo que no hagáis caso del Señor ese del Sinaí, escupe truenos y vomita rayos, y vengo a pediros que en vuestro código fundamental... ¡ah, señores!, dejadme reír... que en vuestro código fundamental le mandéis memorias a la Unidad católica, y pongáis este letrero: *Liberté, que se yo qué*... y por último, ¡*viva mi africana con honra!*...".
[10] *España trágica*, Madrid, 1909, pág. 226.

rieron víctimas del fanatismo tradicional —Pepe Rey—, o apenas lograron arañar la vieja y curtida piel de toro hispana —Golfín, León Roch.

Galdós, como el Larra de *La diligencia* o de *Vuelva usted mañana,* sabe que España no marcha al paso de los demás pueblos de la tierra. Nuevas ideas, nuevos métodos, cambios y progreso, llegan fatalmente a sus playas, pero siempre empujados por la marea exterior. Nunca brotan en el solar hispano con la fuerza de la generación espontánea. Entran en el cuerpo de la madre España dolorosamente, como la lanceta y el bisturí del cirujano; y, sin embargo, las incisiones son, casi siempre, superficiales, no penetran en sus entrañas. España, en medio del mundo moderno, es un inmenso naufragio. Si alguien grita el «¡sálvese el que pueda!», que Galdós intuye ser la norma que nos rige como sociedad, emergen de entre la furia del oleaje y los despojos zozobrantes gentes como don Wifredo —que se niega a aceptar el fin de la edad de la caballería andante—, o como Colau el contrabandista —que emula los «¡yo solo!» de nuestros héroes históricos, aunque lo hace ya en un mundo donde tales desplantes sólo son posibles al margen de la ley—, o como Leona la Brava —simbólico resto, en género femenino, del león español—. Son todos ellos personajes que afirman la clara conciencia que Galdós tenía de que lo mejor de su creación había salido de la última entraña del pueblo. De ese corte son Benina, Villaamil, Maxi Rubín y Nazarín —quijotes extremados de barrio popular—; o Fortunata —capaz de amar y de procrear hijos, casi brutalmente, pero con más sinceridad y entrega que ninguna relamida Jacinta—; o Torquemada —trágico enfermo de su mezquindad, soñando grandezas y caridades.

Se podrá decir, si se quiere, que los personajes de estos episodios finales no están tan logrados como los mencionados, que pertenecen a las grandes novelas del autor. O que ni siquiera alcanzan la intensidad y el nivel de interés de los Araceli, Monsalud, o Ibero, de las primeras series. No cabe duda de que son los fantasmas los que parecen dominar la escena de la serie final. Pero el lector atento y consciente tendrá que reconocer que no es la visión fantasmagórica de la España vivida por Galdós lo que le afecta al correr su lectura, sino la angustia que se percibe detrás de ese diálogo entre el español de primera clase, que es Galdós, y los misteriosos duendes de la historia —Mariclío y su coro de Efémeras— y de España —Don Quijote, Don Juan, Celestina y Segismundo-Lazarillo—. Angustia que no es otra cosa que el resultado de contrastar el alto valor de la propia obra con el vacío —o abismo— al que ha tenido que arrojarla.

Basta leer el párrafo final de *Cánovas*, último de los *Episodios* [11] para corroborar todo lo dicho hasta aquí. Galdós se ha quedado solo con su musa amiga, y ésta le escribe una carta en pago de su continuada fidelidad, en ella le favorece con una visión, o profecía:

> «Hijo mío: cuando a fines del 74 te anuncié en una breve carta el suceso de Sagunto, anticipé la idea de que la Restauración inauguraba *los tiempos bobos*, los tiempos de mi ociosidad y de vuestra laxitud enfermiza. La sentencia de mi buen amigo Montesquieu, *dichoso el pueblo cuya Historia es fastidiosa*, resulta profunda sabiduría o necedad de marca mayor, según el pueblo y ocasión a que se aplique. Reconozco que en los países definitivamente constituidos, a presencia mía es casi un estorbo, y yo me entrego muy tranquila al descanso que me imponen mis fatigas seculares. Pero en esta tierra tuya, donde hasta el respirar es todavía un escabroso problema, en este solar desgraciado en que aún no habéis podido llevar a las leyes ni siquiera la libertad del pensar y del creer, no me resigno al tristísimo papel de una sombra vana, sin otra realidad que la de estar pintada en los techos del Ateneo y de las Academias.»

Sorprende el hecho de que Galdós, al rematar su tarea de historiador, llegue a conclusiones tan semejantes a las alcanzadas por algunos de los mejores españoles de las últimas generaciones: 1) España, como país constituido y habitable, está aún por inaugurar. 2) Las más altas posibilidades del vivir hispánico —por sombrío, o nulo, que nos parezca el presente, por incierto que se vislumbre el porvenir— yacen en el mañana. La primera afirmación sintetiza el pesimismo galdosiano, resultado de su experiencia de historiador, de explorador, del alma

---

[11] Este párrafo de *Cánovas* constituye, en verdad, un magnífico final para la colección completa de los *Episodios Nacionales*. Sin embargo, se sabe que Galdós no pensó dar por acabada en ese punto preciso su gran obra. Incluso conocemos los títulos de los *Episodios* con que pensaba cerrar su última serie: *Sagasta, Las colonias perdidas, La reina regente* y *Alfonso XIII*. Había ya reunido muchos datos, e incluso hecho un boceto de *Sagasta*. La ceguera y la falta de salud no le permitieron llevar a cabo sus planes.

española. La segunda resalta el que, aun en medio del más negro pesimismo, el español de calidad es capaz de aferrarse a una fe, por utópica e irrealizable que ésta parezca.

Mas a pesar del balance esperanzador, implícito en esta segunda cara del mensaje galdosiano, no usa nuestro artista paliativos cuando se trata de expresarnos lo que intuye que va a ser el porvenir inmediato de la España concreta en que él vive:

> «Los *tiempos bobos* que te anuncié —sigue diciendo en su carta Mariclío— has de verlos desarrollarse en años y lustros de atonía, de lenta parálisis, que os llevará a la consunción y a la muerte.»

Pocas líneas después, Mariclío parece colgarnos a los españoles del siglo xx el sambenito de nuestras desgracias pasadas y presentes:

> «Los políticos se constituirán en casta, dividiéndose hipócritas en dos bandos igualmente dinásticos e igualmente estériles, sin otro móvil que tejer y destejer la jerga de sus provechos particulares en el telar burocrático. No harán nada fecundo; no crearán una nación; no remediarán la esterilidad de las estepas castellanas y extremeñas; no suavizarán el malestar de las clases proletarias. Fomentarán la artillería antes que las escuelas, las pompas regias antes que las vías comerciales y los menesteres de la grande y pequeña industria.»

Aunque muchas de las esperanzas de Galdós, y de otros progresistas de su generación, llegaron a colmarse, se hicieron realidad de manera tan fatal como la instalación del servicio de diligencias de que nos hablaba Larra en 1836. El progreso venía de fuera. Se filtraba por los pasos fronterizos, a pesar de todo. Quizá Galdós y sus compañeros ayudaron a que la fatalidad se cumpliese en mayor medida que sus enemigos de entonces —y aun los de hoy— serían capaces de admitir. El ansia de cambio, de cosas nuevas (el *veneno* progresista), intoxicó hasta a los más reaccionarios. Lo que Galdós se temía que nunca vendría a España, llegó en este siglo xx para bien o para mal de los españoles. Sin embargo, las palabras de Galdós nos parecen, aún hoy, llenas de sentido. Leídas una y otra vez no podemos negar que siguen turbándonos. No podemos dejar de sentir la aprensión de que su significado —último y esencial— sigue vigente.

Además, Galdós —como es frecuente entre españoles— se aferra a una lejana y utópica esperanza: la revolución. Lo sorprendente es que el mesianismo revolucionario galdosiano sea de tan buena ley: porque él no cree que la revolución, necesaria en España, haya de venir como maná llovido del cielo, sino que ha de ser el resultado del esfuerzo continuado e individual de todos los españoles; dice por voz de Mariclío:

> «Alarmante es la palabra Revolución. Pero si no inventáis otra menos aterradora, no tendréis más remedio que usarla los que no queráis morir de la honda caquexia que invade el cansado cuerpo de tu nación. Declaraos revolucionarios, díscolos si os parece mejor esta palabra, contumaces en la rebeldía... Siga el lenguaje de los bobos llamando paz a lo que en realidad es consunción y acabamiento... Sed constantes en la protesta, sed viriles, románticos, y mientras no venzáis a la muerte, no os ocupéis de Mariclío... Yo, que ya me siento demasiado clásica, me aburro... me duermo...»

Ahí tenemos, pues, a Mariclío, musa y amiga de Galdós. Musa y amiga de todos los que leemos con cariño esos olvidados *Episodios*. Alternando el alto y noble coturno con las chancletas, que nos permiten anteponerle el familiar *tía* a su nombre, se nos aparece en ellos para revelarnos la verdad, la realidad histórica de España. Sobre sus palabras, cargadas de dolor y de profecía, deberíamos de meditar más a menudo. Y deberíamos hacerlo, no por pasar el rato, o por deleitarnos con las amenidades y los rincones del pasado español, sino como ejercicio espiritual, ya casi como cuestión de vida o muerte. Porque si el pasado no fuera horizonte que contemplar como paisaje de nuestro vivir ¿de qué nos serviría revivirlo? Si no nos sirviera el pasado de viva lección, que hoy aprovechamos, no como imagen a imitar, sino como forja de conciencia y piedra de toque del futuro, ¿de qué valdría elucubrar —y quedarse ciego como Galdós lo hizo— para traerlo a la atención de los lectores del presente?

(Papeles de Son Armadans, LXIII, 1961.)

VI
TEATRO

Otro punto en que hay unanimidad crítica: los herederos de doña Juana, con la codicia por todo móvil volitivo, son antipáticos; doña Juana, contrariamente, es una figura que, equivocada o no en sus ideas, por su entereza moral, merece nuestra simpatía. Así es: los unos resultan antipáticos; simpática, en cierto modo, la otra.

UNA CLASIFICACIÓN

La producción normal artística puede clasificarse en tres linajes: soslayada, sentimentalista e intelectualista (*Azorín* y Baroja, verbigracia); semirrealista, rápidamente intuitiva (de *intuere*, ver), en un abrir y cerrar de ojos, pudiéramos decir (Blasco Ibáñez); lateral o parcial, de tesis previa (Dicenta). Los que practican la primera suelen ver y entender; pero al hacer derivan la actividad creadora hacia el sentido personal, dando a la obra artística un contenido de emoción sentimental o de comentario, de insinuación, que no existe en la realidad externa. Son poco objetivos. Insuflan su espíritu en las cosas ambientes, y de aquí que cuanto producen sea —más o menos expresivo— un índice autobiográfico. Otros ven de las cosas no más que lo plástico y superficial, la sucesión aleatoria de líneas, masas y colores, sin adivinar el ritmo interno ni oprimir la carne del mundo. Son objetivos en demasía. Por último, hay quienes, por mala fe o por temperamento apasionado, no ven sino un costado de lo existente. Escribirán obras tendenciosas y sectarias. Uno de estos últimos os hubiera presentado a los herederos de doña Juana llenos de cualidades atractivas y heroicas, y a la tía como nauseabundo basilisco, o viceversa, según lo que se hubiera propuesto demostrar. ¿Hubiera estado bien?

Por encima de la producción normal está la supernormal, la genial. En el alma del creador de genio muévense con igual desembarazo las criaturas reputadas de malas y las que consideramos buenas, obedeciendo a la ley de su desarrollo lógico, no a una tiranía externa y caprichosa; de manera que, entre todas, componen una armonía natural y profunda. Hijas son todas del mismo padre, el cual, así como ajenado de la conducta de sus criaturas, una vez que las formó, permanece con un noble gesto de serena eternidad. ¿Podéis decirme si en Shakespeare o en Galdós existe alguna vez el propósito previo de hacer odioso a tal personaje o amable a tal otro? Yago y doña Juana Samaniego son microcosmos, pequeños universos morales, representan un sentido de la vida, y son de tan bien urdida hilaza que nos fuerzan a considerarlos y admirarlos según su valor. Dentro del creador de genio observaremos siempre absoluta impersonalidad y un a modo de respeto divino a la norma fatal que seres y cosas llevan dentro de sí. Tal es el eterno problema de la vida.

¿Por qué hemos de pedirle a Pérez Galdós que nos plantee en sus dramas nuevos problemas? Equivaldría a solicitar de él que rompiese el equilibrio de la vida humana poniendo su corazón como en un platillo de balanza. No. Presentemos la realidad tal cual es, si bien con luz más viva, luz que mana de la síntesis artística. Y que el espectador sesudo y atento desentrañe el problema.

El problema de «Casandra»

Por lo que atañe a *Casandra,* el problema se muestra transparente, claro. Los sobrinos de doña Juana representan dos órdenes de actividad económica: agricultura e industria. Son laboriosos, inteligentes, cultos. Tienen ambiciones; hoy por hoy, la ambición es el estimulante del trabajo. Doña Juana encarna la vida contemplativa. He aquí el problema de los problemas. La vida contemplativa es el polo negativo; es la anulación de la especie; es reducir el universo a la incógnita de salvar la propia alma individual; es tomar la existencia terrenal como tránsito efímero y senda pedregosa que conduce a la inmarcesible ventura.

La vida activa es el polo positivo, es la consagración del esfuerzo, es poner el último fin del perfeccionamiento individual en el perfeccionamiento y futuro bienestar de la especie, y es transplantar los árboles que dan tibia sombra en los edenes del Eterno a los pegujares del hombre de buena voluntad que trabaja aquí abajo. ¿Que el agricultor y el industrial son codiciosos? Bien. ¿Hemos de amarles menos por eso? ¿No les basta, como títulos que reclaman nuestro amor, la voluntad de crear nuevos bienes? De otro lado, ¿que doña Juana es desprendida y es abnegada en cuanto se le toca a salvar su alma? Bien. ¿Hemos de amarla más por eso? ¿No es bastante, para que la repudiemos, el que nos induce a la negación de la vida? Claro que doña Juana se nos muestra con una perfección moral propia, si se la coteja con sus sobrinos. Pero es una perfección aparente tan solo y, desde luego, es una corrupción social y un morbo de tal índole que daría al traste muy presto con el organismo colectivo más recio. Imaginad una sociedad en donde todos los elementos productivos tengan los ojos en blanco por mantenerlos desleídos en el reino interior o en las sombras ultraterrenas. ¿Qué acontecería? Que la riqueza creada, sin cuyo amparo es punto menos que imposible crear otra nueva, afluiría a las manos tenebrosas de los gestores de la bienaventuranza, dejando huérfanas de toda protección a las actividades vitales, cuyo oriente es el mejoramiento humano. Agricultor e industrial, en el drama *Casandra*, piensan en sus hijos, viéndose burlados y sin blanca por la doña Juana, la cual transmite su fortuna a ciertos ociosos institutos, compuestos por gente contemplativa. ¿Hemos de ser tan romos que entendamos los hijos de la carne? No; los hijos son los trabajadores, son los labradores, son la nación entera; son, en último extremo, los campos yermos y los talleres vacíos.

EN SUMA...

En suma: los sobrinos de doña Juana, con todos sus defectos, son la fecundidad social; doña Juana es la esterilidad social.

¿Acaso Pérez Galdós nos informa por gusto y a humo de pajas de que doña Juana fue estéril en sus entrañas? ¿No significa nada esa terrible maldición que abochornó a las mujeres en todo tiempo, y contra la cual, si no estoy mal enterado, son abogados sin número y celestiales patronos San Gil, San Renato, San Esteban y San Antonio de Padua?

Todo viene al mundo con la misión de propagarse. Cuando esta misión se frustra a causa de la esterilidad, diríase que se rompe la congruencia y armonía cósmicas. Si el ser estéril es consciente, siéntese como enquistado e inútil entre el tejido jugoso y prolífero que le envuelve, y, por natural inclinación, desdeñando la vida finita que él no puede perpetuar, imagina un orden más alto de vida, del otro lado de los umbrales de la muerte. Esterilidad... Su agrura desentona en el concierto universal; torna acedo el ánimo del ser estéril y lo hace de condición dañina. Es un fenómeno que podemos observar cotidianamente en el ganado mular y en los criticastros.

(Europa, 1910.)

RESEÑAS DE REPOSICIONES DE OBRAS TEATRALES

DOÑA PERFECTA

Reposición. Teatro Español. Compañía Guerrero-Díaz de Mendoza.

Vuelven María Guerrero y Fernando Díaz de Mendoza al primer escenario de Madrid, en que alcanzaron, años ha, sus mejores triunfos. El voto del Concejo que a él los llamó nuevamente y fue acogido con general complacencia, tuvo, en la función inaugural, celebrada anoche, el más entusiasta refrendo por parte del público.

Las mejoras introducidas en la sala y en el servicio, sin ser de gran monta, contribuyen a su decoro y dignidad. Y la presencia de los ilustres actores en el Español es garantía de todo esmero en la presentación de las obras. La compañía aparece tal como estaba constituida el año último de su actuación en la Princesa. El amplio elenco familiar, con sus virtudes y sus defectos, al parecer inevitables, compleméntase con la presencia de un actor insigne, don Emilio Thuillier, que, juntamente con su esposa, Hortensia Gelabert, discretísima dama, con el veterano Juste y los excelentes actores cómicos Capilla y Vázquez, toma parte en la representación de *Doña Perfecta.*

Estrenó Thuillier, si no recordamos mal, en 1896, la obra de Galdós en el papel del ingeniero Pepe Rey, ahora repartido a don Fernando Díaz de Mendoza y Guerrero. El señor Thuillier asume la brava personalidad de Caballuco y, sinceramente hablando, no saca de ella el partido que su extraordinario talento ha sabido sacar de otros caracteres cómicos o dramáticos en tiempos recientes. Bien está don Carlos Díaz de Mendoza en el Jacintito; bien don Fernando, su padre, en el Don Inocencio, y menos bien el otro don Fernando, su hermano, en el Pepe Rey. He aquí el más grave inconveniente de la organización familiar a que antes aludíamos: el teatro Español, a causa de ella, va a tener en el puesto de primer galán, que requiere un actor de categoría, a un mediano galán joven. Advertíamos hace un año lo lento del aprendizaje de este actor, que tiene el más alto ejemplo y pudiera tener el más seguro consejo a su lado. No echamos de ver anoche adelanto ninguno.

Por dicha encontramos en María Guerrero a la actriz genial de los días mejores. Como en la versión escénica de la obra de Galdós se concentra la acción toda en la figura de Doña Perfecta, basta el trabajo de María Guerrero, dueña de sus magníficas facultades y ayudada por la voluntad y disciplina de los demás, para llevar el drama al grado de intensidad requerido.

Suave y untuosa en el primer acto, mostrando apenas en la prontitud de una réplica y en el relampaguear de una mirada el espíritu indomable de la protagonista, llega en la gran escena final del segundo a revelarse por entero tal como hubo de plasmarla el autor, con esa imponente grandiosidad de un torvo poder en que se han ido fundiendo rasgos que, dispersos, hubieran podido crear varios caracteres interesantes, y juntos se conciertan en un soberbio tipo de mujer fanática.

Sólo Galdós nos ofrece, en España y en su tiempo, caracteres así. Su arte realista, ceñido y concreto en fondos, ambientes y figuras secundarias, se condensa, engrandece sus líneas, ahonda sus rasgos en unas cuantas figuras hechas, como los hombres, de carne, sangre y alma; pero, si vale la expresión, a escala mayor que la de la humanidad común. Orozco, Doña Perfecta, Pantoja, el conde de Albrit, son seres de esta excelsa familia dramática. El arte que los ha creado sabe pasar del retrato al arquetipo.

Doña Perfecta es el drama entero. Cada acto nos la deja más definida y modelada. La cautela y el disimulo, la fuerza en el reto, la insidia y la persuasión, la ternura de que es capaz para lo que tiene más cerca del corazón, la enérgica decisión en el desesperado trance, todo ello se expresa sucesivamente en los cuatro actos del drama, que termina cuando la descripción del carácter se apura.

Y así como Doña Perfecta, con sus palabras y acciones, va determinándose a medida que la intriga se desarrolla, Pepe Rey, en el drama, mejor que por cuanto hace y dice, queda definido por lo que le hacen decir y hacer los demás. En el primer acto, singularmente, se ve acosado por la desconfianza, por la hostilidad de los otros, con que resaltan sus cualidades naturales.

Al pasar de la novela al teatro, *Doña Perfecta* hubo de sufrir, por mano de su autor, grandes modificaciones, y el teatro perdió mucho de lo que vive en la novela, quedándose sólo con leves indicaciones, encerradas en personajes no episódicos, pues en el drama no hay apenas incidentes, sino secundarios, de suficiente claridad para los familiarizados con el mundo galdosiano, y nada importunos para el que se llegue al drama sin conocer la novela. Ganó, en cambio, el teatro esa gran figura tallada de nuevo y lograda en plena expresión.

Algunas frases, algunos conceptos, se resienten, sin duda, del paso de los años; mas no tanto que dañen a la fortaleza general de la acción dramática. Y sobre todo en nada han aminorado aquí los años la gravedad del conflicto entre la inteligencia libre y la aspiración sincera, de un lado, y de otro la fuerza fanática que se le opone, firme en su violenta pasión e indiferente a los medios que han de darle el triunfo. Los términos del problema son hoy casi los mismos que eran en los días de *Doña Perfecta*. Aún no se vislumbra el remedio, que es duro y costoso. Aún son necesarios, quizá, tiempos de violencia.

Doña Perfecta fue acogida con grandes aplausos, que culminaron al terminar el acto segundo. María Guerrero, emocionadísima, oyó una larga y merecida ovación.

(El Sol, 31-X-24.)

ELECTRA

Reposición. Teatro de la Latina. Compañía de Manrique Gil.

Desde el sábado se representa en la Latina, alternando con obras del repertorio de Manrique Gil, actual director de aquel escenario, la *Electra* de Galdós. Las representaciones han sido otros tantos llenos. Anoche había cola ante la taquilla. El público de aquellos barrios populares oía después atentamente la obra, sentía con los personajes, se exaltaba con los buenos y celebraba la humillación del malo.

¿Del malo? No es Pantoja el tipo del hombre malo. Si fuera esto sólo, carecería del bulto de humanidad con que el autor ha levantado su figura.

Un anhelo de perfección vive en ese espíritu. Pantoja ha sufrido, en años de juventud, los embates de la pasión. Al aplacarse, más alto empleo se le marca a su vida; es ansia de perdón que no confía en alcanzar por sí mismo; que sólo espera de la intercesión de un ser puro, a quien desea apartar de los yerros mundanales.

Esta pasión de Pantoja, viva y arrebatada, le lleva al extravío y a la ficción; cualquier medio ha de serle aceptable si logra su fin. Pantoja tiene su razón, y ella le da el innegable porte de persona trágica que le define. Su delirio extrahumano choca inevitablemente con la fuerza vital, que desde el primer instante se maniifesta instintiva en Electra. Electra y Pantoja encarnan los dos ideales que el autor pone una vez más frente a frente, y que decide por el triunfo de la vida plena sobre la renuncia y el sacrificio.

Un tanto anticuada en el procedimiento y en el diálogo —con esos repentinos candores que en nada amenguan el vigor galdosiano, sino que antes bien son su mejor contraprueba y su más convincente garantía—, *Electra* no será una de las producciones primordiales de su teatro; pero es, sin duda alguna, tipo casi perfecto del drama popular, por su noble pensamiento y su alto sentido humano, independientes en absoluto de las circunstancias que determinaron la resonante explosión de su estreno, allá en 1901.

Drama popular, encuentra en la emoción de un público popular su complemento más justo. El éxito de ahora en la Latina lo dice bien claro. La compañía modesta que ha tenido el acierto de representarlo ha de recordar ante todo que al pueblo se le debe la verdad entera. Teatro popular no quiere decir teatro aproximado, ni teatro en que haya necesariamente que «perdonar las muchas faltas». A la buena voluntad evidente ha de acompañar el cuidadoso estudio, la interpretación fiel, la expresión exacta del pensamiento del autor, aun en sus mínimos pormenores. Manrique Gil sirve al personaje de Máximo, probablemente el más convencional de la obra, con su brío notorio. Elías Sanjuán hace un Pantoja expresivo y correcto, que no necesita, para manifestar su pasión, recurrir a los aspavientos. Natividad Zaro tiene para su *Electra* entendimiento y juventud. Si nos oyera, le aconsejaríamos menor movilidad. Ha visto bien el carácter, infantil y resuelto a la vez, de la figura que encarna; pero un personaje teatral resulta siempre de un acomodo entre lo imaginado por el autor y las condiciones físicas del comediante. La prestancia misma de Natividad Zaro luciría más si pasara a la expresión el movimiento quizá excesivo que comunica sobre todo a las primeras escenas. Su manera de actriz, por ahora, es más satisfactoria en lo estático que en lo dinámico.

Si todos dijeran con igual exactitud su papel, y la presentación escénica se cuidara un poco —por el camino de las simplificaciones, que no es tan difícil—, podría aplaudirse sin reservas esta *Electra*. Yo, con las reservas apuntadas, la aplaudo; y aplaudo sin reservas al público que llena estas tardes o estas noches el teatro de la Latina.

(*El Sol*, 11-IX-29.)

29

REALIDAD

Reposición. Teatro Fontalba. Compañía de Lola Membrives.

Como a Orozco, el personaje central del drama, la sombra de Federico Viera, a Galdós se le debió de aparecer con insistencia obsesionante el asunto de *Realidad*.

En febrero de 1889 había terminado la primera versión de su tema en *La incógnita*, novela epistolar. Era el drama y sus agonistas contemplados como a distancia por un sujeto casi extraño a la acción: por un Manolo Infante que, enamorado de Augusta, siente en el desdén de la dama la fuerza de un verdadero sentimiento, y no logra ponerlo en claro, como no consigue discernir la verdad entre las diversas versiones de la catástrofe que llegan a sus oídos; apenas una vaga confesión de ella le permite considerarla culpable.

Realidad, novela dialogada, asume ya la forma dramática y se distribuye en escenas, y éstas se agrupan en cinco jornadas, con la cabal libertad de un teatro no sometido a exigencias de tiempo ni condicionado por las limitaciones del tablado: con una libertad que hoy posee el cinematógrafo. Por la fecha, esta primera *Realidad* tiene muy cerca a la de *La incógnita*: julio de 1889. Ambos libros salieron de un solo impulso, y Galdós, al concebirlos, en forma bien distinta el uno del otro, vio a través del asunto a sus personajes con vida cabal y perfecta. La novela dialogada ya nos acerca a ellos, nos los da en sí mismos, fuera de toda interpretación más o menos equívoca, como las examinadas por Manolo Infante, el epistológrafo de *La incógnita*, que en *Realidad* se queda arrinconado en un papel de comparsa.

El 15 de marzo de 1892 se estrena en la Comedia (por María Guerrero, Miguel Cepillo y Emilio Thuillier) *Realidad*, drama en cinco actos. A mayor distancia, ha visto de nuevo Galdós a sus personajes como criaturas llamadas a vivir no la vida del libro, sino en escena, ante los ojos del público. En su contacto con el público, sin embargo, el juicio de éste le fue adverso, y los críticos acentuaron en general el desvío. Se dijo que no era teatro lo que se apartaba de la común manera teatral, cuya norma daban entonces, preciso es recordarlo, los dramas de Echegaray.

Realidad señalaba una tendencia de mayor amplitud, daba entrada a análisis más profundos, negaba las reacciones obligadas de los personajes para manifestarlos en más cabales dimensiones psicológicas y, a la vez, reclamaba para el autor derechos más absolutos. Era un grito de libertad.

Un personaje, Orozco, el marido engañado, el ser superior, que tiene, además de su vida externa, encaminada por los senderos de la dignidad y del bien, su «vida secreta», que, a diferencia de la del personaje de Lenormand, no está en el plano donde se desarrollan los bajos instintos humanos, sino en la propia disciplina interior, en el perfeccionamiento indefinido de un alma, donde la culpable encontraría fácilmente el perdón si fuera a buscarlo en confesión franca y entrega absoluta, dio pie a los mayores disentimientos. No faltó la burla, que en la rutina calderoniana acoge el perdón de la falta por el ofendido. La mayoría de las opiniones, no obstante, formó de Orozco un juicio que ya preveía Galdós cuando puso ciertas frases en labios de Augusta: «Si viera en él la expresión humana del dolor por la ofensa que le hice, yo no mentiría... Si en él viera yo el noble egoísmo del león que se enfurece y lucha por defender su hembra... me sería fácil humillarme y pedirle perdón.» Lo que entonces no se admitía era esa vida interior más noble, esa aspiración de santidad, en el marido ultrajado.

Las exigencias del teatro, la concisión que reclama, dan a la tercera versión del asunto, a *Realidad*, drama, caracteres que lo distinguen esencialmente de la novela, con ser mucho lo que ha pasado literalmente de ésta a aquél y con guardar el drama en sus cinco actos correspondencia exactísima con las cinco jornadas novelescas. Tuvo Galdós que reducir los lugares de la escena y acumular en alguno lo que ocurre en varios. Esto le embaraza alguna vez, y señaladamente en las escenas de amor y en la de la muerte de Federico. Tuvo que concentrar aspectos y recalcar perfiles, y con ello más de una vez ganó en prontitud y evidencia la parte dramática. Tuvo que anular tipos secundarios y rehacer otros, con lo cual, por ejemplo, salió ganando la pálida figura de Clotilde Viera, que sólo en el drama se determina en graciosa silueta de muchacha práctica.

Pero *Realidad*, grande ya en su concepción primera,

lo es de igual modo en su versión teatral, y hoy nos pasma que no se reconociera entonces toda la gallardía liberadora que hay en ese drama, en el cual ha de verse el comienzo del nuevo teatro español, más que en otras obras posteriores de Galdós mismo, que con *Realidad* hizo su primera salida ante el público, precedida tan sólo por ensayos juveniles de que se tuvo noticia más tarde.

En *Realidad* se apuntan muchos temas del teatro nuevo, del teatro actual: esa doble vida que hemos advertido en Orozco la hallamos también en Augusta y en Federico Viera, en la Peri, esa deliciosa figura de mujer animada por Galdós con los más vivos tonos de su pincel y con las más certeras prendas de su experiencia femenina. No es el engaño en que viven ante los demás: es la dualidad que hace a Federico rechazar de la mano de Augusta lo mismo que acepta y aun solicita de la Peri; que hace a ésta desprendida y codiciosa, voluble en amor y firme en amistad; que enamora a Augusta, en su existencia cómoda y apacible, de cuanto es irregular y aventurado.

Aun en las formas, hállanse en *Realidad* rasgos que coinciden con la técnica de hoy, de puro apartarse de la de ayer. Por ejemplo, en el uso del aparte y el monólogo. Empléalos Galdós, no sólo en forma que aún era tradicional en su día, sino con aguda novedad. Así el doble monólogo, más que diálogo, de la escena última entre Augusta y Orozco, que se resuelve, en el monólogo terminal del marido, de corte shakespeariano, sin imitación, por supuesto, y que sintetiza el proceso de las tres almas en lucha.

Buen acierto el de Lola Membrives al elegir este drama para comienzo de su temporada en Madrid. La obra ha encontrado en el público un eco magnífico. Se ha oído con interés creciente. El acto cuarto y el final han suscitado verdaderas ovaciones.

Lola Membrives da entrañable expresión al personaje de Augusta, y halla en Roses la réplica eficaz en la gran escena dramática. Ricardo Puga ve con claridad que no ha de hacer de Orozco un ser extraño, porque lo es sólo para sí; y se muestra natural y digno en el curso del drama, brioso de facultades en la escena culminante, y, para mi gusto, menos sobrio de lo que debiera en el monólogo final. También necesitaría más desgarro y animación Esperanza Ortiz en la Peri. De los actores que desempeñan secundario papel, la señorita Carrasco y el señor Fresno, admirable como siempre en su caracterización y muy personal en el tono que comunica a la figura de Joaquín Viera, merecen especial encomio, así como el decorado, que revela una vez más el gusto certero de Manuel Fontanals en sus interiores de estilo moderno. Porque la comedia se trae a nuestros días, sin más que cortar levemente algunos pasajes del diálogo, y nada pierde con ello; pero nada gana tampoco. Antes bien ganaría con el traje «de época». Algo es «de época» también en el lenguaje, y no por serlo pierde actualidad, como no la pierden los versos de Calderón y de Lope con ser más «de época» todavía.

(El Sol, 9-I-31.)

GONZALO SOBEJANO

RAZON Y SUCESO DE LA DRAMATICA GALDOSIANA

Buena parte de los reparos que se han hecho a la obra dramática de Galdós podrían condensarse en éste: que el escritor no acertó a desembarazarse de sus hábitos de novelista y compuso, por tanto, dramas novelados, es decir, faltos de la economía sintética propia del drama. Ya en 1893 señalaba Clarín que Galdós, novelista ante todo, había querido escribir para el teatro, y hasta entonces no había hecho más que «llevar a la escena, más o menos cambiadas, ideas novelescas, planes de novela.» Y en 1967 una historia del teatro español que, como libro de bolsillo, es de suponer obtenga divulgación, cierra el panorama con unas páginas sobre Galdós dramaturgo, en las que se citan aquellas palabras de Clarín en apoyo de un raciocinio enderezado a mostrar que Galdós renovó, sí, la temática y elevó el nivel del contenido del drama español, pero no supo romper con su escritura de novelista: sus obras escénicas conceden demasiada atención a pormenores y accidentes, demoran la acción en parlamentos no necesarios a su avance y, en suma, ignoran la esencialidad e intensidad constitutivas del género dramático, observando en cambio «la óptica extensiva de la novela» [1].

Las consideraciones que siguen acerca de la dramática galdosiana no pretenden ser una apología de ella, sino un ensayo de explicación que coordine las razones por las cuales Galdós escribió tales dramas. Creo que no los compuso así por ser él inhábil dramaturgo, sino por un complejo de razones que le llevaron a moldear consciente-

---

[1] Francisco Ruiz Ramón, *Historia del teatro español (Desde sus orígenes hasta 1900)*, Alianza Editorial, Madrid, 1967, pág. 479.

mente un tipo de obra dramática característico de la época en que el teatro se hallaba en crisis y buscaba la fecundación del género entonces dominante: la novela. Lo que muchos críticos han juzgado incapacidad de Galdós para pasar de la novela al drama por invencibles hábitos de narrador, fue en él deliberado propósito de regenerar el drama por aproximación a la novela, empresa de la cual es parte complementaria la aproximación de ésta a aquél. Desde Grecia al siglo XVIII el drama, con pocas excepciones, se había ajustado a unos principios de cierre y de síntesis: unidad de acción, unidades de lugar y tiempo, unidad de impresión o de idea, escenario como mundo aparte, e incluso en el teatro español, que parece el más abierto, uniformidad de temas (fe, amor, honor y valor) y de fórmulas (las del arte nuevo de Lope de Vega). En los siglos XVIII y XIX el profundo cambio de ideas y estructuras sociales que se verifica, dilata los cauces analíticos de la novela, en los que tan propiamente se logra la aprehensión del mundo por la conciencia, preparando la quiebra de la homogeneidad del drama, y éste, a fines del XIX, entra en una crisis de la que Galdós tiene clarividencia. Como Ibsen, Chejov o Hauptmann, busca Galdós la regeneración del drama por la novela, género más conforme al estado y la problemática de la sociedad burguesa.

Recordar esta posición de Galdós ante la crisis del drama es una de las principales finalidades en lo que sigue. Pero «razón» de la dramática galdosiana no significa aquí el porqué absoluto de un cómo, sino más bien éste como a la luz de sus motivaciones, en el sentido en que se habla de «dar razón» de algo. Y es inevitable que, cuando queramos dar razón de algo, hallemos no una sola razón, sino varias. En términos sucintos: Galdós llega al drama movido por una necesidad *personal* de inmediatez expresiva; orienta su labor como una misión *social* de adoctrinamiento en la verdad, la libertad, la voluntad y la caridad; y configura sus obras —consciente de la situación *histórica* del teatro español en tales fechas y de la urgencia de su renovación *artística*— como obras en las cuales lo esencial del drama (el suceder de un conflicto entre hombres delante del espectador) se establece desde una actitud prospectiva, sobre una temática de trascendencia actual, a través de unos personajes expresamente signados por su historia y su ambiente y dotados de relevante potencia simbólica, en unas estructuras análogas al común proceder de la vida y mediante un lenguaje de variados registros, práctico, funcional, anticonvencional.

Sabido es que Galdós sintió temprana vocación hacia el teatro, y de ello queda irónico testimonio en el Alejandro Miquis de *El doctor Centeno*, malogrado autor de dramas históricos en verso que nunca se estrenaron. Y es igualmente sabido, pues el propio Galdós lo refirió en sus memorias, cómo ocurrió su bautismo escénico: un actor, Emilio Mario, le indujo a preparar para su compañía, en forma representable, la novela *Realidad*, que tenía la ventaja de estar ya escrita en forma dialogada. Pero ni aquella vocación juvenil frustrada ni la ocasional incitación de aquel comediante pueden valer como razones decisivas que expliquen la dedicación dramática de Galdós, iniciada en 1892, al borde de sus cincuenta años y concluida en 1918, dos años antes de morir. Obedece, primero, esa dedicación (así lo creo) a la necesidad de otorgar expresión marcadamente autónoma a ciertas conciencias personales destacadas de las otras por su escisión interna o por su separación singular respecto a la totalidad. Ya en *Fortunata y Jacinta* surgen algunas de esas conciencias combatidas y combativas, afanosas de encontrar justificación a la existencia en una verdad superior: tal Maximiliano Rubín. En *Miau* (1888) Galdós sigue adelante en esta persecución del espíritu y la libertad al referir las penalidades de un hombre, el cesante Villaamil, que, en la cárcel de la familia y ante la inabordable fortaleza de la sociedad laboral, se siente aislado, condenado a inactividad. Cuando ese hombre reacciona frente a los injustos y necios su palabra se caldea en el fuego de una tensión conflictiva que opera a nivel dramático, pero el dramatismo al que tiende esta novela se manifiesta sobre todo en los largos y vivos soliloquios que preceden al suicidio. Aquí el alma del protagonista viene presentada por dentro, en sí misma, ante todo lo que no es ella. Puesto ya en este camino, Galdós ejecuta una súbita revolución en su técnica cuando escribe, inmediatamente después de *Miau*, sus dos obras complementarias *La incógnita* y *Realidad* (1889).

En otra ocasión intenté mostrar cómo el acercamiento a un mismo asunto en dos novelas, una escrita en forma epistolar y otra en forma hablada, respondía a la respectiva visión de ese asunto desde dos vértices temáticos distintos: *La incógnita* es el comentario de un testigo en torno a la superficie de unas personas y unos hechos que preocupan a la opinión pública; *Realidad*, la presentación directa del fondo de esas personas y la verdad subyacente a esos hechos. El comentario, compuesto de opiniones, descripciones e informes, demandaba la narración; la presentación imponía el estilo directo. Pensaba, y sigo pensando, que la escisión —en sí misma— de las concias de Tomás, Augusta y Federico (protagonistas de *Realidad*) y su separación entre sí, fue lo que condujo a Galdós a las formas monologales del soliloquio, el aparte y el monodiálogo, y a la forma multiloquial de la conversación, formas todas ellas tan distintas de dualismo trascendente del auténtico diálogo como ávidas de él, y pensaba, y sigo pensando, que aquellos estados de conciencia constituyen el verdadero punto de arranque de la novela hablada, género intermedio que sirve a Galdós de puente entre la novela y el drama [2].

La primera novela hablada de Galdós es *Realidad* (1889), la segunda *El abuelo* (1897) y la última *Casandra* (1905). Suelen clasificarse entre las «novelas españolas contemporáneas» —grupo al que esas tres pertenecen— *La loca de la casa* (1893) y *La razón de la sinrazón* (1915); pero conviene observar que, mientras Galdós subtitula cada una de aquellas tres obras «novela en cinco jornadas», a *La loca de la casa* la llama «comedia en cuatro actos» y a *La razón de la sinrazón* «fábula teatral absolutamente inverosímil, en cuatro jornadas», y eso son: una comedia y una fábula inverosímil [3]. Por lo demás, en el prólogo a *El abuelo* da Galdós como único antecedente

---

[2] G. S., "Forma literaria y sensibilidad social en *La incógnita* y *Realidad*", en *Revista Hispánica Moderna*, New York, XXX (1964), pág. 89-107.

[3] La advertencia no me parece superflua, ya que, por ejemplo, en la edición Aguilar de *Obras Completas* de Galdós se incluye *La loca de la casa* entre las novelas, y el colector dice expresamente en su nota preliminar que aquélla es una "novela dialogada" con "más intención dramática que *Realidad*", olvidando que Galdós, al prologarla en 1 de enero de 1893, publicándola en la forma en que primero la escribió, la llamaba *comedia*, pues como tal la había dado a leer en octubre del año anterior a la compañía que más tarde, el 16 de eenro de 1893, hubo de representarla en versión abreviada. Véase W. H. Shoemaker: *Los prólogos de Galdós*, México, 1962, pág. 69.

Realidad, y en el prólogo a *Casandra* sólo menciona como antecedentes *Realidad* y *El abuelo.*

Consideremos por un momento la novela hablada. En ella atestigua el escritor, paladinamente, su necesidad de formas dramáticas, pasando de la elocución conducida o mediata de la novela a la elocución inmediata o directa del drama, en virtud de un fin primordial: producir la impresión de que la realidad profunda de los caracteres reside en las palabras que ellos mismos digan (en sí, para sí, a otro, o entre otros) y no en cuanto pueda transmitir de su historia, de sus hechos y dichos, el autor que los ha escogido del contexto imaginario para infundirles existencia pasajera. Que el deseo de producir esta impresión de autonomía se base en un error o en una verdad, no hace al caso. Lo importante es que el artista haya sentido, en su tránsito del naturalismo al espiritualismo, la necesidad de dejar hablar por sí solas (de producir la impresión de que hablan por sí mismas) a criaturas fictivas especialmente destacadas del entramado colectivo.

Cuando apareció la novela *Realidad,* la crítica acogió esta forma sin sorpresa ni admiración. Ya a partir de la apetencia romántica por el color local, pero sobre todo con la recomposición naturalista del segmento de vida, el teatro había empezado a adoptar maneras más descriptivas y discursivas que las dominantes desde el Renacimiento, y en Francia se había planteado la cuestión de

> «si cabía en el teatro un cuadro más extenso de la vida, en oposición al comprimido y limitado desarrollo de una intriga, más complejidad y análisis en los caracteres, y el designio de realzar la atención del espectador a cuestiones más generales que los conflictos de costumbres o de comunes pasiones»[4].

Como preludiando el paso de la novela narrada a la novela hablada y de ésta al drama, Galdós había presentado ya en elocución directa, o sea, en lo que corrientemente podemos llamar diálogo inmediato, capítulos enteros de algunas novelas *(La desheredada, El doctor Centeno, Tormento, Angel Guerra),* eliminando su voz de autor para acelerar la acción, epilogar un proceso, o dar forma esquemática a escenas habituales que no necesita-

---

[4] José Yxart, *El arte escénico en España,* vol. I, Barcelona, 1894, pág. 310.

ban explicaciones. Así estos bocetos de novela dialogada como el ambiente europeo propicio a novelizar el drama y dramatizar la novela deben tenerse en cuenta para comprender que una obra como *Realidad*, tan dramática por las exigencias íntimas del tema, suscitase pocas sorpresas como ejecución de un nuevo dechado. Sobre *Realidad* no creyó conveniente Galdós dar aclaración alguna a la hora de aparecer. Pero al frente de *El abuelo* y de *Casandra* hizo declaraciones muy elocuentes. En el prólogo a *El abuelo* se muestra partidario del sistema dialogal aplicado a la novela porque da la forja expedita y concreta de los caracteres, ofrece derechamente la impresión de la verdad espiritual y crea una sensación de inmediatez. Refiérese allí al *Ricardo III* de Shakespeare y a la *Celestina* («la más grande y bella de las novelas habladas») y, menospreciando las rigideces de toda clasificación genérica, afirma que «en toda novela en que los personajes hablan, late una obra dramática» y que «el Teatro no es más que la condensación y acopladura de todo aquello que en la novela moderna constituye acciones y caracteres». En el prólogo a *Casandra*, parecidas opiniones: esta obra suya, como *Realidad* y *El abuelo*, puede denominarse «novela intensa» o «drama extenso», subgénero literario nacido del cruzamiento incestuoso de dos hermanos, la novela y el teatro. Los tiempos piden a éste que se acerque al procedimiento analítico de la novela (y en ello se advierte el peso alcanzado por una de las categorías predilectas del naturalismo: el desarrollo de la conciencia determinado por el medio) y piden a la novela que se aproxime al procedimiento sintético del teatro (y aquí transparece la importancia adquirida por uno de los elementos cardinales del naciente espiritualismo: la voluntad divergente del individuo y su imaginación creadora). Para Galdós, lejos de ser reprobable el cruzamiento, de él puede surgir «lozana y masculina sucesión» (nótese la terminología teñida de evolucionismo). Y se diría que Galdós marca la meta de perfección de esa híbrida familia cuando propone que se vaya reduciendo el torrente dialogal a lo preciso y ligándolo «con arte nuevo y sutil a las más bellas formas narrativas». Si por formas narrativas entendemos también las «descriptivas», he aquí anunciado lo que no tardaría en llevar a nuevos efectos Valle-Inclán en sus *Comedias bárbaras*.

A los antecedentes en la producción de Galdós y al clima de atracción mutua entre novela y teatro hay que añadir el triunfo de dramaturgos europeos a quienes Galdós conocía. Ibsen, que no escribió novelas, había dado a su teatro precisa ambientación, cometido social, sondeo interior, retrospectiva morosidad, valores hasta allí más sólidos en la novela. La tendencia del teatro de la época, así en su vertiente realista como en la simbolista, consistía en dar más relieve a las palabras proferidas alrededor de una acción completada, ausente, pretérita o imposible, que a la acción misma como efectuándose entre los personajes y delante del público: recuérdese, como ejemplo máximo, el drama de Chejov *Las tres hermanas*, cuyo tema, el aburrimiento, jamás había traspuesto su terreno acostumbrado, la novela, para entrar en el escenario. Por su parte, la tendencia de la novela a fin de siglo, aunque parecía opuesta, se encaminaba al mismo resultado: buscaba mesura en el relato y en las descripciones y quería presentar el tema en sus momentos cimeros, rehuyendo la prolijidad de lo denotado por la materia y anhelando la intensidad de lo implicado en el espíritu. Resulta así, a fines del siglo XIX, un proceso triple: la novela tiende al drama, el drama tiende a la novela, y de aquí nace el subgénero novela-drama, esa novela hablada mediante la cual Galdós, por necesidad expresiva, pasa de uno a otro género sin abandonar en adelante ninguno de los dos.

Antes de considerar los dramas, importa convenir en que la novela hablada se le ofreció a Galdós, desde el punto de vista de la condición de sus personajes, como un experimento necesario y, desde el punto de vista de la evolución literaria en España, como un experimento estimulante por la renovación que suponía. Dispuesto siempre a avanzar y no meramente a proseguir, Galdós se atrevió a acometer ese experimento. Baroja en *La casa de Aizgorri*, Valle-Inclán en sus *Coloquios románticos* y *Comedias bárbaras* hicieron tentativas afines. Y novelas de Unamuno como *Niebla*, *La tía Tula* y *Abel Sánchez*, por desemejantes que parezcan, son también acciones en diálogo con el relato y la descripción reducidos al mínimo. Por otro lado, existen comedias de Benavente, como *Gente conocida* y aun *La noche del sábado*, en las cuales apenas se halla otra cosa sino estampas novelescas habladas. Los movimientos expresionistas pondrían fin a esas fluctuaciones entre novela y drama, ansiando devolver al teatro su primitiva fuerza gestual, su elementalidad trágica o grotesca, y Valle-Inclán, Unamuno y Lorca, entre 1910 y 1935, vendrían a ser los regeneradores del drama puro, por los mismos tiempos en que tan encarecidamente se persiguió la poesía pura.

Que la novela hablada de Galdós no tuviera el éxito ni haya tenido la descendencia merecidos, no basta para desecharla como estéril capricho. El haber servido de puente entre la novela y el drama en una época en que importaba corregir los excesos descriptivos de la primera y los excesos de intriga y efectismo del segundo, es ya una función provechosa desde el punto de vista del desarrollo del arte. Pero además la forma en sí no es digna de menosprecio, y probablemente hubiese sido cultivada y perfeccionada después, de no habérsele adelantado, con todas sus ventajas de visualidad y movilidad, la cinematografía.

Recordemos, como ejemplo de novela hablada, *El abuelo*, cuya acción posee esa calidad tensa que es peculiar del drama: honor frente a amor, bajeza contra nobleza, sed de verdad entre las sombras y los ecos de la caverna de dudas en que el protagonista vive prisionero. Pudiendo reducir tiempo y lugar, Galdós no lo hace. La decisión entre el honor y el amor le exige, al nacer en su mente, tiempo: el abuelo debe ir conociendo, desconociendo y reconociendo a sus nietas, y debe ir entendiendo y sintiendo... con los días. Pero, además, ha de salir de la granja, del monasterio, de la gruta, a los bosques, a los caminos, a los acantilados, porque así como su ceguera se va curando poco a poco a fuerza de engañarse con lo inmediato y descubrir los tamaños verdaderos a distancia, así sus agobios de honra y linaje necesitan la desnudez de la naturaleza, la inmensidad del mar, una visión cósmica o estelar (como la de Maximiliano y la de Orozco) para resolverse en luz, amor y felicidad del corazón. Tiempo y lugar le exigen, pues, progresividad, expansión. En cuanto a las personas del drama, el autor apenas necesita contar ni describir nada de sus personajes principales: el Conde habla y se mueve sin cesar, aparece en las cinco jornadas; las nietas precisamente han de ir describiéndose ellas mismas en su hablar y en su hacer, para que el abuelo vaya identificándolas. Pero con los demás personajes Galdós se comporta de otro modo. Todas las acotaciones extensas, de carácter narrativo y descriptivo, salvo algunas referentes al paisaje, o a acciones subordinadas, versan acerca del modo de ser y del pasado de figuras secundarias. Se diría que el autor siente la imperiosa urgencia de explicar a estos seres cuya voz propia no puede llegar a ser muy alta ni muy honda. Traza entonces el retrato y acomoda a éste las palabras y los ademanes. El movimiento dramático no le basta para definir a los antiguos colonos enriquecidos y avariciosos, al arribista vil, al clérigo glotón, al doctorcito de pueblo, a los alcaldes nuevos-ricos, ni siquiera al inefable don Pío Coronado necesita decir Galdós, en acotaciones, que el fabricante de pasta, por ejemplo, cuando habla de sí jactanciosamente como de «un hombre de mi pasta», «no se refiere a la de sopa», y necesita condenar al miserable Senén (como creador que no reprime el justo juicio sobre sus engendros) a desaparecer cayendo en «un montón de estiércol». Ofrecer siquiera en abreviatura el carácter y los antecedentes de estas figuras secundarias, evocar la cursilería de los alcaldes por los detalles de su mobiliario, poner enlaces narrativos entre escena y escena principal, apuntar por ejemplo que la vieja Marqueza se parecía a la Sibila de Cumas de Miguel Angel, y también, por otro lado, sugerir con cuatro palabras la majestad de las rocas y el mar, todo esto es cosa que no quiere sacrificar el novelista; no es que no pueda, es que no quiere. Hay que advertir, sin embargo, que la brevedad que él mismo se impone le lleva a indicaciones de una precisión rara vez lograda en sus novelas ordinarias; indicaciones que recuerdan algunas de Valle-Inclán. Estos apuntes paisajistas de la Jornada IV (escena XI) parecen del Valle-Inclán de las novelas sobre la guerra carlista o de las comedias bárbaras:

«Sube de lo profundo el murmullo hondo y persistente de la mar, dando testarazos en la base del cantil»;
«Por entre sus vellones deshilachados se deja ver, a ratos, la luna creciente, despavorida, que con su lividez ilumina el Páramo, y da siniestro relieve a los peñascos esparcidos...»

Cabría decir, pues, que Galdós, no queriendo como novelista prescindir de la descripción y la narración, gana en densidad dentro de estas dos formas, mientras en la técnica dialogal y monologal consigue plenos poderes, voluntariamente comprometido a definir a sus mayores personajes sólo por la energía emotiva y el peso psíquico de las palabras que pronuncian. Cuando el novelador asoma a través de sus acotaciones, el lector se pone con él; cuando deja hablar a sus figuras principales, se interna en el alma de éstas. El lector lee lo primero acompañado, pero asiste a lo segundo dentro de los que hablan. Hay así un acumulado juego de emociones, y quizá se deba a esto, y no sólo a la fuerza de los sentimientos manifestados, el hecho de que *El abuelo* sea una de las obras de Galdós que provoque más vaivenes afectivos. Bastaría *Realidad* y *El abuelo*, dos de las mejores creaciones galdosianas, para que mirásemos su molde común, la novela hablada, como un género, si de efímeras apariciones en la historia española, particularmente afortunado en manos de sus tan distantes y distintos cultores: Fernando de Rojas, Lope de Vega, Galdós, Valle-Inclán.

Explicada así la razón personal de la dramática galdosiana como necesidad de expresión inmediata de las conciencias a partir del monólogo en que su realidad de fondo da la impresión de descubrirse por sí misma, habremos de reconocer en seguida que la razón de más prolongados efectos tuvo que ser *social:* el afán de Galdós por llegar a la gente le inclinó a pasar del yo solitario del lector de novelas al vosotros colectivo del público de los teatros, persuadido de que, por comparación con la novela, en el teatro «la comunicación entre las ideas del autor y del público, es más directa, y, por tanto, el resultado es de una energía mayor» [5]. Capacitado para hablar desde esta tribuna, incrementó su misión reformadora. Ya en sus episodios, en sus novelas de la primera época, y en algunas de sus novelas contemporáneas, había mostrado que no se contentaba con presentar dinámicamente la sociedad en su pasado próximo y en su presente, sino que pretendía influir sobre ella, transformarla, corregir sus deficiencias y orientarla al futuro. Pero esta actitud misionera se intensifica en los dramas, al contacto con la colectividad reunida, y de ahí que su labor para la escena vaya modulando tesis tan señaladamente docentes que a veces obligan a admitir otro de los reparos que con más frecuencia alega la crítica: la simplificación simbólica de ciertos planteamientos.

No es fácil ordenar las obras dramáticas de Galdós,

---

[5] José León Pagano, *A través de la España literaria*, vol. II, Maucci, Barcelona, s. a., 3.ª ed., pág. 103. Las palabras citadas son de Galdós.

pero siendo éstas, obras de apostolado principalmente, lo oportuno parece descubrir en su conjunto las direcciones intencionales y los temas constantes. Según esto, podrían discernirse dos grandes categorías: dramas de la separación, en los que el desenlace separa a los portadores del conflicto, ya sean éstos personas o actitudes; y dramas de la conciliación, en los que el desenlace concilia, de hecho o en esperanza, a los representantes del conflicto o de la diferencia.

Dentro de la primera categoría —dramas de la separación— encontramos dos temas: el descubrimiento de la verdad profunda frente a los engaños de la opinión, a fin de alcanzar una purificación (así en *Un joven de provecho, Realidad, La de San Quintín, Los condenados, El abuelo* y *Bárbara*, seis obras), y la preservación de la libertad de acción frente a los abusos de la intolerancia, a fin de asegurar la posibilidad de obrar útilmente (así en *Doña Perfecta, La fiera, Electra, Mariucha, Zaragoza, Casandra* y *Antón Caballero*, siete obras dramáticas).

Dentro de la segunda categoría —dramas de la conciliación— hallamos otros dos temas: la proyección de la voluntad o poder material en consonancia con el espíritu, a fin de ennoblecer el impulso (así en *La loca de la casa, Gerona, Voluntad, Alma y vida* y *Amor y ciencia*, cinco obras), y el ejercicio de la caridad en armonía con la justicia, a fin de lograr una edificación (así en *Pedro Minio, Celia en los infiernos, Alceste, Sor Simona, El tacaño Salomón* y *Santa Juana de Castilla*, seis obras dramáticas).

En este cuadro quedan abarcadas las 24 obras escritas por Galdós para ser representadas, aunque no todas se representaron, algunas fueron adaptaciones de novelas, y una *(Antón Caballero)* quedó en borrador silvestre. Las dos categorías y cuatro grupos no se corresponden con períodos y fases cronológicas sucesivas, sino que responden a la interna concatenación de las ideas medulares: lo primero es reconocer la propia verdad, hecho lo cual el hombre debe salvaguardar su libertad para inmediatamente proyectar su voluntad, fecundada por el espíritu, hacia el fin supremo del ejercicio caritativo. A través de estos pasos el mensaje de Galdós no puede ser más diáfano: sé verdaderamente el que eres, defiende tu posibilidad de obrar, eleva tu poder de voluntad, ama a

— 465 —

los otros. O sea: reconocerse y poder, para hacer y amar. Toda su producción dramática constituye una variada ilustración de este mensaje dirigido al hombre, y más particularmente al hombre español.

Lo primero, la verdad. Contra el honor aparencial y los respetos públicos, contra los engaños inconsciente o conscientemente urdidos para beneficio egoísta, contra las mentiras de la sangre y de la conciencia: la confesión de la oculta culpa, la expiación del error mediante el reconocimiento de la dolorosa, purificadora verdad.

Lo segundo, la libertad. Contra el fanatismo y la hipocresía de la España inmovilizada en sus sueños de grandeza, contra la exaltación fratricida de las dos Españas, contra la avaricia ruin que trata de detener a la ambición moralmente generosa, contra el despotismo del rico, del aristócrata, del eclesiástico, del cacique: el empuje combativo de unas conciencias, ya preparadas por la iluminación de la verdad para impugnar a todo evento, aun muriendo o matando, la oscura tiranía, en busca de la libertad.

Lo tercero, la voluntad. La potencia económica, el esfuerzo, la laboriosidad, la ejecutiva energía del pueblo, el provecho de la ciencia: en fecundo maridaje con el espíritu, la idealidad, la imaginación, el soplo unificador, el cuidado de los menesterosos.

Y lo último o supremo, la caridad. No sólo eficacia, sino compasión; no sólo derecho, sino liberalidad; no sólo economía, sino desprendimiento. Y siempre abnegación: velar por los otros, curarlos, morir por ellos. Pues, contra lo que dos siglos de lucha por la igualdad nos llevan fácilmente a creer, la justicia colectiva poco vale si no viene alentada por la fraternidad verdadera, y siempre es más fácil hacer justicia en el reparto entre todos, desde un punto de vista individual, que sentir operante y perseverante misericordia con uno sólo de nuestros hermanos, pobre, enfermo o desgraciado.

Mensaje de hondas raíces y altísimo vuelo, éste que Galdós quiso hacer llegar a su auditorio, pero cuya plasmación en obras dramáticas valederas hemos ahora de apreciar, sobre el terreno histórico-literario, para concluir.

Suelen los críticos definir la dramática galdosiana con títulos como «realismo», «naturalismo», «drama social» o «drama contemporáneo». De ponerle un título, el más adecuado sería «realismo trascendental» [6]. Es una dramática realista porque, salvo algún caso, los sucesos y personajes que ofrece pertenecen virtualmente a la sociedad española conocida por el autor; porque sucesos y personajes se explican dentro de un medio propio, deliberadamente manifiesto en la escena; porque la relación hablada se cumple en lenguaje prosario y casi siempre familiar, y porque los problemas que plantea no son excéntricos, sino concéntricos a la actualidad. Pero este realismo es siempre trascendental: está animado y dirigido por una intención de trascender del tablado a la vida social. El teatro de Galdós no es puro espectáculo artístico ni costumbrismo descriptivo, sino la ilustración dramática de unas ideas que, obrando en las conciencias, deben llegar a todos y levantar su nivel moral.

Desde un punto de vista *histórico* (de historia de las formas literarias) el teatro de Galdós surge de su oposición al ilusionismo y a la trivialidad. El público y la crítica, de entonces y de después, no se han declarado totalmente de acuerdo con el drama galdosiano: unos, descontentos de su traza realista (lógica, análisis, frialdad, semejanza con la novela); otros, insatisfechos de su redoble trascendental (simbolismo, tendenciosidad, ideación simplificativa). Pero justamente estas dos notas derivan de aquella oposición —necesaria— al ilusionismo y a la trivialidad. Al decir ilusionismo no quiero decir ilusión, pues el teatro es ilusión por excelencia: aludo a la exageración de la ilusión teatral que desprende a ésta de su enlace con la vida de todos. Ilusionismo significa, en este sentido, escasez de consecuencia lógica en las acciones, truculencia en la exposición de los afectos, todopoderío del azar, síntesis apresurada que presenta sólo los planos primeros sin el refuerzo de segundos planos sustentadores de verdad o verosimilitud: ilusionismo como prestidigitación. Y al decir trivialidad quiero decir, en primer término, falta de respuesta a las necesidades actuales de la sociedad, y también mengua de empuje espiritual para arrostrar las grandes verdades éticas, políticas y religiosas.

El ilusionismo estaba representado, entonces, por los dramas de Echegaray y de algunos seguidores suyos, in-

---

[6] "Dramática trascendente" la llamaba Eduardo Gómez de Baquero (*Letras e ideas*, Barcelona, 1905) comentando *Mariucha*.

cluso Joaquín Dicenta en sus comienzos [7]. La trivialidad
se manifestaba en la propensión de casi todos a plegarse
a los amaneramientos de Echegaray y en la enorme abundancia de zarzuelas, sainetes y apropósitos del «género
chico», género de valor musical y folklórico en sus mejores ejemplos, pero que carecía de todo empeño trascendente, ni siquiera satírico, y que además fue comercial-
mente explotado por interminable cáfila de chocarreros.

Que la dramaturgia de Echegaray no era sólo personal
extravío, sino revelación de un desconcierto general lo
testimonia el rechazo de que fue objeto por la juventud
del 98. A raíz del homenaje que en Madrid se quería tributar al flamante Premio Nobel, Azorín, portavoz de esa
juventud, condenaba la inconsciencia de su teatro, que
veía en perfecto acuerdo con el estado político anterior
al desastre y con la oratoria de sus prohombres: «Y este
lirismo —añadía—, esta exaltación, esta inconsciencia
(que envía millares y millares de hombres a la muerte
en las colonias, o que sobre las tablas escénicas produce
bárbaros y absurdos asesinatos), todo esto es lo que encontramos en la obra del señor Echegaray. Y precisamente esta exaltación y este lirismo es lo que se pretende con-
memorar ahora, cuando ha pasado el desastre, cuando
vamos abriendo los ojos a la experiencia dolorosa, cuando vamos conviniendo todos en que no es la exaltación
loca, audaz y grandilocuente de nuestra persona lo que
nos ha de salvar, sino la reflexión fría, sencilla, la renun-

---

[7] Preguntándose por la razón del éxito de Echegaray, juzgaba
con mucho tino Manuel de la Revilla que aquélla no podía ser otra
sino la audacia con que el domador, a fuerza de gritos, latigazos y tiros,
somete a los leones. Así vencía Echegaray a su público: "Pásmalo
con el atrevimiento de sus concepciones; lo fascina con su audacia
incomparable; y acumulando en sus obras sucesos portentosos, aglo-
merando efectos y situaciones, llevando al ánimo de los espectadores
con rapidez vertiginosa de emoción en emoción, de asombro en asombro, y deslumbrándolos en repetidos encuentros con portentosas llamaradas de genio, consigue no dejar espacio para la reflexión e
impedir, por ende, que el público se haga cargo de la falsedad de todo
aquel fastuosísimo aparato, sostenido en el aire y edificado con
arena. Por eso, cuando el encanto se suspende, esto es, cuando el
telón cae, los espectadores vuelven en sí y reconocen que han aplau-
dido una serie de absurdos, al modo que en el ejemplo citado, al salir
el domador de la jaula, los leones reconocen que han pecado de
cándidos al dejar escapar presa tan fácil y al someter su fuerza a
flaqueza tanta." M. de la Revilla: *Críticas*. 1.ª Serie. Burgos, 1884,
pág. 250.

cia a todo lirismo, la observación minuciosa, exacta, prosaica de la realidad cotidiana...»[8].

En la última decena del siglo XIX habían obtenido alguna repercusión las dos tendencias más nuevas de la dramaturgia europea en crisis: el drama social de raíz naturalista y el drama poemático simbolista, cuyas figuras mayores fueron Ibsen y Maeterlinck. José Yxart, en 1894, señalando estas tendencias, concedía la palma al drama sociológico o contemporáneo: «el único que atrae seria e íntimamente la atención de todo el mundo como todo arte vivo», «el que sugiere pasiones públicas y privadas, el que alarma contra sí o predispone en su favor a publicistas, pensadores, sectas y escuelas»[9].

A este drama social se vincula generalmente la producción de Galdós, entre otras circunstancias por haber declarado él mismo, en el prólogo a *Los condenados*, su afición a obras claras de Ibsen como *Casa de muñecas* y su desvío respecto a las más indeterminadas del mismo autor, como *La dama del mar*. Sin embargo, aunque Galdós prefirió siempre un teatro de realidad y mensaje social, no por eso dejó de sentirse atraído hacia el moderno simbolismo, sugestivo y maravilloso, en piezas como *Los condenados* o *Alma y vida;* dualidad que comparte no sólo con Ibsen, sino con Hauptmann (simbolista en *La campana sumergida*, realista en *El carrero Henschel)* y con Strindberg (realista en *La señorita Julia*, simbolista en *El sueño).* De modo que Galdós dramaturgo, como Galdós novelista, no se deja fácilmente encasillar: es partidario del realismo, pero su apetito de trascendencia le conduce, desde las tempranas alegorías de *Gloria* o *Doña Perfecta*, muy cerca de los predios del ensueño visionario. (Ya en *Realidad*, y luego en *Electra,* el desenlace ocurre en un ámbito de prodigio.)

Precisamente comentando *Realidad*, apuntaba Yxart las objeciones mayores que se hacían al drama galdosiano: tenuidad y prolijidad de la acción, excesivo análisis psicológico, preponderancia de las ideas sobre las reacciones dramáticas. El sensato crítico catalán hallaba que estas objeciones procedían de pereza: de dejarse llevar por un concepto prefijado y tradicional del arte dramático, y, alabando las tentativas de Galdós, incitaba a la

---

8 Azorín,"El homenaje a Echegaray" (1905),en *La farándula*, 1945, *Obras Completas*, vol. VII. 2.ª ed., Aguilar, Madrid, 1962, págs. 1103-04.
9 J. Yxart, *Op. cit.*, I, pág. 293.

innovación. Esto induce, siquiera haya de ser en términos breves, a hacer una evaluación de los caracteres formales del teatro de Galdós, viniendo así a la última razón, la *artística*, tras haber considerado la razón personal (necesidad expresiva), social (trascendencia docente) e histórica (oportunidad renovadora).

Fijémonos primeramente en la acción. La mayoría de los dramas de Galdós anuncian ya desde el título la presencia de una personalidad en la que la acción se centra: *Doña Perfecta, Electra, El abuelo, Casandra*, etc. Este rasgo fue contrapuesto por Pérez de Ayala al signo impersonal de los títulos de Benavente *(El nido ajeno, Rosas de otoño)* a fin de señalar que la base del drama de Galdós, como de todo buen drama, es la persona, mientras la del teatro benaventino es el argumento, el pretexto temático. Más que para una comparación valorativa, aquel rasgo puede servir para percatarse de que las acciones dramáticas de Galdós adquieren concreción y energía desde la personalidad que haciendo y padeciendo porta el conflicto. Pues en seguida hay que advertir que la persona que da nombre al drama suele encontrarse en pugna con otra, o con varias, más a menudo que consigo misma. La loca de la casa lucha con Pepe Cruz, la de San Quintín con toda la familia de Víctor, Doña Perfecta con su sobrino, Electra con Pantoja, etc. Este conflicto dual es más frecuente que el unipersonal de *El abuelo* (honor-amor) o de *Celia en los infiernos* (egoísmo-caridad). De ahí que los dramas galdosianos resulten más objetivizados o épicos que subjetivos o líricos, a pesar de que la necesidad de la forma directamente hablada surgiese en Galdós por la urgencia de explorar conciencias en conflicto consigo mismas (Orozco, Augusta y Federico Viera en *Realidad)*. Se diría que la implantación en la subjetividad de sus criaturas fue el motivo que hizo pasar a Galdós de la novela al drama, pero que, al escribir dramas para ser puestos en escena ante un público, el escritor tendió a configurar los conflictos de una manera objetivada: el individuo frente al individuo, o frente al grupo, cada cual con su voz y actitud diferentes.

La acción empieza cerca del nudo y a veces en el nudo mismo, de modo que la longitud censurada en las obras de Galdós no se debe a que la exposición sea prolija (salvo, por ejemplo, en *Electra*) o a que nada decisivo acontezca durante muchas escenas. La exposición, aunque a veces torpe, suele ser breve. Pero ocurre que, hecha la exposición de antecedentes, el autor necesita perfilar los caracteres, haciendo hablar a sus personajes, o haciendo que otros hablen de ellos, a fin de que el conflicto vaya adquiriendo matices y connotaciones ambientales. Para lograr esto, para exhibir esta realidad, no ahorra tiempo Galdós. Pero no pierde el tiempo, no prodiga episodios ni injerta segundas acciones: cuanto ofrece, va dirigido a sustentar la acción conflictiva, que es única, aunque comporta numerosos personajes que la viven o de alguna manera intervienen en ella. Sobre todo, los protagonistas han de vivir demoradamente el conflicto, no sólo en una faceta, sino en varias. Así, mientras toman volumen suficiente las figuras, cobra relieve la lucha expuesta. Y el desenlace, cuando no es mera caída de telón que interrumpe el proceso sumergiéndolo en el curso de la vida (como en *Voluntad, Pedro Minio* o *Celia*), sobreviene raudo, intenso, a veces prodigioso.

Las anécdotas que dan pábulo a los dramas de Galdós, salvo pocos casos, pertenecen a la cantera del vivir cotidiano: un adulterio o un desacuerdo matrimonial, la restauración de un comercio, algún caso de ilegitimidad familiar, la vida en un asilo, etc. Pero no es justo olvidar las excepciones en el sentido de una fabulación peregrina y compleja, como *Los condenados, El abuelo* o *Bárbara*.

Por lo común, estos dramas terminan no sólo bien (es decir, triunfando el bien sobre el mal), sino además felizmente. Cuando hay un suicidio *(Realidad)*, una ejecución *(Los condenados)* o un crimen *(Doña Perfecta, Casandra)* la violencia, que se cumple fuera de la escena regularmente, tendrá carácter de expiación o necesario sacrificio. Galdós hace algo revolucionario (según notó Clarín) cuando, suicidado ya Federico Viera en el cuarto acto de *Realidad*, prolonga la acción en un quinto acto, sin que decaiga el interés: inusitado anticlímax de belleza moral.

Por lo que atañe a la época, la acción es casi siempre contemporánea. En algunos casos en que no es así, la transposición a la actualidad parece evidente y tempestiva, como puede notarse en la «rêverie» dieciochesca de *Alma y vida*, alusiva a la postración del alma nacional después del desastre del 98, o en *Santa Juana de Castilla*, donde los desvelos de la reina por su pueblo, y al mismo tiempo su absorta enajenación, tan sugestivo contrapunto habían de formar con aquellos años, 1917-18, de huelgas y agitaciones populares, y de inhibición española ante la guerra europea. Dada la devoción de Galdós por Madrid, lugar de la mayoría de sus novelas, sorprende que no sea esta ciudad escenario más frecuente de sus obras teatrales, localizadas algunas en una geografía imaginaria (*El abuelo*) o lejana (*La fiera, Los condenados*). Es como si el autor hubiese querido, más acentuadamente que en las novelas, hacer notar que hablaba para todos los españoles, y aun para todos los hombres.

Indicado queda que el teatro de Galdós tiene sus héroes designados ya en el mismo título de cada obra. Pero más exacto sería decir sus heroínas, pues generalmente la figura protagónica que encarna el más alto valor moral es una mujer: Victoria, Rosario, Salomé, Isidora, Electra, Laura, Mariucha, Casandra, Celia, Alceste, Sor Simona, Juana la loca. Hay figuras masculinas señeras (Orozco, Pepe Rey, Máximo, el Conde de Albrit), pero lo ordinario es que la mujer ejerza la función más trascendental, aquella mediante la cual se exalta la autenticidad de la persona ética (verdad, libertad) o el ideal ejecutivo (voluntad, caridad). Las mujeres de Galdós portan el bien en su seno, transmiten fe, obran misericordia, imbuyen esperanza, derraman amor. Son mujeres espirituales y prácticas, en tanto los hombres, a menudo, aparecen como sujetos de una espiritualidad inoperante o como juguetes de la duda y de la indolencia. Al fondo de sus creaciones Galdós parece siempre tener presente a España (a Electra) como novia, mujer o madre, y es España la silueta que se dibuja detrás de esos nombres femeninos que cifran la voluntad, la libertad, la acción útil, el amor a la vida, el aliento, la economía, la largueza, el sacrificio. Casi todas esas mujeres son jóvenes, pero sensatas, conscientes y amorosas como madres que guían al bien. En ellas se ve como prototipo a Marta la hacendosa más que a la contemplativa María.

En los dramas de Galdós los protagonistas llevan en sí el anhelo de autenticidad, expresado por Ibsen con estas palabras: «¡Sé tú mismo!» y por Nietzsche con éstas: «¡Llega a ser el que eres!». La de San Quintín descubre a Víctor su nulidad social a fin de devolverle su plenitud como persona; Salomé condena a muerte a José León para que en la muerte alcance la suprema expiación de sus mentiras y crímenes; Electra lucha entre la reclusión y el prejuicio, de un lado, y la participación y la verdad, de otro, hasta venir a este mejor extremo por medio de una revelación; Mariucha se alza de la ruina de su aristocrática familia acercándose al pueblo, como Celia hace cuando convierte su malogrado amor a Germán en amor hacia todos los que trabajan y sufren; el conde de Albrit se debate entre el honor y el amor, hasta poder escoger el camino del amor, que es el de la verdad natural. Sean cuales sean las insuficiencias de este teatro, sus figuras son suficientemente humanas, y recortar del paradigma de la realidad figuras que trazan dentro de la escena un sistema congruente de conducta, despertando en el espectador emociones e imágenes de humana grandeza, es algo que pertenece a la forma misma del arte dramático: es forma del contenido dramático.

Si en sus novelas Galdós había atendido sobre todo a la clase media, en sus dramas elige normalmente las esferas de la alta burguesía y de la aristocracia decrépita, pues en ellos no quiere describir estados y costumbres, sino proponer ideas redentoras, proyectándolas hacia el futuro. La ruina de la aristocracia o de cierta plutocracia estancada y viciosa es un motivo recurrente: *La loca de la casa*, *La de San Quintín*, *Voluntad*, *Electra*, *Mariucha*, *El abuelo*. Hay que recordar que la dedicación de Galdós al teatro coincide en buena parte con su creciente simpatía hacia el socialismo. Pero a Galdós socialista le importaba más la aportación posible de las clases acomodadas, que eran las que debían ceder, que no la del proletariado y pueblo humilde, cuyo papel era bien claro: conseguir justicia. Pensaba Galdós, en dramas como *Alma y vida*, *Mariucha* o *Celia*, que la aristocracia, la burguesía y el proletariado contribuirían al fin a forjar una sociedad mejor, integrando sus respectivas virtudes y eliminando sus correspondientes defectos.

Los personajes fundamentales en los dramas de Galdós suelen ser dos, a veces tres, pero el autor introduce figuras secundarias en proporción mayor de lo hasta entonces habitual, y sobre todo caracteriza bien a éstas y las mueve y hace hablar bastante. Así ocurre, por ejemplo, con la figura del amigo, consejero o confidente: el Marqués de Ronda en *Electra*, el buen cura don Rafael en *Mariucha*, don José Pastor en *Celia*. Las ideas del autor son expresadas por los protagonistas generalmente, pero ese personaje secundario, que a veces funciona como «ficelle» o agente conductivo, abre perspectivas complementarias sobre ellas o da explicaciones que, por su tónica reflexiva, no resultarían tan oportunas en labios de los protagonistas, más entregados a la acción y la pasión.

En *Los condenados* y en *La fiera* se dibujan tipos que recuerdan al gracioso de la antigua comedia. Posteriormente, Galdós trae al tablado algunos tipos cómicos (verdaderos «cards» o personajes gráficos, de rasgos muy marcados y reacciones previsibles), como don Pío Coronado o Pedro Infinito, que proceden de la misma familia de chiflados pintorescos, más profundos de lo que parece, a la que pertenecían don Juan Tafetán, Estupiñá, o Ido del Sagrario[10].

Domingo Pérez Minik observó que en los dramas de Galdós, como en los de Ibsen, «el individuo es sólo la emergencia concreta de un paisaje, de una sociedad determinada» y que «este individuo es anterior y posterior a su vida dramática», pero añadía que, a diferencia de los de Ibsen, los caracteres galdosianos «son directos, muy simples, poco elaborados»[11]. Pérez de Ayala, por el contrario, pensaba que Galdós había sabido crear caracteres de valor eterno, vivos, válidos para todo tiempo. Opino que Galdós se esfuerza siempre por dar verosimilitud y vitalidad a sus personajes, y las pocas veces que no lo consigue es porque, contra su empeño, la idea simbolizada se sobrepone a la criatura que la simboliza. El conde de Albrit, por ejemplo, es un carácter viviente y grandioso; la duquesa de San Quintín amasando rosquillas y clases sociales, la Laura de *Alma y vida* en su interesante desmayo, o los protagonistas de *Amor y ciencia* con su acentuada polarización, resultan más bien soportes de intenciones que personas de sustancia psíquica convincente. Hay, pues, altibajos; pero todos los personajes de Galdós poseen estatura moral y una elocuencia dimanada de su índole y situaciones, mientras la mayoría de los personajes de Benavente (el otro dramaturgo importante del período) se nos aparecen, por comparación, como muñecos que conversan, figurillas de artificio que charlan y charlan.

Finalmente, pasando de los personajes a la hechura

---

[10] Sobre "ficelle" y "Card" véase W. J. Harvey, *Character and the Novel*, Cornell University Press, Ithaca, Nueva York, 1968, págs. 58-68.

[11] Domingo Pérez Minik, *Debates sobre el teatro español contemporáneo*. Goya Ediciones, Santa Cruz de Tenerife, 1953, pág. 94-95.

dramática, debe reconocerse como nota básica esta cualidad: las obras que Galdós escribió para ser representadas son más dramáticas que teatrales. De acuerdo con el realismo denotado en las acotaciones extensas (realismo que llevaba por entonces a su máximo grado el teatro libre del francés Antoine), los dramas de Galdós no están concebidos como espectáculos válidos en sí mismos por su capacidad de estilización, sino como reconstrucciones trascendentales del hacer humano coordinado con los objetos y los ambientes. También Jacinto Benavente produjo su teatro en un sentido no espectacular, prestando escasa atención a los valores imaginativos de la escenografía y a la gesticulación y movimiento de las figuras; pero lo que diferencia claramente a Galdós de su émulo más joven es que él sabe llevar a la escena colisiones de honda proyección en la vida social, y Benavente casi nunca hizo otra cosa que poner sobre las tablas discordias arbitrarias, momentáneas dificultades, limitándose a determinados círculos de la vida madrileña y registrándolos con una moralidad insegura.

La escasa teatralidad de las obras de Galdós debe tenerse muy presente para enjuiciarlas como es debido. En rigor, los aspectos insatisfactorios son de orden teatral: Galdós no mide bien el tiempo de la representación; tiende a analizar las almas en vez de expresarlas en acción y voz, de un modo que colme la mirada y el oído; sus dramas solicitan con frecuencia la intelección solitaria, y tardan en captar la adhesión sensitiva de la colectividad. Esto es cierto, y como el teatro es también espectáculo, y como, además, por los años de la primera guerra mundial, comenzó a imponerse, con el expresionismo, la reteatralización del teatro, no es extraño que la dramática galdosiana sufriera eclipse. Pero, como dramas, estas obras son, según el conocido juicio de Pérez de Ayala, serias, grandiosamente humanas, y liberales (liberales sobre todo en el sentido de la liberalidad moral). Hay que recordar de nuevo que el signo novelístico de algunos procedimientos responde a la crisis del drama a fin de siglo, y no es privativo de Galdós, sino común a los mejores representantes de aquella época: Ibsen, Strindberg, Chejov, Hauptmann. En la obra de éstos, como hizo ver Peter Szondi en su *Theorie des modernen Dramas*, se advierte la discrepancia entre una forma todavía dramática y un contenido que está dejando de serlo y que es no-

velístico porque separa sujeto y objeto, en vez de dar la
confluencia de ellos (como el drama) o su identidad (como la lírica) [12]. En la obra dramática de Galdós ocurre
algo parecido: a veces el análisis de una acción, ya muy
desarrollada cuando el drama comienza, sustituye a la
acción misma; o bien, el desenvolvimiento de las conciencias en relación con unos hechos importa más que
éstos; otras veces, un sujeto sirve de instrumento distan-
ciado para revelar un estado de cosas general; y, con
gran frecuencia, el autor se transparenta como tal, resis-
tiéndose a objetivarse en la totalidad del drama mismo.
Pero esta calidad épica o novelística (en la que se com-
pendia una gran parte de los reproches) modera aquel
exceso (que coinciden en alegar otros censores) consis-
tente en el esquematismo de ciertos planteamientos y en
ciertas simplificaciones simbólicas, así como este exceso
hace más plástico el núcleo de intensa dramaticidad antes señalado [13].

La estructura de los dramas galdosianos, ordenada en
tres o cuatro actos (aunque haya obras de dos y de cinco) es más amplia que estrecha, pero no es floja por
prolijidad; podría calificarse de holgada. Salvo en momentos finales, son dramas que no dan la impresión de
precipitación; dramas de andadura serena. Se echa de
ver que Galdós hubiera preferido una división en cinco
actos (como la que dio a sus tres novelas habladas): exponiendo y presentando en el primero, aumentando personajes y sucesos en los dos siguientes en orden a la mayor evidencia y plenitud del conflicto, intensificando éste
y solucionándolo en lo externo en el acto penúltimo, y
ofreciendo las consecuencias trascendentales y acabando
de desenlazar el nudo en el acto último. Cuando los actos
son tres, Galdós ha podado mucho contra su gusto (esto

---

[12] Peter Szondi, *Theorie des modernen Dramas*. Shurkamp, Frank-
furt am Main, 1956, págs. 20-73.
[13] Reprochar a Galdós la extensividad novelesca de sus dramas
sólo puede hacerse ignorando la situación histórica del drama europeo
coetáneo. Por su parte, quienes le reprochan simplificación parecen
dejarse llevar de una comparación (casi inevitable) entre las novelas
y los dramas del mismo Galdós: aquéllas, sin duda, son más complejas y palpitantes de humanidad que éstos; pero tan pronto se
comparan éstos, no con las novelas del mismo autor, sino con otros
dramas de la España de su tiempo, se ve la inadecuación de tal
censura: de la mayoría de las obras de Echegaray y de Benavente
—por distintas razones— no se puede afirmar siquiera que sean simples; el vacío no es simple: es nulo.

se percibe en *Voluntad* y *Casandra,* por ejemplo). De *Alma y vida,* reducida a cuatro actos, confiesa Galdós que «le falta un acto», y sólo Dios sabe con cuánto pesar renunciaría a él[14].

Galdós utilizó el monólogo en *Realidad,* su primer drama, pero fue luego eliminándolo, por entender que, si bien no hay nada más dramático que el monólogo, la viabilidad de esta forma en un teatro realista era escasísima. Sus diálogos son seguramente menos espontáneos en el drama que en la novela. Saber que un público ha de escuchar, y no leer para sí, las palabras de sus personajes parece que le produce en algunas ocasiones cierto encogimiento, en otras un tanto de afectación. Pero tiene este diálogo una gran virtud, y es que combina la expresión de lo más elevado y la expresión común y familiar. Pensemos en la comedia *Voluntad:* escenario modesto, prosaico, sirviendo de marco a un amor verdadero; junto a las expresiones de cariño y a los destellos de la fantasía, las cifras de las facturas, las piezas de tejido, la amenaza de embargo. O recordemos aquella escena de Electra y Máximo en el laboratorio, donde se habla de amor, ambiciones y esperanzas, pero también del horno, los metales, el almuerzo. Lo mismo en las novelas que en los dramas, el lenguaje de Galdós no rehúye lo ordinario ni se arredra ante lo sublime. Es un idioma que sabe mantenerse tan lejos de la vulgaridad de los sainetes como del énfasis declamatorio de los dramas históricos o la atildada corrección de Benavente y sus seguidores.

Hoy que por varias causas (distancia respecto a la crisis finisecular del drama, mal conocimiento de las obras escénicas de Galdós, resurgimiento de módulos vanguardistas) parece consolidarse el juicio adverso, o en todo caso lleno de reservas, contra la dramática galdosiana, no

---

[14] La división en cuatro o en cinco actos, en vez de los tres de la tradición española, delata la asimilación de modelos foráneos. Importa observar también que Galdós —contra lo regular en su época— no suele acabar sus actos de un modo rotundo y resonante. Por el contrario, en su tendencia a eludir el énfasis, llega a algunos extremos: el acto I de *La de San Quintín* y el acto I de *Mariucha* terminan igualmente con el anuncio de que la mesa está servida para comer; entre los actos I y II de *Amor y ciencia* no hay solución de continuidad, de manera que éste empieza en el mismo punto en que el anterior queda interrumpido.

considero inoportuno haber intentado contemplar imparcialmente las razones que la explican. Su suceso, bueno y malo, vaivén entre resistencia y aceptación que ha venido a desembocar en glacial olvido, debería reconocerse con ecuanimidad a la luz de la crítica por aquel teatro obtenida, de sus huellas fertilizantes y de la función histórica que cumplió.

Los mejores críticos literarios españoles de la época han emitido apreciaciones en general favorables y, en algún caso, entusiastas: así, al principio, Yxart y Clarín, y, a continuación, Andrenio, Rafael Altamira, Luis López Ballesteros, José Francos Rodríguez, Manuel Bueno, Ramón Pérez de Ayala (el más entusiasta), Enrique de Mesa y Enrique Díez-Canedo; frente a los cuales poco pesan los juicios cicateros de Fray Candil, Zeda, Bustillo y otros pendolistas, o las reservas de Martínez Sierra o de Luis Araquistain, entre otros. Críticos ulteriores, como Casalduero, Del Río, Pérez Minik, han hecho ver los valores de aquella producción, que todavía aguarda, sin embargo, un estudio cabal.

Los dramaturgos mejores de nuestro siglo, o sea, Valle-Inclán, Jacinto Grau, Unamuno y García Lorca, deben mucho más a Galdós que a Benavente. Valle-Inclán, en una de sus sendas dramáticas, arranca de la novela hablada de Galdós; Grau y Unamuno heredan del teatro de éste la gravidez trascendental y el espíritu misionero; García Lorca recrea en Bernarda Alba a doña Perfecta, dando una dimensión sobrerrealista a este mito español de la imperatividad, la clausura y el resentimiento vengativo. Y, aunque en menor medida, algún resplandor del realismo trascendental de Galdós alumbra a autores actuales (Buero Vallejo, Alfonso Sastre), a pesar de que la España de los últimos treinta años apenas ha repuesto otras obras de aquél, sino las de mayor efecto pasional, como *La loca de la casa* o *El abuelo*, sepultando en la sombra otras grandes creaciones, como *Realidad, Mariucha, Casandra* o *Sor Simona*.

Para establecer una valoración justa de las obras que estudia, la crítica, después de haber apreciado la constitución artística de ellas y su fuerza de irradiación hacia el presente, debe atender también a la función histórica que cumplieron, y esto, tanto por escrupulosa auscultación del pasado, como por exacta pulsación del presente, para averiguar el grado en que contribuyeron a la evolución cuyo término es la actualidad.

Pensando en los dramas de Galdós y en el teatro inmediatamente anterior, no es extravagante evocar a Cervantes y a Moratín. Con la teoría dramática cervantina explanada por el Cura en el *Quijote* de 1605 —imagen de la verdad, decoro, verosimilitud, enseñanza— coincide básicamente la práctica de Galdós, quien por lo demás habría de recordar la *Numancia* a la hora de escenificar *Gerona*. A Moratín se parece Galdós (salvando las profundas distancias de época y carácter) en esos mismos aspectos: restauración de la verosimilitud y el decoro, e inclinación a enseñar desde la escena justicia, prudencia, humanidad. Secundariamente, *El viejo y la niña*, *La mojigata* y *El sí de las niñas* algo tienen que ver (acaso más de lo que se piense) con *La loca de la casa*, *Doña Perfecta*, *Electra* y *Mariucha*. Moratín y Galdós reaccionaron de modo muy similar contra los delirios enfático-crispantes del mal teatro de su tiempo, trocando los falsos dramas históricos y exóticos por un tipo de obra dramática española y actual. Moratín inauguró el teatro social, limitado por él a la familia; Galdós, tenuemente precedido por López de Ayala, Tamayo y Baus y Enrique Gaspar, ensanchó el horizonte a los problemas de la conciencia moral, el destino político y la convivencia o lucha de las clases. Correlativo a esa calidad social y contemporánea de los asuntos de sus obras es el lenguaje, en Galdós como en Moratín siempre natural, y antes rendido a la llaneza que a eso que Teresa Panza llamaba muy bien «entonos sin fundamentos.»

El mismo actor que incitó a Galdós a pergeñar su primer drama, Emilio Mario, le escribía el 5 de enero de 1899, alentándole a seguir trabajando para el teatro:

«Su nombre de V. como autor dramático llegará a tanta altura como ha llegado el del novelista, se lo dice a V. un practicón de teatros que ve con alguna claridad el estado en que se encuentra nuestra pobre literatura dramática y que vería con pena que aquellos que pueden salvarla la abandonen por la indiferencia de nuestro pueblo, que es la causa de las desgracias ocurridas, y por las envidias, odios, rencores y malas pasiones hijas de la mala educación. No, don Benito, es preciso que los seres superiores se impongan y nos regeneren aunque sucumban en la lid, algún día aquellas lecciones vertidas en un escenario servirán para salvar la literatura dramática española como a principios de siglo lo hizo Moratín» [15].

Como a principios de sus siglos respectivos —podríamos decir nosotros— lo habían hecho Fernando de Rojas, Cervantes y Moratín, así trató de hacerlo, a comienzos del nuestro, Benito Pérez Galdós. Cuatro autores muy distintos entre sí, pero igualmente deseosos de vincular por la razón, sin detrimento de la belleza, lo que ocurre en la escena con lo que sucede en la vida.

(Anales galdosianos, V, 1970.)

---

[15] *Cartas a Galdós,* presentadas por Soledad Ortega, Revista de Occidente, Madrid, 1964, pág. 400.

BIBLIOGRAFIA SELECTA DE LIBROS
SOBRE GALDOS

ALAS, Leopoldo («Clarín»): *Galdós*. Madrid. Renacimiento, 1912.
Anales galdosianos. Pittsburgh. Austin, año 1-5, 1966-1970.
ANTÓN DEL OLMET, L., y GARCÍA CARRAFFA, A.: *Galdós*. Madrid. «Alrededor del mundo», 1912.
BERKOWITZ, H. Chonon: *Pérez Galdós, Spanish Liberal Crusader*. Madison, University of Wisconsin Press, 1948.
—: *La biblioteca de Benito Pérez Galdós. Catálogo razonado precedido de un estudio*. Las Palmas, «El Museo Canario», 1951.
BRAVO-VILLASANTE, Carmen: *Galdós visto por sí mismo*. Madrid, Magisterio Español, 1970.
Cartas a Galdós. Ed. Soledad Ortega. Madrid, Revista de Occidente, 1965.
CASALDUERO, Joaquín: *Vida y obra de Galdós (1843-1920)*. Madrid, Gredos, 1961.
CIMORRA, Clemente: *Galdós*. Buenos Aires, Nova, 1947.
CORREA, Gustavo: *Realidad, ficción y símbolo en las novelas de Pérez Galdós. Ensayo de estética realista*. Bogotá, Instituto Caro y Cuervo, 1967.
—: *El simbolismo religioso en las novelas de Pérez Galdós*. Madrid, Gredos, 1962.
DENDARIENA, Guillermo: *Galdós. Su genio, su espiritualidad, su grandeza*. Madrid, 1922.
EOFF, Sherman Hinkle: *The Novels of Pérez Galdós: The Concept of Life as Dynamic Process*. St. Louis, Washington University Studies, 1954.
Galdós Studies. Ed. J. E. Varey. London, Tamesis, 1970.
GULLÓN, Ricardo: *Galdós, novelista moderno*. Madrid, Gredos, 1966.
—: *Técnicas de Galdós*. Madrid, Taurus, 1970.
GUTIÉRREZ GAMERO Y DE LA IGLESIA, Emilio: *Galdós y su obra*. Madrid, Yagües, 1933-35 (3 vols.).
HERMAN, J. Chalmers: *'Don Quijote' and the Novels of Pérez Gal-

— 483 —

dós. Ada, Oklahoma, East Central Oklahoma State Vollege, 1955.

HINTERHÄUSER, Hans: *Los 'Episodios nacionales' de Benito Pérez Galdós*. Madrid, Gredos, 1963.

HOAR, Leo J., Jr.: *Benito Pérez Galdós y la 'Revista del Movimiento Intelectual de Europa'. Madrid, 1865-1867*. Anejo de *Anales galdosianos*. Madrid, Insula, 1968.

MENÉNDEZ Y ARRANZ, Juan: *Un aspecto de la novela 'Fortunata y Jacinta'*. Madrid, Martín Villagroy, 1952.

MONTANER, Carlos Alberto: *Galdós, humorista y otros ensayos*. Madrid, Partenon, 1969.

MONTESINOS, José F.: *Galdós*. Madrid, Castalia, 1968, 2 vols.

NIMETZ, Michael: *Humor in Galdós. A Study of the 'Novelas contemporáneas'*. New Haven ad London, Yale University Press, 1968.

NUEZ CABALLERO, Sebastián de la, y SCHRAIBMAN, José: *Cartas del archivo de Galdós*. Madrid, Taurus, 1967.

PATTISON, Walter T.: *Benito Pérez Galdós and the Creative Process*. Minneapolis, University of Minnesota Press, 1954.

PÉREZ GALDÓS, Benito: *Los artículos de Galdós en 'La Nación', 1856-1866 y 1868*. Ed. Estudio Preliminar, William H. Shoemaker. Madrid, Insula, 1972.

—: *Cartas de Pérez Galdós a Mesonero Romanos*. Ed. Eulogio Varela Hervias. Madrid, 1943.

—: *Crónica de la quincena*. Ed. Estudio Preliminar, William H. Shoemaker. Princeton, Princeton University Press, 1948.

—: *Madrid*. Ed., pról., José Pérez Vidal. Madrid, Afrodisio Aguado, 1957.

—: *Obras completas*. Introd., biografía, bibliografía, notas y censo de personajes galdosianos, Federico Carlos Sainz de Robles. Madrid, Aguilar, 1958, 6 vls.

—: *Los prólogos de Galdós*. Ed. William H. Shoemaker. Urbana, University of Illinois Press, 1962.

PÉREZ VIDAL, José: *Galdós, crítico musical*. Madrid-Las Palmas, Patronato de la Casa de Colón, 1956.

—: *Galdós en Canarias (1843-1862)*. Las Palmas, El Museo Canario, 1952.

REGALADO GARCÍA, Antonio: *Benito Pérez Galdós y la novela histórica española: 1868-1912*. Madrid, Insula, 1966.

RICARD, Robert: *Aspectos de Galdós*. París, Presses Universitaires de France, 1963.

—: *Galdós et ses romans*. París, L'Institut d'Etudes Hispaniques, 1961.

RÍO, Angel del: *Estudios galdosianos*. New York, Las Américas, 1969.

RODRÍGUEZ, Alfred: *Aspectos de la novela de Galdós*. Almería, Estudios literarios, 1967.

—: *An Introduction to the 'Episodios nacionales' of Galdós*. New York, Las Américas, 1967.

RODRÍGUEZ BATLLORI, Francisco: *Galdós en su tiempo*. Madrid, 1969.

RUIZ RAMÓN, Francisco: *Tres personajes galdosianos*. Madrid, Revista de Occidente, 1964.

SACKETT, Theodore A.: *Pérez Galdós. An Anotated Bibliography*. Albuquerque, The University of New Mexico Press, 1968.

SCATORI, S.: *La idea religiosa en la obra de Galdós*. Toulouse-París, 1927.

SCHRAIBMAN, Joseph: *Dreams in the Novels of Galdós*. New York, Hispanic Institute, 1960.

SHOEMAKER, William H.: *Estudios sobre Galdós*. Madrid, Castalia, 1970.

SOPEÑA IBÁÑEZ, Federico: *Arte y sociedad en Galdós*. Madrid, Gredos, 1970.

TORRES BODET, Jaime: *Tres inventores de realidad: Stendhal, Dostoyevski, Pérez Galdós*. Madrid, Revista de Occidente, 1969.

WALTON, L. B.: *Pérez Galdós and the Spanish Novel of the Nineteenth Century*. New York, Dutton, 1927.

WEBER, Robert J.: *The 'Miau' Manuscript of Pérez Galdós: A Critical Study*. Berkeley-Los Angeles, University of California Press, 1964.

YNDURAIN, Francisco: *Galdós, entre la novela y el folletín*. Madrid, Taurus, 1970.

ZAMBRANO, María: *La España de Galdós*. Madrid, Taurus, 1959.